À Vincent,
François-Xavier
et Élise

AGRESSION ET DÉFENSE DU CORPS HUMAIN

JEAN-PIERRE REGNAULT,
professeur au département de biologie
Collège Montmorency

Décarie
Montréal

Vigot
Paris

Agression et défense du corps humain

Dépôt légal : 3e trimestre 1992
Bibliothèque nationale du Québec
Bibliothèque nationale du Canada

Maquette de couverture : Sylvie Nadeau
Révision linguistique : Madeleine Vincent, Thérèse Simard
Chef de production : Nathalie Ménard
Infographie : Suzanne L'Heureux, Philippe Désinor

Décarie Éditeur inc.
233, avenue Dunbar, bureau 201
Ville Mont-Royal, Québec
H3P 2H4

Éditions Vigot
23, rue de l'École de médecine
75006 Paris

ISBN : 2-89137-092-9

ISBN : 2-7114-9693-7

Données de catalogage avant publication (Canada)

Regnault, Jean-Pierre

Agression et défense du corps humain

Comprend des réf. bibliogr. et un index.

ISBN 2-89137-092-9   ISBN 2-7114-9693-7 (Vigot)

1. Immunologie.   2. Microbiologie médicale. 3.
Immunitaire, Système. 4. Micro-organismes.   5. Infection.   6. Maladies infectieuses - Prévention.   I. Titre.

QR181.R43 1992   616.07'9   C92-096793-0

IMPRIMÉ AU CANADA   1   2   3   4   5   IG   96   95   94   93   92

avant-propos

Agression et défense du corps humain est un ouvrage spécialement destiné aux étudiantes et aux étudiants des sciences et techniques médicales qui s'initient à la microbiologie et à l'immunologie. Il se propose de fournir les connaissances fondamentales sur lesquelles pourront s'ancrer solidement les connaissances plus spécialisées de leur formation dans les différents domaines de la santé.

Bien qu'il reprenne de larges passages de *Microbiologie générale* et d'*Immunologie générale*, ce manuel ne saurait être considéré comme un simple condensé de ces deux précédents ouvrages. Les chapitres trop spécialisés pour cette clientèle ont été supprimés; les autres ont été abrégés ou profondément remaniés. Enfin, plusieurs chapitres ont été ajoutés pour faire le tour des principaux aspects médicaux de la microbiologie et de l'immunologie. Par ailleurs, cette adaptation des textes et ce changement d'optique ont été guidés par un projet pédagogique spécifique dont l'élément principal demeure l'analyse des connaissances à transmettre eu égard aux objectifs de formation prescrits.

Si la microbiologie et l'immunologie sont essentielles pour ces étudiants, c'est que ces disciplines les aident à mieux comprendre la nécessité, pour l'être humain, de se protéger des dangers de l'environnement et de se maintenir en bonne santé. Pour cela, il faut tout d'abord qu'ils acquièrent une vision juste et précise des microorganismes, qu'ils comprennent bien la nature des relations que ces microorganismes établissent avec l'Homme et des dangers qui peuvent en résulter. Ensuite, ils doivent réaliser que l'être humain dispose d'un ensemble de moyens naturels de défense qui lui permettent généralement de vaincre les infections et de recouvrer la santé. Ils doivent aussi connaître les procédés à mettre en œuvre pour contrôler le péril infectieux et comprendre le pourquoi et le comment des gestes de protection qu'on leur demande de poser. Enfin, il importe de susciter chez eux des attitudes positives et sans failles à l'égard de la lutte anti-infectieuse.

À partir de ces besoins de formation, nous avons identifié les connaissances à présenter et décidé du niveau auquel il était souhaitable de les traiter. Nous avons ensuite structuré la matière en fonction de ces objectifs pédagogiques. Cette planification a fait ressortir quatre grands blocs.

Le premier bloc s'ouvre sur une introduction générale qui met d'abord en relief le concept d'homéostasie et les principales sources d'agression. Cette introduction permet aussi de définir l'immunité et de présenter les moyens de défense de l'organisme, annonçant les grandes lignes de l'ouvrage. Viennent ensuite six chapitres qui présentent successivement les différentes catégories de microorganismes, leur mode de développement et les relations plus ou moins harmonieuses qu'ils établissent avec l'Homme.

Le second bloc traite des moyens de défense de l'organisme. Pour faciliter l'accès à ces questions complexes, ce bloc a été découpé en six chapitres. Les trois premiers décrivent tour à tour les organes et les cellules immunitaires, c'est-à-dire le support de l'immunité, les antigènes, qui stimulent les réactions immunitaires, puis les effecteurs humoraux et cellulaires de ces réactions. Dans une perspective dynamique, les deux chapitres suivants mettent en lumière la diversité des barrières naturelles et les mécanismes immunitaires dont dispose l'être humain pour se défendre. Enfin, un dernier chapitre est consacré à l'étude des hypersensibilités.

Le troisième bloc, quant à lui, traite de l'agression microbienne. Il décrit le processus infectieux et présente les mécanismes de transmission des maladies infectieuses. Il regroupe aussi les chapitres traitant des infections bactériennes, virales, fongiques, parasitaires et des infections opportunistes. Dans ces cinq chapitres, l'accent est mis principalement sur le pouvoir d'agression des agents infectieux et sur leurs portes d'entrée dans l'organisme. Les infections proprement dites sont décrites plus succinctement, car elles sont généralement traitées ailleurs, en relation avec le domaine médical dans lequel les étudiants poursuivent leur formation.

Un dernier bloc est consacré au contrôle microbien et à la prophylaxie anti-infectieuse. Il aborde donc un ensemble de questions primordiales pour ceux et celles qui, dans l'exercice de leurs fonctions, ont notamment pour tâche de lutter contre les maladies infectieuses et de protéger les personnes qui en souffrent.

Complètement à part, un dernier chapitre regroupe les notions relatives à l'observation et à la manipulation des microorganismes. En plus d'aborder la question de la sécurité au laboratoire, il traite des techniques aseptiques au laboratoire, des principes de base de l'observation au microscope et de la culture des microorganismes. Ces notions ont toutes été réunies ici car, dans notre esprit, elles relèvent uniquement des travaux pratiques.

Un projet pédagogique digne de ce nom ne pouvait se permettre de n'accorder de l'importance qu'au contenu. Nous avons donc tenté d'apporter autant d'attention à la présentation de la matière que nous en avons mis à la structurer.

Afin de faciliter l'apprentissage, nous avons opté pour un style et un vocabulaire accessibles. Nous avons aussi retenu un certain nombre de procédés de présentation de la matière reconnus pour leur efficacité pédagogique. C'est pourquoi le texte est accompagné d'un grand nombre de figures, de tableaux et de boîtes pédagogiques. Ces boîtes servent à rompre la linéarité de l'exposé et, surtout, à mettre en relief les notions essentielles à mesure qu'elles sont présentées. Quelques encadrés décrivent des applications ou des phénomènes particuliers dignes d'intérêt pour cette clientèle, mais un souci de la concision nous a contraint à en limiter le nombre.

Les objectifs paraissent en filigrane dans l'introduction de chaque chapitre, laissant le soin à chaque enseignant de rédiger ses propres objectifs en fonction des performances sur lesquelles il désire mettre l'emphase. Il en est de même des questions de révision : il revient à chaque professeur de les bâtir en fonction de sa propre planification de l'enseignement.

Tous les chapitres, sauf le dernier, se terminent par un résumé et par une série de lectures suggérées. La plupart des références sont en français, ce qui en facilite l'accès. Enfin, un glossaire permettra aux lecteurs néophytes de retrouver rapidement la définition des termes scientifiques les plus importants.

Jean-Pierre Regnault
Mai 1992

table des matières

chapitre **1**

concepts
fondamentaux

SOMMAIRE

1.1 INTRODUCTION

Au cours de sa vie, un être humain ne contracte guère plus d'une dizaine d'infections graves, même s'il entre en contact avec 150 agresseurs microbiens pathogènes, sur un total de 400. Même sans les traitements anti-infectieux et les mesures préventives qu'apporte la médecine moderne, il faut reconnaître que l'organisme humain fait preuve d'une résistance remarquable : une série de systèmes de défense compense sa vulnérabilité. En effet, toute invasion par un microorganisme pathogène et toute altération de tissus par un agent physique ou chimique déclenchent une réaction de défense (figure 1.1). Assurée notamment par le système immunitaire, cette réaction met en jeu plusieurs éléments dont l'effet combiné élimine l'agresseur et maintient l'intégrité de l'organisme.

Dans ce chapitre, nous préciserons les concepts fondamentaux d'homéostasie, d'agression et de défense de l'organisme. Nous établirons tout d'abord un lien entre homéostasie et système immunitaire, et nous identifierons les différents types d'agresseurs susceptibles de menacer la santé des êtres humains. Ensuite, nous brosserons un schéma général de la réponse immunitaire et nous dégagerons les principes fondamentaux de fonctionnement du système immunitaire. Nous pourrons alors définir l'immunité et cerner la nature des réactions immunitaires.

1.2 HOMÉOSTASIE

Pour mieux comprendre le système de défense de l'organisme, on peut le comparer à un méca-

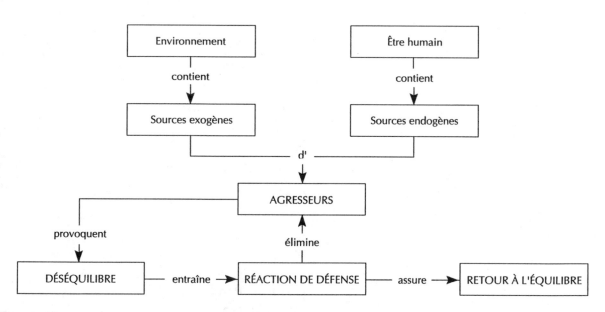

Figure 1.1
Agression et défense du corps humain.

L'être humain est la cible d'agresseurs exogènes (provenant de l'environnement) et d'agresseurs endogènes (provenant de l'organisme lui-même). Le contact avec ces agresseurs entraîne une réaction de défense qui assure habituellement le retour à l'équilibre.

nisme qui contribue à l'HOMÉOSTASIE[1]. Concept fondamental de la biologie moderne, l'homéostasie se définit comme la capacité de l'organisme à s'ajuster constamment aux modifications de l'environnement et à rétablir l'équilibre dont il s'est momentanément écarté par une réaction compensatoire inverse à celle qui l'a éloigné de l'équilibre. Un agresseur cause-t-il un déséquilibre par sa simple présence ou par l'action de ses toxines ? L'organisme réagit aussitôt par l'intermédiaire du système immunitaire afin d'éliminer l'intrus et de ramener l'équilibre.

Cette capacité de l'organisme repose sur l'existence de circuits de contrôle rétroactifs (*feed-back*). Ces circuits sont qualifiés de rétroactifs parce qu'ils contrôlent l'activité d'effecteurs mis en route après la réception d'information traduisant la rupture de l'équilibre. Le contrôle rétroactif ne prévient donc pas le changement, il le compense.

Les activités du système immunitaire n'échappent pas à cette règle : la pénétration de l'agresseur déclenche une réaction d'alarme qui active les mécanismes effecteurs de l'immunité. Par la neutralisation et la destruction de l'agresseur, ces mécanismes assurent le retour à l'équilibre de l'organisme. La figure 1.2 illustre la boucle de rétroaction sur laquelle repose le fonctionnement du système immunitaire.

1.3 AGENTS AGRESSEURS ET AGRESSION

1.3.1 DÉFINITION

De façon générale, nous qualifierons d'agresseur tout agent biologique, physique ou chimique susceptible de menacer l'équilibre physiologique d'un être humain. De son côté, l'agression désigne à la fois le processus au cours duquel un agent pénètre dans l'organisme et les manifestations de cette agression.

L'agression se manifeste généralement par une lésion des tissus, par la perturbation d'activités physiologiques fondamentales ou par les deux. Dans certains cas, la destruction des tissus est limitée, bénigne, et guérit spontanément – comme on l'observe après une coupure ou un coup de soleil. Dans d'autres cas, elle s'étend, devient grave et irréversible – comme au cours des gangrènes – et exige l'amputation du membre atteint.

D'autres agressions compromettent le déroulement d'activités physiologiques vitales. Le choléra, les gastro-entérites virales sont des exemples de maladies infectieuses caractérisées par des troubles de l'absorption intestinale; le tétanos et le botulisme sont des exemples de maladies infectieuses marquées par la perturbation progressive et irréversible de la transmission de l'influx nerveux.

1.3.2 TYPES D'AGRESSION

Nous classerons les agressions en deux grandes catégories :

– les infections proprement dites, causées par les microorganismes et par diverses catégories d'organismes pluricellulaires;

– les affections non infectieuses, causées par des agents physiques, des agents chimiques ou qui résultent d'un mauvais fonctionnement de l'organisme.

L'agression n'est donc pas toujours synonyme d'infection. À ce propos, il importe aussi de préciser que les termes d'infection et d'affection ne sont pas synonymes. L'infection désigne la pénétration et le développement dans un être vivant de microorganismes ou d'organismes

---

1. Les termes apparaissant en petites capitales dans le texte sont définis dans le glossaire.

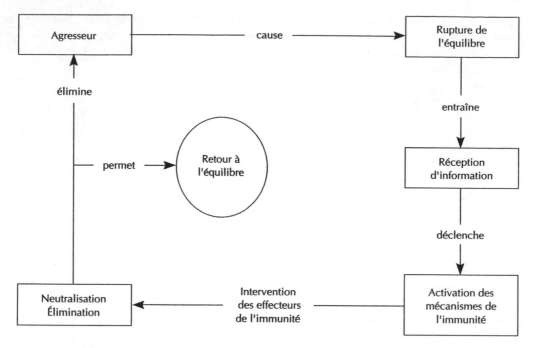

Figure 1.2
Système immunitaire et homéostasie.

Le système immunitaire est un système bouclé négativement. La réception d'information relative à une stimulation immunogénique particulière entraîne l'activation des mécanismes de l'immunité. La réponse de l'organisme assure l'élimination de l'agresseur et permet le retour à l'équilibre.

pluricellulaires pathogènes. Le terme d'affection est beaucoup plus général : il désigne une maladie sans tenir compte de sa cause.

MALADIES INFECTIEUSES

Il y a maladie infectieuse quand un microorganisme ou un organisme pluricellulaire envahit un être humain et cause des troubles pathologiques. Ces troubles trahissent un conflit entre l'organisme humain et l'agresseur. L'issue de ce conflit est variable : généralement, l'hôte élimine les parasites qui l'ont envahi, recouvre la santé et devient résistant à cet agresseur. Il est rare maintenant que l'être humain meure de l'infection ou survive avec des séquelles, surtout depuis l'avè-

nement des médicaments antimicrobiens. Parfois, les deux protagonistes trouvent un équilibre satisfaisant et réussissent à rester en vie. C'est ce qui se produit dans certaines maladies à évolution lente : l'être humain survit pendant plusieurs années sans être trop affecté par l'agent agresseur qu'il abrite, en même temps que le parasite arrive à échapper aux défenses de son hôte. C'est le cas typique du paludisme, une maladie causée par un parasite qui peut infecter un hôte durant plusieurs années, voire le reste de sa vie.

Les maladies infectieuses sont encore fréquentes. Dans nos régions, elles sont assez bien contrôlées grâce aux mesures d'hygiène et de salubrité publiques, grâce à la prophylaxie et aux médicaments antimicrobiens. Depuis les années cinquante, elles ne constituent plus la première cause de morbidité et de mortalité humaine[1]. En revanche, dans les régions présentant des conditions climatiques particulières, dans les pays plus pauvres ou dotés de systèmes de santé moins efficaces, la situation à l'égard des maladies infectieuses est toujours critique.

AGRESSIONS NON INFECTIEUSES

L'agression et le déséquilibre de l'organisme peuvent aussi découler de sources non infectieuses. Mentionnons à titre d'exemples :

- les traumatismes corporels qui résultent des chocs, de l'action de la chaleur, du froid ou des radiations;
- les traumatismes qui résultent de l'action de certaines substances chimiques, comme les acides et alcalis, de polluants chimiques ou d'agents mutagènes;
- les empoisonnements causés par des substances naturelles, par certains produits chimiques ou par des médicaments;
- les maladies causées par des dérèglements du système immunitaire, parmi lesquelles les réactions allergiques, les maladies auto-immunes et les cancers[2];
- les réactions de rejet faisant suite à l'introduction de cellules, de tissus, d'organes ou de divers matériaux reconnus comme étrangers par le système immunitaire de l'organisme receveur.

---

1. Dans les pays industrialisés, les principales causes de mortalité sont les maladies de dégénérescence comme les accidents cardio-vasculaires et cérébro-vasculaires, les cancers, etc.
2. On ne peut expliquer le développement des cancers que par un mauvais fonctionnement du système immunitaire, mais il paraît clair aujourd'hui que ce système intervient dans la reconnaissance et l'élimination des cellules cancéreuses.

1.3.3 AGENTS MICROBIENS INFECTIEUX

Les agresseurs microbiens infectieux sont les microorganismes. Par ce terme, on désigne différentes catégories d'organismes généralement unicellulaires, de structure très simple et invisibles à l'œil nu. Les microorganismes qui s'installent dans les tissus de l'organisme pour y trouver abri et nourriture sont qualifiés de parasites. Par leur simple présence ou par leurs activités, certains d'entre eux causent des troubles pathologiques.

Les agresseurs microbiens seront décrits en détail dans les chapitres suivants. Auparavant, il convient de préciser qu'il existe deux modes de contamination. Ces modes de contamination sont respectivement qualifiés d'exogène et d'endogène.

La contamination exogène s'effectue par des microorganismes qui proviennent de l'extérieur de l'organisme. C'est le mode de contamination le plus fréquent. Les microorganismes vivent dans des réservoirs, c'est-à-dire dans des endroits particuliers où ils survivent et se multiplient. Ils sont ensuite transmis directement ou indirectement à de nouveaux individus. Ils pénètrent dans l'organisme, s'installent dans les tissus et causent des troubles pathologiques. Les microorganismes responsables de la grippe, de la rage, de la méningite, de la scarlatine ou des maladies transmissibles sexuellement sont des exemples d'agents infectieux exogènes.

La contamination endogène est assurée par des microorganismes qui colonisent la peau ou les muqueuses des êtres humains. En temps normal, ces microorganismes vivent en équilibre avec leur hôte et sont inoffensifs. Ils ne deviennent pathogènes que dans des circonstances particulières. Par exemple, il arrive qu'une espèce jusqu'alors peu abondante ou noyée dans la masse des autres se mette à proliférer de façon brutale et excessive. La rupture de l'équilibre qui résulte de cette explosion cause une infection. Il arrive aussi que des microorganismes inoffensifs de la peau ou des muqueuses soient introduits dans les tissus profonds, comme cela peut survenir à la suite d'une intervention chirurgicale, de l'installation d'un cathéter ou d'une sonde[1].

La plupart de ces agents microbiens endogènes sont qualifiés d'opportunistes, car ils ne deviennent pathogènes qu'après la rupture de l'équilibre entre les microbes résidants, l'abaissement de la capacité de fonctionnement du système immunitaire ou leur introduction dans des lieux anormaux. Certaines infections postopératoires, certaines infections génito-urinaires, les infections opportunistes dont souffrent les personnes atteintes du SIDA ou les surinfections broncho-pulmonaires qui suivent occasionnellement la coqueluche sont des exemples d'infections causées par des agents microbiens endogènes.

Quelques agents pathogènes sont responsables d'infections récidivantes. Ils s'installent dans l'organisme et entrent en dormance pour n'être réactivés que dans certaines circonstances. C'est notamment le cas des virus de l'herpès buccal, ou feu sauvage, de l'herpès génital et du virus de la varicelle responsable du zona.

1.3.4 AGENTS NON MICROBIENS

Les agents non microbiens constituent un vaste ensemble d'agresseurs dans lequel nous distinguerons des organismes pluricellulaires, des agents physiques, des agents chimiques et d'autres catégories d'agents que nous passerons brièvement en revue.

---

1. En temps normal, seuls les tissus superficiels sont colonisés par les microorganismes. Ils ne sont présents que sur la peau et les muqueuses qui tapissent les cavités naturelles (voies respiratoires, digestives et génito-urinaires). Les autres tissus et les organes creux (cœur, vessie, etc.) sont exempts de tout microorganisme.

PARASITES

Le terme de parasite est pris ici dans son sens médical et non dans son sens biologique. Il désigne donc les organismes unicellulaires et pluricellulaires responsables des parasitoses, par opposition aux autres organismes et aux microorganismes qui vivent à l'état parasitaire, c'est-à-dire aux dépens d'un organisme hôte. Les unicellulaires appartiennent au groupe des protozoaires. Ils mesurent quelques micromètres de long. On trouve dans ce groupe, par exemple, les agents des vaginites à trichomonas, du paludisme, de la toxoplasmose et de la maladie du sommeil. Chez les parasites pluricellulaires, on trouve principalement les vers. Ces organismes sont constitués de tissus différenciés et dotés d'organes spécialisés. Leur taille varie de quelques millimètres à plusieurs mètres de long. Ces vers s'installent et séjournent dans le tube digestif ou dans d'autres tissus. Le ténia, l'ascaris ou la trichine sont des exemples de vers susceptibles de parasiter l'homme.

Certains insectes sont aussi qualifiés de parasites : c'est notamment le cas des poux et des puces qui vivent sur la peau.

COMPOSÉS CHIMIQUES

Un grand nombre de composés chimiques détruisent les tissus ou perturbent des activités physiologiques fondamentales. Certaines de ces substances toxiques sont naturelles; les autres sont produites par l'Homme.

Les acides forts et les bases fortes agressent l'organisme de plusieurs façons. Des substances comme l'acide chlorhydrique, la soude caustique ou l'eau de Javel concentrée détruisent la peau, favorisant les risques d'infection par les microorganismes. Lorsqu'ils sont ingérés, ces produits ravagent les muqueuses. Ils perturbent les activités cellulaires, bloquent le métabolisme ou les échanges et causent rapidement la mort des cellules atteintes. Par ailleurs, de nombreux produits organiques de synthèse – comme les herbicides et les pesticides – agressent le patrimoine génétique cellulaire et causent des dommages aux gènes. Ces accidents pourraient être à l'origine de plusieurs types de cancers.

Produites par des plantes ou par des mycètes, d'autres substances empoisonnent ou tuent les personnes qui les ingèrent. La digitaline, la belladone, tirés des plantes et autrefois utilisées comme médicaments, ainsi que les toxines mortelles produites par certains champignons vénéneux, sont des exemples de ces poisons naturels.

AGRESSEURS PHYSIQUES

La chaleur, le froid et les radiations sont les principaux agents physiques responsables d'agressions. Les températures extrêmes exercent des effets redoutables sur les êtres vivants et peuvent les tuer. En brûlant les tissus, elles altèrent ou détruisent les revêtements cutanés et muqueux, ce qui facilite l'entrée des microorganismes de l'environnement.

Les radiations constituent d'autres agents physiques redoutables. À cause de leur pouvoir ionisant, les rayons X, α, β et γ sont les plus dangereux. En effet, ils modifient les acides nucléiques du matériel génétique et causent des mutations. Ils sont aussi à l'origine de certains cancers.

Quoique moins nocifs, les rayons ultraviolets émis par le soleil ne sont pas exempts de danger, comme en témoignent les rougeurs ou les boursouflures de la peau qui surviennent après une exposition prolongée au soleil. Par ailleurs, le lien entre l'exposition fréquente au soleil et l'apparition de certains cancers de la peau paraît devoir être confirmé[1].

ALLERGÈNES

Les allergènes constituent une catégorie particulière de produits biologiques et de substances naturelles ou artificielles qui causent une réaction anormale du système immunitaire. Le rhume des foins, l'urticaire et l'asthme sont des manifestations bénignes et localisées de l'allergie, mais d'autres – comme le choc anaphylactique – sont généralisées et peuvent entraîner la mort. Les allergènes sont innombrables : le pollen, certaines plantes, le venin de guêpe, la pénicilline, les excipients médicamenteux en sont quelques exemples.

TISSUS ET GREFFONS ALLOGÉNIQUES

Dans certaines conditions, les tissus et les greffons allogéniques, c'est-à-dire provenant d'individus génétiquement différents, sont rejetés comme de vulgaires agresseurs, à la déception des malades qui les avaient reçus et des chirurgiens qui les avaient greffés afin de remplacer un organe déficient par un autre en bon état. Ce rejet est provoqué par le système immunitaire du receveur qui reconnaît le caractère étranger des tissus du donneur de la même façon qu'il le ferait pour un agresseur microbien.

AUTO-ANTICORPS

Les auto-anticorps constituent une catégorie particulière d'agresseurs endogènes. Par le terme d'auto-anticorps, on désigne une catégorie d'anticorps, c'est-à-dire de molécules protectrices produites par les cellules immunitaires. Habituellement, les anticorps ne sont dirigés que contre les substances étrangères et les structures provenant d'organismes génétiquement différents. Mais, dans certains cas, un organisme se met à produire des anticorps contre ses propres structures. Le diabète juvénile est un exemple d'auto-agression par le système immunitaire. Dans cette maladie, des anticorps détruisent progressivement les cellules β des îlots de Langerhans, causant la diminution puis l'arrêt de la production d'insuline.

Dans les prochains chapitres, nous ne traiterons pas sur le même pied tous les agresseurs que nous venons de passer en revue. La plus grande place

---

1. Ou les rayons ultraviolets des salons de bronzage.

sera accordée aux microorganismes et aux autres organismes pathogènes. Nous aborderons aussi plusieurs pathologies causées par un mauvais fonctionnement du système immunitaire. Nous étudierons donc les réactions d'hypersensibilité, les maladies auto-immunes, le rejet des greffes et les cancers.

1.4 RÉACTION DE L'ORGANISME À L'AGRESSION

Les infections et les agressions non microbiennes dont nous avons parlé ont un point commun : en même temps qu'elles causent un déséquilibre, elles entraînent presque toujours une réaction de défense qui fait intervenir un ensemble intégré de moyens. Le système immunitaire constitue l'élément essentiel de cette réaction de défense de l'organisme, mais il ne faut pas sous-estimer le rôle de plusieurs autres systèmes biologiques dans le maintien de l'équilibre de l'organisme. C'est le cas du système de coagulation, du système fibrinolytique et du système kinine. En effet, ces trois systèmes participent au maintien de l'intégrité du système circulatoire; ils réduisent l'étendue des dommages tissulaires et participent à la réaction inflammatoire. Ils contribuent aussi à faire affluer un grand nombre de substances et de cellules chargées de détruire les agresseurs. De plus, on verra que certaines substances relient ce dispositif intégré aux réactions immunitaires proprement dites et activent certaines cellules immunitaires.

Par ailleurs, il convient de noter que les risques d'agression sont d'abord limités par l'existence de barrières naturelles que la plupart des agents infectieux ne peuvent franchir tant qu'elles sont intactes. Ces barrières protectrices sont constituées par la peau qui recouvre la surface externe du corps et par les muqueuses qui tapissent les cavités débouchant à l'extérieur. Ces téguments forment une barrière physique à laquelle s'ajoutent des barrières biochimiques. En effet, la peau et les muqueuses produisent des substances à action antimicrobienne et sont colonisées par des espèces microbiennes inoffensives. Tous ces moyens réduisent notablement la prolifération des espèces microbiennes pathogènes ou empêchent carrément leur multiplication.

1.4.1 RÉACTION À L'AGRESSION

Fondamentalement, la réaction d'un organisme à l'agression repose sur sa capacité de reconnaître les structures et les molécules étrangères. Ces structures et ces molécules portent le nom d'antigènes[1]. Elles ont pour principal effet de stimuler le fonctionnement du système immunitaire.

RECONNAISSANCE DU SOI

Le concept d'immunité implique que l'organisme est capable de reconnaître ce qui lui appartient, à savoir ses propres structures, de ce qui est étranger, c'est-à-dire l'agresseur. On dit que l'organisme distingue le soi du non-soi. Ce principe est fondamental, car il sous-tend toute interprétation du fonctionnement du système immunitaire. Il permet aussi de comprendre que certaines maladies résultent d'un dysfonctionnement de ce mécanisme de reconnaissance[2].

La reconnaissance du soi est génétiquement commandée. Elle dépend de gènes particuliers, les gènes du complexe majeur d'histocompatibilité. Ces gènes contrôlent la synthèse de molécules spéciales qui fonctionnent comme des marqueurs du soi. Ces molécules particulières portent le nom d'ANTIGÈNES D'HISTOCOMPATIBILITÉ. Présents à

---

1. Cette définition sera précisée plus loin. (*Voir chapitre 9.*)
2. Ces pathologies particulières font d'ailleurs l'objet de nombreuses recherches; des maladies comme le diabète juvénile, la myasthénie ou la sclérose en plaques, ne seront vraiment vaincues que lorsqu'on aura compris leurs composantes immunologiques.

la surface de la plupart des cellules nucléées de l'organisme, les antigènes d'histocompatibilité jouent le rôle de marqueur du soi et sont spécifiques à chaque individu. Ils constituent, en quelque sorte, la carte d'identité biologique personnelle de tout individu. Tout ce qui ne porte pas ces marqueurs est identifié au non-soi et déclenche les réactions par lesquelles il sera éliminé.

Ces molécules portent le nom d'antigènes à cause de leur capacité de stimuler le système immunitaire. Le terme d'histocompatibilité fait référence à leur découverte sur les cellules des tissus et aux problèmes d'incompatibilité qu'on rencontre lors des greffes et des transplantations. D'ailleurs, l'existence de ces antigènes à la surface des cellules explique qu'avant de transfuser du sang ou de transplanter un organe on doive vérifier que les globules ou les tissus greffés sont compatibles avec le soi de l'individu receveur. Une incompatibilité entraînerait la destruction et l'élimination des tissus étrangers.

On a aussi constaté que ces marqueurs jouaient un rôle fondamental dans toutes les réactions immunitaires dirigées contre les cellules qui portent des antigènes d'histocompatibilité modifiés. Ils interviennent notamment :

– dans les échanges d'information entre les différents groupes de cellules immunitaires;
– dans le rejet des greffes;
– dans la destruction des cellules infectées par des virus;
– dans la destruction des cellules cancéreuses.

> **L'IMMUNITÉ IMPLIQUE QU'UN ORGANISME EST CAPABLE DE DISTINGUER LE SOI DU NON-SOI. CETTE CAPACITÉ DE DISCRIMINATION RELÈVE DE LA PRÉSENCE DES ANTIGÈNES D'HISTOCOMPATIBILITÉ SUR LES CELLULES NUCLÉÉES.**

1.5 SCHÉMA GÉNÉRAL DE LA RÉPONSE IMMUNITAIRE

Le système immunitaire met en œuvre des réactions d'une grande complexité. Cependant, il est possible d'établir un schéma général de la réponse immunitaire normale et d'en faire ressortir les éléments fondamentaux.

La réponse immunitaire repose sur quatre éléments fondamentaux, comme l'illustre la figure 1.3 :

– l'existence de structures de reconnaissance de l'agresseur;
– l'élaboration et l'intervention d'agents moléculaires et cellulaires capables de réagir contre l'agresseur et de le neutraliser;
– la mise en place d'un système de contrôle capable de moduler l'intensité de la réaction et de déterminer la nature des effecteurs à mettre en jeu;
– la mémorisation d'information relative à l'agresseur protégeant l'organisme à long terme contre le même agresseur.

1.6 CARACTÉRISTIQUES DES RÉACTIONS IMMUNITAIRES

Les réactions immunitaires font intervenir deux grands groupes d'effecteurs : les effecteurs cellulaires et les effecteurs humoraux[1]. Les premiers sont des cellules douées de pouvoir immunitaire. Ce sont des globules blancs. Les seconds sont des composés chimiques produits par des cellules immunitaires ou par d'autres cellules.

---

1. Le terme humoral est pris ici dans son acception première par laquelle les médecins désignaient les divers fluides produits par l'organisme (sang, lymphe, etc.). Aujourd'hui, on emploie ce terme général pour désigner les substances contenues dans ces fluides.

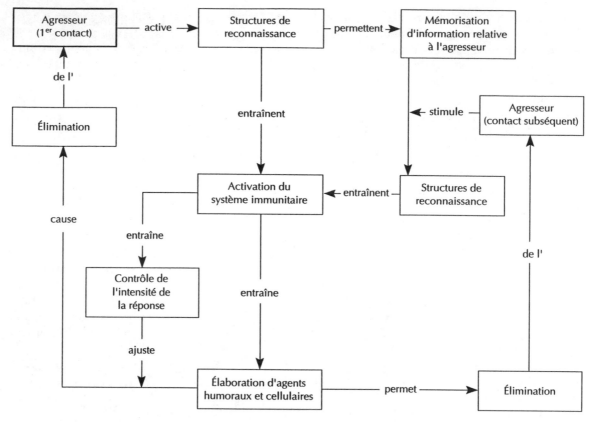

Figure 1.3
Schéma de la réponse immunitaire.

Lorsqu'il est reconnu, un agresseur active le système immunitaire qui produit des agents humoraux et cellulaires chargés de l'élimination de cet agresseur. La mise en route et l'arrêt du système immunitaire ainsi que la nature des effecteurs à mettre en jeu sont modulés par un système de contrôle. Au cours de la réaction immunitaire, des informations relatives à l'agresseur sont mémorisées et permettront d'intervenir plus rapidement au cours d'une agression subséquente.

Par ailleurs, les réactions immunitaires sont dites spécifiques ou non spécifiques. Les réactions spécifiques sont ainsi qualifiées parce qu'elles sont assurées par des cellules spécialisées capables de reconnaître un agresseur particulier et qu'elles font intervenir une mémorisation d'information relative à l'agresseur. Cette première catégorie de réactions repose sur l'intervention des anticorps (immunité spécifique à médiation humorale) et sur l'intervention de cellules cytotoxiques (immunité spécifique à médiation cellulaire). Quant aux réactions non spécifiques, elles reposent sur des mécanismes qui ne font pas appel à la mémorisation d'information concernant l'agresseur. Elles relèvent de la présence de barrières naturelles difficilement franchissables par les microorganismes, de la production de substances non spécifiques actives sur différents types de microorganismes (immunité non spécifique à médiation humorale) et sur des réactions cellulaires assurant l'élimination de l'agresseur (immunité non spécifique à médiation cellulaire). Le tableau 1.1 présente d'autres caractéristiques distinctives de l'immunité spécifique humorale et de l'immunité cellulaire.

1.7 DÉFINITION DE L'IMMUNITÉ

Le concept d'IMMUNITÉ est difficile à définir à cause des sens multiples que ce terme a pris depuis les débuts de l'immunologie. Étymologiquement, le terme dérive du latin et signifie « exemption de ». Historiquement, au moment de sa création, le terme était utilisé pour désigner, du point de vue médical, un état réfractaire à la maladie. Maintenant, sa signification varie selon qu'il est pris dans un sens étroit ou dans un sens plus large.

Au sens le plus étroit, l'immunité se réfère à un état acquis par suite d'un contact avec un agresseur particulier. Dans ce cas, l'immunité ne dési-

gne que les réactions spécifiques dirigées contre un agresseur donné. Ces réactions sont assurées par des cellules spécialisées capables de reconnaître un agresseur particulier et font intervenir une mémorisation d'information relative à cet agresseur.

Au sens plus large, l'immunité englobe toutes les réactions de défense. Pour les tenants de cette définition, l'immunité comprend deux grands ensembles de réactions : les réactions spécifiques et les réactions non spécifiques. Ces dernières visent indifféremment un grand nombre d'agresseurs et reposent sur des mécanismes qui ne font pas appel à la mémorisation d'information concernant l'agresseur. Elles relèvent plutôt de la capacité globale de résistance d'un organisme à l'agression.

Aujourd'hui, toute définition de l'immunité se doit d'être de portée générale. En effet, on sait maintenant que l'immunité ne se limite pas à la lutte anti-infectieuse. Il faut aussi tenir compte :

– des réactions immunitaires initiées par des agresseurs non microbiens, des substances naturelles ou artificielles;

– des réactions néfastes résultant du dysfonctionnement du système immunitaire (allergies, maladies auto-immunes);

– des réactions de rejet qui surviennent lors des greffes, de transplantations ou de transfusions, par suite de l'introduction de cellules reconnues comme étrangères par l'organisme receveur;

– des états de tolérance, c'est-à-dire l'indifférence du système immunitaire à l'égard de l'agresseur, à l'égard du fœtus au cours de la grossesse, dans le cas de certaines greffes ou de certains cancers.

Les deux définitions ci-après sont les plus souvent rencontrées :

– l'immunité désigne l'ensemble des phénomènes qui contribuent à maintenir l'intégrité de

Tableau 1.1
Caractéristiques distinctives de l'immunité spécifique humorale et cellulaire.

IMMUNITÉ HUMORALE	IMMUNITÉ CELLULAIRE
Assurée par des composés chimiques circulants, les anticorps, qui sont spécifiques des antigènes.	Directement assurée par les lymphocytes T sensibilisés.
Les anticorps sont produits par les lymphocytes B.	Action localisée par cytotoxicité ou par l'intermédiaire de médiateurs non spécifiques de l'antigène.
Transmissible passivement par le sérum.	Non transmissible passivement par le sérum (il faut injecter les cellules pour transférer l'immunité).

l'organisme ou à assurer son rétablissement en cas d'agression;

- l'immunité désigne l'ensemble des phénomènes liés à la réponse d'un organisme à une stimulation immunogénique.

> **L'IMMUNITÉ DÉSIGNE L'ENSEMBLE DES PHÉNOMÈNES LIÉS À LA RÉPONSE D'UN ORGANISME À UNE STIMULATION IMMUNOGÉNIQUE.**

1.8 RÉSUMÉ

Le système immunitaire a pour fonction d'assurer la survie des organismes vivants dans un environnement hostile. On peut le considérer comme un mécanisme qui contribue à l'homéostasie puisqu'il permet un ajustement constant de l'organisme et un retour à l'équilibre.

L'environnement contient de nombreux agresseurs biologiques, physiques et chimiques responsables des infections ou d'affections diverses. Les agressions sont causées par les microorganismes et par diverses catégories d'organismes pluricellulaires. Elles se soldent par des lésions tissulaires, par l'altération d'activités physiologiques essentielles ou par les deux. Les autres affections non infectieuses sont causées par des agents physiques et par des agents chimiques. Elles peuvent aussi résulter d'un dérèglement de certains organes, y compris le système immunitaire. Le fonctionnement anormal de ce dernier système serait à l'origine des réactions allergiques, des maladies auto-immunes et, dans une certaine mesure, des cancers.

En même temps qu'elles causent un déséquilibre, les infections et les agressions microbiennes entraînent presque toujours une réaction de défense de la part de l'organisme. L'immunité repose sur la capacité de distinction du soi et du non-soi. Cette capacité de discrimination est génétiquement commandée; elle dépend des gènes d'histocompatibilité qui contrôlent la synthèse d'antigène d'histocompatibilité à la surface des cellules nucléées. L'extrême diversité des réactions observées, des mécanismes mis en jeu, l'enchevêtrement des réactions, les nombreux liens entre les réactions immunitaires normales et pathologiques rendent difficile une définition simple de l'immunité. On s'entend généralement pour la définir comme l'ensemble des phénomènes reliés à la réponse d'un organisme à une stimulation immunogénique.

LECTURES SUGGÉRÉES

BACH, J.-F. « La reconnaissance du soi et ses dérèglements ». *Pour la science*, n° 52 (février 1982), p. 68-79.

BOEHMER. VON H, et P. KISILOW. « L'apprentissage du soi ». *Pour la science*, n° 170 (décembre 1991), p. 58-66.

CLAVERIE, J.-M.« Immunologie 1989 : la révolution peptidique ». *Médecine sciences*, vol. 6, n° 6 (juin 1990), p. 367-376.

DEGOS, L. et A. KAHN. « Lexique. Immunologie ». *Médecine sciences*, vol. 5, supplément au n° 1 (janvier 1989), 40 p.

FOUGEREAU, M. « La reconnaissance immunitaire ». *La recherche*, supplément au n° 237 (novembre 1991), p. 4-10.

KLEIN, J. *Immunology. The Science of Self-nonself Discrimination.* New York, Wiley and Sons, 1982, 687 p.

KOURILSKY, P. et J.-M. CLAVERIE. « Le modèle du soi peptidique ». *Médecine sciences*, vol. 4, n° 3 (mars 1988), p. 177-183.

REGNAULT, J.-P. *Immunologie générale.* Montréal, Décarie, 1988, 469 p.

ROITT, Y., BROSTOFF, J. et D. MALE. *Immunologie fondamentale et appliquée.* Medsi, Paris, 1987, 352 p.

chapitre **2**

vue d'ensemble du monde microbien

2.1 INTRODUCTION

Avec plus de 500 000 espèces, le monde microbien est un monde des plus vastes et des plus diversifiés qui soit. Il renferme des organismes primitifs, dépourvus de structure cellulaire, mais aussi des organismes très proches des végétaux et des animaux dont ils possèdent l'organisation typique.

Les microorganismes sont omniprésents dans l'environnement. De sa naissance à sa mort, tout être humain est continuellement exposé à ces organismes microscopiques qui proviennent du sol, de l'eau, de l'air ainsi que des autres êtres humains et des animaux de son entourage.

La très grande majorité des microorganismes sont inoffensifs. Par leurs activités, ils contribuent au maintien de l'équilibre des écosystèmes et vivent en bonne intelligence avec l'Homme. Seules quelques centaines d'espèces s'avèrent pathogènes et causent des maladies infectieuses.

Avant de centrer notre étude sur les agents microbiens pathogènes, il importe de procéder à un premier survol de ce monde invisible afin d'en faire ressortir les caractéristiques fondamentales et d'en établir une classification générale.

Le lecteur constatera rapidement qu'il est difficile de décrire les microorganismes par des caractéristiques générales car les exceptions sont très nombreuses, notamment en ce qui concerne l'unicellularité et la taille microscopique, deux critères pourtant importants de la définition des microorganismes.

Ensuite, nous décrirons les cinq groupes dans lesquels les classifications modernes répartissent les microorganismes. Nous préciserons alors les caractéristiques qui permettent de distinguer ces différents groupes microbiens que forment les algues, les mycètes, les protozoaires, les bactéries et les virus.

2.2 CARACTÉRISTIQUES FONDAMENTALES DES MICROORGANISMES

Les microorganismes se différencient des autres êtres vivants par un certain nombre de propriétés structurales et fonctionnelles. On en retiendra six, dont certaines sont des corollaires; elles peuvent être considérées comme les caractéristiques fondamentales des microorganismes : le type d'organisation cellulaire, l'unicellularité, la taille microscopique, le potentiel métabolique, l'omniprésence et, enfin, l'abondance.

2.2.1 ORGANISATION CELLULAIRE

Tous les microorganismes présentent une organisation cellulaire, à l'exception des virus. Précisons qu'une cellule constitue l'unité fonctionnelle de tout être vivant capable de fonctionner de manière autonome, c'est-à-dire capable par lui-même de se nourrir, de maintenir ses structures en état de fonctionner, de contrôler et de coordonner l'ensemble de ses activités intracellulaires et extracellulaires et de se reproduire.

Cependant, contrairement aux autres êtres vivants, l'organisation cellulaire des microorganismes présente deux degrés de complexité : elle peut être simple ou complexe. C'est ce critère qui conduit à distinguer deux grands groupes de microorganismes, les procaryotes et les eucaryotes.

Ces termes d'EUCARYOTE et de PROCARYOTE ont été forgés à partir de la racine grecque *caryon*, qui signifie *noyau* et des préfixes *eu* et *pro* qui veulent dire respectivement *vrai* et *avant*. Ainsi, les eucaryotes sont des organismes qui possèdent un vrai noyau, c'est-à-dire délimité par une membrane nucléaire, constitué de plusieurs chromosomes et d'un nucléole, tandis que les procaryotes n'ont qu'un seul chromosome libre dans le cytoplasme. Enfin, alors que les eucaryotes sont unicellulaires, parfois pluricellulaires ou constitués de filaments plurinucléés, appelés CŒNOCYTES, les procaryotes sont toujours unicellulaires (tableau 2.1). Cependant, ces organismes pluricellulaires ou cœnocytiques ne montrent jamais une différenciation et une spécialisation cellulaires aussi poussée que celle que l'on observe chez les organismes plus évolués comme les plantes ou les animaux.

De par leur organisation cellulaire, les algues, les protozoaires et les mycètes sont des microorganismes eucaryotes, tandis que les bactéries sont des microorganismes procaryotes. Quant aux virus, ils forment un groupe complètement à part. Fondamentalement, ils se distinguent des eucaryotes et des procaryotes par l'absence d'organisation cellulaire. Leur structure est beaucoup plus rudimentaire. Généralement, ils ne sont formés que d'une enveloppe de protéines qui protège un fragment d'acide nucléique. Ils ne possèdent pas de cytoplasme ni de membrane. Par opposition à la structure cellulaire des eucaryotes et des procaryotes, on qualifie parfois d'acaryote cette structure particulière aux virus. Accessoirement, ils se distinguent aussi des précédents groupes de microorganismes par l'absence de système producteur d'énergie, ce qui les rend totalement dépendants des cellules au sein desquelles ils se développent. Cette caractéristique n'est pas exclusive aux virus.

Le tableau 2.2 précise les principaux caractères anatomiques et physiologiques distinctifs des eucaryotes et des procaryotes. Il montre notamment que l'organisation cellulaire eucaryote est aussi caractérisée par la présence de nombreux organites assurant la réalisation d'activités cellulaires particulières ainsi que par la présence d'un système de membranes cytoplasmiques intracellulaires. Cette complexité cellulaire différencie aussi les eucaryotes des procaryotes, car ces derniers contiennent beaucoup moins d'organites spécialisés. Les figures 2.1 et 2.2 représentent respectivement une cellule eucaryote et une cellule procaryote typiques.

On met souvent en relief les différences moléculaires, morphologiques et anatomiques qui séparent les procaryotes des eucaryotes mais, à vouloir trop les opposer ou les séparer, on néglige de souligner leurs points communs et on oublie la très profonde unité du vivant au niveau fonctionnel. En effet, les eucaryotes et les procaryotes font appel aux mêmes processus pour assurer et réguler leurs fonctions vitales :

- maintien de la vie par la nutrition, la production d'énergie, l'excrétion;
- codage des informations génétiques sous forme d'ADN;
- contrôle et coordination des activités biochimiques cellulaires sur lesquelles repose le fonctionnement du vivant;
- propagation de la vie par la reproduction.

Tableau 2.1
Principales caractéristiques distinctives des eucaryotes et des procaryotes.

CARACTÉ-RISTIQUES	EUCARYOTES	PROCARYOTES
Organisation cellulaire	Complexe	Simple
Organisation nucléaire	Noyau vrai	Appareil nucléaire
Organites spécialisés	Nombreux	Rares
Type d'organisation	Unicellulaire Pluricellulaire Cœnocytique	Unicellulaire
Principaux représentants	Algues Mycètes Protozoaires	Bactéries

Tableau 2.2
Caractères anatomiques et fonctionnels distinctifs des eucaryotes et des procaryotes.

CARACTÈRES	EUCARYOTES	PROCARYOTES
CARACTÈRES ANATOMIQUES		
Enveloppes externes	Absentes chez les protozoaires Présentes chez les algues et les mycètes	Présentes
Membrane cytoplasmique	Présente	Présente
Membrane nucléaire	Présente	Absente
Nombre de chromosomes	Toujours supérieur à un	Un seul
ADN indépendant du noyau	ADN des mitochondries et des chloroplastes	Plasmides
Ribosomes	Présents[1]	Présents[1]
Mitochondries	Présentes	Absentes (remplacées par les mésosomes)
Réticulum endoplasmique	Présent	Absent
Appareil de Golgi	Présent	Absent
Lysosomes	Présents	Absents
Chloroplastes	Présents (uniquement chez les algues)	Absents (remplacés par un chromatophore chez les microorganismes photosynthétiques)
Vacuoles	Présentes	Absentes
Centriole	Présent (seulement chez les protozoaires)	Absent
CARACTÈRES FONCTIONNELS		
Types respiratoires	Aérobie Fermentatif[2]	Aérobie Fermentatif Anaérobie
Division mitotique	Oui	Non (fission binaire)
Division méiotique	Oui	Non
Mobilité	Oui (pour les protozoaires)	Oui (pour quelques espèces)

1. Quoiqu'ils remplissent les mêmes fonctions, les ribosomes des organismes eucaryotes et procaryotes sont différents. Par ailleurs, dans les cellules eucaryotes, les ribosomes sont associés au réticulum endoplasmique. Dans les cellules procaryotes, les ribosomes sont libres dans le cytoplasme.

2. Parmi les eucaryotes, seuls quelques groupes de mycètes sont dotés d'un pouvoir fermentatif (capables d'oxyder partiellement des matières organiques en l'absence d'oxygène).

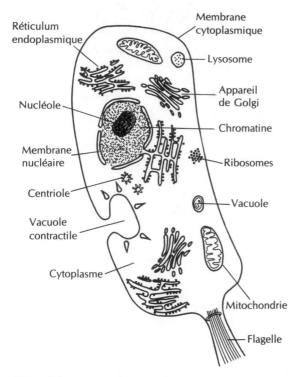

Figure 2.1
Cellule eucaryote typique.

Une cellule eucaryote est caractérisée par la présence d'un noyau vrai, séparé du cytoplasme par une membrane nucléaire et contenant plusieurs chromosomes. Elle contient aussi de nombreux organites intracytoplasmiques remplissant des fonctions spécifiques, comme la transformation de l'énergie ou la synthèse des protéines. Un certain nombre de ces organites, comme le réticulum endoplasmique, sont formés à partir d'un système de membranes cytoplasmiques intracellulaires.

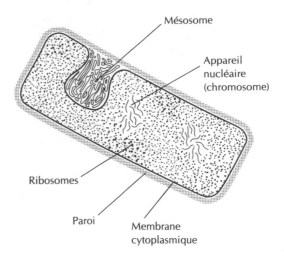

Figure 2.2
Cellule procaryote typique.

Une cellule procaryote paraît beaucoup plus simple d'organisation dès le premier coup d'œil. On remarque que la cellule est plus petite, qu'il n'y a pas de vrai noyau, mais un seul chromosome situé au centre de la cellule et qu'il y a très peu d'organites spécialisés.

2.2.2 UNICELLULARITÉ

En règle générale, l'unicellularité est un caractère qui distingue les microorganismes des autres groupes d'êtres vivants. De cette unicellularité découle deux autres caractéristiques des microorganismes : ils sont de très petite taille et, par conséquent, invisibles à l'œil nu. Si l'on exclut quelques rares exceptions, la taille des plus gros microorganismes ne dépasse pas quelques centaines de micromètres. Ils ne peuvent donc être observés par l'œil humain qui ne distingue pas les objets de dimension inférieure au dixième de millimètre.

La taille des microorganismes varie largement d'une espèce à l'autre mais, de façon générale, les procaryotes sont, en moyenne, beaucoup plus petits que les eucaryotes (tableau 2.3). Le diamètre moyen d'une bactérie est compris entre 0,5 et 1 µm et la longueur des bactéries de forme allongée, les bacilles, ne dépasse pas 3 à 5 µm en moyenne. L'amibe et la paramécie, des unicellulaires eucaryotes, mesurent respectivement entre 400 et 600 µm, pour la première, et entre 150 et 200 pour la seconde. Pour donner un ordre de grandeur, on peut dire que la taille moyenne des procaryotes et des eucaryotes varie selon un rapport de 1 à 100 mais, en raison des nombreu-

MICROORGANISMES	TAILLE (en µm)	VOLUME MOYEN (en µm³)
EUCARYOTES		
Algues unicellulaires		
Micromonas	1	5 – 15 000
Protozoaires		
Amœba proteus	400 – 600	10 000 – 50 000
Paramecium caudatum	150 – 200	
Levures		
Saccharomyces cerevisiæ	1 – 30	20 – 50
PROCARYOTES		
Staphylococcus aureus	0,5 – 1	1 – 5
Escherichia coli	0,5 – 2,5	
Salmonella typhi	0,5 – 3	

ses variations de taille, il est préférable de mesurer le volume cellulaire car il constitue une meilleure référence.

> **LES MICROORGANISMES PRÉSENTENT UNE STRUCTURE CELLULAIRE EUCARYOTE, PROCARYOTE OU SONT ACARYOTES.**

2.2.3 POTENTIEL MÉTABOLIQUE ET POTENTIEL DE REPRODUCTION

Les microorganismes, notamment les bactéries, sont dotés d'un potentiel métabolique et de reproduction considérable. Selon les espèces, ils peuvent se développer soit à partir de matières minérales, soit à partir d'une très grande variété de matières organiques présentes dans la nature. Par ailleurs, et contrairement aux autres groupes d'êtres vivants, les microorganismes disposent de plusieurs moyens de se procurer l'énergie nécessaire à leurs activités vitales.

Cette simplicité d'organisation et cette toute petite taille ont souvent amené à considérer les procaryotes comme des êtres vivants primitifs et inférieurs, mais cette affirmation est erronée. En premier lieu, un rapport surface/volume très élevé leur confère un avantage considérable, puisque la capacité d'absorption d'éléments nutritifs est directement proportionnelle à ce rapport. Cette grande capacité d'assimilation se reflète dans l'extraordinaire potentiel de multiplication des bactéries (encadré 2.1).

2.2.4 OMNIPRÉSENCE ET ABONDANCE

Une autre caractéristique importante des microorganismes est leur omniprésence et leur abondance. Les microorganismes sont présents partout dans la nature : on les trouve dans l'air, dans l'eau, dans le sol et à la surface des tissus animaux et végétaux qui leur sont accessibles.

Pour les êtres humains et les animaux, cette omniprésence est lourde de conséquences, car elle s'accompagne du risque d'agressions fréquentes par certains de ces microorganismes. Afin de lutter contre ces agresseurs, les êtres vivants ont développé un ensemble de moyens biologiques de défense formant le système immunitaire.

Par ailleurs, l'Homme a dû faire appel à des moyens de conservation des aliments et des autres produits que peuvent dégrader les microorganismes. Plus tard, il a appris à se protéger des maladies infectieuses. D'abord empiriques, ces moyens se sont étendus systématiquement dans les sociétés modernes après que l'on eût confirmé la nature

De l'avantage d'être tout petit...

Les bactéries ont un pouvoir métabolique infiniment plus élevé que celui de tout autre être vivant. On calcule qu'il est de deux millions et demi de fois supérieur à celui de l'Homme. Pour illustrer cette notion abstraite, disons qu'il faudrait un peu plus de 10 jours à l'Homme pour consommer son propre poids de glucose, alors qu'en une heure une bactérie lactique consomme dix mille fois son propre poids de lactose...

De plus, puisque la production de matière vivante n'est pas limitée par la capacité d'assimilation des éléments nutritifs, les microorganismes, notamment les procaryotes, se trouvent dotés d'un potentiel de reproduction considérable. Par exemple, il faudrait un peu moins de deux jours à *Staphylococcus aureus* (dont le poids est de $5 \cdot 10^{-13}$ g et le temps de génération[1] de 20 minutes) pour que sa culture atteigne une masse de $6 \cdot 10^{27}$ g, ce qui représente la masse de la terre... Résultat bien hypothétique, car jamais une telle culture ne saurait trouver suffisamment d'éléments nutritifs pour maintenir un tel rythme de croissance. La prudence s'impose quand on identifie comme supérieur ou inférieur deux types d'organisation cellulaire. Comparons, par exemple, le taux de division et de croissance cellulaire des bactéries à celui des végétaux et des animaux dits supérieurs : une population de bactéries double sa masse toutes les 30 minutes environ, ce qu'une plante fera en deux semaines et un animal en deux à trois mois. Ainsi, une vache de 500 kg ne produit que 500 g de protéines par jour alors que la même masse de microorganismes peut produire de deux à cinq tonnes de protéines en 24 heures. Autre exemple, avec une tonne de résidus de pétrole, on peut obtenir plus d'une tonne de levures sèches, soit 0,75 tonne de protéines brutes équivalant à 1,7 tonnes de tourteaux de soja...

1. Le temps de génération correspond au temps qui s'écoule entre deux divisions. (*Voir chapitre 6.*)

des agresseurs microbiens et identifié les facteurs influant sur leur développement. Cependant, on aurait tort de croire que tous les microorganismes sont dangereux. En fait, il y a beaucoup plus d'espèces de microbes inoffensifs, dont l'Homme pourrait tirer profit, qu'il n'y a d'espèces pathogènes. Par exemple, dans la biosphère, des microorganismes remplissent des fonctions très importantes comme la production d'oxygène, la décomposition et le recyclage des matières organiques. De ce fait, ils remettent continuellement en circulation les éléments minéraux nécessaires à l'élaboration de la matière vivante par les organismes végétaux. Dans la biosphère, les microorganismes jouent donc un rôle écologique déterminant et l'on peut dire que, sans les microorganismes, la vie sur terre ne serait pas ce qu'elle est...

Les microorganismes forment aussi le groupe le plus abondant de tous les êtres vivants. Dans chaque gramme de sol fertile, de vase au fond d'un marécage ou d'un lac, par exemple, on retrouve plus d'un milliard de microorganismes; dans le tube digestif des animaux, ce nombre atteint le milliard par millilitre. On évalue que la masse de tous les microorganismes dépasse celle de tous les autres êtres vivants présents dans la biosphère.

EN RÈGLE GÉNÉRALE, LES MICROORGANISMES SONT CARACTÉRISÉS PAR :

- **LEUR ORGANISATION CELLULAIRE EUCARYOTE OU PROCARYOTE;**
- **LEUR UNICELLULARITÉ;**
- **LEUR TAILLE MICROSCOPIQUE;**
- **LEUR POTENTIEL MÉTABOLIQUE ET DE REPRODUCTION;**
- **LEUR OMNIPRÉSENCE ET LEUR ABONDANCE.**

2.3 DIVERSITÉ DU MONDE MICROBIEN

On classe habituellement parmi les microorganismes les algues unicellulaires, les protozoaires, les mycètes, les bactéries et les virus. Les quatre premiers groupes diffèrent entre eux par de nombreux caractères, notamment le type d'organisation cellulaire, les sources d'approvisionnement énergétique, les modes de transformation de l'énergie, l'habitat, etc. À cause de cette diversité, il est difficile de trouver des caractères communs, mais on peut au moins dire que :

- ils présentent tous une organisation de type cellulaire;
- ils sont capables de réaliser leurs propres activités métaboliques;
- ils sont tous visibles en microscopie optique, c'est-à-dire à l'aide d'un microscope traditionnel grossissant environ 1000 fois.

Comme nous l'avons vu précédemment, ces critères ne s'appliquent pas aux virus, qui se distinguent par une organisation non cellulaire et par leur incapacité de produire l'énergie nécessaire à la réalisation de leurs activités vitales.

Nous présenterons brièvement les différents groupes de microorganismes en commençant par les microorganismes eucaryotes. Le tableau 2.4 permet de comparer rapidement les différences fondamentales qui caractérisent chacun de ces groupes d'eucaryotes et de procaryotes.

2.3.1 ALGUES

Les algues forment la seule catégorie de microorganismes, avec quelques rares espèces de bactéries, capables de PHOTOSYNTHÈSE. Par cette propriété, elles sont capables de transformer l'énergie solaire en énergie chimique et de fabriquer leurs constituants en utilisant les matières inorganiques présentes dans l'environnement. C'est également pour cette raison qu'elles sont qualifiées d'organismes AUTOTROPHES[1].

Ce sont donc les seuls microorganismes à posséder des chloroplastes dans leur cellule. Cette propriété différencie formellement les algues des protozoaires et des mycètes. De plus, elles se distinguent de ces deux autres catégories d'eucaryotes par la présence d'une paroi cellulaire rigide composée de cellulose et de pectine.

Le plus souvent, les algues se reproduisent par fission binaire. Ce mode de reproduction est asexué : c'est une simple division de la cellule initiale en cellules filles rigoureusement identiques.

À l'état adulte, les algues sont immobiles[2]. Du moins ne présentent-elles pas de motilité propre : elles sont fixées à des supports où elles flottent, et sont alors entraînées par les courants d'eau.

La plupart des algues sont unicellulaires. Quoique variable, la taille des espèces unicellulaires est généralement comprise entre 5 et 10 µm. D'autres espèces peuvent présenter des organisations plus complexes, comme des structures coloniales[3] ou carrément pluricellulaires. Dans ce dernier cas, elles forment des filaments de longueur variable mais pouvant atteindre plusieurs dizaines de centimètres, voire plusieurs

---

1. Autotrophe : terme qui signifie littéralement « qui se nourrit tout seul, qui fabrique ses aliments », et par lequel on qualifie l'indépendance de certains organismes à l'égard des matières organiques puisqu'ils sont capables de les élaborer à partir des matières inorganiques présentes dans l'environnement tels l'eau et le gaz carbonique.
2. Certaines espèces d'algues qui se reproduisent sexuellement forment des cellules sexuelles possédant des organes locomoteurs (flagelles) afin de permettre la rencontre des gamètes et la fécondation.
3. Un certain nombre de cellules sont réunies pour former un groupement, qui est souvent sphérique.

Tableau 2.4
Caractéristiques distinctives des algues, des protozoaires, des mycètes, des bactéries et des virus.

CARACTÈRES	ALGUES	PROTOZOAIRES	MYCÈTES	BACTÉRIES	VIRUS
Organisation cellulaire	Oui eucaryote	Oui eucaryote	Oui eucaryote	Oui procaryote	Non acaryote
Organisation biologique	Unicellulaire Pluricellulaire	Unicellulaire	Unicellulaire Cœnocytique	Unicellulaire	Ne s'applique pas
Paroi	Oui (cellulose)	Non	Oui (chitine)	Oui (peptidoglycane)	Ne s'applique pas
Type nutritionnel	Exclusivement autotrophe	Exclusivement hétérotrophe	Exclusivement hétérotrophe	Autotrophe ou hétérotrophe selon les groupes	Ne s'applique pas
Photosynthèse	Oui	Non	Non	Selon les groupes	Ne s'applique pas
Culture en milieu synthétique	Oui	Oui	Oui	Oui	Non
Motilité	Non[1]	Oui	Non	Oui Selon les groupes	Non
Reproduction autonome	Oui	Oui	Oui	Oui	Non
Mode de reproduction (le plus fréquent)	Asexuée Fission binaire	Asexuée Fission binaire	Asexuée Fission binaire	Asexuée Scissiparité	Synthèse des constituants viraux par la cellule

1. Sauf quelques exceptions.

mètres de longueur. Cependant, ces algues pluricellulaires et de taille macroscopique – donc visibles à l'œil nu, et qui n'intéressent pas directement les microbiologistes[1] –, ne présentent jamais une différenciation et une spécialisation cellulaire comparable à celles des végétaux et des animaux. La présence d'organes de reproduction ou d'autres structures spécialisées dénote cependant un début de spécialisation.

---

1. Sauf pour les espèces dont on tire des éléments nutritifs ainsi que l'agar, une substance que l'on ajoute aux milieux de culture pour les solidifier.

2.3.2 PROTOZOAIRES

Les protozoaires sont des unicellulaires eucaryotes de taille variable mais généralement microscopique. Les plus petits mesurent un micromètre et les plus gros peuvent dépasser un millimètre.

On peut différencier les protozoaires des algues par trois caractères :

– la motilité, qui est une règle générale pour les organismes de ce groupe;
– l'absence de paroi cellulosique;
– l'incapacité de réaliser la photosynthèse.

Incapables de photosynthèse, les protozoaires se nourrissent des matières organiques qu'ils puisent dans l'environnement. Parce qu'ils ne peuvent synthétiser eux-mêmes leurs molécules organiques à partir des matières inorganiques, comme le font les organismes photosynthétiques, on les qualifie d'HÉTÉROTROPHES. La plupart vivent à l'état libre dans les milieux naturels, en particulier dans les milieux aquatiques. D'autres espèces, incapables de vie indépendante, vivent à l'état parasite dans les tissus humains et animaux.

Comme les algues, les protozoaires se reproduisent le plus souvent par fission binaire, un mode de reproduction asexuée. La reproduction sexuée est occasionnelle.

2.3.3 MYCÈTES

Les mycètes forment un groupe très vaste et très diversifié d'organismes eucaryotes. Ils sont hétérotrophes, comme les protozoaires, mais ils sont immobiles et leurs cellules sont entourées d'une paroi de chitine. Pour leur reproduction, les mycètes font appel à divers processus asexués et sexués.

Dans ce groupe, l'unicellularité est loin d'être une règle générale, car on trouve beaucoup de mycètes pluricellulaires de taille macroscopique. Ces mycètes sont formés de longs filaments plus ou moins denses et ramifiés portant des structures différenciées dans lesquelles sont élaborées les cellules reproductrices. Les mycètes dotés d'une telle organisation sont visibles à l'œil nu. C'est le cas notamment des moisissures que l'on peut observer à la surface de certains aliments ou des champignons que l'on trouve dans les endroits humides.

2.3.4 BACTÉRIES

Les bactéries se différencient des algues, des protozoaires et des mycètes par leur structure procaryote. Elles n'ont pas de vrai noyau et elles sont dépourvues de systèmes de membranes cytoplasmiques intracellulaires (à l'exception des mésosomes). En règle générale, la taille des bactéries est beaucoup plus petite que celle des eucaryotes puisqu'elle dépasse rarement 5 μm. La plupart des espèces sont unicellulaires, quelques-unes forment des filaments multicellulaires.

Sauf quelques cas particuliers, les bactéries sont entourées d'une paroi. Cette paroi est de structure et de composition chimique très différentes de celles que l'on trouve chez les algues et les mycètes. En effet, la paroi de nombreuses espèces de bactéries contient un complexe glucidique particulier nommé peptidoglycane.

Les bactéries se reproduisent avant tout par SCISSIPARITÉ, un mode de reproduction asexuée plus simple mais comparable à la fission binaire que l'on observe chez les eucaryotes.

Il existe un petit nombre d'espèces de bactéries photosynthétiques, les autres étant hétérotrophes. Parmi ces dernières espèces, nombreuses sont celles qui vivent dans les milieux naturels où elles décomposent et utilisent pour leurs propres fins les matières organiques provenant des animaux, des végétaux ou d'autres microorganismes morts. D'autres espèces hétérotrophes vivent à l'état parasite à la surface de la peau et des muqueuses ou dans les tissus des animaux et des êtres humains. Un certain nombre d'espèces parasites, une centaine tout au plus, causent des maladies chez l'Homme.

Comme les microorganismes eucaryotes, les bactéries peuvent être cultivées sur les milieux de culture synthétiques.

2.3.5 VIRUS

Fondamentalement, les virus se distinguent de tous les autres groupes de microorganismes par leur structure non cellulaire. Pour cette raison, ils sont qualifiés d'ACARYOTES (organismes sans noyau). D'organisation très rudimentaire, ils sont constitués d'une enveloppe protéique et d'une molécule d'acide nucléique portant les informations génétiques. L'arrangement de ces éléments détermine la formation d'une unité structurale nommée virion.

L'absence de système producteur d'énergie est une autre caractéristique du groupe mais elle n'est pas exclusive, car il la partage avec deux groupes particuliers de bactéries[1]. Cette caractéristique les oblige à se développer exclusivement à l'intérieur des cellules qu'ils parasitent. La reproduction des virus s'effectue selon des processus complètement différents de ceux que l'on observe chez les autres groupes de microorganismes. Le terme de réplication que l'on emploie pour décrire la reproduction des virus souligne cette différence. En effet, les virus sont incapables de reproduction autonome. En d'autres termes, les virus ne peuvent se reproduire par eux-mêmes : ce sont les cellules dans lesquelles ils se développent qui synthétisent les différents constituants des virus.

De par leur constitution, les virus sont de très petite taille. Alors que celle des microorganismes procaryotes est de l'ordre de quelques micromètres, celle des virus est comprise entre quelques dizaines et quelques centaines de nanomètres[2].

> **LES MICROORGANISMES SONT RÉPARTIS EN CINQ GROUPES :**
> - LES ALGUES;
> - LES PROTOZOAIRES;
> - LES MYCÈTES;
> - LES BACTÉRIES;
> - LES VIRUS.

---

1. Les rickettsies et les Chlamydia.
2. Le micromètre vaut 10^{-6} m, tandis que le nanomètre vaut 10^{-9} m.

2.4 RÉSUMÉ

À cause de leur très grande diversité, il est difficile de singulariser l'ensemble des microorganismes par des caractéristiques particulières. Les microorganismes sont essentiellement définis par leur unicellularité et leur très petite taille qui les rend invisibles à l'œil nu. On note d'autres propriétés communes : leur omniprésence, leur grande abondance ainsi que leur extraordinaire potentiel métabolique et reproductif.

On classe généralement parmi les microorganismes cinq groupes d'êtres vivants : les algues unicellulaires, les protozoaires, les mycètes, les bactéries et les virus. À l'exception des virus, ces microorganismes présentent une organisation cellulaire de type eucaryote ou de type procaryote. Complexe, le premier type d'organisation est rencontré chez les algues, les protozoaires et les mycètes. Il est notamment caractérisé par la présence d'un noyau vrai, contenant plusieurs chromosomes, et par de nombreux organites spécialisés. L'organisation procaryote des bactéries est beaucoup plus simple; elle se reconnaît à l'absence d'un noyau vrai, à la présence d'un seul chromosome et d'un petit nombre d'organites spécialisés.

Photosynthétiques, les algues se distinguent des protozoaires et des mycètes par leur autotrophie, leur membrane cellulosique et par leur immobilité. Les protozoaires se différencient des algues par leur hétérotrophie et par l'absence de membrane cellulosique. Ils se distinguent des algues et des mycètes par leur motilité. Les mycètes se différencient des algues par l'hétérotrophie et par leur paroi de chitine. Ils se distinguent des protozoaires par l'immobilité. Quant aux bactéries, elles se distinguent fondamentalement des algues, des protozoaires et des mycètes par leur organisation cellulaire procaryote. Les virus sont dépourvus d'organisation cellulaire. Le virion, constitué d'une enveloppe protéique et d'un court filament d'acide nucléique, représente l'unité structurale des virus. Ce dernier groupe de microorganismes est aussi caractérisé par l'absence de système producteur d'énergie.

LECTURES SUGGÉRÉES

BOVÉ, J. « Les mycoplasmes ». *La recherche*, vol. 6, n° 54 (mars 1975), p. 210-220.

CALVIN, M. « L'origine de la vie ». *La recherche*, vol. 5, n° 41 (janvier 1974), p. 40-60.

GROVES, D., DUNLOP, J. et R. BUICK. « Les premières traces de vie ». *Pour la science*, n° 42 (décembre 1981), p. 22-35.

MARGULIS, L. et D. SAGAN. « L'origine des cellules eucaryotes ». *La recherche*, vol. 16, n° 163 (février 1985), p. 200-208.

REGNAULT, J.-P. *Microbiologie générale*. Montréal, Décarie, 1990, 859 p.

SONEA, S. et M. PANISSET. *Introduction à la nouvelle microbiologie*. Montréal, Presses de l'Université de Montréal, 1980, 127 p.

chapitre **3**

microorganismes eucaryotes

3.1 INTRODUCTION

Les microorganismes eucaryotes forment un monde immense et très diversifié. Pourtant, ils ont tous un caractère fondamental commun : la complexité de leur organisation cellulaire liée à l'apparition de nombreux organites intracytoplasmiques spécialisés.

La très grande majorité des microorganismes eucaryotes sont unicellulaires. Ceux qui sont pluricellulaires présentent un autre degré de complexité caractérisé par une spécialisation cellulaire et une différenciation tissulaire limitées, mais déjà apparentes, et ouvrant la voie au développement graduel d'organismes animaux et végétaux encore plus complexes.

De structures très diverses et très différentes dans leurs modes de nutrition, les microorganismes eucaryotes forment un groupe hétérogène mais dans lequel on reconnaît certaines caractéristiques fondamentales des animaux et des végétaux. D'ailleurs, les microorganismes eucaryotes n'ont-ils pas d'abord été classés avec les uns ou avec les autres avant que soient créés pour eux des règnes qui reconnaissent leurs spécificités ?

Les microorganismes eucaryotes comprennent les algues, les protozoaires et les mycètes. Nous ne traiterons que des deux derniers groupes, car les algues ne présentent pas d'intérêt médical particulier, à l'exception de quelques-unes qui sont responsables d'intoxications alimentaires (encadré 3.1).

ENCADRÉ 3.1

L'intoxication paralysante par les coquillages.

La consommation des mollusques (moules, coques, bourgots, mies, clams, etc.) surtout en été (mai à septembre) peut provoquer une intoxication grave, parfois mortelle, causée par une toxine paralysante.

Dans l'est du Canada, les risques d'intoxication paralysante sont élevés sur la Côte-Nord, en Gaspésie ainsi que dans certaines régions côtières : au Nouveau-Brunswick (baie de Fundy), en Nouvelle-Écosse et à l'Ile-du-Prince-Édouard. Les côtes de la Colombie-Britannique ne sont pas épargnées non plus, puisque des cas d'intoxication ont été rapportés dans la région de Vancouver et le long des côtes jusqu'en Alaska.

Un engourdissement, un picotement des lèvres s'étendant progressivement à toute la figure puis aux doigts constituent les premiers symptômes de l'intoxication paralysante. Si l'intoxication est grave, les sensations de picotement s'étendant à l'ensemble des membres sont accompagnées de raideur musculaire et d'affaiblissement général. En phase critique, la respiration peut devenir difficile, et le malade meurt d'étouffement.

Les symptômes de l'intoxication paralysante par les coquillages peuvent apparaître après un délai de 30 minutes à 12 heures suivant l'ingestion de la toxine.

La toxine est produite par une algue unicellulaire du groupe des dinoflagellés, *Gonyaulax tamarensis*. Les mollusques bivalves qui se nourrissent par filtration ingèrent le gonyaulax, assurant ainsi la concentration de la toxine dans les branchies et les glandes digestives. Il n'y a pas d'accumulation de toxines dans les muscles de ces mollusques. De ce fait, la consommation des muscles de ces mollusques, ceux des pétoncles notamment, n'entraîne pas d'intoxication.

Cette toxine, nommée saxitoxine, est caractérisée par un effet paralysant neuromusculaire extrêmement puissant; son intensité est 20 fois plus forte que celle du curare. Son action est maintenant bien connue.

On sait en effet qu'elle inhibe la transmission de l'influx nerveux, en particulier au niveau du système nerveux périphérique, ce qui explique les sensations d'engourdissement et de picotement aux extrémités. Elle bloque aussi le fonctionnement des centres respiratoires et circulatoires.

Par ailleurs, en diminuant l'entrée massive des ions sodium nécessaires à la contraction musculaire, la toxine provoque la paralysie graduelle des muscles striés et du muscle cardiaque, ce qui provoque l'arrêt cardiaque et l'état de choc.

La saxitoxine est thermolabile, la cuisson des mollusques – si elle est supérieure à 20 minutes – réduit la toxicité d'environ 70 %. De plus, la quantité de toxine dans un coquillage peut être réduite en retirant les organes : siphon, branchies, glandes digestives. Cependant, ces pratiques ne constituent pas une garantie totale d'inocuité.

Le gonyaulax n'est pas le seul dinoflagellé responsable d'intoxication paralysante. Il faut aussi signaler la cigaterra, une intoxication alimentaire survenant par suite de la consommation de poissons qui se nourrissent de *Gambiardiscus toxicus*, un dinoflagellé qui produit une neurotoxine.

3.2 PROTOZOAIRES

Les protozoaires[1] forment un groupe très hétérogène d'organismes eucaryotes. Ils sont tous dépourvus de pouvoir photosynthétique et de membrane cellulosique. La motilité et l'unicellularité constituent deux autres propriétés importantes du groupe. Quelques protozoaires sont parasites mais la très grande majorité mènent une vie aquatique libre.

3.2.1 ANATOMIE ET MORPHOLOGIE

Du point de vue morphologique, les protozoaires présentent des tailles et des formes très diverses : de 1 μm à plus de 2 mm. Leur organisation cellulaire est typiquement eucaryote.

La description qui suit est celle d'une paramécie, *Paramecium caudatum,* telle qu'elle peut être facilement observée en microscopie optique et telle que la représente la figure 3.1.

De forme allongée, la paramécie mesure environ 150 μm de longueur. C'est un cilié doté d'une enveloppe mince et semi-rigide, nommée pellicule. La cellule est recouverte de plusieurs centaines de cils disposés en files longitudinales qui assurent la propulsion de la cellule dans l'eau. À la base de chacun des cils, dans le cytoplasme, il existe un petit corpuscule basal, le blépharoplaste, qui contrôle le mouvement. Sur l'une des faces de la cellule, au fond de la cavité du cytopharynx, s'ouvre une structure apparentée à la bouche appelée cytostome. Cette cavité est revêtue de cils adhérents spécialisés qui aspirent et retiennent les particules alimentaires. La nourriture est alors emprisonnée dans des vacuoles digestives qui prennent naissance dans le cytostome. Ces

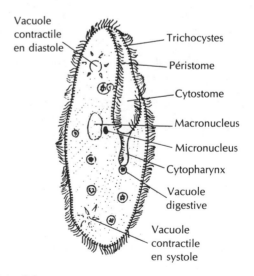

Vacuole contractile en diastole

Trichocystes

Péristome

Cytostome

Macronucleus

Micronucleus

Cytopharynx

Vacuole digestive

Vacuole contractile en systole

Figure 3.1
Paramécie.

---

1. Littéralement, le terme protozoaire signifie premiers animaux.

vacuoles digestives se déplacent dans le cytoplasme jusqu'à ce que les particules alimentaires aient été digérées. À chaque pôle de la cellule, on peut observer une vacuole contractile. Cet organite fonctionne comme une pompe qui extrait l'eau du cytoplasme et la rejette hors de la cellule pour contrebalancer constamment l'arrivée d'eau du milieu extérieur. C'est de cette façon que la paramécie assure la régulation de sa pression osmotique.

La paramécie possède deux noyaux : un macronucleus et un micronucleus. Le macronucleus contient 50 à 100 fois plus d'ADN que le micronucleus. Le macronucleus contrôle les différentes activités métaboliques cellulaires, la croissance et la régénération, tandis que le micronucleus contrôle la reproduction.

3.2.2 MOBILITÉ

De nombreuses espèces de protozoaires sont mobiles. Elles se déplacent à l'aide de cils, de flagelles ou grâce à des mouvements amœboïdes.

CILS ET FLAGELLES

Les mouvements s'effectuent grâce à un appareil locomoteur constitué soit de cils, soit de flagelles. Les uns et les autres ont la même structure interne, et diffèrent par leur longueur et par le cycle de leur battement :

- les cils ne mesurent que quelques dizaines de micromètres et leur cycle de battement ne s'effectue que dans un seul plan (déplacement latéral);
- la taille des flagelles peut dépasser plusieurs centaines de micromètres et le cycle de battement est nettement plus complexe puisqu'il implique des mouvements hélicoïdaux.

Cils et flagelles sont constitués d'un ensemble de fibrilles disposées longitudinalement et organisées en paires autour d'un filament central. Les fibrilles prennent naissance dans le cytoplasme au niveau d'une petite structure nommée cinétosome. Plus précisément, un cil ou un flagelle est constitué d'un squelette axial recouvert d'une membrane qui est une extension de la membrane cytoplasmique.

La figure 3.2 représente quelques eucaryotes et leur appareil locomoteur.

Un groupe de protozoaires motiles, les sarcodines, dont font partie les amibes, est dépourvu de cils et de flagelles. Les amibes se déplacent grâce à des mouvements cytoplasmiques qui déterminent la formation de pseudopodes.

3.2.3 REPRODUCTION

Chez les protozoaires, la reproduction est essentiellement asexuée. La reproduction asexuée s'effectue par fission binaire après que le matériel génétique a subi une duplication au cours de la mitose. Cette fission peut être transverse ou longitudinale. Occasionnellement, le cycle vital de ces protozoaires comprend une phase de reproduction sexuée.

La reproduction sexuée ne semble pouvoir s'effectuer qu'entre organismes provenant de souches différentes, donc possédant des génomes distincts et sexuellement compatibles. Chez les ciliés, la reproduction sexuée s'effectue par conjugaison : après accolement des membranes cytoplasmiques au niveau des cytostomes, il y a fusion des cytoplasmes. Au cours de ce rapprochement se déroulent des échanges chromosomiques complexes (méiose) qui s'achèvent par la réapparition des macronucleus et des micronucleus dans les deux cellules en conjugaison.

3.2.4 PHYSIOLOGIE

À part quelques très rares exceptions, les protozoaires sont hétérotrophes. Ils ingèrent de petites particules organiques en suspension ou

a) Déplacement à l'aide de flagelles (*Trichomonas*, *Trypanosoma*).

c) Déplacement à l'aide de pseudopodes (*Amœba*).

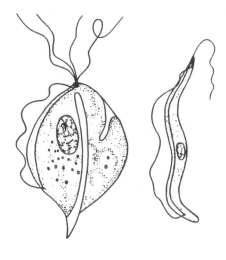

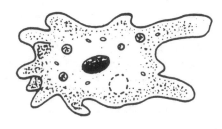

b) Déplacement à l'aide de cils (*Paramecium*, *Balantidium*).

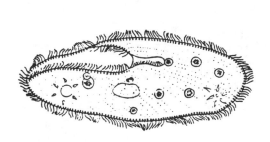

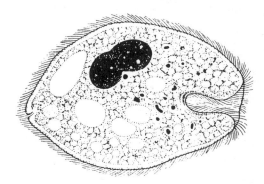

Figure 3.2
Appareil locomoteur de quelques eucaryotes.
Les organismes unicellulaires eucaryotes se meuvent à l'aide de flagelles (*a*), de cils (*b*) ou de pseudopodes (*c*).

d'autres unicellulaires de très petite taille par phagocytose, soit à l'aide de mouvements améboïdes, soit à partir de vacuoles digestives qui se forment à partir du cytostome. Il existe aussi des espèces de protozoaires – surtout celles qui sont parasites – qui font appel à un mode de nutrition par osmose : ils ne font qu'absorber de petites molécules organiques solubles qui traversent leur membrane cytoplasmique. Les protozoaires se nourrissent par osmose des liquides tissulaires de l'hôte qui les abritent. Ils peuvent même pénétrer à l'intérieur des cellules de l'hôte et se nourrir du contenu intracellulaire. Ces parasites intracellulaires ou extracellulaires causent un certain nombre de maladies infectieuses.

Pour se développer, la très grande majorité des protozoaires requièrent des conditions précises de température et de pH. Bien qu'il existe quelques exceptions, les protozoaires se développent à une température comprise entre 15 et 25 °C (température maximale 40 °C) et ne tolèrent pas de conditions de pH trop éloignées de la neutralité. Généralement, le pH ne peut être inférieur à 6 ni supérieur à 8.

Il est important de noter que certaines espèces de protozoaires sont capables de former des KYSTES. Par ce terme, on désigne des enveloppes dans lesquelles s'enferme la cellule végétative[1]. Grâce à ces enveloppes, la cellule peut résister à des conditions ambiantes défavorables telles que la dessiccation ou l'absence d'éléments nutritifs[2].

> **L'ABSENCE DE POUVOIR PHOTOSYNTHÉTIQUE ET DE MEMBRANE CELLULOSIQUE, LA MOTILITÉ ET L'UNICELLULARITÉ SONT LES QUATRE PROPRIÉTÉS DISTINCTIVES DES PROTOZOAIRES.**

3.2.5 CLASSIFICATION

On classe habituellement les protozoaires d'après la nature de leur appareil locomoteur et selon différentes caractéristiques de leur cycle vital (tableau 3.1). Les trois premiers groupes sont caractérisés par la nature de cet appareil loco

moteur, selon qu'il est constitué de cils, de flagelles ou de pseudopodes. Le quatrième groupe est caractérisé par les cycles vitaux des différentes espèces. On a donc :

– la classe des mastigophores, dont l'appareil locomoteur est formé de flagelles;

– la classe des sarcodines, qui se déplacent à l'aide des pseudopodes qu'ils émettent;

– la classe des ciliés, dans laquelle sont placés tous les protozoaires qui se déplacent à l'aide de cils;

– la classe des sporozoaires, dont les cycles vitaux sont complexes et qui forment des kystes de résistance identiques aux spores (d'où le nom du groupe).

Tableau 3.1
Classification des protozoaires.

CLASSES	CARACTÈRES	EXEMPLES
Mastigophores (Zooflagellés)	Appareil locomoteur constitué de flagelles Présence de kystes de résistance chez certains représentants	*Giardia* *Trichomonas* *Trypanosoma*
Sarcodines	Déplacement à l'aide de pseudopodes Absence de membrane rigide Présence de kystes de résistance chez certains représentants	*Amœba* *Entamœba*
Ciliés	Appareil locomoteur constitué de cils Présence de kyste de résistance chez certains représentants	*Balantidium*
Sporozoaires	Absence d'appareil locomoteur durant la plus grande partie de leur cycle vital	*Plasmodium* *Toxoploasma*

---

1. À laquelle on donne le nom de trophozoïte.
2. C'est aussi grâce à de tels kystes que certaines amibes, parasites intestinaux, résistent à l'acidité gastrique.

MASTIGOPHORES

Le groupe des mastigophores ou zooflagellés réunit les protozoaires munis de flagelles (figure 3.3). Un certain nombre d'entre eux sont pathogènes pour l'Homme. Parmi ces derniers, on peut citer :

– *Trichomonas vaginalis*, responsable d'infections génitales;
– *Giardia lamblia*, qui provoque des affections gastro-intestinales;
– *Trypanosoma gambiense*, agent de la maladie du sommeil, qui atteint de façon endémique les populations des pays de l'Afrique équatoriale, dans les régions où vit la mouche tsé-tsé, l'agent vecteur qui transmet cette parasitose à l'Homme;
– *Trypanosoma cruzi*, responsable de la maladie de Chagas, qui sévit dans les États du sud des États-Unis et en Amérique centrale.

SARCODINES

Les sarcodines sont dépourvues de cils et de flagelles, mais elles se déplacent grâce à des mouvements cytoplasmiques qui déterminent la formation de pseudopodes. Quelques sarcodines sont pathogènes pour l'Homme. *Entamœba histolytica*, qui est responsable de la dysenterie amibienne, en est un exemple.

CILIÉS

Les ciliés se distinguent par leur appareil locomoteur constitué de nombreux cils courts répartis plus ou moins uniformément à la surface de la cellule. Chez l'Homme, on ne connaît qu'une espèce parasite : *Balantidium coli*, qui est responsable d'affections gastro-intestinales[1].

SPOROZOAIRES

Les sporozoaires sont caractérisés par :

– l'absence d'appareil locomoteur (à l'exception des cellules reproductrices mâles de certaines espèces);
– leur cycle évolutif complexe;
– leur vie parasitaire.

---

1. *Balantidium coli* est un résident de l'intestin de certains animaux. Il peut être transmis à l'Homme par des kystes présents dans de l'eau ou des aliments contaminés par les excréments d'animaux comme le porc.

a) *Trypanosoma*　　　　b) *Giardia*　　　　c) *Trichomonas*

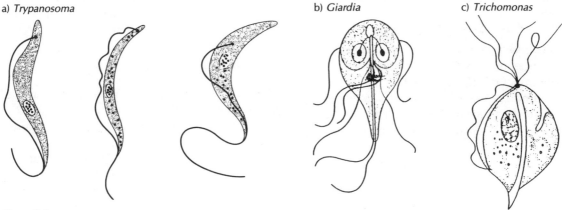

Figure 3.3
Quelques mastigophores pathogènes : *Trypanosoma, Giardia, Trichomonas*.
Les mastigophores se reconnaissent à leurs flagelles qui se présentent sous forme de filaments de plus de 100 μm (donc plus longs que la cellule).

De plus, les sporozoaires présentent des cycles vitaux complexes. Ces cycles vitaux sont caractérisés par l'alternance des modes de reproduction asexuée et sexuée qui surviennent chez des hôtes différents. L'hôte qui abrite le sporozoaire présentant les formes asexuées est qualifié d'hôte définitif, tandis que celui qui abrite les formes sexuées est qualifié d'hôte intermédiaire. Ainsi, dans le cas du paludisme, causé par *Plasmodium malariæ*, le moustique est l'hôte intermédiaire alors que l'Homme est l'hôte définitif.

Certains sporozoaires sont pathogènes. Parmi les plus connus, on peut citer :

- *Plasmodium malariæ*, agent du paludisme, maladie que l'on rencontre à l'état endémique dans de nombreuses régions du monde et particulièrement dans les régions chaudes et humides de l'Afrique, des Amériques centrale et latine;
- *Toxoplasma gondii*, responsable de la toxoplasmose. Cette maladie, qui est bénigne chez l'adulte (chez lequel elle est souvent inapparente), peut être redoutable chez l'enfant, surtout au cours de la vie fœtale, par suite de transmission transplacentaire. Le protozoaire est responsable d'hépatosplénomégalie[1], d'atteintes cardiaques et cérébrales qui causent des retards moteurs et la débilité;
- *Pneumocystis carinii*[2], qui provoque de graves pneumonies chez les personnes souffrant d'immunodéficience. C'est ce qui se produit notamment chez les personnes atteintes du SIDA, dont plus des deux tiers meurent de la pneumonie provoquée par ce protozoaire.

---

1. Hypertrophie du foie et de la rate.
2. À l'heure actuelle, la place taxonomique de ce parasite est incertaine. Il pourrait être classé dans le groupe des mycètes dont il partage certaines propriétés.

3.3 MYCÈTES

Les mycètes sont des organismes eucaryotes non photosynthétiques. Cette caractéristique les distingue fondamentalement des algues, tandis que l'absence d'organes de locomotion et la présence d'une membrane cellulosique les différencient des protozoaires.

Dépourvus de chlorophylle, les mycètes sont hétérotrophes et doivent tirer leur énergie des composés organiques puisés dans le milieu extérieur. Leur habitat est très étendu : quelques espèces vivent dans l'eau, mais c'est surtout dans le sol humide que vit à l'état saprophyte la très grande majorité des mycètes où ils dégradent les matières organiques des cadavres d'animaux et des résidus végétaux. Ce sont des décomposeurs importants dans tout écosystème car ils participent au recyclage des matières organiques.

Certaines espèces de mycètes sont parasites. Quelques-unes d'entre elles sont pathogènes. Chez l'Homme, les mycoses qu'elles produisent sont graves quand elles sont systémiques car leur diagnostic est délicat, et rares sont les antibiotiques qui permettent de les éliminer. Par ailleurs, certains mycètes sécrètent des toxines, les mycotoxines, à l'origine de très sérieuses intoxications alimentaires chez l'Homme et l'animal.

3.3.1 ANATOMIE ET MORPHOLOGIE

Bien qu'ils soient de nature typiquement eucaryote (on y trouve tous les organites spécialisés qui définissent la structure eucaryote), un grand nombre de mycètes présentent une organisation cellulaire particulière qui les distingue des autres groupes de microorganismes. Les principales structures anatomiques sont définies au tableau 3.2.

La plupart des mycètes sont constitués d'une masse de cytoplasme enfermée dans des fila-

Tableau 3.2
Définitions des principales structures anatomiques des mycètes.

STRUCTURES ANATOMIQUES	DÉFINITIONS
Cœnocyte	Structure non cellulaire constituée d'une masse de cytoplasme contenant plusieurs noyaux. Au sein de cette masse, chaque noyau contrôle les activités cellulaires d'un territoire donné.
	Cette masse de cytoplasme est plus ou moins volumineuse et plus ou moins ramifiée. Elle est éventuellement cloisonnée, mais les cloisons transversales ne sont pas des membranes cytoplasmiques.
Hyphes	Filaments à structure cœnocytique plus ou moins ramifiés, éventuellement cloisonnés et dont l'ensemble forme le mycélium.
Mycélium	Ensemble des hyphes déterminant la partie végétative d'un mycète.
Spores	Éléments unicellulaires généralement portés par des organes de fructification, par lesquels les mycètes assurent leur reproduction asexuée et sexuée.
Thalle	Structure du mycète formé par le mycélium et les organes de fructification.

ments ramifiés, nommés HYPHES, dont le diamètre moyen est de l'ordre de 5 à 10 µm. L'ensemble des hyphes forme le MYCÉLIUM. Ce mycélium peut prendre l'aspect d'un réseau lâche : c'est ce que l'on observe à la surface d'un milieu de culture sur lequel s'est développée une moisissure comme *Penicillium notatum* ou *Rhizopus nigricans*. Chez d'autres espèces de mycètes, le mycélium forme plutôt un réseau compact et dense de filaments : on observe cette organisation chez *Agaricus campestris*, l'agaric champêtre, champignon comestible bien connu.

Le mycélium peut se développer presque indéfiniment, et les mycètes peuvent atteindre des dimensions qui les rendent visibles à l'œil nu. Il est à remarquer d'ailleurs que cette croissance continue du THALLE compense l'absence d'appareil locomoteur : elle permet aux mycètes d'accéder aux sources de nourriture et de rencontrer les souches avec lesquelles ils se reproduisent de façon sexuée. Chez certaines espèces de mycètes, la longueur du thalle peut dépasser 35 mètres.

Les hyphes présentent une organisation variable : ils peuvent être cloisonnés ou non et le cytoplasme qu'ils contiennent renferme un nombre variable de noyaux. On donne à cette organisation non cellulaire le nom de cœnocyte. Elle est représentée à la figure 3.4 qui montre les principaux types d'hyphes que l'on rencontre chez les mycètes.

On observe à la figure 3.4 qu'il existe des hyphes cloisonnés et d'autres qui ne le sont pas.

Les cloisons ne sont pas des membranes cytoplasmiques qui délimitent des cellules. Ces cloisons sont constituées d'un polyoside caractéristique des mycètes, la chitine. Le mycélium forme une partie importante du thalle; l'autre partie est constituée par les organes de fructification dans lesquels sont produites les spores.

Par ailleurs, la structure cœnocytique n'est pas caractéristique de toutes les espèces. Certaines possèdent en effet une organisation cellulaire vraie. C'est le cas des levures. Unicellulaires,

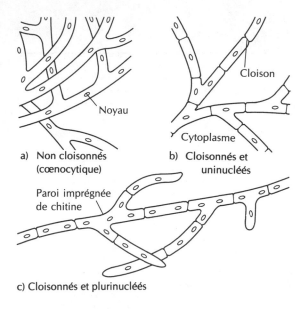

a) Non cloisonnés
(cœnocytique)

Noyau

Cloison

Cytoplasme

b) Cloisonnés et
uninucléés

Paroi imprégnée
de chitine

c) Cloisonnés et plurinucléés

Figure 3.4
Principaux types d'hyphes.

elles mesurent de 1 à 5 µm de diamètre et de 5 à 30 µm de longueur. Leur morphologie est très variable : elles sont tantôt sphériques, tantôt ovales, tantôt allongées. Elles se reproduisent le plus souvent de façon asexuée par bourgeonnement.

3.3.2 PHYSIOLOGIE

Tous les mycètes sont hétérotrophes, ce qui les rend dépendants d'une source organique de carbone. Comme les bactéries, ils se nourrissent par absorption. Ils excrètent des enzymes qui leur permettent d'hydrolyser les éléments nutritifs trop volumineux (polyosides, protéines et lipides) et qui ne peuvent être absorbés tels quels. Les composés plus simples issus de cette dégradation extérieure sont alors absorbés par diffusion ou par d'autres mécanismes.

La très grande majorité des mycètes vivent en présence d'oxygène – on dit qu'ils sont aérobies.

Cependant, quelques espèces peuvent se développer en l'absence d'oxygène en faisant appel à la fermentation. Au cours de ce processus métabolique, ils dégradent certaines substances et produisent l'énergie nécessaire à leurs activités. Prenons en exemple les levures dont on utilise le pouvoir fermentatif dans la fabrication du vin, de la bière, du cidre ou du saké. Au cours de leurs activités biochimiques, les levures transforment les glucides simples en alcool éthylique.

Un certain nombre de caractères font des mycètes des organismes peu fragiles et capables de se développer dans des conditions impropres à la croissance des protozoaires et des bactéries. Par exemple, le pH optimal de croissance des mycètes se situe entre 3,8 et 5,6 alors que celui des bactéries dépasse rarement la plage comprise entre 6,5 et 7,5. Les mycètes ont aussi la capacité de croître dans les milieux fortement hypertoniques, où la concentration en sucres ou en sels est très élevée. C'est pourquoi les confitures, par exemple, sont beaucoup plus souvent contaminées par des moisissures que par des bactéries. Enfin, les mycètes résistent la plupart du temps aux antibiotiques qui affectent par ailleurs les bactéries. Le tableau 3.3 compare les caractéristiques physiologiques des mycètes et celles des algues, des protozoaires et des bactéries.

3.3.3 REPRODUCTION

Les mycètes ont à leur disposition plusieurs modes de reproduction. La reproduction peut être asexuée – c'est le mode le plus fréquent – ou sexuée. La division du matériel nucléaire au cours de la mitose ou de la méiose présente quelques différences avec celles que l'on observe chez d'autres eucaryotes. Une des différences les plus importantes est que la membrane nucléaire reste intacte. Au moment de la division, on observe la constriction progressive du noyau à l'issue de laquelle se séparent les deux noyaux fils.

CARACTÉRISTIQUES	ALGUES	MYCÈTES	PROTOZOAIRES	BACTÉRIES
Type nutritif	Autotrophes	Hétérotrophes saprophytes ou parasites	Hétérotrophes saprophytes ou parasites (rarement)	Hétérotrophes saprophytes ou parasites
Type respiratoire	Aérobiose	Aérobiose ou fermentation	Aérobiose	Aérobiose, anaérobiose ou fermentation
pH optimal	4-11	3,8-5,6	6-8	6,5-7,5
Température optimale	20-30 °C	20-37 °C	16-25 °C	10-80 °C
Sensibilité aux antibiotiques	Insensibles aux antibiotiques	Résistants au chloramphénicol, aux pénicillines et aux tétracyclines Sensibles à la griséofulvine et à la nystatine (levures)	Insensibles aux antibiotiques	Résistantes à la griséofulvine Sensibles au chloramphénicol, aux pénicillines et aux tétracyclines

REPRODUCTION ASEXUÉE

La reproduction asexuée fait appel à trois processus :

– la formation de SPORES asexuées. Ce mode de reproduction asexuée est le plus fréquent chez les mycètes;

– le bourgeonnement, que l'on observe entre autres chez les levures, au cours duquel la division du matériel cytoplasmique est inégale : la cellule fille se forme à partir d'une petite excroissance initiale;

– la fission binaire qui conduit à la formation de deux cellules filles de même volume.

Les spores asexuées sont contenues dans des organes de fructification de structure plus ou moins complexe et d'aspects variables selon les espèces. Les spores sont produites en très grand nombre. Certains de ces organes, les SPORANGES, en contiennent plusieurs millions. Le type d'organes dans lesquels se forment les spores asexuées

et les spores sexuées est d'ailleurs un caractère taxonomique important dans la classification des mycètes.

Chaque spore est une petite cellule qui contient un noyau, du cytoplasme déshydraté; sa membrane cytoplasmique est protégée par une enveloppe extérieure. Grâce à cette enveloppe, les spores peuvent résister à des conditions défavorables.

Les spores sont surtout disséminées par l'air, mais elles peuvent aussi l'être par l'eau, par les excréments des animaux et de l'Homme (elles survivent très facilement dans leurs intestins). Quand ces spores rencontrent un milieu favorable, elles germent et donnent naissance à un nouveau mycélium. La figure 3.5 montre les organes de fructification produits au cours de la reproduction asexuée chez les moisissures et le principe du bourgeonnement chez les levures.

a) Rhizopus nigricans.

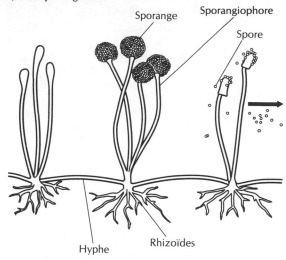

c) Saccharomyces cerevisiæ.

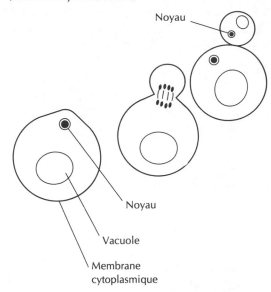

b) Penicillium notatum.

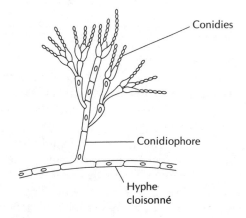

Figure 3.5
Reproduction asexuée.

REPRODUCTION SEXUÉE

Même si ce mode est observé plus rarement, les mycètes peuvent faire appel à la reproduction sexuée. Celle-ci ne survient que dans des conditions particulières et les modalités en sont complexes. Elles ne sont pas encore connues pour certains mycètes regroupés sous le terme de deutéromycètes.

En premier lieu, la reproduction sexuée ne se produit qu'entre souches génétiquement distinctes mais compatibles. Ses modalités varient notablement selon les groupes de mycètes. On ne retiendra ici que les principes les plus généraux.

La reproduction sexuée repose sur l'un des trois mécanismes suivants :

– la fusion de gamètes;
– la pénétration d'un gamète dans un organe reproducteur, le gamétange;
– la fusion des gamétanges.

3.3.4 CLASSIFICATION

La classification des mycètes repose principalement sur les caractéristiques de la reproduction sexuée. Elle tient compte aussi de la structure des hyphes (présence ou absence de cloisons). Le règne des mycètes est divisé, selon les auteurs, en quatre ou cinq classes :

– Les oomycètes ont un mycélium dépourvu de cloisons et élaborent des oospores. Ce groupe ne contient pas de mycètes pathogènes pour l'Homme.

- Les phycomycètes (aussi appelés zygomycètes) ont un mycélium non cloisonné et forment des zygospores. C'est dans ce groupe que se trouvent classées un certain nombre de moisissures communes. Quelques espèces appartenant aux genres *Mucor*, *Rhizopus* et *Absidia* peuvent causer des mycoses opportunistes. Ces mycoses se traduisent par des atteintes sous-cutanées, lymphatiques ou systémiques. Ces mycoses surviennent chez les malades atteints de diabète, de leucémies, de brûlures importantes ou chez des personnes souffrant d'immunodéficience.

- Les ascomycètes ont un mycélium cloisonné et forment des ascospores portées par un appareil de fructification nommé asque. Le groupe des ascomycètes renferme aussi quelques espèces cellulaires dont les levures. Parmi les quelques ascomycètes pathogènes, mentionnons *Candida albicans* qui parasite les voies respiratoires, digestives et génitales.

- Les basidiomycètes ont un mycélium cloisonné et forment des basidiospores portées par un appareil de fructification formé de basides. À proprement parler, il n'y a pas de basidiomycètes pathogènes pour l'Homme, sauf une[1], mais c'est à ce groupe qu'appartiennent les champignons vénéneux.

- Les deutéromycètes forment un groupe hétérogène dans lequel sont rangées temporairement les espèces dont la phase de reproduction sexuée est encore inconnue. C'est dans cette classe que l'on trouve la plupart des mycètes pathogènes pour l'Homme. Parmi ceux-ci, *Histoplasma capsulatum*, *Blastomyces dermatidis*, *Cryptococcus neoformans* et *Coccidioides immitis* sont les plus connus.

3.4 RÉSUMÉ

Les microorganismes eucaryotes forment un monde immense et très diversifié, mais ils partagent tous une organisation cellulaire complexe, dite eucaryote, caractérisée par la présence de nombreux organites intracytoplasmiques spécialisés.

Les classifications distinguent aujourd'hui trois groupes de microorganismes eucaryotes : les algues, les protozoaires et les mycètes.

On classe chez les algues les organismes présentant des caractéristiques typiquement végétales : une paroi cellulosique et des pigments chlorophylliens qui font des algues les seuls autotrophes parmi les microorganismes eucaryotes. Ce groupe d'importance est de peu d'intérêt en microbiologie médicale en raison de l'absence d'espèces pathogènes.

On classe chez les protozoaires des organismes hétérotrophes, dépourvus de membrane cellulosique mais dotés d'un appareil locomoteur. Les protozoaires sont unicellulaires et se reproduisent le plus souvent de façon asexuée. Classées d'après la nature de leurs appareils locomoteurs et la nature de leurs cycles vitaux, les 30 000 espèces de protozoaires sont divisées en quatre grands groupes : les mastigophores, les sarcodines, les sporozoaires et les ciliés.

Les espèces appartenant au premier groupe sont identifiables par leur appareil locomoteur constitué de flagelles. De nombreuses espèces de mastigophores sont parasites. Parmi celles-ci, un certain nombres d'entre elles sont pathogènes. C'est notamment le cas de *Trichomonas vaginalis*, de *Giardia lamblia* et de *Trypanosoma gambiense*.

Les sarcodines sont dépourvues d'appareil locomoteur : elles se déplacent en émettant des pseu-

---

1. Il s'agit de *Filobasidiella neoformans*, aussi appelée *Cryptococcus neoformans*. Ce mycète est responsable de la cryptococcose, une maladie systémique dont les cibles principales sont le système respiratoire, le sang et le cerveau.

dopodes. À cause des mouvements améboïdes, ces organismes changent constamment de formes. À ce groupe appartiennent les amibes dont certaines, comme *Entamœba histolytica*, sont pathogènes pour l'Homme.

Le groupe des ciliés se distingue des autres groupes par un appareil locomoteur formé de nombreux cils présents à la surface de la cellule. La plupart des espèces de ciliés mènent une vie aquatique libre. Les espèces pathogènes font exception.

Les sporozoaires sont classés d'après la nature de leur cycle vital plutôt que par la nature d'un appareil locomoteur qu'ils ne possèdent qu'à certaines étapes de leur cycle vital. Généralement complexes, les cycles vitaux des sporozoaires sont surtout marqués par une alternance des modes de reproduction sexuée et asexuée qui surviennent chez des hôtes différents. Tous les représentants de ce groupe mènent une vie parasitaire. Certains sont pathogènes pour l'Homme. Parmi ceux-ci, *Plasmodium malariæ*, *Toxoplasma gondii* et *Pneumocystis carinii* sont les plus connus.

Les mycètes sont caractérisés par l'absence de pouvoir photosynthétique et par l'absence d'appareil locomoteur, ce qui les différencie respectivement des algues et des protozoaires. De nombreux mycètes se distinguent aussi des deux premiers groupes d'eucaryotes par leur organisation cœnocytique. À l'exception de quelques espèces, les mycètes ne sont pas constitués de cellules mais de filaments ramifiés, cloisonnés ou non cloisonnés et formant un mycélium plus ou moins développé.

Les mycètes sont divisés en cinq classes, le principal critère taxonomique étant la nature des spores formées lors de la reproduction sexuée. Ces classes sont celles des oomycètes, des phycomycètes, des ascomycètes, des basidiomycètes et des deutéromycètes. C'est dans cette dernière classe que sont rangés la plupart des mycètes pathogènes pour l'Homme.

LECTURES SUGGÉRÉES

ALEXOPOULOS, C.J. et C.W. MIMS. *Introductory Mycology*. 3e éd., New York, John Wiley and sons, 1979, 519 p.

CHRISTENSEN, C.M. *The Molds and Man*. 3e éd., New York, McGraw-Hill, 1965, 349 p.

COUILLARD, P. *Biologie cellulaire*. Montréal, Décarie, 1977, 125 p.

DURAND, M. et P. FAVARD. *La cellule*. 2e éd., Paris, Hermann, collection Méthodes, 1974, 383 p.

GAILLARDIN, C. et H. HESLOT. «La levure». *La recherche*, vol. 18, n° 188 (mai 1987), p. 586-601.

NOBLE, E. R. et G. A. NOBLE. *Parasitology : the Biology of Animal Parasites*. 6e éd., Philadelphie, Lea and Febiger, 1989, 574 p.

REGNAULT, J.-P. *Microbiologie générale*. Montréal, Décarie, 1990, 859 p.

SLEIGH, M. A. *The Biology of Protozoa*. Londres, Edward Arnold, 1973, 315 p.

chapitre 4

microorganismes procaryotes

4.1 INTRODUCTION

Les procaryotes forment un vaste groupe composé de deux sous-groupes : celui des archæobactéries et celui des eubactéries. Les archæobactéries ne présentant guère d'intérêt sur les plans médical et technologique, ce chapitre ne traitera que des eubactéries et décrira en détail l'organisation cellulaire typique de ces procaryotes.

Avant d'entreprendre l'étude des procaryotes, il est important de rappeler que la cellule procaryote est de petite taille et qu'elle présente une extrême simplicité d'organisation. Elle est environ 100 fois plus petite que la cellule eucaryote et ne contient qu'un petit nombre d'organites spécialisés.

4.2 ANATOMIE ET MORPHOLOGIE

La figure 4.1 représente une eubactérie typique grossie environ 100 000 fois. On y observe les enveloppes extérieures : la paroi et la membrane cytoplasmique ; dans le cytoplasme, on remarque de nombreux ribosomes, un mésosome, quelques granulations de réserve et les fibrilles d'ADN du chromosome bactérien.

À ces structures et organites que l'on qualifie parfois d'éléments obligatoires parce que toujours présents, s'ajoutent d'autres éléments anatomiques particuliers chez un petit nombre d'espèces. Ce sont des éléments facultatifs par opposition aux premiers. On distingue généralement quatre éléments facultatifs : la capsule, l'appareil locomoteur, les pili et les endospores. Le tableau 4.1 établit la liste des éléments structuraux de la cellule procaryote et permet de différencier les éléments obligatoires des éléments facultatifs.

La cellule procaryote se distingue fondamentalement de la cellule eucaryote par deux caractères : une très petite taille et la présence d'un petit nombre d'organites spécialisés.

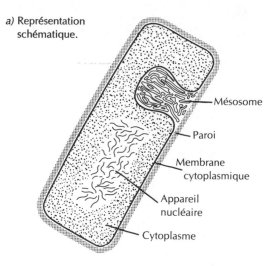

a) Représentation schématique.

- Mésosome
- Paroi
- Membrane cytoplasmique
- Appareil nucléaire
- Cytoplasme

b) *Bacillus subtilis.*
Photographie : S. Garzon, Université de Montréal.

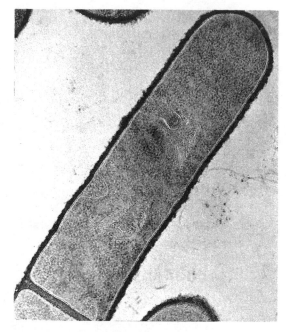

Figure 4.1
Organites essentiels de la cellule bactérienne.

La cellule bactérienne se distingue de la cellule eucaryote par sa petite taille et par un petit nombre d'organites spécialisés. On observe la paroi et la membrane cytoplasmique, l'appareil nucléaire formé par des fibrilles d'ADN libres dans le cytoplasme, les ribosomes et le mésosome.

Tableau 4.1
Principaux éléments composant la cellule procaryote.

ÉLÉMENTS OBLIGATOIRES	ÉLÉMENTS FACULTATIFS
Paroi	Capsule
Membrane cytoplasmique	Pili
Cytoplasme	Flagelles
Ribosomes	Endospore
Mésosome	Plasmide[2]
Chromosome	
Chromatophore[1]	

1. Le chromatophore n'est présent que chez les cyano-bactéries dotées de pouvoir photosynthétique.
2. Le plasmide est un petit élément génétique extra-chromosomique. Ensemble, chromosome et plasmide constituent l'appareil nucléaire bactérien.

Sauf de rares exceptions, la cellule procaryote est entourée d'un certain nombre d'enveloppes dont les principales sont la paroi et la membrane cytoplasmique auxquelles s'ajoute parfois une capsule.

4.2.1 PAROI

La paroi est une enveloppe relativement épaisse. Elle est surtout constituée de peptidoglycane chez les eubactéries. Comme le montre la figure 4.2, la paroi contient d'autres composés chimiques, notamment des lipides dont la quantité détermine la réaction à la coloration de Gram[1]. Cette coloration différentielle permet de séparer les bactéries Gram positif – dont la paroi est pauvre en lipides –, des bactéries Gram négatif – dont la paroi est riche en lipides. La coloration de Gram est d'une grande utilité car elle dicte les étapes subséquentes de l'identification des bactéries, notamment en ce qui concerne les besoins nutritifs et la sensibilité aux antibiotiques (tableau 4.2).

1. Le principe de la coloration de Gram est abordé en détail au chapitre 23 qui traite de la manipulation des micro-organismes au laboratoire.

Tableau 4.2
Comparaison des caractères physiologiques des bactéries Gram positif et Gram négatif.

PROPRIÉTÉS	BACTÉRIES GRAM POSITIF	BACTÉRIES GRAM NÉGATIF
Besoins nutritifs	Relativement complexes	Relativement simples
Tolérance à la déshydratation	Forte	Faible
Inhibition de la croissance par la pénicilline	Forte	Faible
Inhibition de la croissance par les colorants	Forte	Faible
Destruction de la paroi par le lysozyme	Forte	Faible
Excrétion d'exoenzymes	Fréquente	Rare (enzymes retenues dans le périplasme)
Libération d'exotoxines	Oui	Non
Production d'endotoxines	Non	Oui
Résistance aux chocs physiques	Forte	Faible

LA PAROI DES BACTÉRIES EST PRINCIPALEMENT CONSTITUÉE DE PEPTIDOGLYCANE.
LA COLORATION DE GRAM PERMET DE SÉPARER LES BACTÉRIES EN DEUX GROUPES :
– LES BACTÉRIES GRAM POSITIF, DONT LA PAROI EST PAUVRE EN LIPIDES;
– LES BACTÉRIES GRAM NÉGATIF, DONT LA PAROI EST RICHE EN LIPIDES.

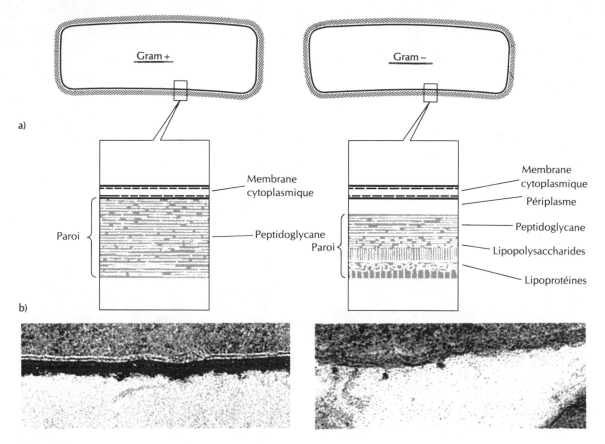

a)

b)

Figure 4.2

Ultrastructure de la paroi des bactéries Gram positif et des bactéries Gram négatif.

Chez les bactéries Gram positif, la paroi est constituée d'une seule couche épaisse, riche en peptidoglycane et pauvre en lipides. Au contraire, chez les bactéries Gram négatif, la paroi est riche en lipides et pauvre en peptidoglycane. De plus, chez ces dernières, on observe trois couches distinctes : une mince couche interne de peptidoglycane, une couche intermédiaire de lipopolysaccharides et une couche externe de lipoprotéines.

a) Représentation schématique.

b) Bacillus subtilis (à gauche) et *Escherichia coli* (à droite).

Photographies : S. Garzon, Université de Montréal.

La paroi a pour fonction de protéger les bactéries des chocs osmotiques : elle leur permet surtout de survivre dans les milieux hypotoniques en limitant mécaniquement et passivement les entrées d'eau dans la cellule. La paroi détermine aussi la forme des bactéries. On rencontre trois types morphologiques : les bactéries peuvent être sphériques (cocci), allongées (bacilles) ou spiralées (spirilles). Les aspects que prennent les différentes espèces bactériennes sont représentés à la figure 4.3.

Les bactéries sphériques sont appelées COCCI (coccus au singulier). Elles peuvent être parfaite-

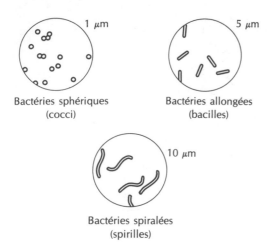

Bactéries sphériques
(cocci)

Bactéries allongées
(bacilles)

Bactéries spiralées
(spirilles)

Figure 4.3
Aspects morphologiques des bactéries.

Les bactéries peuvent se présenter sous la forme sphérique (cocci), allongée (bacilles) ou spiralée (spirilles).

ment sphériques (*Staphylococcus aureus*), en forme de fer de lance (*Streptococcus pneumoniæ*), ou en forme de grains de café (*Neisseria gonorrheæ*). De plus, les cocci présentent un certain nombre d'arrangements spatiaux différents et forment des groupes de morphologie particulière. Ces arrangements dépendent des plans de division cellulaire et sont toujours caractéristiques d'une espèce donnée.

Les diplocoques, les streptocoques et les staphylocoques se divisent selon un seul plan et demeurent attachés les uns aux autres en groupes plus ou moins volumineux. Ils peuvent être groupés en amas comme chez le staphylocoque (*Staphylococcus aureus*); ils peuvent être groupés par deux et former des diplocoques (*Streptococcus pneumoniæ, Neisseria gonorrheæ*). Ils peuvent enfin former des chaînettes de longueurs variables (*Streptococcus lactis, Streptococcus fæcalis*).

En revanche, d'autres espèces peuvent se diviser selon plusieurs plans. C'est le cas de *Pediococcus cerevisiæ* ou de *Sarcina lutea*. La première se

divise selon deux plans et donne des arrangements caractéristiques de quatre cellules; la seconde, se divisant selon trois plans réguliers, donne des arrangements cubiques. Les arrangements que l'on rencontre le plus fréquemment chez les cocci sont représentés à la figure 4.4.

On nomme BACILLES les bactéries cylindriques qui, en microscopie optique, ressemblent à des bâtonnets. Les extrémités de ces bacilles sont le plus souvent arrondies, mais certaines espèces présentent des extrémités plus ou moins effilées. Enfin, chez d'autres espèces, elles sont grossièrement carrées. Selon le principe décrit pour les cocci, les bacilles peuvent prendre plusieurs dispositions et apparaître comme des diplobacilles ou des streptobacilles, mais ces dispositions sont moins fréquentes que dans le groupe des cocci. On peut noter cependant quelques cas d'arrangements particuliers intéressants. Toutefois, on n'observe ces dispositions caractéristiques que

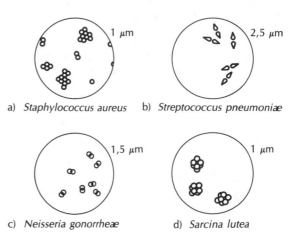

a) *Staphylococcus aureus*   b) *Streptococcus pneumoniæ*

c) *Neisseria gonorrheæ*   d) *Sarcina lutea*

Figure 4.4
Arrangements spatiaux de quelques cocci.

Les arrangements spatiaux caractéristiques que forment certains cocci dépendent des plans de division cellulaire. On observe des diplocoques (pneumocoques, gonocoques), des chaînettes (streptocoques), des amas (staphylocoques), des sarcines (groupement par quatre) et des tétrades (groupement par huit).

43

chez les spécimens provenant de vieilles cultures ou des spécimens cultivés dans des conditions spéciales. Citons le cas du bacille diphtérique ou du bacille tuberculeux. Le premier, *Corynebacterium diphteriæ*, forme un groupement palissadique dans lequel les bacilles se présentent serrés les uns contre les autres; le second, *Mycobacterium tuberculosis*, apparaît par groupe de trois, donnant au microscope l'image d'un Y (figure 4.5).

Le dernier groupe, celui des SPIRILLES, a une apparence spiralée. Les cellules des spirilles sont de tailles variables; c'est d'ailleurs au sein de ce groupe que se trouvent les bactéries les plus grandes. D'une espèce à l'autre, on observe des variations importantes dans le nombre et l'amplitude des spires, comme l'illustre la figure 4.6 qui représente trois espèces de bactéries spiralées : *Treponema pallidum*, *Spirillum volutans* et *Borrelia anserina*.

4.2.2 MEMBRANE CYTOPLASMIQUE

La membrane cytoplasmique des cellules procaryotes ne se distingue de celle des eucaryotes que par l'absence de stérols. Elle remplit les

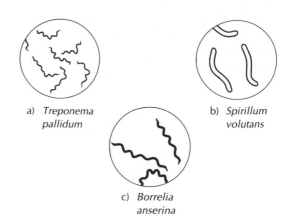

a) *Treponema pallidum*

b) *Spirillum volutans*

c) *Borrelia anserina*

Figure 4.6
Trois espèces de bactéries spiralées.
Les bactéries spiralées se distinguent entre elles par leur longueur, le nombre et l'amplitude des spires.

mêmes fonctions de barrière osmotique et de contrôle des échanges cellulaires grâce à sa perméabilité sélective. De plus, elle porte les enzymes de la chaîne respiratoire.

4.2.3 CAPSULE

La capsule est une enveloppe plus ou moins épaisse et visqueuse qui recouvre la paroi (figure 4.7). On la rencontre notamment chez certains streptocoques, comme *Streptococcus pneumoniæ* et chez les bactéries du genre *Klebsiella*. La capsule n'a pas de rôle particulier si ce n'est celui de participer indirectement au pouvoir pathogène, car elle favorise l'adhérence des bactéries aux cellules épithéliales et inhibe la phagocytose.

Ce rôle a été particulièrement mis en évidence chez *Streptococcus pneumoniæ* dont seules les souches capsulées sont pathogènes. On croit que la capsule peut favoriser l'adhésion des bactéries aux cellules épithéliales mais, chose certaine, elle empêche la phagocytose. L'infection ne peut pas être combattue efficacement par la première

a) *Corynebacterium diphteriæ*

b) *Mycobacterium tuberculosis*

Figure 4.5
Arrangements spatiaux des bacilles diphtérique et tuberculeux.
Dans des conditions de cultures particulières, certains bacilles présentent des arrangements spatiaux typiques. C'est le cas de *Corynebacterium diphteriæ* (groupement palissadique) et de *Mycobacterium tuberculosis* (groupement par trois en forme d'Y).

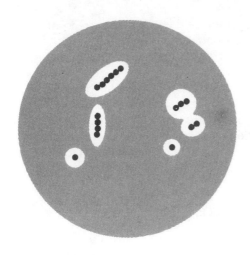

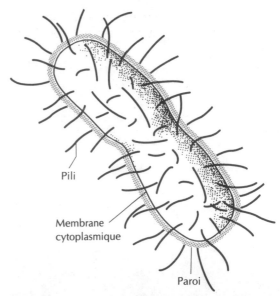

Pili

Membrane
cytoplasmique

Paroi

Figure 4.7
Capsule.

La capsule présente autour de ces bactéries est révélée indirectement par une coloration à l'encre de Chine. La capsule
qui ne prend pas ce colorant se détache sur le fond noir de la
préparation.

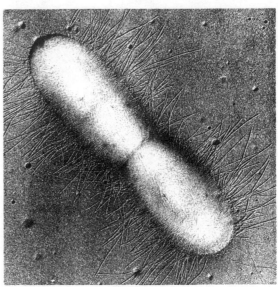

ligne de défense de l'organisme. Elle peut même
s'étendre à cause de cette capacité de résister à
l'action des phagocytes. C'est un important mode
d'invasion.

4.2.4 PILI

La surface des bactéries est parfois recouverte de
nombreux appendices, les pili (figure 4.8). Ces
fins prolongements cytoplasmiques participent
aux processus d'échanges de matériel génétique
d'une bactérie à l'autre. Ils constituent aussi des
sites de fixation pour certains virus et ils permettent aux bactéries d'adhérer aux cellules eucaryotes. *Escherichia coli*, *Shigella flexneri* et *Neisseria gonorrheæ* sont trois exemples de bactéries
Gram négatif qui possèdent des pili. Parmi les
bactéries Gram positif qui portent des pili, signalons *Streptococcus pyogenes* et *Streptococcus
mutans*.

Figure 4.8
Pili.

Les pili sont des prolongements raides, fins et courts de la
membrane cytoplasmique de certaines bactéries. Ces pili ont
deux fonctions : ils permettent à ces bactéries d'adhérer aux
cellules eucaryotes et ils interviennent dans la conjugaison.

a) Représentation schématique.

b) *Escherichia coli.*

Photographie : S. Garzon, Université de Montréal.

4.2.5 MÉSOSOMES

Les mésosomes sont en relation avec la membrane cytoplasmique (figure 4.9). Ils prennent part à plusieurs fonctions métaboliques : transformation de l'énergie, synthèse de diverses catégories de substances, division du matériel nucléaire et synthèse de la paroi après la division cellulaire.

4.2.6 APPAREIL NUCLÉAIRE

L'appareil nucléaire occupe un volume important au sein de cytoplasme. Cet appareil nuclé-

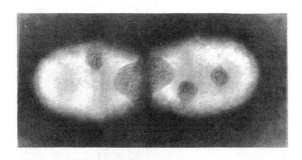

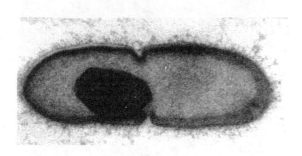

Figure 4.9
Mésosomes de *Streptococcus mutans*.

Les mésosomes sont formés par un prolongement de la membrane cytoplasmique et ressemblent à des vésicules ou à des sacs remplis de lamelles. Équivalents des mitochondries de la cellule procaryote, les mésosomes servent de support à différentes enzymes et interviennent dans de nombreuses fonctions métaboliques.

a) Coloration histochimique.

b) Coloration négative.

Photographies : S. Garzon, Université de Montréal.

aire est formé d'un unique chromosome circulaire qui porte les informations génétiques nécessaires au contrôle des activités cellulaires et à la transmission des caractères génétiques lors des divisions successives. En plus de ce chromosome, certaines espèces de bactéries contiennent un ou plusieurs plasmides porteurs d'autres informations génétiques qui leur confèrent des caractères particuliers comme la résistance aux antibiotiques.

4.2.7 RIBOSOMES

Les ribosomes sont les organites les plus nombreux et les plus importants du cytoplasme. Ils participent à la synthèse des protéines.

4.2.8 ENDOSPORES

Certaines bactéries ont la capacité de former des endospores (figures 4.10, 4.11 et 4.12). Les endospores ne doivent pas être confondues avec les spores que forment les mycètes, car elles n'exercent pas les mêmes fonctions. Chez les premières, les endospores constituent des formes de résistance qui permettent aux bactéries de survivre malgré des conditions environnementales défavorables; chez les seconds, les spores sont des cellules formées au cours de la reproduction asexuée.

Les endospores sont enveloppées d'une membrane épaisse, riche en acide dipicolinique et constituées d'un fragment de l'appareil nucléaire et de cytoplasme déshydraté.

Elles montrent une grande thermorésistance; elles sont insensibles aux antibiotiques et sont plus résistantes aux radiations que les cellules végétatives qui leur ont donné naissance. Ces organites de résistance sont toutefois sensibles à certains produits chimiques, notamment l'oxyde d'éthylène, que l'on utilise justement pour les éliminer.

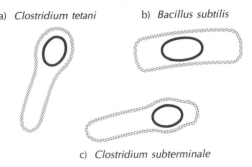

a) *Clostridium tetani*   b) *Bacillus subtilis*

c) *Clostridium subterminale*

Figure 4.12
Formes et position des endospores dans les cellules bactériennes.

a) Endospore terminale déformante.

b) Endospore centrale non déformante.

c) Endospore subterminale déformante.

Les endospores se forment à l'intérieur du cytoplasme quand les bactéries sont placées dans des conditions environnementales défavorables. Elles entrent en dormance et peuvent rester dans cet état pendant de nombreuses années. Ce n'est qu'au retour des conditions environnementales favorables qu'elles germent et donnent naissance à de nouvelles bactéries. La reprise des activités métaboliques et la germination proprement dite sont précédées d'une étape au cours de laquelle l'état de dormance est levé. L'endospore activée donne naissance à une bactérie végétative. La figure 4.13 résume le cycle sporal.

4.2.9 FLAGELLES

De nombreuses espèces bactériennes sont capables de se déplacer grâce à un appareil locomoteur formé d'un ou de plusieurs flagelles libres à l'extérieur de la cellule ou de filaments axiaux emprisonnés entre la paroi et la membrane cytoplasmique. Flagelles et filaments axiaux ont une composition chimique identique : il s'agit d'une protéine à pouvoir contractile, la flagelline. Le nombre et la distribution des flagelles varient selon les espèces mais sont stables pour une espèce donnée.

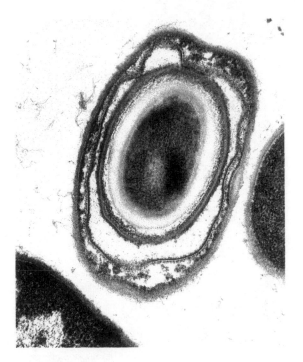

Figure 4.10
Microphotographie d'une endospore.
(Grossissement 30 000 fois).
Photographie : S. Garzon, Université de Montréal.

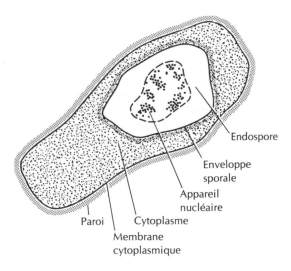

Endospore

Enveloppe sporale

Appareil nucléaire

Paroi   Cytoplasme

Membrane cytoplasmique

Figure 4.11
Représentation schématique d'une endospore.

47

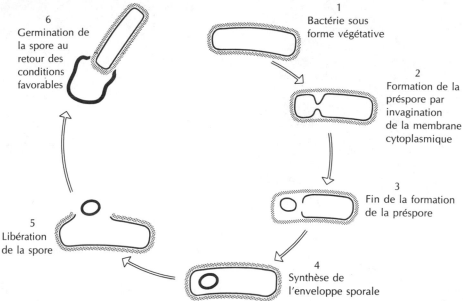

Figure 4.13
Cycle sporal.

La première étape du cycle sporal est marquée par la formation de la préspore par invagination de la membrane cytoplasmique. Une fois formée, la préspore renfermant une partie de l'appareil nucléaire et du cytoplasme s'entoure d'une enveloppe épaisse et réfringente. La bactérie meurt, éclate et libère l'endospore. Celle-ci reste en dormance jusqu'au retour de conditions favorables à sa germination. En germant, l'endospore donne naissance à une nouvelle bactérie.

On distingue généralement quatre types d'implantation (figure 4.14), selon que les flagelles sont disposés à une extrémité, aux deux extrémités ou sur toute la surface de la cellule. Ainsi, on appelle :

- monotriche, une bactérie qui ne possède qu'un seul flagelle;
- lophotriche, une bactérie qui possède deux ou plusieurs flagelles à une extrémité;
- amphitriche, une bactérie qui possède une touffe de flagelles à chacune de ses extrémités;
- péritriche, une bactérie dont les nombreux flagelles sont implantés sur toute la surface de la cellule.

Certaines bactéries utilisent d'autres structures que les flagelles pour se mouvoir. C'est le cas notamment des spirochètes auxquels appartiennent les tréponèmes, les borrelia et les leptospires. En effet, ces bactéries se déplacent à l'aide d'un système particulier constitué d'un ou plusieurs filaments axiaux emprisonnés dans le périplasme, c'est-à-dire dans l'espace qui sépare la partie interne de la paroi et la membrane cytoplasmique. Les filaments axiaux sont fixés aux deux extrémités et s'enroulent autour de la cellule spiralée (figure 4.15). Le nombre de filaments axiaux varie selon les espèces : on en retrouve deux chez *Treponema microdentium*; il y en a de six à huit chez *Treponema reiteri*.

Le filament axial est constitué de fibrilles analogues à celles des flagelles. C'est l'alternance des mouvements de contraction et de décontraction qui imprime un mouvement de rotation hélicoïdale à toute la cellule. Ce mouvement permet aux

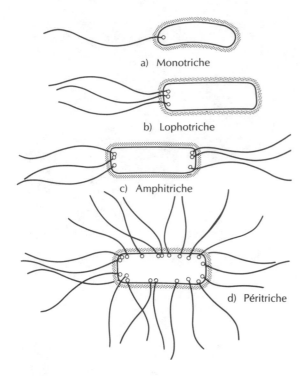

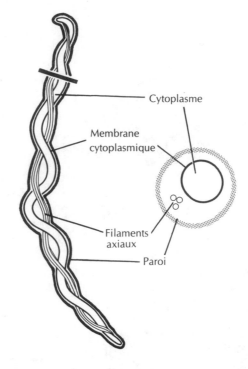

Figure 4.14
Types d'implantation des flagelles à la surface de quelques espèces bactériennes.

Figure 4.15
Appareil locomoteur des spirochètes.

spirochètes de se déplacer dans les milieux semi-solides.

La figure 4.16 présente une série de micropho-tographies qui permettent d'observer plusieurs structures typiques de la cellule procaryote.

4.3 PHYSIOLOGIE

La totalité des bactéries auxquelles s'intéresse la microbiologie médicale sont hétérotrophes. On insistera donc sur les besoins physiologiques propres à cette catégorie afin de bien compren-dre leur mode de développement.

Comme tous les organismes hétérotrophes, les bactéries doivent trouver dans l'environnement des éléments nutritifs sous forme organique, no-tamment le carbone et l'azote. Comme les autres microorganismes, elles se nourrissent par absorp-tion. Au besoin, elles excrètent des enzymes qui leur permettent d'hydrolyser les éléments nutri-tifs trop volumineux (polyosides, protéines et lipides) et qui ne peuvent être absorbés tels quels. Les composés plus simples issus de cette dégra-dation extérieure sont alors absorbés par diffu-sion ou par d'autres mécanismes. La figure 4.17 illustre l'action de ces enzymes particulières ap-pelées exoenzymes.

Incapables de trouver elles-mêmes les éléments nutritifs indispensables à leurs besoins, les bacté-ries, comme d'autres microorganismes, ont éta-bli des relations parasitaires avec d'autres êtres

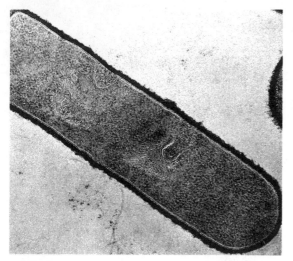

a) *Bacillus subtilis*
   Grossissement : 33 250

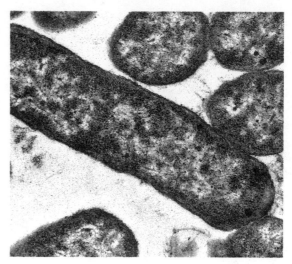

b) *Escherichia coli*
   Grossissement : 27 650

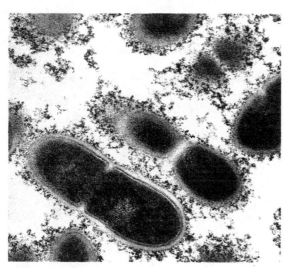

c) *Streptococcus mutans*
   Grossissement : 45 500

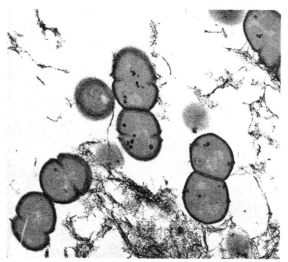

d) *Streptococcus mutans*
   Coloration histochimique des mucopolysaccharides de la
   paroi, du glycogène et de l'exopolysaccharide.

Figure 4.16
Aspect morphologique de quelques bactéries.

Parmi les structures typiques, noter la paroi (*a, b, c, d*), l'aspect caractéristique de grain de café de *Neisseria gonorrheæ* (*e*), les pili (*f*), les flagelles (*g*) et les endospores (*h*). Noter aussi la différence d'aspect de la paroi des bactéries Gram positif (*a*) et Gram négatif (*b*).

Photographies : S. Garzon, Université de Montréal.

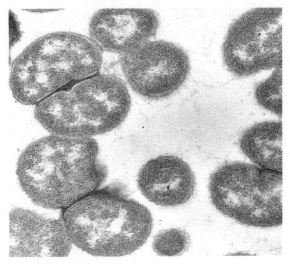

e) *Neisseria gonorrheæ*
   Grossissement : 28 700

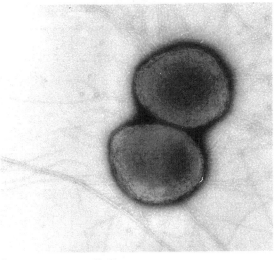

f) *Neisseria gonorrheæ*
   Grossissement : 26 950

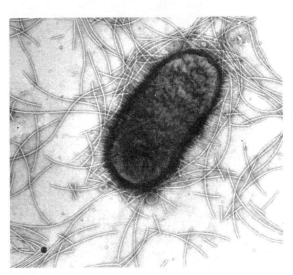

g) *Proteus vulgaris*
   Grossissement : 25 200

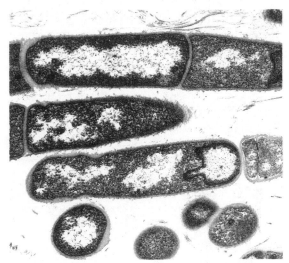

h) *Bacillus cereus*
   Grossissement : 17 500

Figure 4.16 (Suite.)
Aspect morphologique de quelques bactéries.

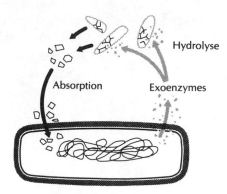

Figure 4.17
Action des exoenzymes.

Les exoenzymes sont excrétées dans le milieu extérieur. Elles assurent l'hydrolyse extracellulaire des composés organiques trop volumineux pour être absorbés tels quels.

vivants qui leur servent d'hôte. Les relations parasitaires sont abordées au chapitre 7.

Le développement des bactéries est tributaire de plusieurs facteurs physiques. Parmi ceux-ci, l'eau, la température, le pH et l'oxygène sont les plus importants. L'influence de ces facteurs sera décrite au chapitre 6 qui traite du développement microbien. Mentionnons simplement ici que les bactéries peuvent vivre en présence ou en absence d'oxygène. Celles qui vivent en présence d'oxygène sont aérobies, les autres sont dites anaérobies ou fermentatives selon les processus métaboliques auxquels elles font appel pour produire l'énergie nécessaire à leurs activités.

4.4 REPRODUCTION

Pour se reproduire, les procaryotes font appel à la FISSION BINAIRE, que l'on appelle aussi scissiparité, un processus asexué beaucoup plus simple que la mitose des cellules eucaryotes. Au cours de ce processus, une cellule se divise pour former deux cellules filles. Dans un premier temps, le matériel nucléaire se dédouble et se dirige vers les extré-

mités de la cellule (figure 4.18). L'ADN se dédouble de la même manière que dans la cellule eucaryote. Il est toutefois important de saisir :

– qu'il n'y a aucune sexualité dans ce mode de reproduction;
– que ce dédoublement conduit à la formation de deux cellules rigoureusement identiques sur le plan génétique (à moins que ne survienne une mutation modifiant accidentellement le bagage d'une des cellules filles);

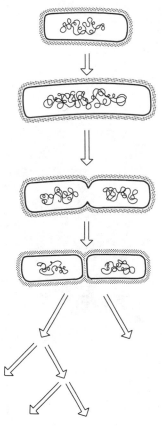

Figure 4.18
Fission binaire.

La fission binaire est un processus de division asexuée plus simple que la mitose. Le chromosome bactérien se dédouble et un septum transversal sépare les deux nouvelles cellules. Toutes les cellules de la population microbienne ainsi formée sont génétiquement identiques. Elles forment un clone.

– que la population microbienne formée par les générations successives issues d'une cellule initiale unique est constituée de cellules identiques. On dit de cette population qu'elle forme un clone en raison de son identité génétique absolue.

La colonie microbienne qui apparaît à la surface d'un milieu de culture solide est un exemple de clone : en principe, la colonie est issue d'une cellule initiale. Toutes les cellules filles de la colonie portent les mêmes informations génétiques que la cellule mère. C'est donc un clone.

Après ce dédoublement, il se forme une paroi transversale au centre de la cellule : le septum. Ce septum correspond à la formation d'une paroi au centre de la bactérie. Lorsque le septum est complet, les deux cellules se séparent. La figure 4.18 illustre cè mode de reproduction.

Les microorganismes procaryotes sont dépourvus de sexualité, mais ils disposent de différents autres processus pour modifier leurs caractères génétiques plus rapidement que ne le permettraient de rares mutations.

Chez les bactéries, les échanges de gènes s'effectuent selon plusieurs moyens. Ce sont la transformation, la conjugaison et la transduction (figure 4.19). Ces trois procédés de recombinaison génétique ont en commun :

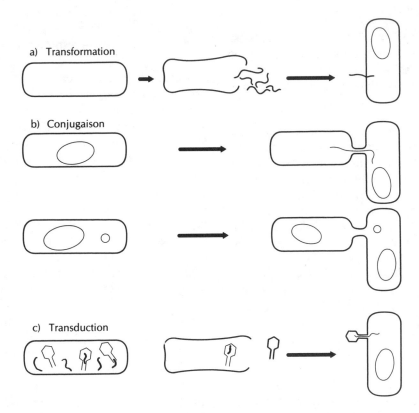

a) Transformation

b) Conjugaison

c) Transduction

Figure 4.19
Processus de recombinaison bactérienne.

– d'être unidirectionnels : ils n'affectent qu'un seul des deux organismes intervenant dans l'échange de matériel génétique;
– de reposer sur l'existence de bactéries donatrices et de bactéries réceptrices;
– de ne pas exiger nécessairement de contact entre les organismes échangeurs.

La figure 4.19 comparent ces trois types d'échanges génétiques.

4.5 RÉSUMÉ

La cellule procaryote se distingue fondamentalement de la cellule eucaryote par deux caractères : une très petite taille et la présence d'un petit nombre d'organites spécialisés.

Sauf de rares exceptions, la cellule procaryote est entourée d'un certain nombre d'enveloppes dont les principales sont la paroi et la membrane cytoplasmique auxquelles s'ajoute parfois la capsule.

La paroi est une enveloppe relativement épaisse. Elle est surtout constituée de peptidoglycane chez les eubactéries. Outre cette substance caractéristique, la paroi contient d'autres composés chimiques, notamment des lipides, dont la quantité détermine la réaction à la coloration de Gram. Cette coloration différentielle permet de partager les bactéries Gram positif – dont la paroi est pauvre en lipides –, des bactéries Gram négatif – dont la paroi est riche en lipides. La coloration de Gram est d'une grande utilité, car elle dicte les étapes subséquentes de l'identification des bactéries, notamment en ce qui concerne les besoins nutritifs et la sensibilité aux antibiotiques.

La paroi a pour fonction de protéger les bactéries des chocs osmotiques : elle leur permet surtout de survivre dans les milieux hypotoniques en limitant mécaniquement et passivement les entrées d'eau dans la cellule. La paroi détermine aussi la forme des bactéries. On rencontre trois types morphologiques : les bactéries peuvent être sphériques (cocci), allongées (bacilles) ou spiralées (spirilles).

La capsule est une enveloppe plus ou moins épaisse et visqueuse qui recouvre la paroi. On ne lui connaît pas de rôle particulier si ce n'est celui de participer indirectement au pouvoir pathogène, car elle favorise l'adhérence des bactéries aux cellules épithéliales et inhibe la phagocytose.

La membrane cytoplasmique des cellules procaryotes ne se distingue de celle des eucaryotes que par l'absence de stérols. Elle remplit les mêmes fonctions de barrière osmotique et de contrôle des échanges cellulaires grâce à sa perméabilité sélective. De plus, elle porte les enzymes de la chaîne respiratoire.

La surface des bactéries est parfois recouverte de nombreux appendices, les pili. Ces fins prolongements cytoplasmiques participent aux processus d'échanges de matériel génétique d'une bactérie à l'autre. Ils constituent aussi des sites de fixation pour certains virus et ils permettent aux bactéries d'adhérer aux cellules eucaryotes.

Les mésosomes sont en relation avec la membrane cytoplasmique. Ils prennent part à plusieurs fonctions métaboliques : transformation de l'énergie, synthèse de diverses catégories de substances, division du matériel nucléaire et synthèse de la paroi après la division cellulaire.

L'appareil nucléaire occupe un volume important au sein du cytoplasme. Cet appareil nucléaire est formé d'un unique chromosome circulaire qui porte les informations génétiques nécessaires au contrôle des activités cellulaires et à la transmission des caractères génétiques lors des divisions successives. En plus de ce chromosome, certaines espèces de bactéries contiennent un ou plusieurs plasmides porteurs d'autres informations génétiques qui leur confèrent des caractères particuliers comme la résistance aux antibiotiques.

Les ribosomes sont les organites les plus nombreux et les plus importants du cytoplasme. Ils participent à la synthèse des protéines.

Certaines bactéries ont la capacité de former des endospores. Les endospores se forment à l'intérieur du cytoplasme quand les bactéries sont placées dans des conditions environnementales défavorables. Elles sont enveloppées d'une membrane épaisse, riche en acide dipicolinique et constituées d'un fragment de l'appareil nucléaire et de cytoplasme déshydraté. Les endospores montrent une grande thermorésistance; elles sont insensibles aux antibiotiques et sont plus résistantes aux radiations que les cellules végétatives qui leur ont donné naissance.

De nombreuses espèces bactériennes sont capables de se déplacer grâce à un appareil locomoteur formé d'un ou de plusieurs flagelles libres à l'extérieur de la cellule ou de filaments axiaux emprisonnés entre la paroi et la membrane cytoplasmique. Flagelles et filaments axiaux ont une composition chimique identique : il s'agit d'une protéine à pouvoir contractile, la flagelline. Le nombre et la distribution des flagelles varient selon les espèces mais sont stables pour une espèce donnée.

LECTURES SUGGÉRÉES

BROCK, T.D. et M.T. MADIGAN. *Biology of Microorganisms.* 5e éd., Englewood Cliffs, Prentice-Hall, 1988, 835 p.

COUTURE, B. *Bactériologie médicale.* Montréal, Décarie, 1990, 376 p.

JOKLICK, W. K., WILLET, H. P. et D. B. Amos. *Zinsser Microbiology.* 18e éd., Norwalk, Appleton-Century-Crofts, 1984, 1316 p.

FISHETTI, V. « La protéine M des streptocoques ». *Pour la science,* n° 166 (août 1991), p. 56-64.

NOVICK, R. « Les plasmides ». *Pour la science,* n° 40 (février 1981), p. 46-59.

REGNAULT, J.-P. *Microbiologie générale.* Montréal, Décarie, 1990, 859 p.

chapitre **5**

virus

5.1 INTRODUCTION

Les virus forment un groupe de microorganismes très particulier qui diffèrent de tous les autres organismes vivants connus par de nombreux caractères morphologiques, anatomiques et physiologiques. Ils ne présentent pas d'organisation cellulaire. Ils sont dépourvus d'activités métaboliques indépendantes. On peut même se demander s'ils doivent être considérés comme des êtres vivants à part entière. Notons d'ailleurs que, parmi les microorganismes connus, les virus ne constituent pas les plus simples. Il y a quelques années, on a découvert des particules encore plus rudimentaires, appelés virus lents, viroïdes et prions.

Les virus parasitent les cellules eucaryotes et les cellules procaryotes, mais nous limiterons notre étude aux virus parasitant les animaux. Ces derniers intéressent particulièrement la médecine, car ils sont à l'origine de maladies infectieuses graves et d'autant plus dangereuses qu'il n'existe toujours pas de médicaments efficaces et dépourvus d'effets secondaires.

Dans ce chapitre, nous présenterons successivement les caractéristiques distinctives des virus, la morphologie, la structure et la physiologie de ce groupe particulier de microorganismes. Nous en présenterons ensuite une classification sommaire. Enfin, nous traiterons brièvement des rétrovirus, un groupe particulier auquel appartient le virus de l'immunodéficience humaine.

5.2 CARACTÉRISTIQUES GÉNÉRALES

Les virus présentent un certain nombre de caractéristiques générales qui permettent de les différencier des microorganismes eucaryotes et procaryotes. Parmi ces caractères distinctifs, on retiendra l'absence d'organisation cellulaire, le parasitisme intracellulaire obligatoire et un mode de reproduction particulier. Ce dernier est caractérisé par la seule intervention du matériel génétique viral dans la reproduction et par la production indépendante et simultanée des constituants viraux par la cellule hôte.

5.2.1 UNITÉ STRUCTURALE : LE VIRION

Les virus se distinguent des autres organismes par leur structure non cellulaire[1]. Ils sont constitués par des particules auxquelles on donne le nom de VIRIONS. Se référant à un niveau d'organisation plus simple que la plus simple des cellules, ce terme désigne l'unité structurale des virus. Un virion doit donc être considéré comme l'équivalent d'une cellule procaryote ou eucaryote.

Cette différence d'organisation est commandée par l'extrême simplicité du génome viral. De cette propriété découlent toutes les caractéristiques structurales et physiologiques importantes des virus. Généralement, l'acide nucléique d'un virus ne contient qu'un petit nombre de gènes, ce qui permet seulement d'assurer la réplication de l'acide nucléique viral ainsi que la synthèse de quelques protéines structurales et d'un nombre très limité d'enzymes. Avec un tel génome, il est donc impossible de bâtir une structure complexe ou de mener une vie très indépendante.

De fait, on ne trouve pratiquement dans un virion que deux types de molécules : les acides nucléiques et les protéines. De plus, en ce qui concerne les acides nucléiques, les virus se distinguent des autres organismes vivants par la présence d'un seul acide nucléique, l'ADN ou l'ARN, et non des deux ensemble comme chez les eucaryotes et les procaryotes.

La structure d'un virion est donc toujours très simple : il est essentiellement constitué de nom-

---

1. C'est pourquoi on les qualifie d'acaryotes.

breux exemplaires de trois ou quatre protéines, qualifiées de CAPSOMÈRES, dont l'assemblage forme une véritable boîte moléculaire, la CAPSIDE, qui enferme et protège l'acide nucléique. On trouve parfois des lipides et des glucides, mais ces substances ne représentent qu'une infime fraction des composants viraux et, de surcroît, ils ne sont pas produits sous contrôle génétique viral.

La très grande simplicité du génome est aussi à l'origine des caractéristiques physiologiques des virus. En effet, comme le génome ne contient pas l'information génétique permettant de fabriquer les enzymes contrôlant les réactions chimiques du métabolisme énergétique, les virus sont incapables de produire l'énergie nécessaire à la réalisation de leurs activités. Dépourvus de tout système producteur d'énergie, ils n'ont donc d'autre choix que de s'introduire dans des cellules afin d'utiliser les matériaux et l'énergie disponibles pour leur reproduction. À cause de ce mode de vie particulier, les virus sont qualifiés de parasites intracellulaires obligatoires[1].

LES VIRUS DIFFÈRENT DES AUTRES OR-GANISMES VIVANTS PAR :

- **L'ABSENCE D'ORGANISATION CEL-LULAIRE;**
- **LA PRÉSENCE D'UN SEUL ACIDE NU-CLÉIQUE;**
- **L'ABSENCE DE SYSTÈME PRODUC-TEUR D'ÉNERGIE;**
- **LEUR PARASITISME INTRACELLULAI-RE OBLIGATOIRE.**

5.3 MORPHOLOGIE

L'observation directe des virus est devenue possible avec le développement du microscope électronique, soit après le milieu des années cinquante.

5.3.1 FORME

Observés au microscope électronique, les virus présentent l'une des trois formes suivantes :

- cylindrique, qui donne une image rectangulaire (virus de la vaccine ou de la variole);
- sphérique (virus de la grippe ou de l'herpès);
- allongée et rigide ressemblant à un bâtonnet (virus de la mosaïque du tabac).

Les virus parasitant les animaux se présentent généralement sous l'une des deux premières formes, tandis que les virus des plantes et des insectes prennent plutôt la forme d'un bâtonnet. Les figures 5.1 et 5.2 illustrent la morphologie de quelques espèces de virus fréquemment rencontrés.

5.3.2 TAILLE

Une des premières caractéristiques morphologiques des virus est leur très petite taille. Cette taille extrêmement réduite permet de comprendre pourquoi on ne pouvait pas les observer au microscope photonique dont le pouvoir séparateur est nettement inférieur à la taille des plus gros virus[2]. Ce n'est qu'avec le développement des microscopes électroniques que l'on a pu avoir la preuve directe de l'existence des virus.

---

1. Cette notion est étudiée en détail au chapitre 7. Vous constaterez que l'on y distingue les parasitismes intracellulaire et extracellulaire.

2. Autrement dit, le microscope optique ne peut arriver à distinguer deux points aussi petits que les plus gros virus (*voir chapitre 23*).

a) Virus à ADN.

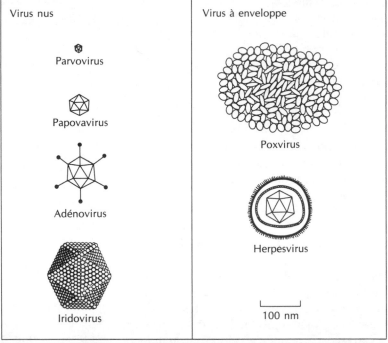

Virus nus

Parvovirus

Papovavirus

Adénovirus

Iridovirus

Virus à enveloppe

Poxvirus

Herpèsvirus

100 nm

Figure 5.1
Morphologie des virus.

Les virus présentent une forme géométrique simple : icosaédrique (adénovirus), sphérique (rétrovirus), cylindrique (poxvirus) ou allongée (rhabdovirus).

Source : Brock, T. D. et M. T. Madigan. *Biology of Microorganisms.* 5ᵉ éd., Englewood Cliffs, Prentice-Hall, 1988.

b) Virus à ARN.

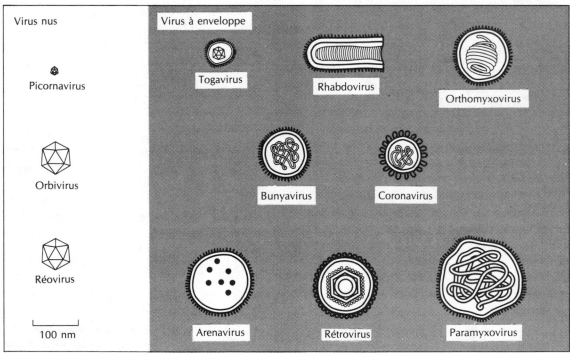

Virus nus

Picornavirus

Orbivirus

Réovirus

100 nm

Virus à enveloppe

Togavirus

Rhabdovirus

Orthomyxovirus

Bunyavirus

Coronavirus

Arenavirus

Rétrovirus

Paramyxovirus

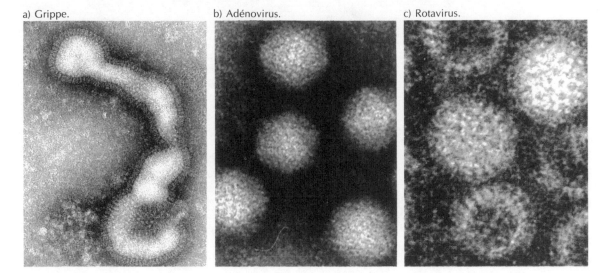

a) Grippe.   b) Adénovirus.   c) Rotavirus.

Figure 5.2
Quelques virus.
Photographies : S. Garzon, Université de Montréal.

Les plus petits virus, qui appartiennent au groupe des picornavirus, mesurent entre 15 et 25 nm[1]. Les plus gros virus ne dépassent pas 300 nm. On se rappellera, par comparaison, que la taille d'un microorganisme eucaryote se situe aux alentours de 150 000 nm (150 µm) et que celle d'un micro-organisme procaryote est de 1000 à 3000 nm (1 à 3 µm), à l'exception des mycoplasmes et des rickettsies qui mesurent respectivement de 150 à 1000 nm et de 250 à 400 nm. La figure 5.3 permet de comparer la dimension des virus et celle des cellules eucaryotes et procaryotes, tandis que le tableau 5.1 donne la dimension de quelques virus.

5.4 STRUCTURE

Les virus présentent une structure très différente de celle que l'on trouve chez les eucaryotes et les procaryotes. Ils sont tout simplement constitués d'une coque protéique et d'un acide nucléique. La coque, appelée capside, protège le génome viral. Elle est parfois entourée d'une enveloppe. Le tableau 5.2 regroupe les définitions des structures virales les plus fréquemment rencontrées.

5.4.1 ACIDES NUCLÉIQUES

Alors que les cellules contiennent simultanément les deux acides, l'ADN et l'ARN, les virus n'en contiennent qu'un seul, soit l'ARN, soit l'ADN, jamais les deux en même temps. La présence d'un seul des deux acides nucléiques permet de distinguer les virus des autres microorganismes et de les classer en deux grands groupes : les virus à ADN et les virus à ARN.

L'acide nucléique porte les informations génétiques du virus. Elles sont en nombre limité et contenues dans un très petit nombre de gènes. Le génome des plus petits virus ne dépasse généralement pas 10 gènes. Ainsi, les parvovirus, qui

---

1. Par comparaison, une molécule d'albumine mesure environ 10 nanomètres.

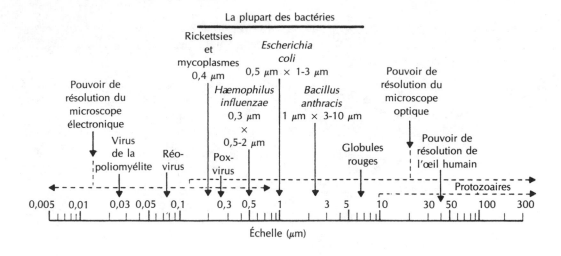

La plupart des bactéries

Rickettsies et mycoplasmes 0,4 μm

Escherichia coli 0,5 μm × 1-3 μm

Pouvoir de résolution du microscope électronique

Pouvoir de résolution du microscope optique

Virus de la poliomyélite

Hæmophilus influenzae 0,3 μm × 0,5-2 μm

Bacillus anthracis 1 μm × 3-10 μm

Pouvoir de résolution de l'œil humain

Réo-virus

Pox-virus

Globules rouges

Protozoaires

0,005 0,01 0,03 0,05 0,1 0,3 0,5 1 3 5 10 30 50 100 300

Échelle (μm)

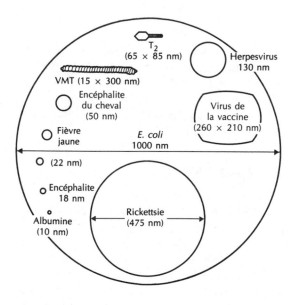

Figure 5.3

Dimensions comparées de virus, de bactéries et de rickettsies.

Les virus ne sont pas les plus petits organismes connus mais avec une taille de 15 à 300 nm, ils sont beaucoup plus petits que les bactéries, les mycoplasmes et les rickettsies.

Source : Joklik, W.K., Willet, H.P. et D.B. Amos. *Zinsser Microbiology.* 18e éd., Appleton-Century Crofs, 1984.

Tableau 5.1
Taille de quelques virus fréquemment rencontrés.

VIRUS	DIMENSIONS (en nm)
Parvovirus (Agent de la 5e maladie)	18 – 26
Picornavirus (Virus du rhume)	20 – 30
Togavirus (Virus de la fièvre jaune)	40 – 70
Papovavirus (Virus des papillomes)	45 – 55
Réovirus (Infections respiratoires)	60 – 80
Adénovirus (Pneumopathies)	70 – 90
Orthomyxovirus (Influenza)	80 – 120
Coronavirus (Infections gastro-intestinales)	80 – 130
Rétrovirus (Virus de l'immunodéficience humaine)	100
Paramyxovirus (Rougeole, oreillons)	150 – 300
Poxvirus (Variole, vaccine)	230 – 300

62

Tableau 5.2
Définitions des structures virales.

STRUCTURES	DÉFINITIONS
Virion	Unité structurale des virus composée d'une capside, d'une molécule d'acide nucléique et, dans certains cas, d'une enveloppe. Les virions apparaissent sous forme de figures géométriques simples.
Capside	Enveloppe composée de molécules protéiques et constituant une coque moléculaire dans laquelle se trouve l'acide nucléique viral.
Capsomère	Sous-unité protéique de la capside.
Nucléocapside	Ensemble formé de la capside et de l' acide nucléique qu'elle contient.
Enveloppe	Fragments de la membrane cytoplasmique ou de la membrane nucléaire dont s'entourent certains virus en sortant de la cellule dans laquelle ils se sont reproduits.
Spicules	Petites structures de nature glucidique ou glycoprotéique traversant l'enveloppe virale et projetées à l'extérieur du virus.

comptent parmi les plus petits virus, n'ont que sept à huit gènes. En revanche, le génome des plus gros virus, comme les poxvirus, peut contenir près de 400 gènes.

D'ailleurs, cette pauvreté génétique explique deux caractéristiques fondamentales des virus : leur structure et leur parasitisme intracellulaire obligatoire. D'une part, sur le plan structural, la meilleure façon d'utiliser la capacité codante d'un petit génome est de former une structure composée de nombreux exemplaires d'un petit nombre de composés différents. D'autre part, un génome limité ne peut contenir l'ensemble des informations génétiques relatives à la synthèse des enzymes qui contrôlent les différentes activités métaboliques. C'est pourquoi les virus n'ont pas de métabolisme propre. Ils s'introduisent dans des cellules afin d'utiliser les enzymes et la machinerie cellulaires qui assurent la synthèse des constituants viraux lors de la reproduction.

Alors que, chez les eucaryotes et les procaryotes, l'ADN est toujours de type bicaténaire c'est-à-dire formé de deux brins complémentaires en-

roulés l'un autour de l'autre et que l'ARN est toujours monocaténaire, donc formé d'un seul brin, les acides nucléiques présents chez les virus ne correspondent pas toujours à cette organisation : l'ADN peut aussi être monocaténaire, tandis que l'ARN peut aussi être bicaténaire.

5.4.2 CAPSIDE

La capside d'un virus présente l'aspect d'une coque. Elle est toujours constituée par l'assemblage de sous-unités protéiques, les capsomères, mais elle peut prendre différentes formes d'un virus à l'autre.

La disposition des capsomères est le principal facteur responsable des formes particulières que prennent les virus. On reconnaît deux types principaux d'arrangements : les premiers sont de type hélicoïdal et les seconds de type icosaédrique, c'est-à-dire à 20 faces planes.

Ces deux types de structures sont notamment caractérisées par un ou plusieurs plans de symétrie qui résultent de l'enchaînement régulier de nombreux exemplaires d'un petit nombre de protéines différentes.

Le virus de la mosaïque du tabac est un exemple bien connu de virus à capside cylindrique à plan de symétrie hélicoïdale. Comme le représente la figure 5.4, les sous-unités protéiques sont empilées les unes sur les autres et forment une spirale de longueur variable. Ainsi, la capside du virus de la mosaïque du tabac est formée de 2130 sous-unités protéiques. Chaque sous-unité contient 158 acides aminés, mesure entre 7 et 9 nm de long et 2,5 nm d'épaisseur. Les sous-unités protéiques sont disposées comme les pétales d'une marguerite autour d'un creux central. Les virus

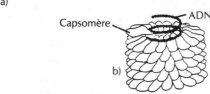

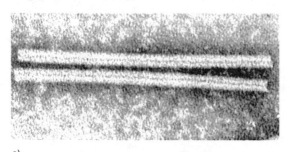

Figure 5.4
Virus de la mosaïque du tabac.

a) Micrographie électronique.

b) Représentation schématique.

Le virus de la mosaïque du tabac est un virus cylindrique à symétrie hélicoïdale. Sa capside est formée de 2130 sous-unités protéiques empilées les unes sur les autres et disposées en spirale comme les pétales d'une marguerite autour d'un creux central abritant l'acide nucléique viral.

Chaque sous-unité mesure entre 7 et 9 nm de long et 2,5 nm d'épaisseur.

Source : Drainville, G. *Génétique.* Montréal, Décarie, 1979.
Photographie : S. Garzon, Université de Montréal.

de la grippe, des oreillons, de la rougeole et de la rage sont aussi de symétrie hélicoïdale.

De nombreux virus ont une capside icosaédrique. Comme le montre la figure 5.5, un ICOSAÈDRE est un polyèdre à 20 faces, avec 12 sommets et 30 arêtes. Chaque face constitue un triangle équilatéral. Cet icosaèdre est la figure géométrique tridimensionnelle qui se rapproche le plus d'une sphère. C'est aussi la plus avantageuse car elle permet de fabriquer une coque complète et de volume maximal avec le plus petit nombre de capsomères.

Les virus polyédriques les plus simples contiennent trois capsomères par face : il ne faut donc que 60 capsomères pour former la capside des plus petits virus. Cependant, elle est de trop petite dimension pour loger l'acide nucléique des virus plus volumineux. On trouve donc des virus dont la capside est formée d'un nombre plus élevé de capsomères. Quoique fixe au sein d'une même famille de virus, le nombre de capsomères de l'icosaèdre varie d'une famille à l'autre. Le tableau 5.3 indique le nombre de capsomères de la capside de quelques familles de virus. Notons toutefois que la structure exacte de la capside n'est pas encore connue pour tous les virus : le

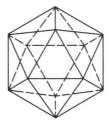

Figure 5.5
Icosaèdre.

L'icosaèdre est une figure géométrique tridimensionelle symétrique. Avec ses 20 faces triangulaires, ses 12 sommets et ses 30 arêtes, l'icosaèdre a une forme très proche de celle de la sphère mais requiert un moins grand nombre de capsomères pour fabriquer une coque complète de volume maximal.

Tableau 5.3
Capsomères de virus polyédriques.

VIRUS	NOMBRE DE CAPSOMÈRES
Parvovirus	32
Picornavirus	32
Papovavirus	72
Poliovirus	92
Herpesvirus	162
Adénovirus	252

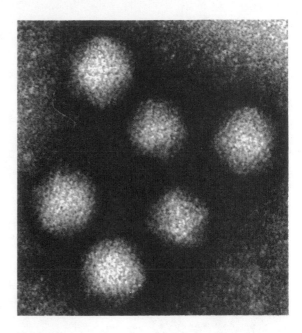

Figure 5.6
Adénovirus.

Les adénovirus sont des virus polyédriques. Leur capside est constituée de 252 capsomères et mesure entre 70 et 90 nm.

Photographie : S. Garzon, Université de Montréal.

nombre de capsomères reste indéterminé, et la symétrie inconnue. Parmi ces virus, on peut citer les virus des hépatites, le virus de la rubéole et le virus de l'herpès, qui est représenté à la figure 5.6. En revanche, on sait que les capsomères sont rigoureusement répartis à la surface du polyèdre. Chaque sommet porte un capsomère et chaque arête ainsi que chaque face porte un nombre déterminé de capsomères. Parmi ces capsomères, on distingue les hexons et les pentons. Les hexons sont des capsomères entourés par six autres capsomères, tandis que les pentons ne sont entourés que par cinq autres capsomères. Les hexons sont situés sur les arêtes et les faces de l'icosaèdre, alors que les pentons sont situés à chaque sommet.

5.4.3 ENVELOPPE

Tous les virus parasitant les animaux ont une ENVELOPPE, à l'exception de six familles de virus. Cette enveloppe, aussi appelée péplos[1], provient des structures cellulaires emportées par le virus lors de sa sortie de la cellule. Elle est formée soit d'un fragment de la membrane cytoplasmique,

comme chez les myxovirus, soit d'un fragment de la membrane nucléaire, comme chez les herpesvirus.

Cette enveloppe est caractérisée par une double couche de lipides, par des protéines et des glycoprotéines (figure 5.7). Les lipides sont d'origine cellulaire. La plupart du temps, il s'agit de phospholipides mais on trouve parfois des acides gras, des graisses neutres et des glycolipides. En revanche, les protéines et les glycoprotéines sont d'origine virale. En d'autres termes, dans l'enveloppe lipidique qui entoure la capside, les protéines virales remplacent les protéines d'origine cellulaire. Par ailleurs, comme le précise l'encadré 5.1, la présence de l'enveloppe très fragile influe sur le mode de transmission du virus.

---

1. En grec, *peplos* veut dire *manteau*.

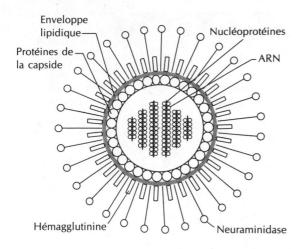

Enveloppe lipidique

Protéines de la capside

Nucléoprotéines

ARN

Hémagglutinine

Neuraminidase

Figure 5.7
Virus à enveloppe.

Les virus à enveloppe sont des virus dont la capside protéique est entourée d'une membrane lipidique. Cette membrane est formée par un fragment de la membrane cytoplasmique emportée par le virus sortant de la cellule hôte.

5.4.4 PROTÉINES DES VIRUS

Il existe plusieurs catégories de protéines. La plus grande partie de ces protéines entrent dans la constitution de la capside. Mais, à côté de ces protéines à rôle structural, on trouve d'autres protéines dotées de propriétés fonctionnelles importantes. Elles interviennent dans certains processus physiologiques importants comme le contrôle de réactions chimiques essentielles lors de la fixation du virus à la cellule hôte, à la lyse de sa membrane cytoplasmique ou de la reproduction virale. De plus, quel que soit leur rôle, la plupart de ces protéines ont un pouvoir antigénique important. On décrira deux catégories de protéines virales fonctionnelles : les enzymes et les hémagglutinines.

PROTÉINES STRUCTURALES

Outre les protéines qui entrent dans la structure de leur capside, un certain nombre de virus con-

tiennent des glycoprotéines formant des spicules. Ces spicules sont des excroissances de forme et de longueur variables qui traversent l'enveloppe. Chez certains groupes de virus, notamment chez les virus de la grippe, on trouve des spicules particuliers, les HÉMAGGLUTININES, dotées de propriétés hémagglutinantes, grâce auxquelles les virus se fixent à la surface de certains globules rouges et provoquent leur agglutination[1]. Cette propriété permet d'ailleurs d'identifier ces virus. De plus, il est intéressant de noter que ces hémagglutinines suscitent la production d'anticorps de la part de la personne infectée. Ces anticorps se lient avec les hémagglutinines, empêchant ainsi les virus de se fixer et d'infecter les cellules. C'est sur ce principe que repose l'immunisation des personnes que l'on vaccine contre la grippe.

HÉMAGGLUTININES

De nombreuses espèces de virus parasitant les cellules animales portent à leur surface des glycoprotéines particulières, les hémagglutinines. On désigne par ce terme des molécules qui présentent des affinités avec certains récepteurs cellulaires portés par les globules rouges. Quand de tels virus sont mis en présence de globules rouges, il se produit une réaction d'agglutination qui se traduit par l'apparition d'amas plus ou moins volumineux. Cette propriété est très importante car elle permet le dosage quantitatif de certains virus, comme celui de la grippe. Il suffit de déposer la suspension virale de plus en plus diluée dans une série de tubes contenant des globules rouges en suspension et d'identifier le dernier tube dans lequel se produit la réaction d'agglutination, pour déterminer ainsi un titre d'hémagglutination qui renseigne sur l'évolution de l'infection. Les hémagglutinines sont détec-

1. L'agglutination se traduit par la formation d'amas de globules visibles à l'œil nu et identiques à ceux que l'on observe quand on détermine le groupe sanguin d'un individu.

66

Rôle de l'enveloppe dans la transmission du virus.

Pourquoi les virus de la grippe, du rhume, des oreillons ou de la rougeole se propagent-ils par l'air que l'on respire ? Pourquoi les virus de l'herpès se transmettent-ils seulement par contact direct ? Pourquoi risque-t-on de contracter la poliomyélite en se baignant l'été dans certains pays ?

Une partie de la réponse à ces questions tient à la constitution même des virus qui nous infectent, notamment à la présence ou à l'absence de l'enveloppe qui entoure leur capside. Mais comment cette structure, qui est constituée d'un fragment de la membrane cytoplasmique de la cellule dans laquelle s'est developpé le virus, peut-elle jouer un rôle déterminant dans le mode de propagation d'un virus ?

S'il en est ainsi, c'est parce que l'enveloppe virale est relativement fragile. Cette fragilité est due à la nature même des composants chimiques qui la constituent. En effet, ces composants sont thermolabiles, autrement dit ils sont sensibles à la chaleur et dénaturés par son action. Ils le sont aussi par la dessiccation ou par l'action des enzymes hydrolysantes du tube digestif. Pour ces virus, la perte de l'enveloppe signifie la perte du pouvoir infectieux puisqu'ils deviennent incapables de s'introduire dans de nouvelles cellules hôte.

Rapidement inactivés dans le milieu environnant ou dans les selles, ces virus fragiles ne peuvent être transmis à distance ou par la voie fécale-orale. Leur transmission s'effectue par des contacts directs ou indirects, rapprochés ou non. C'est ce qui se produit, par exemple, dans le cas de la transmission des virus du rhume ou de la grippe qui se propagent d'un individu à l'autre par l'intermédiaire des sécrétions rhino-pharyngées, aussi appelées gouttelettes de Pflüge, émises lors des éternuements ou de la toux. C'est aussi le cas des virus de l'herpès génital et labial qui ne se propagent que par contacts intimes. D'autres virus, encore plus fragiles, sont transmis directement par voie transcutanée par l'intermédiaire d'insectes piqueurs, comme dans le cas de la fièvre jaune, ou par suite d'une morsure, comme cela se produit quand un animal atteint de la rage mord un autre animal ou un être humain.

En revanche, les virus nus survivent plus facilement dans l'environnement et conservent plus longtemps leur pouvoir infectieux. Les poliovirus et les adénovirus sont des exemples de virus nus rejetés par les selles et qui peuvent survivre de longues périodes dans les eaux usées que l'on rejette sans traitement préalable dans les rivières et les fleuves. C'est pourquoi, d'ailleurs, les épidémies de poliomyélite surviennent surtout l'été.

tées chez de nombreuses espèces de virus parasitant les cellules animales :

— les picornavirus;
— les paramyxovirus;
— les togavirus;
— les réovirus;
— les paramyxovirus;
— les orthomyxovirus;
— les papovavirus.

Aujourd'hui, on commence à bien connaître ces protéines. Par exemple, en utilisant du carbone radioactif, on a découvert que les acides aminés forment des séquences particulières. Dans certains cas, on a constaté la présence de mêmes séquences d'acides aminés dans différentes souches appartenant au même groupe de virus. Dans d'autres cas, les acides aminés sont répartis différemment d'une souche à l'autre.

ENZYMES

Plusieurs espèces de virus possèdent des informations génétiques qui contrôlent la synthèse d'enzymes particulières. Les enzymes dont la présence mérite d'être signalée sont les neuraminidases, les ARN polymérases, les transcriptases inverses et le lysozyme.

NEURAMINIDASE

La neuraminidase est une enzyme trouvée dans un type particulier de spicules présents chez certains virus. Cette enzyme exerce une action hydrolysante sur l'acide sialique, un dérivé de l'acide neuraminique qui entre dans la constitution des mucopolysaccharides que l'on trouve dans la membrane cytoplasmique des cellules. Cette enzyme permet donc aux virus de dissoudre les membranes, ce qui facilite le passage des virus sortant des cellules qu'ils ont infectées.

ARN POLYMÉRASES

Les ARN POLYMÉRASES présentes chez les orthomyxovirus et les paramyxovirus sont également présentes chez les rhabdovirus et les réovirus. Elles permettent la synthèse d'ARN à partir de l'ADN viral, chez certains virus à ADN[1], ou l'élaboration d'ARN monocaténaire chez les virus à ARN bicaténaire.

TRANSCRIPTASES INVERSE

Les TRANSCRIPTASES INVERSE, qu'on ne trouve que chez un groupe particulier de virus à ARN, les rétrovirus, servent à assurer la synthèse d'ADN à partir de l'ARN viral et à intégrer des informations génétiques virales dans le génome de la cellule infectée.

PROPRIÉTÉS ANTIGÉNIQUES DES PROTÉINES VIRALES

Comme toutes les protéines, les protéines disposées à la surface de la capside ou les protéines des spicules sont antigéniques (encadré 5.2). En d'autres termes, elles stimulent les cellules immunocompétentes et déclenchent la réaction du système immunitaire. Quand on peut les isoler, on se sert de ces protéines pour préparer des vaccins. Stimulé par ces vaccins, le système immunitaire prépare des anticorps capables de reconnaître le virus et de l'inactiver s'il venait à s'introduire dans l'organisme.

---

1. Certains virus, comme ceux du groupe Herpes, les adénovirus ou les papovirus n'ont pas besoin d'ARN polymérases. Ils utilisent celles qui sont fabriquées par les cellules hôte qui les abritent.

Toutefois, il faut signaler que certains virus, comme celui de la grippe, modifient régulièrement leurs protéines de surface, trompant ainsi la vigilance du système immunitaire. En revanche, d'autres virus, comme le virus de la rougeole, sont antigéniquement très stables. Dans ce cas, l'immunité est très stable, voire permanente.

LES VIRUS SONT DES PARTICULES GÉOMÉTRIQUES DE TRÈS PETITES TAILLES ET NOMMÉS VIRIONS.
CES VIRIONS SONT TOUJOURS FORMÉS :
- **D'UNE CAPSIDE CONTENANT L'ACIDE NUCLÉIQUE ET CONSTITUÉE DE SOUS-UNITÉS PROTÉIQUES, APPELÉES CAPSOMÈRES;**
- **D'UN SEUL TYPE D'ACIDE NUCLÉIQUE, L'ARN OU L'ADN.**

À CES STRUCTURES S'AJOUTENT SELON LES GROUPES :
- **UNE ENVELOPPE FORMÉE D'UN FRAGMENT DE MEMBRANE CYTOPLASMIQUE EMPRUNTÉE À LA CELLULE HÔTE;**
- **DES SPICULES TRAVERSANT L'ENVELOPPE VIRALE.**

5.5 CYCLE VIRAL

Le CYCLE VIRAL constitue l'ensemble des étapes de la reproduction d'un virus – on parle aussi de réplication. Ce cycle ne ressemble en rien à la reproduction des autres microorganismes dont les cellules se reproduisent principalement par fission binaire (*voir chapitre 6*).

En fait, le mode de reproduction des virus est étroitement lié à leur incapacité de réaliser des activités métaboliques autonomes. S'il en est

Variabilité des protéines chez les virus grippaux.

Un certain nombre de structures ou de substances produites par les microorganismes et les virus provoquent la stimulation du système immunitaire. On dit de ces structures et de ces substances qu'elles sont antigéniques.

On connaît des virus qui sont antigéniquement très stables. En d'autres termes, ils portent les mêmes antigènes. C'est le cas, par exemple, du virus des oreillons ou de la rougeole. En revanche, d'autres virus, comme celui de la grippe ou de l'immunodéficience humaine, présentent un très grand degré de variabilité antigénique. Génétiquement commandée, la variabilité antigénique est responsable de fréquentes modifications des protéines associées à la capside. Elle s'observe de façon remarquable chez le virus *Influenza* responsable de la grippe. D'une année à l'autre, le virus présente des variations antigéniques mineures au niveau des protéines présentes à la surface de la capside; on peut alors parler de variabilité mineure : 80 sérotypes ont ainsi été successivement isolés. De plus, tous les 10 ou 15 ans, il apparaît une variation majeure qui donne naissance à un nouveau type antigénique.

L'immunité acquise à l'égard des types antigéniques précédents est inopérante vis-à-vis du nouveau variant. En effet, les effecteurs immunitaires (anticorps, cellules cytotoxiques et cellules mémoires) produits contre les antigènes précédents ne reconnaissent pas le nouveau variant et ne peuvent protéger l'individu d'une réinfection. C'est pourquoi on peut souffrir de la grippe à plusieurs reprises au cours de la vie.

Les variations antigéniques mineures sont responsables des épidémies de grippe, tandis que les variations antigéniques majeures sont à l'origine de pandémies, c'est-à-dire d'infections qui se répandent dans d'immenses régions du globe, voire sur toute la surface de la planète. C'est ainsi que se sont répandues les grippes espagnole et asiatique, qui ont successivement ravagé la planète.

Cependant, la prévision de l'apparition des variations mineures dans une séquence connue permet aujourd'hui d'envisager une protection préventive relativement efficace. C'est de cette manière qu'ont été mis au point les vaccins antigrippaux.

---

ainsi, c'est parce que les virus ne possèdent pas les informations génétiques qui leur permettent de produire l'ATP nécessaire aux activités de biosynthèse. Ils n'ont donc d'autre choix que de parasiter des cellules au sein desquelles ils peuvent faire fabriquer et assembler leurs constituants.

C'est pourquoi ils s'introduisent dans les cellules, dérèglent les appareils de biosynthèse de ces dernières à leur profit afin d'y faire fabriquer de nouveaux virus qui vont infecter de nouvelles cellules, ce qui complète le cycle viral. Il va sans dire que la synthèse des constituants viraux s'effectue au détriment des constituants cellulaires et que ce dérèglement du métabolisme provoque une diminution ou un blocage des activités cellulaires, ce qui perturbe à son tour la physiologie cellulaire et entraîne éventuellement la mort de la cellule.

Le cycle d'un virus peut être divisé en deux grandes phases : la phase extracellulaire et la phase intracellulaire.

5.5.1 PHASE EXTRACELLULAIRE

Au cours de la phase extracellulaire, le virus est une particule libre mais totalement inactive. Il est dépourvu d'activité propre. On le trouve dans les liquides biologiques, dans l'eau, dans les aérosols en suspension dans l'air; cependant, il est potentiellement infectieux et peut se fixer sur une cellule et entamer la phase intracellulaire de son cycle de reproduction.

5.5.2 PHASE INTRACELLULAIRE

La phase intracellulaire est la phase pendant laquelle le virus se multiplie. Cette phase correspond au cycle viral.

La phase intracellulaire du cycle viral débute lorsqu'un virus entre dans une cellule. Comme l'illustre la figure 5.8, cette phase peut être arbitrairement divisée en cinq étapes :

– la fixation du virus à la cellule hôte;
– le passage du virus dans la cellule hôte;
– la réplication des constituants viraux;
– l'assemblage du virus;
– la sortie du virus de la cellule hôte.

FIXATION

Au cours de l'étape initiale de fixation du virus, aussi appelée étape d'adsorption, le virus entre en contact par hasard avec une cellule et se fixe à sa surface. Ce processus semble se réaliser en deux étapes. La première étape est principalement caractérisée par l'établissement d'interactions électrostatiques provoquées par la présence de charges électriques sur la capside virale et la membrane cytoplasmique[1]. Cette première étape

_____

1. À pH 7, l'une et l'autre sont chargées négativement et tendent à se repousser, mais la présence d'ions positifs dans les liquides extracellulaires, notamment les ions Mg^{++}, rend possible l'attraction.

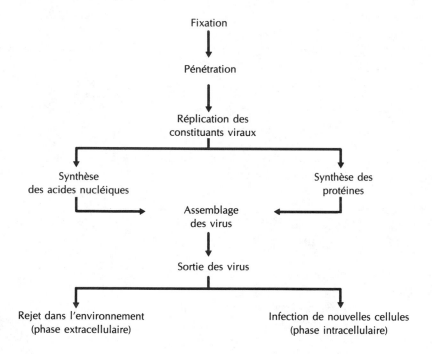

Figure 5.8
Phase intracellulaire du cycle viral.

La phase intracellulaire du cycle viral se divise en cinq étapes : fixation, pénétration, réplication des constituants viraux, assemblage des virions et sortie de la cellule hôte.

est facilement réversible et peut être suivie d'une seconde étape au cours de laquelle s'établissent des interactions entre les récepteurs membranaires de la cellule et certaines structures d'attachement du virus. Cette seconde étape est irréversible et s'achève par la pénétration du virus à l'intérieur de la cellule.

Des études récentes ont montré que les récepteurs membranaires cellulaires sont de nature protéique ou glycoprotéique et que la présence de ces récepteurs est génétiquement commandée. Ces récepteurs sont très spécifiques et ne peuvent donc se lier qu'avec les structures moléculaires particulières qui leur correspondent. Il y a à la surface de chaque cellule un grand nombre de récepteurs différents. La figure 5.9 illustre le principe de la spécificité de la reconnaissance des structures moléculaires par les récepteurs cellulaires.

La fixation du virus – et le déroulement de toutes les étapes subséquentes du cycle viral – dépendent de la présence ou de l'absence de ces récep-

teurs. Si les récepteurs qui permettent la fixation d'un virus particulier sont absents, les cellules de l'organisme hôte ne pourront être parasitées par ce virus. C'est ce qui explique l'affinité des virus pour des cellules, des tissus, voire des organismes particuliers. Par exemple, on peut expliquer par l'affinité cellulaire le fait que le virus responsable de la poliomyélite ne se fixe que sur les cellules de l'épithélium intestinal et sur les neurones de l'Homme et des primates. Le virus du SIDA constitue un autre exemple d'affinité cellulaire. Ce virus est entouré d'une enveloppe lipidique empruntée à la membrane cytoplasmique des cellules de l'hôte et hérissée de volumineuses molécules de glycoprotéines. L'interaction virus-cellule s'effectue entre certains sites de ces glycoprotéines et les molécules T4 portées par les lymphocytes T4, par les macrophages, par d'autres cellules immunitaires ainsi que par les neurones. Aussi, le virus de l'immunodéficience humaine est trouvé dans ces cellules et non dans les cellules d'autres tissus.

Par ailleurs, on sait que les virus de plusieurs groupes, dont ceux des paramyxovirus et des orthomyxovirus, s'attachent aux globules rouges grâce à d'autres glycoprotéines particulières, les hémagglutinines.

> **LA FIXATION D'UN VIRUS À LA CELLULE HÔTE DÉPEND DE LA PRÉSENCE SUR LA MEMBRANE CYTOPLASMIQUE DE RÉCEPTEURS QUI LUI SONT SPÉCIFIQUES.**

PASSAGE DANS LA CELLULE HÔTE

Le passage du virus dans la cellule hôte peut s'effectuer de plusieurs façons. Il dépend de la nature du virus et de la présence ou de l'absence d'une enveloppe autour du virus.

Le passage du virus dans la cellule hôte s'exécute de manière spécifique selon qu'il s'agit de virus

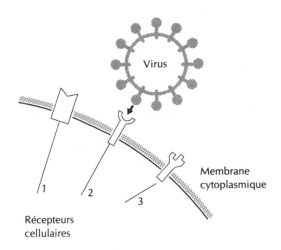

Figure 5.9
Reconnaissance des structures moléculaires par les récepteurs cellulaires.

Avant de pénétrer dans une cellule, un virus se lie à certains récepteurs de la membrane cytoplasmique. Ces récepteurs sont très spécifiques et ne peuvent se lier qu'avec les composés chimiques viraux qui leur correspondent.

bactériophages ou de virus animaux. Chez les virus bactériophages, seul l'acide nucléique est injecté dans la bactérie. La capside virale et les structures accessoires restent à l'extérieur de la cellule bactérienne. En revanche, chez les virus animaux, la pénétration s'effectue par des mécanismes différents selon que le virus est enveloppé ou nu.

Pour les virus à enveloppe :

– L'enveloppe virale peut fusionner avec la membrane cytoplasmique et le virus entier est directement introduit dans le cytoplasme. C'est le cas, par exemple, des paramyxovirus.
– Le virus peut pénétrer par endocytose, en utilisant un processus qu'utilise la cellule pour faire pénétrer dans le cytoplasme un certain nombre de substances qui lui sont nécessaires. C'est le cas des togavirus auxquels appartient le virus SF[1].

La figure 5.10 illustre les principales étapes de la pénétration cellulaire par endocytose. Au cours de ce second processus, au niveau du site de fixation du virus, il se forme une invagination de la membrane cytoplasmique qui évolue pour former un sac clos, nommé vésicule membranaire. Cette vésicule, dans laquelle est enfermé le virus, fusionne avec un endosome[2]. L'endosome fusionne à son tour avec un lysosome, une vacuole particulière qui contient diverses enzymes hydrolytiques capables de dégrader les substances qui pénètrent dans la cellule. Ce fusionnement constitue l'étape clé de la pénétration virale. En effet, le virus devrait être hydrolysé par les enzymes lysosomiales. Or il n'en est rien. Le virus échappe à la destruction... Des travaux récents ont montré que l'acidité régnant dans le lysosome provoquerait la fusion de la membrane lysosomiale et de

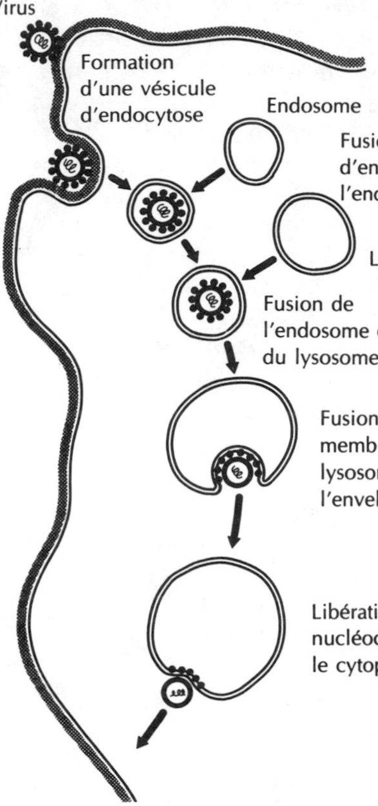

Figure 5.10
Principales étapes de la pénétration cellulaire par endocytose. Au point de fixation du virus au récepteur membranaire, un mouvement d'invagination de la membrane cytoplasmique déclenche la formation d'une vésicule membranaire contenant le virus. La vésicule membranaire fusionne avec un endosome puis avec une vésicule lysosomiale. Au moment où la membrane lysosomiale et l'enveloppe virale fusionnent, la capside est expulsée dans le cytoplasme.

l'enveloppe virale. Le virus est expulsé d'emblée du lysosome et se trouve libéré dans le cytoplasme.

DÉCAPSIDATION

Au cours de la décapsidation, la capside de certains groupes de virus subit une désagrégation sous l'action des enzymes protéolytiques contenues dans le lysosome. Cette désagrégation peut

---

1. Le virus SF (*Semliki Forest*) est un virus qui atteint les singes. C'est grâce à l'étude de ce virus que l'on a éclairci les différentes étapes de la pénétration des virus par endocytose. (Voir *Pour la Science,* avril 1982.)

2. Un endosome est une grosse vacuole.

être totale ou partielle et survenir soit dès l'entrée du virus, soit plus tard. Par exemple, chez les adénovirus, la désagrégation n'atteint que les molécules d'hémagglutinines et les pentons. En revanche, chez les poxvirus, la désagrégation de la capside est plus complète : quand le virus est rejeté du lysosome, il ne reste plus que la partie la plus interne de la capside, appelée nucléoïde, qui protège l'acide nucléique viral.

Généralement, la décapsidation se poursuit après l'expulsion hors du lysosome jusqu'à la libération des acides nucléiques dans le cytoplasme, mais ce n'est pas toujours le cas. Chez les réovirus notamment, la capside interne reste présente durant toute la multiplication virale.

À l'issue de cette seconde étape, le virus en tant que tel n'existe plus (à l'exception des virus dont la décapsidation est incomplète). Il n'est plus présent dans la cellule que par son seul génome

et, comme tel, devient invisible. On donne le nom d'éclipse ou de phase de latence à cette période au cours de laquelle la particule virale infectieuse a disparu. Cette période d'éclipse dure tout le long de la phase de multiplication qui reste totalement inapparente

RÉPLICATION

Une fois que le génome viral est introduit dans le cytoplasme et se trouve à proximité du noyau ou à l'intérieur de celui-ci commence l'étape de la réplication des constituants du virus. Le tableau 5.4 indique le lieu de réplication de quelques espèces de virus.

Le virus n'apportant que les informations génétiques nécessaires à sa réplication, la cellule hôte fournit l'énergie, les enzymes et les matériaux nécessaires à la fabrication des nouveaux acides nucléiques et des protéines des nouveaux virus. L'étape de réplication se déroule en deux phases

---

LES TROIS PREMIÈRES PHASES DE LA REPRODUCTION D'UN VIRUS SONT :

– **LA FIXATION DU VIRUS À LA CELLULE HÔTE SUR DES RÉCEPTEURS PORTÉS PAR LA MEMBRANE CYTOPLASMIQUE;**

– **LE PASSAGE DU VIRUS DANS LA CELLULE HÔTE PAR FUSION DE L'ENVELOPPE VIRALE AVEC LA MEMBRANE CYTOPLASMIQUE OU PAR ENDOCYTOSE;**

– **LA DÉCAPSIDATION OU DÉSAGRÉGATION PLUS OU MOINS TOTALE DE LA CAPSIDE.**

À L'ISSUE DE CES TROIS PHASES, L'ACIDE NUCLÉIQUE VIRAL SE TROUVE DANS LE NOYAU OU À PROXIMITÉ DE CELUI-CI. LE VIRUS EST MAINTENANT PRÊT À SE MULTIPLIER.

Tableau 5.4
Lieu de réplication de quelques groupes de virus.

VIRUS	LIEU DE LA RÉPLICATION	TYPE D'ACIDE NUCLÉIQUE
Rhabdovirus	Cytoplasme	ARN
Togavirus	Cytoplasme	ARN
Réovirus	Cytoplasme	ARN
Orthomyxovirus	Noyau	ARN
Paramyxovirus	Cytoplasme	ARN
Poxvirus	Cytoplasme	ADN
Herpesvirus	Noyau	ADN
Adénovirus	Noyau	ADN
Papovavirus	Noyau	ADN
Picornavirus	Cytoplasme	ARN
Rhabdovirus	Cytoplasme	ARN

distinctes et indépendantes l'une de l'autre. Plus précisément, on distingue :

- la réplication de l'acide nucléique viral;
- la synthèse des protéines virales par suite de la traduction des ARN messagers viraux par les structures cellulaires.

ASSEMBLAGE

Cette étape d'assemblage des constituants viraux est encore mal connue. Au cours de cette période, les différents constituants du virus précédemment fabriqués sont assemblés.

L'assemblage des protéines de la capside et des molécules d'acide nucléique peut être réalisé séparément ou simultanément, dans le noyau ou dans le cytoplasme, selon l'espèce de virus. À l'issue de cette phase, les nouveaux virus deviennent visibles dans la cellule. L'apparition des virus marque la fin de la période d'éclipse commencée avec la décapsidation.

L'assemblage de certains virus n'est complété qu'au sortir du virus de la cellule hôte. En effet, la capside de ces virus subit encore quelques transformations. Le lieu de cette maturation dépend des virus. Elle peut se dérouler :

- dans le cytoplasme (poxvirus, réovirus);
- dans le noyau (adénovirus et papovavirus);
- au niveau de la membrane nucléaire (herpesvirus);
- au niveau de la membrane cytoplasmique (orthomyxovirus et paramyxovirus).

Ce n'est qu'après cette période de maturation que les virus enveloppés s'entourent d'un fragment de la membrane nucléaire ou d'un fragment de la membrane cytoplasmique. Les herpesvirus, dont les composantes sont réunies dans le noyau, sont un exemple de virus dont l'enveloppe est constituée d'un morceau de membrane nucléaire. En revanche, le virus de l'influenza, qui se multiplie dans le cytoplasme, s'entoure

d'un morceau de membrane cytoplasmique. La plupart du temps, la membrane cellulaire qui enveloppe le virus est modifiée par la présence de molécules virales, notamment par des glycoprotéines.

Le nombre de virus assemblés dans une cellule au terme du cycle viral est très variable. Il est généralement de quelques centaines pour les virus bactériophages, mais il peut atteindre plusieurs dizaines de milliers chez les virus parasites des eucaryotes. Le type de cellule parasitée par le virus et les conditions de croissance sont deux facteurs importants de la production virale. Enfin, il arrive qu'une partie des constituants viraux ait été produite en excès. Ces constituants restent dans la cellule infectée.

SORTIE DES VIRUS

La sortie du virus de la cellule hôte peut revêtir plusieurs aspects. On distingue trois modalités, à savoir l'éclatement cellulaire, le bourgeonnement et l'utilisation des canalicules cellulaires. Ces trois modes de sortie sont illustrés à la figure 5.11.

L'éclatement cellulaire, ou lyse, est le mode habituel de sortie des virus nus. Les poliovirus font appel à un tel procédé pour quitter la cellule hôte.

Le bourgeonnement à travers la membrane cytoplasmique est un mode de libération fréquemment observé chez les virus enveloppés dont l'assemblage est réalisé dans le cytoplasme. C'est le cas du virus de l'influenza et du virus de l'immunodéficience humaine.

L'utilisation des canalicules cellulaires est un mode de libération que l'on rencontre chez les virus qui sont assemblés dans le noyau. Chez les herpesvirus en particulier, on a pu observer que des virus enveloppés d'un fragment de la membrane nucléaire gagnaient le milieu extérieur en empruntant le réseau de canalicules que forme le

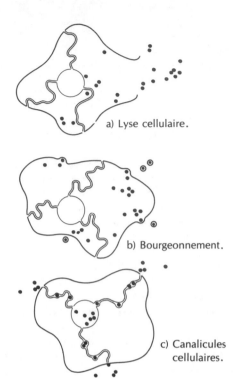

a) Lyse cellulaire.

b) Bourgeonnement.

c) Canalicules cellulaires.

Figure 5.11
Modes de sortie des virus.

> LA MULTIPLICATION VIRALE S'ACHÈVE PAR L'ASSEMBLAGE DU VIRUS ET SA SORTIE DE LA CELLULE HÔTE.
> LORS DE L'ASSEMBLAGE D'UN VIRION, LA CAPSIDE, UNE MOLÉCULE D'ACIDE NUCLÉIQUE ET CERTAINES STRUCTURES ACCESSOIRES, COMME LES SPICULES, SONT ASSEMBLÉES DANS LA CELLULE. LES VIRUS QUITTENT ENSUITE LA CELLULE PAR :
> – BOURGEONNEMENT;
> – ÉCLATEMENT;
> – L'INTERMÉDIAIRE DES CANALICULES CELLULAIRES.

réticulum endoplasmique entre la membrane nucléaire et la membrane cytoplasmique. Les virus qui utilisent un tel mode de sortie ne détruisent pas la cellule qu'ils ont parasitée et la libération est échelonnée sur une plus longue période.

5.6 CLASSIFICATION DES VIRUS

Des nombreuses classifications proposées pour les virus, la classification adoptée en 1976 par le Comité International de Nomenclature des virus est ici retenue. Mise à jour en 1982, cette classification est considérée maintenant comme définitive. Elle repose sur un modèle dichotomique et fait principalement appel à trois critères chimiques et structuraux :

– la nature de l'acide nucléique (ADN ou ARN);
– le type de symétrie, soit cubique, soit hélicoïdale, soit complexe[1];
– la présence ou l'absence d'une enveloppe.

Le tableau 5.5 explique l'origine de la dénomination de certains virus, l'encadré 5.3 celle des virus grippaux.

La classification des virus est résumée dans les figures 5.12 et 5.13. En outre, elle est reprise dans le tableau 5.6 qui mentionne les principales espèces pathogènes.

5.7 RÉTROVIRUS

Les rétrovirus forment un groupe particulier de virus à ARN qui se distingue des autres par un cycle viral singulier. En effet, ce cycle n'a pas pour premier résultat la multiplication du virus

---

1. On dit cubique la symétrie des virus polyédriques, et complexe celle des virus ni polyédriques ni hélicoïdaux.

Tableau 5.5
Dénomination des virus.

VIRUS	ORIGINES DE LA DÉNOMINATION
Orthomyæovirus	Terme du grec *ortho* (vrai) et *myxo* (mucus) désignant les virus ayant une grande affinité pour les membranes muqueuses.
Picornavirus	Terme désignant de très petits virus, tiré de la racine grecque *pico* (tout petit) et du terme anglais RNA (acide ribonucléique).
Togavirus (Arbovirus)	Terme désignant un groupe de virus isolés dans le cloaque de certains insectes (Arthropodes). En grec, *toga* signifie *cloaque*. Ce groupe de virus est encore désigné par le terme d'arbovirus (<u>A</u>rthropod-<u>b</u>orne).
Réovirus	Terme désignant des virus se développant dans les systèmes respiratoire et digestif <u>R</u>espiratory <u>E</u>nteric <u>O</u>rphan virus. Le qualificatif d'orphelin (*orphan*) est attribué à certains virus pathogènes qui ne provoquent pas de maladies spécifiques mais plutôt des affections d'expression clinique variée.
Echovirus	Terme désignant un groupe de virus présents dans le tube digestif, isolés dans les selles et identifiés par leurs effets cytopathiques. Ne provoquant pas de maladies spécifiques, ils sont aussi qualifiés d'orphelins. <u>E</u>nteric <u>C</u>ytopathic <u>H</u>uman <u>O</u>rphan <u>V</u>irus.
Virus Coxsackie	Terme désignant un groupe de virus provoquant des affections non spécifiques et isolés pour la première fois à Coxsackie (É.-U.).
Papovavirus	Terme bâti à partir des deux premières lettres du nom des virus membres de la famille : papillomavirus (virus causant les verrues), polyomavirus et agent vacuolisant (ancien nom du virus maintenant appelé virus simien n° 40 ou SV40), soit « <u>Pa</u>pillomavirus-<u>Po</u>lyomavirus-<u>Va</u>cuolating <u>A</u>gent <u>Virus</u> ».

ENCADRÉ 5.3

Dénomination des virus grippaux

Afin de s'y reconnaître aisément, les épidémiologistes ont mis au point un système pratique de dénomination des virus de la grippe. Ce système codé permet de déterminer au premier coup d'œil : le type antigénique, la nature de l'hémagglutinine, le type de la neuraminidase.

Type antigénique
Il existe trois types antigéniques : les types A, B et C.

Nature de l'hémagglutinine
L'hémagglutinine est une protéine qui agglutine les globules rouges.

Chez l'Homme, on a identifié quatre agglutinines distinctes numérotées H0, H1, H2 et H3. Les hémagglutinines des virus grippaux humains sont différentes de celles des animaux. Pour bien les distinguer les unes des autres, les hémagglutinines animales sont reconnaissables par l'abréviation de l'animal chez qui on les trouve : par exemple, *av* signifie que l'hémagglutinine est d'origine aviaire et *sw* que l'hémagglutinine est d'origine porcine (*swine*). Ainsi, la dénomination Hsw1 signifie que l'hémagglutinine analysée est de type 1 et d'origine porcine.

Type de neuraminidase
Il existe deux types de neuraminidases : N1 et N2.

Exemples : Au cours de l'hiver 1987-1988, l'épidémie de grippe dont ont souffert les Canadiens a été causée par les virus A/Hong Kong/1/68 (H3N2). Cela signifie que ce virus appartient au type A, qu'il a été isolé à Hong Kong pour la première fois en 1968 (1/68) et qu'il porte l'hémagglutinine H3 et la neuraminidase N2.

Au cours de la même saison hivernale, on a aussi identifié par inhibition de l'hémagglutination un certain nombre de souches parmi lesquelles se trouvaient : A/Leningrad/360/86 (H3N2), A/Sichuan/2/87 (H3N2), A/Taiwan/1/86 (H1N1), B/Ann Arbor/1/86, B/Victoria/2/87.

Il est généralement difficile de prévoir d'une année à l'autre quels virus seront responsables des épidémies saisonnières de grippe. Toutefois, un certain nombre d'indices laissent penser que, pour l'hiver 1988-1989, le type A pourrait bien prévaloir. Par conséquent, le vaccin antigrippal mis sur le marché pour cet hiver est fabriqué à partir des souches A/Sichuan/2/87 (H3N2), A/Taiwan/1/86 (H1N1) et B/Victoria/2/87.

Il est à noter que, de manière générale, les virus du type A sont beaucoup plus virulents que ceux du type B et C. Les virus grippaux de type A sont d'ailleurs à l'origine des plus graves épidémies et des pandémies. Ainsi, ce sont les virus de ce type qui sont à l'origine des pandémies de grippe espagnole et de grippe asiatique. En 1918-1919, la grippe espagnole a causé plus de 20 millions de morts (bien plus que tous les morts réunis de la Première Guerre mondiale qui venait de s'achever). Plus près de nous, la seconde pandémie de grippe qu'a connue le monde moderne est celle de la grippe asiatique qui aurait pris naissance en Chine, en 1956. De là, elle a gagné l'Occident par Hong Kong, se propageant ensuite en Amérique puis en Europe.

Tableau 5.6
Principales espèces de virus pathogènes pour l'Homme.

FAMILLES	ESPÈCES TYPE	FAMILLES	ESPÈCES TYPE
Picornaviridæ	Poliovirus	*Rhabdoviridæ*	Virus de la rage
	Virus Coxsackie des groupes	*Coronaviridæ*	Coronavirus humains
	A et B	*Retroviridæ*	Virus de l'immunodéficience humaine
	Echovirus		
	Enterovirus		Virus des maladies dégénératives du système nerveux
	Virus du rhume		
Caliciviridæ	Agent de Norwalk	*Arenaviridæ*	Virus de la chorioméningite lymphocytaire
Reoviridæ	Rotavirus humains		Virus de la fièvre de Lhassa
Togaviridæ	Virus de la fièvre jaune	*Parvoviridæ*	Agent de la 5e maladie
(Arboviridæ)	Virus de la dengue	*Papovaviridæ*	Virus des papillomes humains
	Virus de la rubéole		Virus JC et BK[1]
	Virus de la rougeole	*Adenoviridus*	Mastadénovirus humains
Orthomyxoviridæ	Virus de l'influenza (grippe) types A, B et C	*Poxviridæ*	Virus de la variole
		Herpesviridæ	Herpesvirus simplex 1 et 2
Paramyxoviridæ	Virus parainfluenza		Virus Varicella-Zoster
	Virus des oreillons		Cytomégalovirus humain
	Virus de la rougeole		Virus d'Epstein-Barr
	Virus respiratoire syncytial	*Hepadnaviridæ*	Virus de l'hépatite B

1. Les initiales sont celles des patients chez qui ces virus ont été isolés pour la première fois.

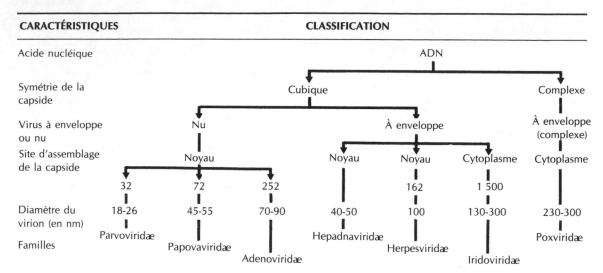

CARACTÉRISTIQUES — **CLASSIFICATION**

Acide nucléique — ADN

Symétrie de la capside — Cubique / Complexe

Virus à enveloppe ou nu — Nu / À enveloppe / À enveloppe (complexe)

Site d'assemblage de la capside — Noyau / Noyau / Noyau / Cytoplasme / Cytoplasme

32 / 72 / 252 / 162 / 1 500

Diamètre du virion (en nm) — 18-26 / 45-55 / 70-90 / 40-50 / 100 / 130-300 / 230-300

Familles — Parvoviridæ / Papovaviridæ / Adenoviridæ / Hepadnaviridæ / Herpesviridæ / Iridoviridæ / Poxviridæ

Figure 5.12
Classification des virus à ADN.

Source : Lennette, E. H., Balows, A., Hausler, W. J. et H. Shadomy. *Manual of Clinical Microbiology.* 4ᵉ éd., Washington, American Society for Microbiology, 1985.

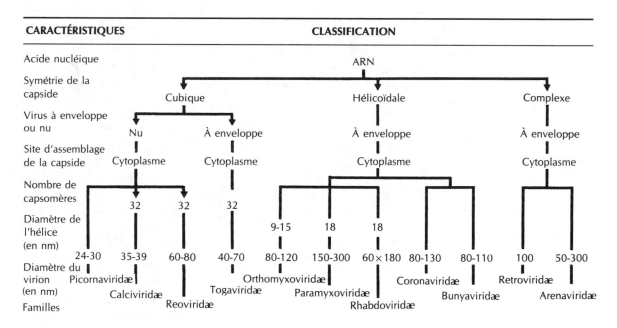

CARACTÉRISTIQUES — **CLASSIFICATION**

Acide nucléique — ARN

Symétrie de la capside — Cubique / Hélicoïdale / Complexe

Virus à enveloppe ou nu — Nu / À enveloppe / À enveloppe / À enveloppe

Site d'assemblage de la capside — Cytoplasme / Cytoplasme / Cytoplasme / Cytoplasme

Nombre de capsomères — 32 / 32 / 32

Diamètre de l'hélice (en nm) — 9-15 / 18 / 18

Diamètre du virion (en nm) — 24-30 / 35-39 / 60-80 / 40-70 / 80-120 / 150-300 / 60 × 180 / 80-130 / 80-110 / 100 / 50-300

Familles — Picornaviridæ / Calciviridæ / Reoviridæ / Togaviridæ / Orthomyxoviridæ / Paramyxoviridæ / Rhabdoviridæ / Coronaviridæ / Bunyaviridæ / Retroviridæ / Arenaviridæ

Figure 5.13
Classification des virus à ARN.

Source : Lennette, E. H., Balows, A., Hausler, W. J. et H. Shadomy. *Manual of Clinical Microbiology.* 4ᵉ éd., Washington, American Society for Microbiology, 1985.

mais plutôt l'intégration des gènes viraux au sein du génome de la cellule qu'il parasite.

On différencie les rétrovirus des autres virus par des caractéristiques anatomiques, génétiques et physiologiques.

5.7.1 STRUCTURE

Les rétrovirus ont une structure complexe. Ce sont des virus à enveloppe et constitués de plusieurs enveloppes protéiques. Comme l'indique la figure 5.14, les virions sont constitués d'une enveloppe protéique abritant un nucléoïde, lui-même constitué de protéines, abritant deux molécules d'ARN et plusieurs molécules de transcriptase inverse. L'enveloppe protéique externe est entourée d'une membrane lipidique empruntée à l'hôte et hérissée d'un grand nombre de glycoprotéines volumineuses.

5.7.2 ORGANISATION DU GÉNOME

Les informations génétiques des rétrovirus sont portées par deux molécules identiques d'ARN monocaténaire de polarité positive. Cet ARN peut servir directement d'ARN messager. Par ailleurs, l'organisation du génome des rétrovirus est relativement complexe. Selon les espèces, chaque molécule d'ARN contient entre 5000 et 10 000 nucléotides. On a identifié un certain nombre de gènes et, à chaque extrémité, une zone particulière nommée LRT ou longue répétition terminale. Ces longues répétitions terminales semblent jouer un rôle déterminant dans le déclenchement de la réplication du virus intégré dans le génome cellulaire.

Parmi les gènes du génome viral, on retiendra ceux qui contrôlent la synthèse de deux enzymes :

– la transcriptase inverse, qui assure la transcription de l'ARN viral en ADN;
– l'ADN endonucléase, qui permet l'intégration de l'ADN viral formé dans un des chromosomes de la cellule hôte.

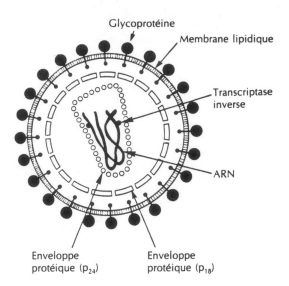

Figure 5.14
Structure d'un rétrovirus.

Cette représentation schématique du virus de l'immunodéficience humaine montre la relative complexité d'organisation des rétrovirus.

5.7.3 CYCLE DE REPRODUCTION

Le cycle de reproduction d'un rétrovirus peut être découpé en neuf phases successives. Quatre de ces phases ne sont réalisées que par les virus de ce groupe. Elles correspondent au processus au cours duquel l'ARN viral est transcrit en ADN.

Le cycle viral se caractérise par l'intégration du génome viral dans le génome de la cellule infectée comme l'illustre la figure 5.15. L'infection d'une cellule commence par l'interaction de la particule virale avec la membrane de la cellule infectée. La fusion de l'enveloppe virale et de la membrane cytoplasmique entraîne la libération du contenu du virus à l'intérieur de la cellule. La transcriptase inverse produit un brin d'ADN correspondant à l'ARN viral, puis un second brin d'ADN complémentaire est synthétisé. L'ADN viral migre alors vers le noyau de la cellule hôte et forme une structure circulaire. Il s'intègre au

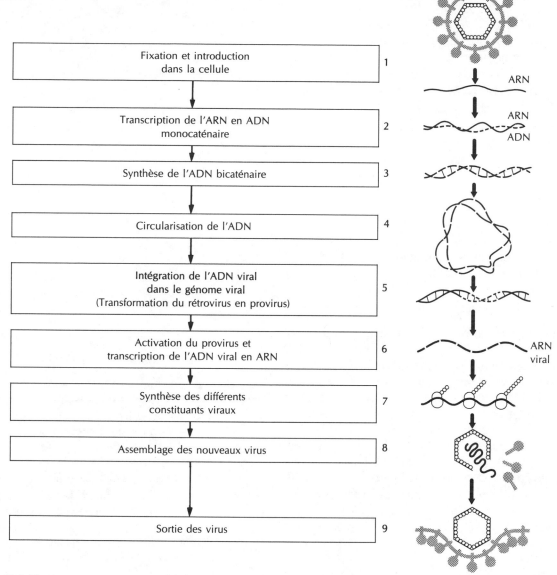

Fixation et introduction dans la cellule	1	
Transcription de l'ARN en ADN monocaténaire	2	
Synthèse de l'ADN bicaténaire	3	
Circularisation de l'ADN	4	
Intégration de l'ADN viral dans le génome viral (Transformation du rétrovirus en provirus)	5	
Activation du provirus et transcription de l'ADN viral en ARN	6	
Synthèse des différents constituants viraux	7	
Assemblage des nouveaux virus	8	
Sortie des virus	9	

Figure 5.15
Cycle de reproduction d'un rétrovirus.

Une fois parvenus à l'intérieur de la cellule hôte, les rétrovirus intègrent leurs informations génétiques au sein du génome des cellules infectées. Comme les rétrovirus sont des virus à ARN, le génome viral doit être transcrit en une séquence d'ADN. Cette transcription, contrôlée par la transcriptase inverse, s'effectue en deux temps : l'ARN viral est transcrit en une molécule d'ADN monocaténaire, puis un second brin d'ADN complémentaire est synthétisé. L'ADN viral bicaténaire migre alors vers le noyau de la cellule hôte et forme une structure circulaire. Il s'intègre au hasard dans les chromosomes de la cellule infectée. La stimulation de l'ADN viral entraîne la réplication virale selon un processus identique à celui des autres virus.

hasard dans les chromosomes de la cellule infectée. Le virus, qui n'existe plus que par ses seules informations génétiques, prend le nom de provirus. Indétectable, à l'état latent, le provirus ne possède aucune vie autonome : il se multiplie en même temps que la cellule qui l'abrite. Il restera dans cet état jusqu'au moment où il sera activé par une stimulation appropriée du génome de la cellule qu'il parasite.

À la suite d'une stimulation, l'ADN viral peut être retranscrit en ARN, lui-même traduit en protéines sur des ribosomes. Les protéines virales et l'ARN viral dupliqués s'assemblent alors et sortent de la cellule par bourgeonnement.

On sait encore peu de choses sur l'activation des provirus. On croit que les LTR sont activées en même temps que certains gènes cellulaires mais on ignore encore sous quelle influence. Plus précisément, on pense que les LTR activées donneraient le signal de la synthèse massive des composantes virales à partir de la machinerie cellulaire détournée de ses activités propres. Les composantes virales sont ensuite assemblées dans le cytoplasme, et les virions nouvellement formés gagnent la membrane cytoplasmique. En grand nombre, ils quittent la cellule infectée par bourgeonnement, s'entourant d'une portion de la membrane cytoplasmique. Perforée de toutes parts, incapable de réparer sa membrane, la cellule meurt.

Le plus connu des rétrovirus humains, le virus de l'immunodéficience humaine, est décrit dans l'encadré 5.4.

> COMME IL N'EXISTE DANS LA CELLULE QUE PAR SES SEULES INFORMATIONS GÉNÉTIQUES, LE PROVIRUS SE MULTIPLIE EN MÊME TEMPS QUE LA CELLULE QUI L'ABRITE.
> THÉORIQUEMENT, IL PEUT RESTER PRESQUE INDÉFINIMENT À L'ÉTAT LATENT. IL N'EST ACTIVÉ QUE PAR UNE STIMULATION APPROPRIÉE.
> PAR SUITE DE CETTE STIMULATION, IL DEVIENT VIRULENT ET SE MULTIPLIE ACTIVEMENT. LES NOUVEAUX VIRUS FORMÉS QUITTENT LA CELLULE POUR ENTREPRENDRE UN NOUVEAU CYCLE DANS D'AUTRES CELLULES.

ENCADRÉ 5.4

Le virus de l'immunodéficience humaine.

En 1985, le virus responsable de l'immunodéficience humaine a été identifé en France, à l'Institut Pasteur, par l'équipe de L. Montagnier. Il s'agit d'un rétrovirus appelé virus VIH et dont la présence entraîne notamment une immunodéficience. Par ce terme de rétrovirus, on désigne un groupe particulier de virus à ARN possédant une transcriptase inverse, une enzyme grâce à laquelle de l'ADN peut être synthétisé à partir de l'information contenue dans l'ARN constituant le matériel génétique du virus.

L'ADN ainsi élaboré peut alors s'intégrer dans les chromosomes de la cellule infectée par le rétrovirus où il assure la multiplication du virus après une période de latence plus ou moins longue. De fait, le virus peut rester inactif plusieurs années avant de se manifester.

Mesurant environ 100 nm de diamètre, le VIH possède une structure identique à celle de tous les rétrovirus connus : chaque virion est constitué d'une enveloppe protéique abritant un nucléoïde, lui-même constitué de protéines, de

(Suite page suivante.)

deux molécules d'ARN et de plusieurs molécules de transcriptase inverse, qui régissent la transcription de l'ARN en ADN.

L'enveloppe protéique est entourée d'une membrane lipidique empruntée à l'hôte et hérissée d'un très grand nombre de volumineuses molécules de glycoprotéines. Ces glycoprotéines jouent un rôle capital dans la fixation du virus à la surface des cellules qu'il parasite ainsi que dans la destruction de ces cellules lors du bourgeonnement des virus nouvellement formés à l'issue du cycle viral. En effet, il semble que l'interaction virus-cellule s'effectue entre certains sites des glycoprotéines et les molécules T4 à la surface des cellules que ce virus peut infecter.

Par ailleurs, on notera que les anticorps produits par le système immunitaire lors de l'introduction du virus, avant que ce dernier ne se cache dans les lymphocytes, sont dirigés contre les glycoprotéines virales et contre les protéines de l'enveloppe virale quand celle-ci a été lysée. La présence de ces anticorps permet de savoir si un individu a été en contact avec le virus.

Par comparaison aux autres virus, le virus HIV possède un génome relativement complexe : il compte au moins 9500 nucléotides formant un minimum de sept gènes. Les gènes *gag, pol et env,* communs aux rétrovirus, codent la synthèse des constituants viraux; les gènes *tat, trs, sor* et *3'Orf* codent des petites protéines qui contrôlent l'expression des gènes viraux, notamment la transcription de l'ARN messager à partir des gènes viraux. Les gènes sont flanqués de séquences particulières nommées longues répétitions terminales (LRT) ayant pour fonction de réguler l'expression des gènes viraux et de permettre l'intégration de l'ADN viral aux gènes cellulaires.

Cycle viral du VIH

Le VIH pénètre dans les cellules par suite d'une interaction entre les glycoprotéines virales et les molécules T4 présentes à la surface d'un certain nombre de cellules, notamment les monocytes, les macrophages et les lymphocytes T4. Cette molécule se comporte donc comme un récepteur spécifique de ce virus.

L'interaction virus-cellule hôte déclenche un processus d'endocytose. À l'issue de ce processus, le virus est libéré dans le cytoplasme.

La transcriptase inverse assure alors la synthèse d'une molécule d'ADN complémentaire et correspondant au code porté par l'ARN viral. L'ADN ainsi produit migre vers le noyau et s'intègre au génome de la cellule infectée. Un tel virus, présent par ses seules informations génétiques, porte le nom de provirus. Ce provirus peut rester silencieux, à l'état latent, c'est-à-dire sans se reproduire, pendant de nombreuses années. Il ne s'exprime qu'au moment où les lymphocytes T4 qui l'abritent sont stimulés par un contact antigénique et commencent à se multiplier.

5.8 RÉSUMÉ

Les virus forment un groupe d'organismes très particuliers. L'absence de toute organisation cellulaire propre constitue le caractère distinctif primordial qui les opposent aux procaryotes et aux eucaryotes. En outre, ils ne comportent qu'un seul type d'acide nucléique, n'ont pas de système producteur d'énergie et doivent obligatoirement parasiter d'autres cellules pour assurer leur reproduction.

Les virus se présentent sous forme de petites particules dont la taille est comprise entre 20 et 300 nm. Ces particules portent le nom de virions. Les virions sont constitués d'une capside, d'un acide nucléique qu'accompagnent éventuellement quelques structures annexes variables selon les groupes de virus. Véritable boîte moléculaire, la capside est formée par la réunion d'un nombre génétiquement déterminé et stable de sous-unités protéiques, les capsomères. La capside a pour fonction de protéger l'acide nucléique du virus.

De forme géométrique simple, les capsides des virus animaux ressemblent le plus souvent à des icosaèdres ou à des filaments. Elles sont caractérisées par un ou plusieurs plans de symétrie. D'autres virus ont une capside de forme irrégulière.

Les informations génétiques du virus sont portées par l'ADN ou par l'ARN. Ces acides nucléiques peuvent être bicaténaires ou monocaténaires.

Les virus d'un certain nombre de groupes comprennent une enveloppe constituée par un fragment de la membrane cytoplasmique arrachée à la cellule hôte lors de la sortie du virus. Certains virus portent aussi des spicules.

La classification des virus repose principalement sur trois critères physico-chimiques qui sont, dans l'ordre : le type d'acide nucléique, la symétrie de la capside et la présence ou l'absence d'une enveloppe.

Les virus se reproduisent selon un mode qui leur est propre. Inactifs dans l'environnement, ils n'entrent en activité qu'au moment où ils s'introduisent dans une cellule. L'étape intracellulaire du cycle viral peut être décomposée en cinq étapes : fixation, pénétration, réplication des constituants viraux, assemblage de ces constituants et sortie du virus de la cellule hôte.

La reproduction virale est effectuée à partir des informations génétiques virales mais les constituants du virus sont fabriqués par la cellule hôte qui fournit l'énergie, les matériaux, les enzymes et les organites nécessaires à la fabrication des nouveaux acides nucléiques et des protéines du virus.

Les rétrovirus forment un groupe de virus à part. Ils se distinguent des autres virus à ARN par leur capacité de produire une enzyme particulière, la transcriptase inverse. Grâce à cette enzyme, ils peuvent transcrire leur ARN en ADN et intégrer sous cette forme leurs informations génétiques dans un des chromosomes de la cellule hôte. Présent par ses seules informations génétiques, le virus, qualifié de provirus, se multiplie silencieusement en même temps que la cellule qui l'abrite. Théoriquement, il peut rester presque indéfiniment à l'état latent. Il n'est activé que par une stimulation appropriée : le provirus retrouve alors sa virulence et se multiplie activement. Les nouveaux virus quittent ensuite la cellule pour poursuivre leur cycle dans d'autres cellules.

LECTURES SUGGÉRÉES

BERNUAU, J. « Les hépatites dues au virus D ». *Médecine sciences*, vol. n° 1 (avril 1985), p. 69-73.

BROCK, T.D. et M.T. MADIGAN. *Biology of Microorganisms*. 5ᵉ éd., Englewood Cliffs, Prentice-Hall, 1988, 835 p.

BUTLER, J. et A. KLUG. « L'assemblage d'un virus ». *Pour la science,* n° 15 (janvier 1979), p. 67-75.

DARGOUGE, O. « Le virus de l'hépatite C ». *La recherche*, vol. 21, n° 220 (avril 1990), p. 500-501.

DIENER, T.O. « Les viroïdes ». *Pour la science*, n° 41 (mars 1981), p. 44-53.

GALLO, R. « Le premier rétrovirus humain ». *Pour la science*, n° 112 (février 1987), p. 60-72.

GALLO, R. « Le virus du Sida ». *Pour la science*, n° 113, (mars 1987), p. 12-24.

GESSAIN, A. et R. GALLO. « Virus et cancers humains ». *La recherche*, vol. 22, n° 235 (septembre 1991), p. 1036-1045.

GIRARD, M. et L. HIRTH. *Virologie générale et moléculaire*. Paris, Doin, 1980, 418 p.

HENLE, W., HENLE, G. et E. LENNETTE. « Le virus d'Epstein-Barr ». *Pour la science*, n° 23 (septembre 1979), p. 30-42.

HOGGLE, J., CHOW, M. et D. FILMAN. « La structure du virus de la poliomyélite ». *Pour la science*, n° 115 (mai 1987), p. 62-70.

HURAUX, J.-M., NICOLAS, J.-C. et H. AGUT. *Virologie*. Paris, Flammarion, Médecine-science, 1985, 381 p.

MONTAGNIER, L., BRUNET, J. B. et D. KLATZMANN. « Le SIDA et son virus ». *La recherche*, vol. 16, n° 167 (juin 1985), p. 750-760.

REGNAULT, J.-P. *Microbiologie générale*. Montréal, Décarie, 1990, 859 p.

SIMONS, K., GAROFF, H. et A. HELENIUS. « Comment un virus entre et sort d'une cellule ». *Pour la science*, n° 54 (avril 1982), p. 74-84.

TEMIN, H. « L'origine des rétrovirus ». *La recherche*, vol. 15, n° 152 (février 1984), p. 192-203.

TIOLLAIS, P. et M. A. BUENDIA. « Le virus de l'hépatite B ». *Pour la science*, n° 164 (juin 1991), p. 28-34

VARMUS, H. « La transcriptase inverse ». *Pour la science*, n° 121 (novembre 1987), p. 34-40.

ZOTOV, A. « Les hépatites ». *La recherche*, vol. 14, n° 145 (juin 1983), p. 854-865.

chapitre **6**

développement
microbien

6.1 INTRODUCTION

Quand ils bénéficient de conditions environnementales favorables, les microorganismes se développent et croissent rapidement pour former, en quelques heures, des populations considérables.

Pour comprendre les phénomènes particuliers au développement microbien, il faut d'abord examiner le processus de reproduction lui-même et étudier les caractéristiques de la croissance des populations microbiennes. Mais il faut aussi analyser à fond les divers facteurs qui influent sur le développement des microorganismes, qu'ils soient d'ordre physique, chimique ou biologique. En effet, comme tous les êtres vivants, les microorganismes sont soumis aux contraintes du milieu. Du point de vue de leur croissance, il importe peu que ce milieu soit l'environnement naturel ou un milieu de culture artificiel : les microorganismes doivent y trouver des conditions favorables pour s'y développer.

De portée générale, ce chapitre traite principalement de la reproduction et de la croissance des bactéries. Toutefois, les principes présentés s'appliquent aussi aux microorganismes eucaryotes. Nous ne reviendrons pas sur la reproduction des virus qui a été abordée au chapitre précédent.

6.2 REPRODUCTION MICROBIENNE

La reproduction microbienne se distingue de manière toute particulière de la reproduction chez les organismes pluricellulaires. Ce type de reproduction et le processus par lequel il se réalise se caractérisent par leur simplicité.

6.2.1 SPÉCIFICITÉ DE LA REPRODUCTION MICROBIENNE

Contrairement aux organismes pluricellulaires, la reproduction microbienne est essentiellement asexuée. Il existe toutefois une reproduction sexuée chez certains unicellulaires eucaryotes, mais elle n'est qu'occasionnelle. Toutefois, cette reproduction sexuée reste très importante, car elle constitue un moyen très efficace de produire de nouvelles combinaisons génétiques et, ce faisant, elle favorise l'adaptation de l'espèce.

Les microorganismes procaryotes, dépourvus de sexualité, disposent de différents autres moyens pour recombiner leurs gènes, c'est-à-dire pour modifier leurs caractères génétiques plus rapidement que ne le permettraient de rares mutations.

Bien que le processus de reproduction asexuée varie d'un groupe de microorganismes à un autre, le résultat de cette reproduction est toujours le même : une cellule augmente de taille et se divise en deux cellules filles. La répétition constante de ce processus conduit à la formation d'une vaste population cellulaire.

Quand on ensemence une cellule sur un milieu de culture solide, il se forme une colonie visible à l'œil nu, contenant plusieurs millions de cellules végétatives et indifférenciées. Sur le plan génétique, cette population forme un clone, c'est-à-dire un ensemble d'individus génétiquement identiques à la cellule mère dont ils sont issus.

6.2.2 FISSION BINAIRE

Sauf quelques espèces bactériennes particulières qui se reproduisent par bourgeonnement, par fragmentation ou par sporulation, les bactéries se reproduisent par fission binaire. La fission binaire est un processus qui diffère de la mitose de deux manières. D'une part, les bactéries n'ont qu'un seul chromosome; d'autre part, l'organisation même du chromosome procaryote est simple. Chez les procaryotes, il n'est donc pas besoin de l'appareil complexe responsable du déplacement des chromosomes chez les eucaryotes. Comme l'illustre la figure 6.1, l'unique chromosome circulaire, attaché à la membrane

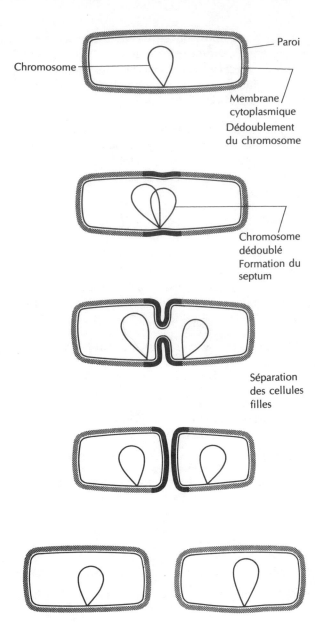

Chromosome

Paroi

Membrane cytoplasmique

Dédoublement du chromosome

Chromosome dédoublé

Formation du septum

Séparation des cellules filles

Figure 6.1
Fission binaire.

Au cours de la fission binaire, le chromosome attaché à la membrane cytoplasmique se dédouble. Une fois le dédoublement du chromosome terminé, il y a formation de replis au centre de la cellule. Une cloison transversale, ou septum, apparaît par suite de la synthèse progressive d'un nouveau fragment de la paroi.

cytoplasmique, s'ouvre en un point donné et se dédouble progressivement.

Une fois le dédoublement terminé, la membrane cytoplasmique s'invagine. Les replis ainsi formés se rejoignent, séparant la cellule en deux individus indépendants. Une fois cette opération terminée, les cellules filles se séparent. Il arrive parfois que les bactéries restent collées les unes aux autres; elles forment alors des amas d'aspects particuliers et reconnaissables – c'est le cas des staphylocoques ou des streptocoques. Observés en microscopie électronique, ils présentent de minces ponts cytoplasmiques maintenant les cellules groupées et formant des amas caractéristiques.

> CHEZ LES MICROORGANISMES, LA RE-PRODUCTION EST ESSENTIELLEMENT ASEXUÉE. LE PROCESSUS DE REPRODUC-TION ASEXUÉE EST LA FISSION BINAIRE PAR LAQUELLE UNE CELLULE MÈRE SE DIVISE EN DEUX CELLULES FILLES.

6.3 CROISSANCE DES MICROORGANISMES

La croissance des microorganismes est tout aussi spécifique que leur mode de reproduction. En effet, chez eux, la croissance conduit à un accroissement du nombre d'individus et non à une augmentation de leur taille. C'est pourquoi on définit la croissance bactérienne par l'accroissement du nombre de cellules ou par l'augmentation de la masse totale d'une population microbienne donnée. Cependant, contrairement à ce qui se passe chez les organismes pluricellulaires, ces deux paramètres sont indépendants. En microbiologie, on s'intéresse donc à la croissance des populations microbiennes plutôt qu'à la croissance des individus.

Dans certaines conditions, la croissance d'une population microbienne peut être foudroyante. Il suffit alors de quelques heures seulement pour qu'une dizaine de microorganismes forme une population colossale capable de causer une grave infection ou de détériorer un aliment au point de le rendre impropre à la consommation.

Cet exemple illustre l'importance d'une bonne connaissance de la croissance microbienne. Il faut être en mesure de prédire la rapidité avec laquelle une espèce donnée se reproduit quand elle est placée dans des conditions optimales de croissance. On doit pouvoir évaluer l'efficacité d'une substance antimicrobienne, ou encore prévoir à quel moment une population bactérienne sécrétera d'importantes quantités de toxine, etc. Il faut donc connaître les taux et les courbes de croissance des bactéries, leurs effets sur le métabolisme microbien et les aspects caractéristiques des colonies.

6.3.1 TAUX DE CROISSANCE

Le TAUX DE CROISSANCE est défini comme le nombre de divisions que subit un microorganisme par unité de temps. Cette notion abstraite peut être illustrée par l'exemple suivant. Supposons qu'une culture provienne d'une seule cellule, comme cela se produit quand on dépose une bactérie à la surface d'une gélose. La cellule initiale grandit et se dédouble, donnant deux cellules filles qui, à leur tour, se divisent pour donner quatre individus, et ainsi de suite. Généralement, les premières divisions sont synchronisées et le nombre d'individus double à intervalles réguliers.

À cause du processus de reproduction lui-même, la croissance s'effectue en progression géométrique et la population totale s'accroît selon une puissance de deux :

2^0, 2^1, 2^2, 2^3, 2^4, 2^5, 2^n, etc.,

ce qui correspond à :

1, 2, 4, 8, 16, 32 individus, etc.

Le nombre d'individus se multiplie par un facteur constant à chaque unité de temps. Donc, si une culture s'accroît de 10 fois en une heure, elle s'accroîtra de 100 fois en deux heures, de 1000 fois en trois heures, et ainsi de suite.

En mathématique, une telle croissance est qualifiée d'exponentielle. Le principe de ce type de croissance est exposé dans le tableau 6.1 pour un microorganisme dont le temps de génération est de 20 minutes.

Si l'on poursuivait jusqu'à la 25e génération, on obtiendrait 33 millions de cellules et il n'aurait fallu que 8,33 heures pour obtenir une telle population ! Ce chiffre paraît énorme, pourtant, c'est le nombre de bactéries que contiennent deux millilitres d'une culture en pleine croissance.

Le taux de croissance est donné par la formule :

$Tc = n/t$

Tableau 6.1
Croissance exponentielle des microorganismes.
(Exemple d'*Escherichia coli*.)

TEMPS (en mn)	NOMBRE DE DIVISIONS	NOMBRE DE CELLULES
0	0	1
20	1	2
40	2	4
60	3	8
80	4	16
100	5	32
120	6	64
140	7	128
160	8	256
180	9	512
200	10	1064

où :

Tc = taux de croissance;

n = nombre de divisions;

t = temps.

Ce taux de croissance s'exprime en temps de génération, lequel s'exprime en minutes. Le nombre de générations, calculé entre deux temps donnés, t_1 et t_2, est établi par la formule suivante

$$\frac{\log_{10} N_2 - \log_{10} N_1}{\log_{10} 2}$$

où :

N_1 = nombre de bactéries à t_1;

N_2 = nombre de bactéries à t_2.

La croissance exponentielle est aussi appelée croissance logarithmique mais, en fait, ces dénominations représentent les deux facettes d'une seule et même réalité. Quand on illustre en coordonnées arithmétiques la croissance d'une population qui double régulièrement, on obtient une courbe dont la pente s'accroît de façon constante (figure 6.2). Comme il est difficile d'interpréter de tels graphiques, on utilise fréquemment des coordonnées semi-logarithmiques. Le temps est indiqué en valeur arithmétique et le nombre de cellules en valeur logarithmique. Cette seconde représentation donne une droite, plus pratique et plus simple à interpréter. C'est pourquoi on l'utilise notamment pour calculer le taux de croissance d'une culture microbienne. La pente de la droite représente le taux de croissance de la culture : plus cette pente est forte, plus le taux de croissance est élevé; inversement, plus la pente est faible, plus le taux de croissance de la culture est faible.

6.3.2 TEMPS DE GÉNÉRATION

Le temps de génération correspond au temps nécessaire au doublement d'une population. En d'autres termes, ce temps de génération égale le

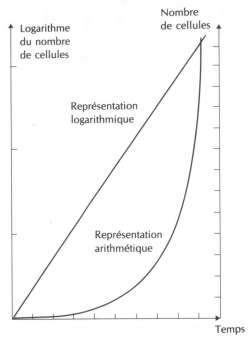

Figure 6.2
Représentation graphique de la croissance microbienne.

La croissance microbienne s'effectue en progression géométrique. Quand elle est représentée en coordonnées arithmétiques, cette croissance prend l'allure d'une courbe dont la pente s'accroît de façon constante. En coordonnées semi-logarithmiques, la croissance est représentée par une droite.

temps moyen que vit une génération. Par exemple, il est de 18 minutes pour une culture d'*Escherichia coli* placée dans des conditions optimales de développement. Comme la population double à chaque intervalle, on qualifie aussi le temps de génération de temps de doublement.

Toutes les espèces microbiennes n'ont pas le même temps de génération : dans les conditions optimales de croissance, il varie entre 15 à 20 minutes et plusieurs heures (tableau 6.2). De plus, il est influencé par de nombreux facteurs environnementaux.

Tableau 6.2
Temps de génération de quelques espèces bactériennes.

BACTÉRIES	TEMPS DE GÉNÉRATION (en mn)
Escherichia coli	17
Bacillus stearothermophilus	18,3
Salmonella typhi	25
Streptococcus lactis	26
Staphylococcus aureus	27 – 30
Bacillus mycoïdes	28
Lactobacillus acidophilus	66 – 87
Rhizobium japonicum	344 – 461
Mycobacterium tuberculosis	792 – 932
Treponema pallidum	1980

> **COMME LES MICROORGANISMES SE DIVISENT EN MÊME TEMPS, LA POPULATION QU'ILS FORMENT DOUBLE À CHAQUE DIVISION.**
> **COMME LES DIVISIONS SURVIENNENT À INTERVALLES RÉGULIERS, LA CROISSANCE DE CETTE POPULATION EST EXPONENTIELLE.**

6.3.3 COURBE DE CROISSANCE

La courbe de croissance permet de connaître l'évolution d'une population microbienne en fonction du temps. Ces courbes de croissance sont d'un grand intérêt. Elles permettent de situer certaines manifestations du métabolisme microbien comme le moment de la production de toxines ou de la sporulation. Elles permettent aussi de déterminer le moment le plus favorable pour étudier les propriétés bactériennes. Enfin, elles permettent de mesurer le degré d'activité des antibiotiques ou d'autres facteurs physiques

et chimiques influençant le développement microbien : température, concentration de CO_2 ou présence de différents facteurs nutritifs.

Au laboratoire, quand des bactéries se développent dans un milieu de culture qui contient des quantités limitées d'éléments nutritifs, on peut considérer que le développement s'effectue en quatre phases :

– une phase de latence;
– une phase de croissance exponentielle;
– une phase stationnaire;
– une phase de décroissance.

La figure 6.3 représente la courbe de croissance d'une population bactérienne en fonction du temps. Chaque étape est caractérisée par diverses propriétés, mais la première et la plus évidente est la variation du taux de croissance.

PHASE DE LATENCE

La phase de latence est constituée par la période s'étendant de l'ensemencement au moment où les bactéries commencent à se développer. Elle est principalement marquée par une augmenta-

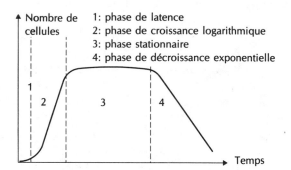

Figure 6.3
Courbe de croissance d'une population microbienne.
La croissance microbienne s'effectue en quatre phases : latence, croissance exponentielle, stationnaire et décroissance. Ces phases se distinguent par des taux de croissance différents.

tion de la taille des bactéries et par les premières divisions. Mais comme les bactéries sont peu nombreuses, le taux de croissance est faible : il augmente très lentement mais peut être néanmoins mesuré à l'aide de techniques précises. Généralement, la phase de latence ne dépasse pas deux à trois heures pour des bactéries placées dans des conditions optimales de culture.

PHASE EXPONENTIELLE

Aussi appelée phase logarithmique, la phase exponentielle correspond à la période pendant laquelle la population bactérienne croît à un taux constant. C'est au cours de cette phase que le temps de génération est le plus court. La production d'énergie cellulaire, la synthèse des protéines et les autres activités vitales sont réalisées au rendement maximal. Toutes les cellules produites au cours de cette phase sont viables. C'est lors de cette phase que certaines bactéries pathogènes produisent des exotoxines.

La phase de croissance est relativement courte : elle ne dépasse pas cinq à huit heures. Cette brièveté est due à l'accumulation progressive des déchets métaboliques dans le milieu de culture et à la disparition des éléments nutritifs disponibles.

PHASE STATIONNAIRE

C'est au cours de la phase stationnaire qu'est atteinte la densité maximale de la culture. La croissance a atteint son maximum et reste stationnaire. Il n'est pas rare de trouver entre 5 et 15 milliards de bactéries par millilitre! Ce chiffre traduit le rendement de la croissance microbienne.

Au cours de cette phase, la numération des cellules viables reste constante, car le nombre de bactéries formées et le nombre de bactéries qui meurent s'équilibrent. La phase stationnaire est brève pour les microorganismes fragiles, mais elle dure souvent plusieurs heures, voire plusieurs jours.

Le déséquilibre du milieu de culture qui caractérise la phase stationnaire est parfois marqué par l'apparition de changements morphologiques chez les bactéries; elles peuvent prendre des formes gonflées ou plus ou moins allongées et filamenteuses. C'est aussi durant cette phase que sporulent les bactéries qui en ont la capacité génétique. La pollution du milieu de culture par des déchets qui ne peuvent être évacués et l'épuisement d'un ou de plusieurs éléments nutritifs conduisent à la phase de décroissance.

PHASE DE DÉCROISSANCE

Durant la phase de décroissance, le nombre de cellules viables décroît lentement puis de façon constante : la culture meurt exponentiellement. Les bactéries survivantes diminuent selon une progression géométrique en fonction du temps. C'est alors que sont libérées les endotoxines, principalement produites par des bactéries Gram négatif[1].

Parfois, on note que la décroissance perd son allure exponentielle avant que tous les microorganismes ne soient morts. On attribue ce phénomène à la croissance continuelle d'un petit nombre de bactéries qui se développeraient aux dépens des éléments nutritifs libérés par les bactéries mortes et lysées.

> ON DISTINGUE QUATRE PHASES DANS LA CROISSANCE D'UNE POPULATION MICROBIENNE :
> – DE LATENCE;
> – DE CROISSANCE EXPONENTIELLE;
> – STATIONNAIRE;
> – DE DÉCROISSANCE.

1. Les endotoxines sont constituées par des lipopolysaccharides de la paroi et entraînent de graves perturbations des activités physiologiques chez l'hôte qui abrite de tels microorganismes.

6.4 FACTEURS PHYSIQUES

Le développement microbien dépend largement d'une première catégorie de facteurs tels la température, l'humidité, la teneur en oxygène, etc. On les appelle facteurs physiques parce qu'ils relèvent de l'environnement physique.

Parmi les facteurs physiques reconnus du développement microbien, on étudiera :

- l'eau;
- la température;
- le pH;
- l'oxygène;
- les radiations.

6.4.1 EAU

L'eau, qui représente environ 80 % de tous les constituants cellulaires, est indispensable au développement des microorganismes. En l'absence d'eau ou d'une quantité suffisante de vapeur d'eau, les microorganismes peuvent survivre, en règle générale, mais ils ne peuvent se multiplier. La perte d'eau est différemment tolérée selon les espèces microbiennes. Certaines, comme le gonocoque, *Neisseria gonorrheæ,* ou le tréponème, *Treponema pallidum,* tous deux agents de maladies transmissibles sexuellement, sont très sensibles à la dessiccation : ils ne survivent que sur les muqueuses qui leur offrent une humidité suffisante. D'ailleurs, c'est pourquoi ces maladies ne se transmettent que par contact direct. En revanche, d'autres microorganismes, tels *Mycobacterium tuberculosis* ou *Corynebacterium diphteriæ,* respectivement agents de la tuberculose et de la diphtérie, résistent à la dessiccation et peuvent survivre de longues périodes dans le pus, les expectorations, le sang ou les selles.

De façon générale, quant à la quantité d'eau nécessaire à leur développement, les bactéries sont plus exigeantes que les levures, et les levures plus que les moisissures.

6.4.2 TEMPÉRATURE

La température est un facteur d'importance capitale. Elle agit directement sur le développement microbien, car tous les mécanismes de croissance dépendent des réactions chimiques du métabolisme, elles-mêmes influencées par la température. Le déroulement de ces réactions dépend de l'activité des enzymes cellulaires, laquelle est largement influencée par la température où se déroulent ces réactions.

Chaque espèce microbienne possède sa propre température optimale de développement, et les limites de température sont très étroites. Pour chaque espèce, on peut définir une échelle de température. Sur cette échelle, les températures minimale, optimale et maximale constituent les repères les plus importants :

- la température minimale représente la température la plus basse à laquelle un microorganisme donné commence à se développer;
- la température optimale est la température pour laquelle le taux de croissance est maximale;
- la température maximale est la température au-delà de laquelle un microorganisme donné ne peut se multiplier.

La limite inférieure de développement de la plupart des microorganismes se situe aux alentours de -5 °C, point de congélation du cytoplasme. La limite supérieure dépend de la thermolabilité des constituants de la cellule, surtout de la stabilité des protéines structurales et fonctionnelles.

La figure 6.4 illustre l'influence de la température sur le taux de croissance d'*Escherichia coli.*

Le cas de *Mycobacterium lepræ* illustre bien l'importance de ce facteur. C'est une espèce microbienne qui présente une échelle de température de développement très étroite. En effet, cette bactérie responsable de la lèpre ne se développe

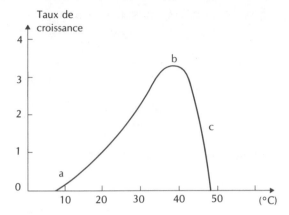

Figure 6.4
Influence de la température sur la croissance d'*Escherichia coli*.

a) Température minimale.

b) Température optimale.

c) Température maximale.

On remarque que la température minimale est située aux alentours de 10 °C, que la température optimale (à laquelle la croissance est maximale) est atteinte entre 37 et 40 °C, tandis que la température maximale de 46 °C ne peut être dépassée sans que la vitesse de croissance ne soit grandement affectée. Ces températures optimale et maximale dépendent de la thermolabilité des enzymes qui catalysent les réactions chimiques du métabolisme bactérien.

Tableau 6.3
Température optimale de développement de quelques micro-organismes.

MICROORGANISMES	TEMPÉRATURE OPTIMALE (en °C)
BACTÉRIES	
Bacillus megaterium	30
Bacillus stearothermophilus	50 – 65
Bacillus subtilis	30
Clostridium sporogenes	37
Escherichia coli	30
Lactobacillus casei	37
Mycobacterium lepræ	30
Mycobacterium smegmatis	37
Proteus vulgaris	30
Pseudomonas fluorescens	25
Rhodospirillum rubrum	30
Serratia marcescens	25
Staphylococcus aureus	37
Streptococcus lactis	37
MYCÈTES	
Aspergillus niger	25
Saccharomyces cerevisiæ	25
Mucor hiemalis	25
Sordaria fimicola	25

pas dans les organes internes des sujets qu'elle infecte. Elle ne prolifère pratiquement qu'à la surface de l'épiderme, là où la température corporelle dépasse rarement 30 °C.

D'une façon générale, la température optimale de développement d'un microorganisme dépend de l'environnement naturel de ce microorganisme. Il est donc important de respecter cette condition et d'incuber les microorganismes à la température adéquate quand ils sont cultivés au laboratoire. Le tableau 6.3 indique la température optimale de quelques espèces de microorganismes fréquemment rencontrés en microbiologie.

Encore que cela soit relativement arbitraire, on divise habituellement les microorganismes en trois groupes selon leur température optimale : les mésophiles, les psychrophiles et les thermophiles.

MÉSOPHILES

La très grande majorité des espèces microbiennes sont MÉSOPHILES. Leur température optimale est de l'ordre de 25 à 45 °C. À cette catégorie appartiennent les espèces qui parasitent les animaux à sang chaud, notamment les mammifères et l'Homme. La température optimale de ces espèces microbiennes est comprise entre 37 et 44 °C. On trouve aussi parmi les microorganismes mésophiles de nombreuses espèces saprophytes qui croissent dans les milieux naturels. Cependant, leur température optimale dépasse rarement 30 °C. C'est le cas, notamment, de *Bacillus megaterium* qui ne peut pas être cultivé dans un incubateur réglé à 37 °C.

PSYCHROPHILES

Les microorganismes PSYCHROPHILES sont surtout des bactéries appartenant au genre *Pseudomonas*. Ils tolèrent plus qu'ils ne préfèrent les basses températures. En effet, leur température optimale se situe rarement en dessous de 25 °C, mais ils présentent néanmoins un taux de croissance non négligeable à des températures comprises entre 0 ° et 5 °C[1]. Il n'y a pas de microorganismes psychrophiles pathogènes.

THERMOPHILES

Les microorganismes THERMOPHILES ont une température optimale moyenne de 50 à 55 °C, avec une tolérance allant jusqu'à 75 °C. Dans ce groupe, on rencontre des organismes aussi différents que les cyanophycées, les ascomycètes ou des bactéries. Dans ce dernier groupe, on peut aussi faire entrer les microorganismes THERMO-TOLÉRANTS : bien qu'ils se développent à des températures plus basses (entre 25 et 40 °C), ces microorganismes survivent quand ils sont exposés à des températures de 65 à 70 °C. Cette aptitude explique notamment le fait que des bactéries du lait résistent à la pasteurisation.

Le tableau 6.4 et la figure 6.5 permettent de comparer les caractéristiques des différents groupes de microorganismes. De plus, la figure 6.5 montre que les microorganismes mésophiles,

pathogènes pour les animaux homéothermes et pour l'Homme, ont des plages de développement très étroites. Cette caractéristique est d'ailleurs mise à profit par ces animaux et par l'Homme pour se défendre contre l'agression microbienne. Dans ce sens, la fièvre constitue un moyen non négligeable de réduire le taux de croissance des bactéries et des virus.

BACTÉRIES FORMANT DES ENDOSPORES

Certaines espèces de bactéries peuvent former des endospores qui sont capables de résister à des températures bien supérieures aux températures létales pour les cellules bactériennes. Par exemple, *Bacillus cereus* est une bactérie mésophile dont la température optimale est comprise entre 25 et 45 °C et dont la température maximale se situe à 50 °C. Mais les endospores de ce bacille peuvent résister pendant une heure, à 100 °C, dans l'eau en ébullition.

LA TEMPÉRATURE EST UN FACTEUR DÉTERMINANT DU DÉVELOPPEMENT MICROBIEN.
POUR CHAQUE ESPÈCE, ON DÉFINIT UNE ÉCHELLE DE TEMPÉRATURE MARQUÉE PAR DES TEMPÉRATURES MINIMALE, OPTIMALE ET MAXIMALE. LA CROISSANCE EST MAXIMALE POUR LA TEMPÉRATURE OPTIMALE.
SELON LEUR TEMPÉRATURE OPTIMALE, LES MICROORGANISMES SONT QUALIFIÉS DE PSYCHROPHILES, DE MÉSOPHILES ET DE THERMOPHILES.

6.4.3 pH

Le pH joue un rôle très important dans le développement microbien car il influe directement sur l'activité enzymatique.

On définit aussi pour le pH une échelle dont les valeurs supérieures et inférieures constituent les

---

1. Il existe, bien sûr, quelques exceptions : des spécimens prélevés dans l'Antarctique ont montré qu'ils étaient capables de se développer jusqu'à -70 °C.

Tableau 6.4
Caractéristiques générales des bactéries psychrophiles, mésophiles et thermophiles.

TYPES	ÉCHELLES DE TEMPÉRATURE	AUTRES CARACTÉRISTIQUES
PSYCHROPHILES	T. minimale : -5 °C T. optimale : 10 – 20 °C T. maximale : 30 °C	Chimioorganotrophes Saprophytes des milieux naturels Dégradent les matières organiques en décomposition Pas d'espèces pathogènes pour les animaux et l'Homme Exemple : *Pseudomonas* (quelques espèces); *Achromobacter;* *Flavobacterium; Alcaligenes*
MÉSOPHILES	T. maximale : 30 – 45 °C T. minimale : 15 °C T. maximale : 50 °C	Chimioorganotrophes Saprophytes des milieux naturels Parasites des animaux et de l'Homme Microorganismes pathogènes pour les animaux et l'Homme Exemple : *Staphylococcus aureus; Mycobacterium tuberculosis;* *Escherichia coli; Streptococcus lactis*
THERMOPHILES	T. minimale : 45 – 55 °C T. optimale : 65 – 70 °C T. maximale : 75 – 80 °C	Chimiolithotrophes vivant dans les eaux fortement minéralisées des sources chaudes Chimioorganotrophes vivant en milieux chauds et riches en matières organiques (compost, fumier et autres matières organiques résiduelles) Exemple : *Thiobacillus; Bacillus* (quelques espèces)

limites de croissance pour une espèce donnée. Cette échelle est généralement étroite et différente pour chaque espèce. *Escherichia coli*, par exemple, tolère des pH compris entre 4,5-5,0 et 8. D'autres espèces spécialement adaptées à la croissance dans les tissus animaux, comme *Neisseria gonorrheæ, Streptococcus pneumoniæ* ou *Brucella abortus*, présentent une tolérance encore plus étroite : leur pH se situe aux environs de 7 à 7,5 et ne peuvent se développer en milieux légèrement alcalins ou acides.

Le cas des espèces bactériennes qui vivent dans les milieux naturels ou dans certains produits biologiques est quelque peu différent. On constate, par exemple, que *Clostridium botulinum*, l'agent du botulisme, ne peut se développer à des pH inférieurs à 4,5 alors que cette valeur représente la valeur idéale du pH pour le développement de différentes espèces de *Lactobacillus*. Il en est de même des mycètes, notamment les ascomycètes, qui présentent une croissance optimale en milieux relativement plus acides que

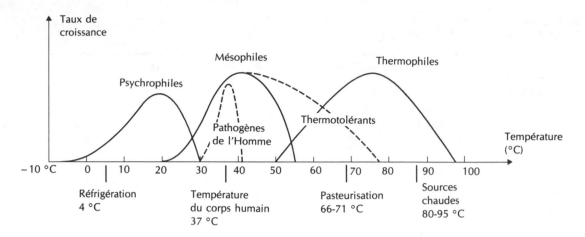

Figure 6.5
Courbes de croissance des microorganismes psychrophiles, mésophiles et thermophiles selon la température.

ceux dans lesquels se développent les bactéries. Les mycètes peuvent être facilement cultivés à des pH compris entre 3 et 6.

> EN AGISSANT DIRECTEMENT SUR L'ACTIVITÉ ENZYMATIQUE, LE pH JOUE UN RÔLE DÉTERMINANT DANS LE DÉVELOPPEMENT MICROBIEN.
> CHAQUE ESPÈCE MICROBIENNE CROÎT À L'INTÉRIEUR D'UNE PLAGE DE pH RELATIVEMENT ÉTROITE EN GÉNÉRAL COMPRISE ENTRE 4,5 ET 8.

6.4.4 OXYGÈNE

Les microorganismes réagissent différemment à l'oxygène moléculaire selon les espèces. Ces différences de comportement sont à mettre en relation avec les activités métaboliques des microorganismes. Même s'il n'existe pas de nettes démarcations entre les conditions de vie aérobies et anaérobies, par convention on divise les microorganismes en quatre groupes, selon leur comportement à l'égard de l'oxygène :

– les microorganismes aérobies stricts qui ne peuvent se développer qu'en présence d'oxygène;
– les microorganismes anaérobies qui ne se développent qu'en l'absence totale d'oxygène moléculaire (anaérobies stricts) ou à de très faibles pressions partielles de ce gaz (anaérobies modérés);
– les microorganismes anaérobies facultatifs qui s'accommodent de la présence ou de l'absence de ce gaz;
– les microaérophiles, aérobies qui ne se développent qu'à des pressions partielles d'oxygène inférieures à celle de l'atmosphère.

Nous présenterons successivement chacun de ces groupes en soulignant les conséquences culturales de ces différents comportements. Nous insisterons spécialement sur la culture des anaérobies qui pose des problèmes particuliers en microbiologie clinique.

AÉROBIES STRICTS

Pour les espèces AÉROBIES STRICTS, l'oxygène est indispensable, car il intervient dans les réactions métaboliques au cours desquelles est produite l'énergie vitale.

La disponibilité de l'oxygène varie selon qu'on cultive les microorganismes en milieux solides ou liquides. La disponibilité de l'oxygène n'est jamais un problème quand on cultive les microorganismes sur gélose en boîte de Pétri, car il y a une large surface de contact entre le milieu et l'air, et chaque colonie accède facilement à l'oxygène. En revanche, en culture liquide, la disponibilité de l'oxygène peut devenir un facteur limitatif de la croissance à cause de la faible solubilité de l'oxygène dans l'eau.

ANAÉROBIES

Le concept d'anaérobiose est difficile à cerner dans la mesure où il n'existe pas de frontière nette entre la vie en présence d'oxygène et la vie en l'absence d'oxygène. C'est pourquoi on distingue habituellement trois catégories de microorganismes ANAÉROBIES : les anaérobies stricts, les anaérobies modérés et les anaérobies facultatifs.

Les anaérobies stricts sont des microorganismes qui ne se développent qu'en l'absence totale d'oxygène ou qui sont tués lorsque l'oxygène est présent à une concentration égale ou inférieure à 0,5 %. Ils sont incapables de croître à la surface des milieux de culture solides ou semi-solides exposés à l'air : ils meurent immédiatement. Les anaérobies modérés croissent à des pressions partielles d'oxygène égales ou inférieures à 3 % de la pression partielle en oxygène de la pression atmosphérique.

Chez les anaérobies, l'oxygène ne peut être utilisé au cours des réactions de production d'énergie, comme le font les aérobies. Les anaérobies ont donc un métabolisme énergétique dans lequel l'oxygène est remplacé par un autre composé. Quand les composés sont des nitrates, des sulfates ou des carbonates, on parle de respiration anaérobie. S'il s'agit de composés organiques, les processus énergétiques portent le nom de fermentations. Dans ce cas, la dégradation des substrats est incomplète et divers composés organiques s'accumulent dans le milieu de culture.

Les microorganismes anaérobies facultatifs sont capables de se développer indifféremment en milieux aérobie ou anaérobie. Outre l'équipement enzymatique propre aux aérobies, ils possèdent les enzymes qui leur permettent d'utiliser l'oxygène combiné dans certaines molécules. En conditions anaérobies, les bactéries qui métabolisent les composés organiques peuvent dégrader ces matières par les réactions de la glycolyse ou par d'autres voies métaboliques. Toutefois, ce type de métabolisme énergétique est nettement moins avantageux que la respiration : les substrats ne sont pas complètement dégradés et il ne se forme qu'un très petit nombre de molécules d'ATP. Lorsqu'ils sont en anaérobiose, ces microorganismes devront donc compenser leur faible rendement énergétique par une plus grande consommation d'aliments. Autrement, ils ne pourraient réaliser la même quantité de travail que lorsque l'oxygène est disponible.

MICROAÉROPHILES

Les MICROAÉROPHILES constituent un groupe particulier de microorganismes aérobies. L'oxygène est indispensable à leurs activités, mais elles ne croissent qu'en atmosphère contenant de 5 à 8 % d'oxygène, alors que l'atmosphère terrestre en contient 25 %. *Campylobacter fetus* est un exemple de bactérie microaérophile.

Peu d'espèces microbiennes pathogènes sont aérobies stricts. La plupart sont aérobies facultatives : en l'absence d'oxygène, elles font appel à d'autres processus énergétiques. Un grand nombre de bactéries pathogènes qui se développent à la surface de la peau, des muqueuses ou dans les tissus plus profonds font partie de cette catégorie. C'est le cas, notamment, d'*Escherichia coli, Proteus, Enterobacter, Yersinia, Salmonella, Shigella*, que l'on cultive au laboratoire en boîte de Pétri ou en tubes laissés à l'air libre, mais qui peuvent aussi se développer en conditions anaérobies.

TYPES RESPIRATOIRES

Le comportement des bactéries à l'égard de l'oxygène peut être mis en évidence par la technique de culture en gélose profonde. Cette méthode consiste à ensemencer les bactéries dans des tubes contenant 7 à 8 cm de milieu nutritif glucosé additionné de 0,75 % d'agar. Avant leur emploi, ces tubes sont régénérés par immersion dans un bain-marie bouillant : au cours de l'ébullition, l'oxygène est éliminé et le potentiel d'oxydo-réduction du milieu est abaissé. Après refroidissement, le milieu est ensemencé sur toute

la hauteur du tube et la gélose est solidifiée par immersion dans l'eau froide.

La croissance en gélose profonde, représentée à la figure 6.6, permet de déterminer le type respiratoire d'une espèce bactérienne donnée selon la zone dans laquelle elle se développe :

– le type 1 (*Pseudomonas fluorescens*) est aérobie strict. Les bactéries de ce type se développent exclusivement à la surface de la gélose, là où la pression d'oxygène est maximale;

– le type 2 (*Brucella abortus*) est microaérophile. Il se développe à des pressions partielles d'oxygène inférieures à celle de l'atmosphère;

– le type 3 (*Escherichia coli*) est aérobie facultatif. Il croît autant en zone aérobie qu'en zone anaérobie;

– le type 4 (*Clostridium tetani*) est anaérobie strict et ne se développe qu'au fond du tube, là où l'oxygène est absent.

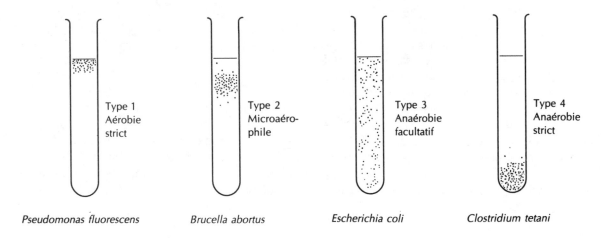

Type 1
Aérobie
strict

Type 2
Microaéro-
phile

Type 3
Anaérobie
facultatif

Type 4
Anaérobie
strict

Pseudomonas fluorescens   *Brucella abortus*   *Escherichia coli*   *Clostridium tetani*

Figure 6.6
Types respiratoires microbiens.

Les tubes contenant un milieu au thioglycollate sont ensemencés sur toute leur hauteur. Le thioglycollate capture l'oxygène du milieu et le rend inutilisable pour les bactéries.

Une petite quantité de l'oxygène provenant de l'air diffuse dans la partie supérieure du tube et permet la croissance des aérobies stricts et des microaérophiles. Ne contenant pas d'oxygène, le fond du tube permet le développement des anaérobies stricts. Les microorganismes anaérobies facultatifs se développent sur toute la hauteur du tube.

6.4.5 RADIATIONS

Les organismes vivants captent les radiations émises par l'environnement. De nature électro-magnétique, ces radiations proviennent prin-cipalement du soleil. Seules parviennent jusqu'à la terre les radiations sous forme de photons dont la longueur d'onde est comprise entre 200 et 800 nm. Elles déterminent un spectre électroma-gnétique dont une partie constitue la lumière visible que l'on perçoit sous forme de couleur allant du pourpre au rouge. Ce spectre lumineux visible est encadré, au-dessus, par les rayons infrarouges et, au-dessous, par les rayons ultraviolets, les rayons X, α, β et γ.

Le principal intérêt des rayons ultraviolets réside dans leur pouvoir microbicide.

Les rayons ultraviolets présentent un pouvoir microbicide qui permet d'éliminer de nombreu-ses espèces microbiennes, à l'exception des microorganismes qui produisent des pigments, comme c'est le cas pour *Staphylococcus aureus* ou pour *Serratia marcescens*. Ce sont les ultra-violets dont la longueur d'onde est comprise entre 265 et 280 nm qui ont le pouvoir microbicide le plus efficace. Malgré leur faible pouvoir de pénétration, ce qui limite passablement leur uti-lisation, les rayons ultraviolets font l'objet d'ap-plications diverses : dans l'industrie alimentaire, pour la conservation des viandes en entrepôts frigorifiques et surtout en médecine, où ils sont utilisés pour le traitement d'infections de la peau, dans la stérilisation du sérum sanguin, dans la désinfection des surfaces et comme moyen d'ap-point pour la stérilisation des blocs opératoires.

Les autres types de rayonnements, X, α, β et γ, possèdent eux aussi un très fort pouvoir mi-crobicide, mais les risques inhérents à leur mani-pulation en réduisent considérablement l'usage.

La résistance des microorganismes aux radia-tions varie beaucoup d'une espèce à une autre. D'une façon générale, les bactéries Gram négatif se montrent plus sensibles que les bactéries Gram positif. Par ailleurs, les spores – qui contiennent beaucoup moins d'eau – présentent une plus grande résistance que les cellules végétales.

6.5 BESOINS NUTRITIFS DES MICROORGANISMES

Les besoins nutritifs des microorganismes sont fondamentalement les mêmes que ceux des autres êtres vivants. Et comme les autres êtres vivants, ils peuvent être distingués par la forme des éléments qu'ils utilisent pour satisfaire ces besoins : s'ils ont recours à une source minérale de carbone, on peut les dire autotrophes; si cette source est orga-nique, on les appelle hétérotrophes.

6.5.1 TYPES NUTRITIONNELS

Il existe deux grandes catégories de microorga-nismes : les autotrophes et les hétérotrophes.

AUTOTROPHES

Les microorganismes AUTOTROPHES peuvent éla-borer tous leurs constituants cellulaires à partir de minéraux ou des substances simples et ex-traient l'énergie du milieu abiotique. La plupart des autotrophes dépendent de la photosynthèse par laquelle ils transforment l'énergie solaire en énergie chimique. Leurs besoins alimentaires sont relativement simples. Pour assurer leur développement, ils ne requièrent que de l'eau, du gaz carbonique, une source minérale d'azote et quelques minéraux. Ils possèdent un pouvoir de synthèse quasi illimité, puisqu'ils peuvent élaborer tous les métabolites essentiels et tous les éléments constitutifs et fonctionnels nécessaires à partir des seules substances minérales. Sur le plan qualitatif, ces autotrophes sont donc peu exigeants quand on les compare au groupe des microorganismes hétérotrophes.

HÉTÉROTROPHES

Les HÉTÉROTROPHES forment le second grand groupe nutritionnel. Ils demandent un grand nombre de molécules organiques préformées pour répondre à leurs besoins nutritifs. Ils sont caractérisés par un pouvoir de synthèse beaucoup plus limité et, du point de vue qualitatif, leurs besoins nutritifs sont très stricts.

SELON LA NATURE DE LA SOURCE DE CARBONE QU'ILS ASSIMILENT, LES MICROORGANISMES SONT SÉPARÉS EN AUTOTROPHES ET EN HÉTÉROTROPHES.

Il existe une autre classification plus récente, qui repose d'une part sur la nature des sources de carbone et, d'autre part, sur le type d'énergie utilisé. Cette classification fait ressortir quatre grands groupes nutritionnels :

– les microorganismes photolithotrophes, qui utilisent l'énergie lumineuse au cours de la photosynthèse et qui effectuent leurs biosynthèses à partir de composés minéraux (CO_2, H_2O, etc.);
– les microorganismes photo-organotrophes, qui utilisent l'énergie lumineuse mais qui réalisent leurs biosynthèses à partir de substrats organiques complexes;

– les microorganismes chimiolithotrophes, qui oxydent des composés minéraux pour produire l'énergie chimique dont ils ont besoin et qui effectuent leurs biosynthèses à partir de substrats minéraux;
– les microorganismes CHIMIOORGANOTROPHES, qui oxydent des composés organiques et qui effectuent leurs biosynthèses à partir de substrats organiques complexes.

On notera toutefois que cette classification est de peu d'intérêt en microbiologie médicale, car tous les microorganismes pathogènes sont chimioorganotrophes.

6.5.2 ÉTAT CHIMIQUE DES NUTRIMENTS

Outre l'eau, qui leur est indispensable (elle représente 75 % du poids total d'une cellule bactérienne), les bactéries et les autres microorganismes hétérotrophes doivent disposer de sources organiques de carbone et d'azote.

CARBONE ORGANIQUE

La principale source organique de carbone est fournie par les glucides, les polyalcools, les acides organiques, les acides gras et les hydrocarbures. En fait, il semble qu'il n'existe pas de composé organique naturel qui ne puisse servir de source de carbone à une espèce microbienne donnée. Toutefois, si certaines espèces microbiennes ne montrent aucune spécificité et peuvent puiser indifféremment à n'importe quel composé organique pour satisfaire leurs besoins en carbone, d'autres espèces paraissent très limitées et spécialisées dans leur alimentation carbonée.

AZOTE ET SOUFRE ORGANIQUES

Les espèces microbiennes hétérotrophes ont besoin d'une source organique d'azote et parfois de soufre organique qui entrent dans la composition de matériaux cellulaires essentiels. Cependant, le degré d'hétérotrophie à l'égard de l'azote et du soufre est plus ou moins marqué selon les espèces. Certaines n'accèdent à l'azote que par l'intermédiaire des peptones (petits polypeptides). Ces composés, qui résultent de l'hydrolyse des protéines, devront éventuellement contenir un ou plusieurs acides aminés essentiels comme le tryptophane (nécessaire à la croissance de *Salmonella typhi*) ou l'acide glutamique indispensable au développement de certaines espèces de bactéries appartenant aux genres *Staphylococcus* ou *Streptococcus*. En revanche, nombreuses sont les espèces qui peuvent utiliser l'ammoniac comme source d'azote.

FACTEURS DE CROISSANCE

La culture des bactéries hétérotrophes en milieu synthétique[1] a révélé d'autres exigences en substances complexes qui ne peuvent être synthétisées à partir des éléments nutritifs carbonés et azotés disponibles. Ces substances, que l'on a nommées facteurs de croissance, doivent être fournies préformées. Il s'agit la plupart du temps de vitamines. Ainsi, les milieux de culture pour certaines souches de *Staphylococcus aureus* doivent être enrichis en thiamine, en nicotinamide ou en niacine. Ces facteurs de croissance jouent souvent le rôle de coenzymes et interviennent dans les réactions du métabolisme énergétique et dans les réactions de la chaîne respiratoire.

6.6 RÉSUMÉ

Quand ils bénéficient de conditions environnementales favorables, les microorganismes se développent, se propagent très rapidement et forment en quelques heures des populations considérables.

Chez les microorganismes, la reproduction est essentiellement asexuée. Les microorganismes eucaryotes se reproduisent par mitose; les procaryotes font appel à la fission binaire. La croissance microbienne se traduit par l'augmentation du nombre d'individus plutôt que par l'augmentation de la masse d'un individu. Quand une cellule se divise en deux, elle donne deux individus. Comme les cellules d'une population se divisent en même temps, la population double à chaque division et, comme les divisions surviennent à intervalles réguliers, la croissance des populations microbiennes est exponentielle, du moins tant que ces microorganismes trouvent dans le milieu de culture les nutriments nécessaires à leur développement.

La croissance microbienne est caractérisée par deux paramètres : le taux de croissance et le temps de génération. Le taux de croissance correspond au nombre de divisions par unités de temps; le temps de génération correspond au temps qui sépare deux divisions.

On distingue généralement quatre phases dans la croissance d'une population bactérienne cultivée dans un milieu clos et contenant des éléments nutritifs en quantité limitée. Ces quatre phases sont la phase de latence, la phase de croissance exponentielle, la phase stationnaire et la phase de décroissance. Ces quatre phases sont marquées par des variations du taux de croissance de la population.

Le développement des microorganismes est influencé par des facteurs physiques et biologiques. Parmi les facteurs physiques les plus importants à cause de leur influence sur la culture des microorganismes, il faut citer l'eau, la température, le pH et l'oxygène.

La température est un élément d'importance capitale puisqu'elle influe directement sur le taux de croissance des microorganismes. Pour

---

1. Les milieux synthétiques sont des milieux dont la composition chimique est connue (par opposition aux milieux de culture empiriques) car ils sont préparés à partir d'un petit nombre de substances connues.

chaque espèce de microorganisme, on a établi les températures minimale, optimale et maximale de développement. Selon leur comportement à l'égard de la température, on qualifie les microorganismes de mésophiles, de psychrophiles ou de thermophiles. La température optimale de développement des mésophiles se situe entre 25 et 45 °C. C'est dans ce groupe que l'on trouve les espèces saprophytes qui se développent dans les milieux naturels et celles qui parasitent les animaux et l'Homme. Les microorganismes psychrophiles peuvent se développer à des températures inférieures à 25 °C et possèdent un taux de croissance non négligeable jusqu'à -4 ou -8 °C. Les microorganismes thermophiles, quant à eux, se développent à des températures supérieures à 45 °C.

On définit aussi pour le pH une échelle dont les valeurs supérieure et inférieure constituent les limites de croissance pour une espèce donnée. Cette échelle, généralement étroite, se situe entre 4,5 et 8. Le pH doit être pris en considération dans la culture des microorganismes en milieu synthétique, car le développement d'une population microbienne peut être perturbé ou arrêté par suite de l'accumulation de divers produits métaboliques acides.

Les microorganismes réagissent différemment à l'oxygène et peuvent être classés selon ces réactions en aérobies stricts, en anaérobies facultatifs, en anaérobies stricts et en microaérophiles. Les aérobies stricts ne peuvent vivre sans oxygène. Au contraire, les anaérobies stricts ne peuvent se développer qu'à l'abri de cette substance. Les anaérobies facultatifs croissent indifféremment en présence ou en l'absence d'oxygène, tandis que les microaérophiles présentent une croissance optimale à des pressions d'oxygène inférieures à la pression atmosphérique.

Les microorganismes ont aussi besoin de trouver dans leur milieu les nutriments nécessaires à leur développement et à leur fonctionnement. Selon la forme sous laquelle ils utilisent ces nutriments, les microorganismes sont classés en deux grands groupes qualifiés d'autotrophes ou d'hétérotrophes. Les autotrophes utilisent le carbone sous forme minérale, alors que les hétérotrophes ne peuvent assimiler que le carbone des composés organiques. On peut aussi classer les microorganismes en quatre groupes nutritionnels quand on tient compte de la forme du carbone assimilé et de la nature de l'énergie utilisée. Les microorganismes sont alors divisés en photolithotrophes, chimiolithotrophes, photo-organotrophes et chimioorganotrophes. Les bactéries qui parasitent l'Homme et les animaux sont chimioorganotrophes.

Les chimioorganotrophes ont des besoins alimentaires stricts. Le carbone doit toujours être apporté sous forme organique. Le degré d'hétérotrophie à l'égard de l'azote et du soufre varie selon les espèces.

LECTURES SUGGÉRÉES

BROCK, T. D. et M. T. MADIGAN. *Biology of Microorganisms.* 5e éd., Englewood Cliffs, Prentice-Hall, 1988, 835 p.

GERHARDT, P., MURRAY, R. G. E., COSTILOW, R. N., NESTER, E. W., WOOD, W. A., KRIEG, N. R. et G. B. PHILLIPS. *Manual of Methods for General Bacteriology.* Whasington, American Society for Microbiology, 1981, 524 p.

LENNETTE, E. H., BALOWS, A., HAUSLER, W. J. et J. H. SHADOMY. *Manual of Clinical Microbiology.* 4e éd., Washington, American Society for Microbiology, 1985, 1149 p.

REGNAULT, J.-P. *Microbiologie générale.* Montréal, Décarie, 1990, 859 p.

chapitre **7**

écologie microbienne

7.1 INTRODUCTION

L'écologie microbienne est une vaste discipline qui a pour objet l'étude du rôle des microorganismes dans les différents écosystèmes et l'étude des relations qu'ils entretiennent avec les autres être vivants et l'Homme.

Dans ce chapitre, nous nous limiterons exclusivement à l'étude des relations qui s'établissent entre les microorganismes et l'Homme, en portant une attention particulière à la nature des relations établies et à leurs conséquences sur la santé des être humains.

Une fois que nous aurons défini le concept d'écosystème, expliqué la complexité des relations hôte-microorganismes, distingué les différents types de relations que l'on observe habituellement, nous étudierons les espèces inoffensives, ou commensales[1].

Nous préciserons l'origine et les caractéristiques des microorganismes commensaux et nous montrerons, par des exemples, comment ils contribuent au fonctionnement harmonieux de l'organisme humain. Ensuite, nous décrirons les principales espèces commensales qui élisent domicile sur la peau et les muqueuses des voies respiratoires, digestives et génito-urinaire.

L'étude des microorganismes pathogènes se fera, quant à elle, aux chapitre 16 et suivants, après que l'on aura expliqué les mécanismes de défense que déclenche leur présence dans l'organisme.

7.2 ÉCOSYSTÈME HÔTE-MICROORGANISMES

Tout être vivant forme avec les microorganismes qu'il abrite un écosystème complexe. D'une fa-

---

1. Le terme commensal vient du latin *commensa* et signifie *qui mange à la même table.*

çon générale, le terme d'écosystème désigne un petit monde en soi, un microcosme constitué de l'ensemble des êtres vivants qui le peuplent, par l'environnement physique dans lequel ils vivent et par les relations qui s'établissent entre eux. L'ensemble forme un système dynamique qui se maintient en équilibre sous l'influence des interactions qui se créent entre les différents éléments.

7.2.1 COMPOSANTES D'UN ÉCOSYSTÈME

Un écosystème est fondamentalement constitué de deux grandes composantes : une composante biotique et une composante abiotique.

COMPOSANTE BIOTIQUE

La composante biotique réunit l'ensemble des êtres vivants d'un écosystème. Elle porte aussi les noms de communauté biotique ou de biocénose. Dans le cas de l'écosystème particulier qui nous intéresse, on considère habituellement que les microorganismes constituent les seuls représentants de la communauté biotique.

COMPOSANTE ABIOTIQUE

La composante abiotique, ou BIOTOPE, groupe les facteurs physiques, chimiques et géologiques caractéristiques d'un milieu donné. Le sol, l'eau, la lumière, les matières minérales et les variables climatiques sont des exemples de facteurs abiotiques des écosystèmes terrestres ou aquatiques.

Quoiqu'il ne soit pas employé fréquemment dans ce sens, le concept de biotope s'applique parfaitement à l'être humain puisqu'il constitue le support matériel de ses habitants et détermine leurs conditions de vie. Parmi les facteurs influant sur le développement des microorganismes de l'être humain, mentionnons :

- l'oxygène;
- l'humidité;
- le pH;

- la présence de certaines matières nutritives;
- la présence de substances inhibitrices.

Comme ces conditions varient considérablement d'une zone corporelle à une autre, il est normal de ne pas trouver sur la peau les mêmes espèces microbiennes que celles qui colonisent la bouche, le côlon ou la muqueuse vaginale. Chaque endroit du corps présentant des conditions particulières forme un écosystème particulier (figure 7.1).

7.2.2 ADAPTATIONS DES MICROORGANISMES À LA VIE PARASITAIRE

Les espèces microbiennes qui colonisent l'Homme et les animaux se sont adaptés à une forme de vie particulière que l'on qualifie de parasitaire.

De façon générale, les parasites sont incapables de subvenir à leurs besoins. Ne trouvant pas dans l'environnement les conditions favorables à leur développement ou une source adéquate d'éléments nutritifs, un certain nombre d'espèces microbiennes et d'organismes pluricellulaires se sont installés chez un organisme-hôte qui leur fournit abri et nourriture.

La relation hôte-microorganisme parasite est une relation complexe. Elle est le résultat d'un processus évolutif entre un parasite et un organisme plus ou moins bien adaptés à une vie commune harmonieuse puisque, dans un certain nombre de cas, la présence du parasite perturbe l'équilibre de l'hôte.

SYMBIOSE

On emploie le terme général de symbiose pour désigner cette relation de dépendance grâce à laquelle ces microorganismes résolvent leurs problèmes d'approvisionnement alimentaire et trouvent des conditions environnementales propices à leur croissance.

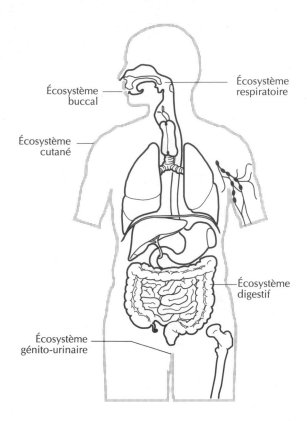

Figure 7.1
Écosystèmes humain-microorganismes.

Un être humain et les microorganismes qui l'habitent forment plusieurs petits écosystèmes. L'être humain constitue le support physique – ou biotope – pour le développement des microorganismes qui y trouvent des conditions favorables. Ces derniers constituent le biotope.

Comme les conditions environnementales varient d'un endroit du corps à un autre, les espèces microbiennes diffèrent d'une zone corporelle à une autre et forment plusieurs écosystèmes distincts.

La symbiose est une association nécessaire à la survie de l'un des deux organismes ou des deux. La symbiose peut prendre deux formes : le mutualisme ou le parasitisme. Le tableau 7.1 définit ces deux types de relations symbiotiques et en établit les principales caractéristiques.

105

Tableau 7.1
Adaptations nutritives des microorganismes.

TYPES DE RELATIONS	CARACTÉRISTIQUES
Symbiose	Les symbiotiques établissent des relations avec un organisme hôte qui fournit abri et nourriture.
Mutualisme	Relation réciproque et obligatoire qu'établissent deux individus.
Parasitisme	Relation dont seul un des organismes tire profit.
Microorganismes commensaux	Résidents habituels et généralement inoffensifs de la peau et des muqueuses des animaux et de l'Homme.
Microorganismes pathogènes	Microorganismes qui détruisent les tissus ou altèrent les activités physiologiques fondamentales.
Saprophytisme	Les saprophytes n'établissent pas de relations avec d'autres êtres vivants. Ils tirent leurs éléments nutritifs des matières organiques provenant des cadavres d'animaux et des résidus végétaux.

MUTUALISME

Le mutualisme désigne une relation réciproque et obligatoire. Elle est bénéfique pour les deux membres de l'association.

PARASITISME

Le PARASITISME est une association où seul un des membres tire profit de la mise en commun. La relation est unidirectionnelle : son établissement permet au parasite de satisfaire ses besoins nutritifs. On distingue généralement deux groupes de microorganismes parasites : les microorganismes pathogènes et les microorganismes commensaux, selon que l'hôte est affecté par la présence du parasite ou non.

PARASITISME EXTRACELLULAIRE

On distingue deux types de parasitisme : le parasitisme extracellulaire et le parasitisme intracellulaire (figure 7.2). Ils se différencient l'un de l'autre selon qu'ils vivent à l'extérieur ou à l'intérieur des cellules de l'hôte. Chaque type traduit un degré de dépendance variant selon les capacités métaboliques du parasite.

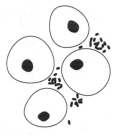

a) Parasitisme extracellulaire.

b) Parasitisme intracellulaire.

Figure 7.2
Types de parasitisme.

a) Les parasites extracellulaires vivent à l'extérieur des cellules. Ils trouvent leurs éléments nutritifs dans le liquide interstitiel.

b) Les parasites intracellulaires vivent à l'intérieur des cellules. Il faut distinguer le cas des parasites intracellulaires obligatoires, comme les virus, qui sont incapables de toute vie autonome et certaines bactéries qui survivent dans les globules blancs qui les ont phagocytées.

Les parasites extracellulaires sont relativement autonomes : ils peuvent produire la plupart de leurs composés et de leurs structures à partir des substances organiques brutes fournies par l'hôte. Les parasites extracellulaires colonisent généralement la surface de la peau et des muqueuses. Ils peuvent aussi s'installer dans les tissus profonds mais ils vivent alors à l'extérieur des cellules. C'est à cette catégorie qu'appartiennent la plupart des bactéries, les mycoplasmes, les mycètes et certains protozoaires.

PARASITISME INTRACELLULAIRE

Les parasites intracellulaires se développent à l'intérieur des cellules de l'hôte, car ils sont dépourvus de systèmes générateurs d'énergie ou ne peuvent produire tous les composés chimiques nécessaires à l'élaboration de leurs constituants. En fait, on distingue deux catégories de parasites intracellulaires selon la nature obligatoire ou facultative de la relation de dépendance. Le parasitisme intracellulaire obligatoire répond strictement à la définition ci-dessus : il caractérise la relation des virus, des rickettsies, des chlamydiæ et de certains protozoaires avec l'Homme. Les virus présentent un tel degré de dépendance cellulaire qu'ils sont inertes en dehors des cellules. Quant au parasitisme intracellulaire facultatif, il relève plus de l'opportunisme que de la dépendance : les parasites intracellulaires facultatifs disposent des potentiels et des moyens de produire leurs constituants, mais le parasitisme intracellulaire leur procure de précieux avantages, notamment celui d'échapper aux défenses de l'hôte. Certains parasites sont même capables de survivre, voire de se multiplier, dans les cellules phagocytaires normalement chargées de les détruire. Les bactéries à développement intracellulaire facultatif appartiennent aux genres *Mycobacterium*, *Listeria*, *Salmonella*, *Brucella*, *Pasteurella* et *Legionella*. À cette liste il faut ajouter quelques espèces de streptocoques et de staphylocoques, quelques

protozoaires (*Toxoplasma*) et quelques mycètes (*Histoplasma*, *Candida*).

La distinction entre parasites intracellulaires et extracellulaires est importante parce qu'une cellule est nécessairement affectée par la présence du parasite qu'elle abrite. Les parasites intracellulaires obligatoires sont toujours pathogènes alors que les parasites extracellulaires ne le sont que lorsqu'ils produisent des substances perturbant les activités cellulaires ou physiologiques normales, ce qui est loin d'être la règle générale.

> **ON DISTINGUE DEUX CATÉGORIES DE PARASITES :**
> - **LES PARASITES EXTRACELLULAIRES, RELATIVEMENT INDÉPENDANTS DE L'ORGANISME HÔTE. CETTE CATÉGORIE COMPREND LES MYCOPLASMES, LES MYCÈTES ET LA PLUPART DES EUBACTÉRIES ET DES PROTOZOAIRES ;**
> - **LES PARASITES INTRACELLULAIRES, BEAUCOUP PLUS DÉPENDANTS DE LEUR HÔTE. CETTE CATÉGORIE COMPREND QUELQUES BACTÉRIES ET PROTOZOAIRES, TOUS LES VIRUS AINSI QUE LES RICKETTSIES ET LES CHLAMYDIA.**

SAPROPHYTISME

Tous les microorganismes ne vivent pas à l'état symbiotique. De nombreuses espèces microbiennes n'ont pas besoin d'établir de liens nutritifs avec d'autres êtres vivants : elles vivent dans la nature et tirent leurs éléments nutritifs des matières organiques qui proviennent des cadavres d'animaux et des résidus végétaux. Les organismes qui se développent sur les substances en décomposition sont qualifiés de SAPROPHYTES.

Étant plus indépendants, les microorganismes saprophytes se développent dans les milieux naturels mais ne sont pas libres pour autant. Tout au plus les contraintes auxquelles ils font face sont-elles différentes de celles que connaissent les microorganismes symbiotiques. En effet, les bactéries se trouvent en interactions avec de nombreux autres êtres vivants qui colonisent ces mêmes milieux naturels. Il en résulte parfois une forte compétition entre les espèces pour les mêmes sources organiques, ce qui affecte le développement microbien.

On rencontre les microorganismes saprophytes dans les milieux naturels. Ils constituent les éléments majeurs de la flore microbienne de l'eau et du sol. Du point de vue écologique, ces microorganismes jouent un rôle fondamental puisqu'ils assurent la minéralisation de la matière organique et restituent perpétuellement les éléments minéraux nécessaires à la croissance des organismes autotrophes.

Tous les microorganismes saprophytes sont loin d'être inoffensifs. On peut citer le cas de *Clostridium botulinum*, de *Clostridium perfringens* et de *Clostridium tetani,* qui sont toutes des bactéries saprophytes, et dont le sol est l'habitat naturel. Ces trois espèces sont pourtant très pathogènes quand elles pénètrent dans l'organisme ou par suite de l'action des toxines qu'elles sécrètent. Il est donc important d'insister sur le fait que saprophytisme, parasitisme et pouvoir pathogène ne s'excluent pas nécessairement.

7.2.3 RELATIONS DES MICROORGANISMES ENTRE EUX

Une espèce microbienne donnée ne vit jamais seule quel qu'en soit l'écosystème. Elle partage cet environnement avec de nombreuses autres espèces microbiennes. Elles forment un ensemble dynamique au sein duquel le comportement de chaque groupe, de chaque espèce, est influencé par celui des autres.

Nous nous limiterons à la description des trois grands types de relations qui s'établissent entre différentes espèces microbiennes et qui peuvent affecter ou stimuler leur développement : le neutralisme, la coopération et l'antagonisme. En plus d'influer sur le développement des microorganismes, ces relations complexes, directes ou indirectes, positives ou négatives ne sont pas sans conséquences sur la santé de l'hôte qui les abrite.

NEUTRALISME

Le neutralisme est une relation où deux populations microbiennes, dans un milieu donné, peuvent se développer sans s'affecter mutuellement. Les deux espèces microbiennes présentent des besoins nutritifs différents; elles ne sont donc pas en compétition pour les mêmes nutriments et peuvent se développer côte à côte. De plus, les produits terminaux du métabolisme de l'une ne sont pas inhibiteurs de la croissance de l'autre, et réciproquement.

COOPÉRATION

Les microorganismes peuvent aussi établir des relations de coopération et d'interdépendance qui leur permettent notamment de subvenir à leurs besoins alimentaires, chaque espèce produisant un élément nutritif essentiel au développement d'une autre. Ce type d'association porte le nom de syntrophie. C'est une forme de symbiose réduite à l'apport alimentaire. La figure 7.3 illustre un cas de coopération alimentaire entre deux espèces bactériennes, *Lactobacillus arabinosus* et *Streptococcus fæcalis*. Incapables de croître isolément sur des milieux de culture dépourvus des substances qu'elles ne peuvent synthétiser, elles réussissent à se développer sur ces mêmes milieux quand elles y sont ensemencées ensemble.

On considère que ce phénomène de coopération alimentaire est très courant dans les milieux naturels où vivent toujours en association un très

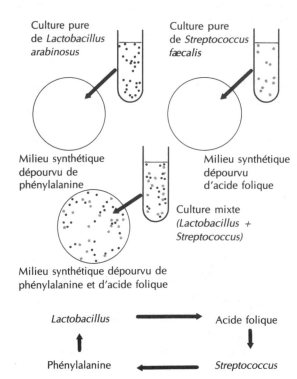

Culture pure de *Lactobacillus arabinosus*

Culture pure de *Streptococcus fæcalis*

Milieu synthétique dépourvu de phénylalanine

Milieu synthétique dépourvu d'acide folique

Culture mixte (*Lactobacillus + Streptococcus*)

Milieu synthétique dépourvu de phénylalanine et d'acide folique

Lactobacillus → Acide folique

↑ ↓

Phénylalanine ← *Streptococcus*

Figure 7.3
Principe du mutualisme.

Lactobacillus arabinosus est incapable de se développer seul sur un milieu de culture dépourvu de phénylalanine, tandis que *Streptococcus fæcalis* ne peut croître en l'absence d'acide folique. On n'observe aucune croissance dans les milieux dépourvus de la substance indispensable à la survie de chaque espèce. En revanche, on observe le développement d'une culture mixte dans un milieu de culture ne contenant ni phénylalanine ni acide folique. Par échange réciproque, *Lactobacillus arabinosus* fournit l'acide folique nécessaire à *Streptococcus fæcalis,* et *Streptococcus fæcalis* produit la phénylalanine indispensable à la croissance de *Lactobacillus arabinosus*.

grand nombre de microorganismes. Il en est probablement de même chez l'Homme. De plus, on assiste généralement à une division très poussée du travail, chaque espèce le reprenant là où l'espèce précédente l'a laissé. Ce travail d'équipe

permet de réaliser des activités qui dépassent les capacités de chaque espèce prise séparément. En effet, le potentiel enzymatique de chaque espèce est limité et seul un petit nombre de substrats organiques peuvent être utilisés. En réalité, les produits terminaux du métabolisme d'une première espèce A constituent les produits de départ des activités métaboliques d'une seconde espèce B et les produits terminaux de l'espèce B sont à leur tour le substrat initial d'une troisième espèce C, et ainsi de suite. Il s'établit une chaîne de travail qui conduit, par étapes successives, à la décomposition complète du composé organique initial.

ANTAGONISME

L'antagonisme est une relation d'exclusion qu'établissent des espèces microbiennes en compétition dans un même milieu. Lorsque se crée une relation antagoniste entre deux espèces microbiennes vivant dans le même milieu, le développement d'une espèce se trouve affecté par la présence de l'autre.

La plupart du temps, l'antagonisme repose sur la production, par une espèce donnée, d'une substance qui provoque la mort d'une autre espèce ou en inhibe le développement. C'est le cas des microorganismes qui produisent des antibiotiques ou d'autres substances chimiques à pouvoir bactéricide ou bactériostatique.

Les antibiotiques ne sont pas les seules substances actives contre les microorganismes, et l'antibiose ne repose pas seulement sur la production de composés chimiques. Des espèces microbiennes inhibent le développement d'espèces avec lesquelles elles sont en compétition en modifiant certains facteurs physico-chimiques du milieu, comme le pH; elles créent ainsi un effet de barrière qui empêche d'autres espèces de s'implanter ou de former d'abondantes populations.

7.2.4 CARACTÉRISTIQUES DE L'ÉQUILIBRE HÔTE-MICROORGANISMES

D'une façon générale, l'équilibre entre un organisme hôte et les parasites qu'il abrite est toujours précaire. Ce n'est pas un rapport de forces où l'hôte a définitivement remporté la victoire, mais plutôt un équilibre dynamique que peuvent modifier de nombreux facteurs relevant autant du microorganisme que de l'hôte. En fait, il faut distinguer le cas de la relation parasitaire commensale et celui de la relation parasitaire pathogène.

L'équilibre qui s'instaure entre un hôte et les microorganismes commensaux est généralement stable et durable, voire permanent. C'est en quelque sorte une relation parasitaire idéale puisqu'elle profite au microorganisme sans affecter l'hôte qui lui fournit abri et nourriture. En revanche, la relation parasitaire pathogène est précaire. Elle est toujours confrontée à l'alternative suivante : ou bien les microorganismes pathogènes réussissent à se multiplier et risquent d'éliminer l'hôte, ce qui compromet la survie des uns et des autres; ou bien l'hôte réussit à éliminer les pathogènes grâce aux moyens de défense dont il dispose. Dans un cas comme dans l'autre, la relation est instable et peut être considérée comme le résultat d'un affrontement permanent.

Dans cette lutte, le potentiel d'agression du parasite repose sur son pouvoir de multiplication considérable, sur la production de substances toxiques ou sur divers autres moyens par lesquels il perturbe le fonctionnement de l'hôte. Il peut aussi faire échec à la défense mise en œuvre par l'hôte en réaction à sa présence. La capsule de certaines bactéries, le camouflage immunologique de certains virus et de certains protozoaires sont des exemples de protection de l'agresseur.

Pour sa part, l'agressé dispose de barrières naturelles et d'un certain nombre de moyens de défense, d'abord pour empêcher l'agresseur de pénétrer dans l'organisme, ensuite pour l'éliminer s'il réussit à percer les premières lignes de défense. En quelque sorte, l'infection traduit la rupture de l'équilibre hôte-microorganisme en faveur du microorganisme. Il n'est pas avantageux pour le parasite d'être trop agressif, car il risque de tuer son hôte et de perdre un élément essentiel à sa survie.

> **LA RELATION HÔTE-MICROORGANISME EST UNE RELATION COMPLEXE, UN ÉQUILIBRE DYNAMIQUE INFLUENCÉ PAR DE NOMBREUX FACTEURS.**

7.2.5 COMMENSAL OU PATHOGÈNE : UNE DÉMARCATION PARFOIS AMBIGUË

On distingue deux groupes de microorganismes par rapport aux effets qu'ils causent à l'organisme hôte. Cependant, il est important de remarquer que la démarcation entre microorganismes commensaux et microorganismes pathogènes n'est pas toujours bien nette. Au-delà de son intérêt pratique, cette distinction entretient une certaine ambiguïté : elle laisse supposer l'existence de microorganismes foncièrement inoffensifs ou bénéfiques, et d'autres forcément nuisibles. Or ce n'est pas toujours le cas. On connaît des microorganismes commensaux susceptibles de devenir pathogènes et des microorganismes pathogènes qui ne causent pas toujours de maladies. Tout dépend des circonstances.

Par ailleurs, la relation parasitaire exige de considérer simultanément le parasite et l'hôte car ils sont indissociables l'un de l'autre : ils vivent dans un équilibre souvent précaire. L'introduction accidentelle de microorganismes dans un endroit qu'ils ne colonisent pas habituellement ou l'affaiblissement momentané des défenses immunitaires de l'hôte suffisent pour rompre ce fragile équilibre. Cette rupture risque d'entraîner une infection.

7.3 FLORES COMMENSALES

Le terme de FLORE est en général souvent employé pour désigner l'ensemble des microorganismes présents en un lieu donné et à un moment donné.

On distingue généralement les espèces résidantes des espèces transitoires selon qu'on les rencontre de façon permanente ou temporaire chez un individu. Chez l'adulte, la flore résidante est composée des microorganismes occupant régulièrement un endroit donné (tableau 7.2). L'étude du profil microbien montre qu'un individu donné est colonisé par un nombre limité d'espèces ou de souches tout au long de sa vie. Par opposition, la flore transitoire est formée d'espèces non

Tableau 7.2
Principales espèces commensales de la peau et des muqueuses.

PARTIES DU CORPS	MICROORGANISMES	PARTIES DU CORPS	MICROORGANISMES
Peau	*Staphylococcus epidermidis*		*Clostridium*
	Corynebacterium xerosis et autres		*Actynomyces israelii*
	corynébactéries		*Candida albicans*
	Propionobacterium acnes		
	Mycobacterium smegmatis	**Côlon**	*Escherichia coli*
	Micrococcus luteus		*Streptococcus fæcalis*
	Streptococcus fæcalis		*Peptostreptococcus*
	Streptococcus viridans		*Bacteroides fragilis*
	Entérobactéries d'origine fécale		*Bacteroides oralis*
	Candida albicans		*Bacteroides melaninogenicus*
	Pitysporum orbiculare		*Eubacterium*
	Pitysporum ovale		*Fusobacterium nucleatum*
			Fusobacterium necrophorum
Nez et pharynx	*Staphylococcus epidermidis*		*Bifidobacterium bifidus*
	Staphylococcus aureus		*Lactobacillus sp.*
	Streptococcus pneumoniæ		*Clostridium perfringens*
	Streptocoques α-hémolytiques et		*Klebsiella pneumoniæ*
	non hémolytiques		*Proteus mirabilis*
	Neisseria sicca		*Enterobacter aerogenes*
	Branhamella catarrhalis		*Candida albicans*
	Corynébactéries aérobies		
	Hæmophilus influenzæ	**Organes génitaux**	*Mycobacterium smegmatis*
	Hæmophilus parainfluenzæ	**externes**	*Staphylococcus epidermidis*
			Streptocoques non hémolytiques
Bouche	*Staphylococcus epidermidis*		Corynébactéries
	Streptococcus sanguis		Microorganismes de la flore
	Streptococcus salivarius		fécale
	Streptococcus mitis		
	Streptococcus mutans	**Vagin**	*Lactobacillus*
	Branhamella catarrhalis		*Bacteroides*
	Lactobacillus casei		*Peptostreptococcus*
	Bacteroides fragilis		*Corynebacterium*
	Bacteroides melaninogenicus		*Staphylococcus epidermidis*
	Fusobacterium nucleatum		*Candida albicans*
	Treponema denticola		*Trichomonas vaginalis*
	Treponema vincentii		*Staphylococcus aureus*
	Peptostreptococcus elsdenii		

pathogènes qui colonisent la peau et les muqueuses pendant une courte période (de quelques jours à quelques mois). Provenant de l'environnement, ces espèces ne causent pas de maladies mais ne s'établissent pas de façon permanente.

La peau et les muqueuses n'abritent pas les mêmes espèces, comme le montre le tableau 7.2. En effet, l'installation et le développement de chaque espèce dépendent de divers facteurs qui font que chaque endroit est ou n'est pas un lieu propice à la prolifération d'espèces données. Parmi ces facteurs, mentionnons le pH, la présence d'oxygène, l'humidité, l'apport d'éléments nutritifs particuliers et l'action de substances inhibitrices. C'est pourquoi les microorganismes commensaux ne se développent pas de façon anarchique.

7.3.1 COLONISATION

Quoiqu'on ait constaté depuis longtemps l'existence de microorganismes commensaux, on ne sait pas encore exactement comment ces parasites inoffensifs s'installent et se multiplient à l'extérieur comme à l'intérieur de l'organisme.

Dans l'utérus, le développement embryonnaire s'effectue normalement en milieu stérile[1]. Avant la naissance, la peau et toutes les muqueuses sont donc exemptes de microorganismes mais, à moins de prendre des précautions particulières, le nouveau-né est contaminé au moment de l'accouchement et dans les instants qui suivent. En premier lieu, il entre en contact avec les microorganismes de la muqueuse vaginale maternelle. S'ajoute ensuite la contamination par des micro-

organismes provenant de l'air, des aliments et de son entourage immédiat. Cette colonisation microbienne est rapide : on évalue que, 24 à 48 heures après la naissance, la peau et toutes les muqueuses sont colonisées. Dès lors, il est presque impossible d'éliminer ou de modifier significativement la flore commensale. Par une action mécanique, comme le lavage, ou une action chimique, comme l'antisepsie ou l'asepsie, on ne peut que réduire le nombre des microorganismes ou les éliminer temporairement.

Toutefois, les microorganismes ne tardent pas à se multiplier de nouveau. Ceux de la peau croissent à partir des glandes sébacées et sudoripares; ceux des muqueuses proviennent des survivants ou de l'extérieur. En effet, les muqueuses tapissant les cavités et les conduits respiratoires, digestifs et génito-urinaires sont ouvertes sur l'extérieur et constituent des portes d'entrée permanentes pour les microorganismes de l'environnement.

Commencée dans les heures qui suivent la naissance, la colonisation est une opération complexe qui se poursuit assez tard dans l'enfance. Chez l'Homme, l'implantation des espèces commensales n'est connue que dans ses grandes lignes. Tout au plus peut-on préciser que les bactéries qui s'installent dans le tube digestif sont peu nombreuses et que leur implantation est influencée par l'alimentation. Chez le nouveau-né, les premières espèces à s'installer sont *Escherichia coli* et des streptocoques comme *Streptococcus fæcalis*. Viennent ensuite *Bifidobacterium bifidus* et *Bacteroides fragilis*. On sait aussi que, chez les bébés nourris au sein, ces *Bifidobacterium* constituent l'élément prépondérant de la flore intestinale (encadré 7.1). Les *Escherichia coli*, les *Bacteroides* et les streptocoques sont toujours présents mais forment des populations moins importantes. Comme les laits maternisés et le lait maternel ont des compositions chimiques différentes, notamment dans leur teneur en lactose et

---

1. En général, la présence de microorganismes dans la cavité utérine déclenche une infection qui entraîne un avortement spontané. Il ne faut pas confondre ces infections et celles qui affectent directement le fœtus par suite d'une contamination transplacentaire.

dans la nature de leurs lipides, on croit que l'alimentation serait un facteur déterminant de l'implantation de certaines espèces microbiennes.

> À LA NAISSANCE, LA PEAU ET LES MUQUEUSES DE TOUT INDIVIDU SONT COLONISÉES PAR LES COMMENSAUX DE SON ENVIRONNEMENT. SAUF POUR DES PÉRIODES DE COLONISATION PAR DES COMMENSAUX TRANSITOIRES, LA FLORE D'ORIGINE EST QUASI DÉFINITIVE.

7.3.2 RÔLES DES MICROORGANISMES COMMENSAUX

Pendant longtemps, les rôles de la flore commensale ont été méconnus ou sous-estimés. Or, s'il est clair que les microorganismes commensaux ne sont pas indispensables au maintien de la vie, des expériences récentes leur attribuent une influence non négligeable sur le déroulement de certaines activités physiologiques ainsi qu'un EFFET DE BARRIÈRE sur l'installation et la prolifération des microorganismes pathogènes. Le rôle de la flore commensale sera illustré par les exemples des microorganismes résidants de l'intestin et du vagin.

ENCADRÉ 7.1

Bifidobacterium bifidus, une bactérie exemplaire.

Du lait pour bébé

Depuis longtemps, dans nos régions, le lait maternisé, préparé à partir du lait de vache, a largement supplanté le lait maternel pour l'alimentation des nouveau-nés. Pourtant, de nombreuses études – et le simple bon sens – confirment la supériorité du lait maternel.

Cette supériorité est triple : elle est de nature nutritive, écologique et immunitaire.

Sur le plan nutritif, la supériorité du lait maternel provient d'une forte teneur en lactose (60 g/l contre 17 g/l pour le lait de vache) et d'une plus forte teneur en lipase, en acide linoléique, en fer et en cystéine.

Sur le plan écologique, cette supériorité est due à la présence de différentes substances qui influent sur le développement de la flore microbienne intestinale des nouveau-nés, notamment en permettant à *Bifidobacterium bifidus* de s'établir dans l'intestin et d'exercer plusieurs effets bénéfiques, dont un effet de barrière puissant. On ne connaît pas en détail le mécanisme de cet effet de barrière mais on suppose qu'il est causé, d'une part, par la sécrétion de facteurs chimiques particuliers et, d'autre part, par la forte acidité qui régnerait dans l'intestin. En effet, on attribue à ce microorganisme la propriété d'acidifier le contenu intestinal en transformant le lactose en acide lactique. Ces facteurs inhiberaient ou ralentiraient la prolifération d'espèces pathogènes comme les staphylocoques, les *Escherichia coli* entéropathogènes, les entérocoques et les rotavirus[1].

---

1. Les rotavirus sont des virus responsables de gastro-entérites graves chez les nouveau-nés et les jeunes enfants. Ces affections sont graves, souvent mortelles, surtout quand on ne peut remédier rapidement à la déshydratation qui accompagne généralement ces infections. On évalue que les rotavirus causent la mort de plus de cinq millions de personnes dans le monde chaque année.

(Suite page suivante.)

En outre, la présence d'acide lactique dans l'intestin des nouveau-nés et des nourrissons favoriserait une meilleure assimilation du calcium et du phosphore.

Enfin, le lait maternel présente plusieurs avantages sur le plan immunitaire : d'une part, il aurait une teneur en lysozyme[1] plus élevée que le lait de vache et il contiendrait un facteur antistaphylococcique qui ralentirait la croissance des staphylocoques pathogènes ; d'autre part, il contient des anticorps particuliers, les immunoglobulines A – ou IgA – qui protègent l'intestin du nouveau-né contre les bactéries pathogènes.

Les IgA proviennent des formations lymphoïdes de l'intestin maternel. Elles sont transportées au sein par circulation sanguine puis concentrées dans le lait. D'une façon générale, le rôle des immunoglobulines maternelles ne semble pas se limiter à la protection contre des microorganismes entéropathogènes. En effet, il semble que les anticorps protègent aussi contre les réactions allergiques : en réagissant et en se combinant avec les allergènes alimentaires, les anticorps maternels bloquent les réactions de sensibilisation. Cette observation, dont le mécanisme n'est pas encore compris, explique pourquoi si peu d'enfants nourris au sein souffrent d'allergies alimentaires tant que dure la période d'allaitement.

À travers le lait maternel sont également transmises un nombre important de cellules immunitaires, notamment des monocytes et des lymphocytes B et T. Des études récentes établissent que le quart des monocytes produits quotidiennement par la mère passe dans le lait. Dans l'intestin du bébé, ces monocytes se transforment en macrophages où ils réalisent plusieurs fonctions immunitaires importantes : phagocytose, sécrétion du complément, coopération cellulaire, etc. En plus de sécréter des anticorps, les lymphocytes joueraient un rôle important dans le développement du système immunitaire digestif du bébé.

Évidemment, le lait de vache contient aussi tous ces éléments ainsi que des cellules immunitaires. Cependant, les anticorps bovins ne sont d'aucun secours dans la lutte contre les agresseurs microbiens du tube digestif humain[2]. De plus, les cellules immunitaires présentes dans le lait sont détruites lors de la pasteurisation et de la réfrigération. Par ailleurs, si elles survivent, il est fort douteux qu'elles puissent stimuler les cellules immunitaires humaines. D'autres études révèlent qu'on trouve encore *Bifidobacterium bifidus* dans l'intestin de certains adultes et qu'il y joue un rôle bénéfique.

D'une part, il agit comme un système d'épuration et de détoxification de nombreuses substances présentes dans l'intestin. Par exemple, cette bactérie dégraderait certains composés organiques comme le cholestérol, les acides biliaires et les nitrosamines. La présence de *Bifidobacterium bifidus* dans l'intestin pourrait par conséquent contribuer à prévenir le développement des cancers du côlon notamment dus à l'action irritante des nitrosamines sur les cellules de la muqueuse du côlon.

D'autre part, *Bifidobacterium bifidus* exercerait un effet de barrière et éliminerait les bactéries responsables des gaz, des ballonnements et des diarrhées.

En raison de ces effets positifs, on offre maintenant des aliments enrichis en bifidobactéries qui viennent renouveler ou entretenir la flore microbienne : on trouve sur le marché français des yogourts enrichis de *Bifidobacterium bifidus* pour réimplanter cette bactérie dans le tube digestif des adultes qui n'en possèdent plus ou pour entretenir une flore microbienne intestinale où cette bactérie constitue l'élément prépondérant.

1. Le lysozyme est une enzyme qui attaque et détruit la paroi de certaines bactéries pathogènes.
2. On a proposé, à cet effet, d'immuniser les vaches laitières contre certaines souches pathogènes d'*Escherichia coli* afin de disposer de laits maternisés contenant des anticorps protégeant les nourrissons de ces microorganismes pathogènes souvent responsables de gastro-entérites.

7.3.3 RÔLE DE LA FLORE COMMENSALE DE L'INTESTIN

La flore microbienne commensale de l'intestin joue un rôle capital dans le développement et le fonctionnement du tube digestif et dans la protection de cet appareil contre l'implantation des pathogènes. En fait, sur le plan structural et fonctionnel, les microorganismes de la flore microbienne auraient un quadruple effet : métabolique, histologique, physiologique et immunitaire (figure 7.4).

RÔLE MÉTABOLIQUE

Sur le plan métabolique, la flore commensale joue un double rôle. Les microorganismes détruisent certains déchets, comme l'urée, et élaborent

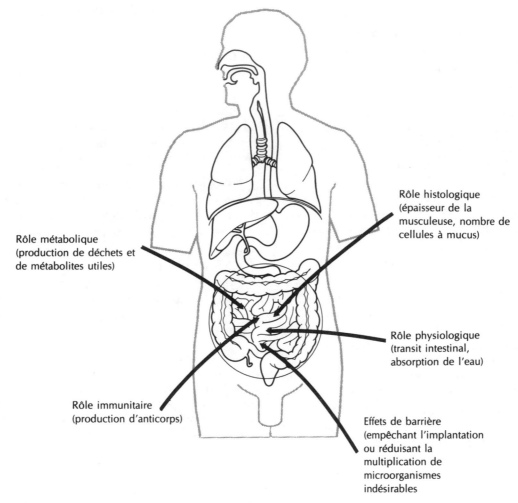

Rôle métabolique
(production de déchets et de métabolites utiles)

Rôle histologique
(épaisseur de la musculeuse, nombre de cellules à mucus)

Rôle physiologique
(transit intestinal, absorption de l'eau)

Rôle immunitaire
(production d'anticorps)

Effets de barrière
(empêchant l'implantation ou réduisant la multiplication de microorganismes indésirables)

Figure 7.4
Rôles de la flore commensale intestinale.
Par leur effet métabolique, histologique, physiologique et immunitaire, les microorganismes de la flore microbienne jouent un rôle capital dans le développement et le fonctionnement du tube digestif.

diverses catégories de composés organiques : gaz, acides aminés, acides organiques, vitamines, etc. Parmi les vitamines, les vitamines du groupe B et la vitamine K semblent être produites en quantités significatives. Les bactéries développent ces produits pour satisfaire leurs besoins propres, mais soit au cours de leur vie, soit à leur mort, nous en récupérons une certaine quantité.

RÔLE HISTOLOGIQUE

Les microorganismes commensaux ont aussi un effet histologique sur le tube digestif. La comparaison de coupes histologiques du tube digestif d'animaux axéniques et d'animaux holoxéniques[1] fait ressortir des différences spectaculaires. D'une part, on constate que la paroi du tube digestif est plus mince chez l'animal axénique car le tissu musculaire de la musculeuse y est moins développé. D'autre part, il y a moins de cellules à mucus dans l'épithélium intestinal.

Sur un autre plan, on constate aussi que les cellules épithéliales de l'intestin, les entérocytes, se renouvellent deux fois plus lentement que chez des animaux holoxéniques. Ces différences ne sont pas sans conséquences sur le fonctionnement du tube digestif et sur la physiologie de la digestion.

RÔLE PHYSIOLOGIQUE

Dans une certaine mesure, l'absence de flore microbienne perturbe indirectement les fonctions digestives. Le développement moindre de la musculeuse entraîne un ralentissement du transit intestinal, ce qui favorise l'accumulation des matières dans le tube digestif et prolonge le séjour d'éventuelles substances toxiques dans l'intestin. L'absorption de l'eau est aussi plus lente, ce qui explique que les selles des animaux axéniques sont toujours plus molles que les selles des animaux normaux.

Comme le transit intestinal est rapide dans l'intestin grêle et que la majeure partie de l'eau y traverse la barrière intestinale, on suppose que les bactéries agissent à distance par l'intermédiaire de substances chimiques. Le grand nombre de bactéries présentes dans le côlon élaboreraient des substances qui, véhiculées par le sang, seraient capables d'agir localement au niveau de l'intestin grêle.

RÔLE IMMUNITAIRE

C'est sur le plan immunitaire que les bactéries commensales paraissent jouer le rôle le plus important, notamment dans le développement du système immunitaire associé à l'appareil digestif. En l'absence de ces bactéries, on observe entre autres :

– l'atrophie des plaques de Peyer, des formations lymphoïdes situées dans la muqueuse intestinale et contenant des cellules immunitaires participant à la défense anti-infectieuse;
– une réduction importante, dans la paroi des villosités intestinales, du nombre de lymphocytes producteurs d'immunoglobulines A, anticorps qui abondent dans les sécrétions intestinales et qui constituent la première ligne de défense anti-infectieuse de l'intestin.

Par ailleurs, on note un taux sérique d'anticorps moindre chez les animaux élevés en dehors de contact microbien[1]. Tout se passe donc comme si la flore microbienne intestinale constituait un stimulus essentiel au développement du système immunitaire.

EFFET DE BARRIÈRE

Le rôle le plus spectaculaire de la flore commensale de l'intestin reste son effet de barrière sur les bactéries pathogènes (figure 7.5). En effet, la flore commensale empêche les pathogènes de s'installer dans l'intestin ou limite leur prolifération,

---

1. On qualifie d'axénique ces animaux qui naissent et vivent à l'abri de tout microorganisme et d'holoxénique, ceux qui vivent dans des conditions normales d'élevage.

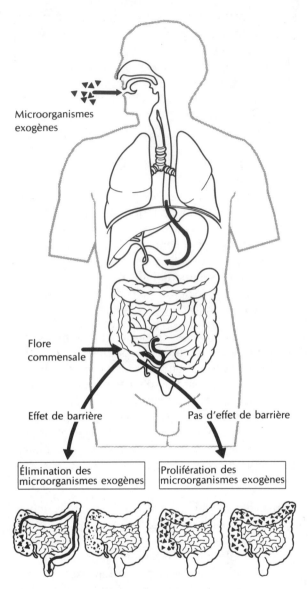

7.3.4 RÔLE DE LA FLORE VAGINALE

Les microorganismes qui colonisent la muqueuse du vagin exercent aussi un effet de barrière et contribuent à prévenir l'installation ou la pullulation de microorganismes indésirables. Toutefois, tout comme la flore intestinale, la flore microbienne vaginale n'a pas un effet absolu.

L'effet de barrière est assuré par l'acidification du milieu qui devient alors inapproprié à la croissance des nombreuses espèces microbiennes préférant un pH neutre ou légèrement alcalin. Ces sont les lactobacilles (bacilles de Doderleïn) qui sont les principaux responsables de l'effet de barrière qui apparaît au moment de la puberté et qui coïncide avec la mise en route des fonctions sexuelles. En effet, tout en contrôlant le développement de l'endomètre au début du cycle menstruel, la sécrétion d'œstrogènes agit aussi sur le vagin. Il provoque l'épaississement de la muqueuse et induit la production de glycogène par les cellules de l'épithélium. Or, des différentes espèces microbiennes normalement présentes dans le vagin, les lactobacilles sont les seuls à pouvoir utiliser le glycogène comme élément nutritif. Ils tirent avantage de cette capacité en proliférant abondamment – c'est un exemple d'exclusion compétitive. De plus, ils transforment ce glycogène en acide lactique (figure 7.6). Une fois rejeté, cet acide acidifie les sécrétions vaginales : le pH tombe, en moyenne, à 4,4 – 4,6. À ces valeurs, le développement de la plupart des espèces bactériennes est compromis ou du moins fortement ralenti.

L'élimination des lactobacilles peut entraîner la prolifération soudaine de microorganismes indésirables, notamment des levures du genre *Candida*. À ce propos, soulignons l'effet de l'antibiothérapie sur la flore commensale. Les antibiotiques détruisent sans distinction tous les micro-

Figure 7.5
Principe de l'effet de barrière.
L'effet de barrière empêche l'implantation ou réduit la prolifération de microorganismes exogènes indésirables.

un facteur important de l'expression de la virulence chez certains microorganismes. Ce rôle particulièrement important des microorganismes

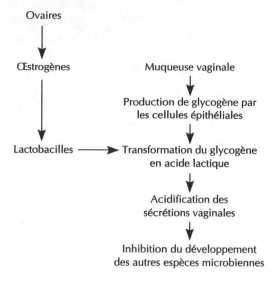

Ovaires

↓

Œstrogènes   Muqueuse vaginale

                           ↓

                    Production de glycogène par
                      les cellules épithéliales

↓   ↓

Lactobacilles ──────→ Transformation du glycogène
                          en acide lactique

                           ↓

                      Acidification des
                      sécrétions vaginales

                           ↓

                    Inhibition du développement
                    des autres espèces microbiennes

Figure 7.6
Rôle des lactobacilles dans l'équilibre de la flore vaginale.

L'acide lactique produit par les lactobacilles acidifient les sécrétions vaginales. L'acidité du milieu ralentit la multiplication de microorganismes indésirables.

organismes vulnérables, pathogènes ou non. De ce fait, ils entraînent des modifications radicales dans la distribution des bactéries commensales vivant sur les muqueuses. Ces changements se concrétisent par la perturbation de certaines activités physiologiques de la muqueuse intestinale, par exemple des diarrhées consécutives à une antibiothérapie par voie orale. Il en va de même pour les vaginites à *Candida*. Dans ces deux exemples, la situation n'est généralement pas grave et revient spontanément à la normale. Mais, il arrive parfois que les espèces commensales disparues soient remplacées par des bactéries pathogènes ou résistantes aux antibiotiques. L'infection à *Staphylococcus aureus* et l'entérocolite pseudomembraneuse à *Clostridium difficile* constituent des exemples de situations préoccupantes susceptibles de survenir après des antibiothérapies radicales ou prolongées.

7.4 FLORE DE LA PEAU

Organe aux multiples fonctions, la peau forme un revêtement continu qui protège les tissus profonds. Elle sert aussi de refuge à d'importantes populations microbiennes, mais les microorganismes qui y vivent ne se trouvent que sur la partie la plus superficielle de l'épiderme. En temps normal, le derme et les tissus sous-jacents sont stériles.

Les microorganismes colonisent les cellules épidermiques de la couche superficielle de l'épiderme en desquamation. Ils vivent aussi dans les conduits des glandes sébacées et sudoripares ainsi que dans les follicules pileux. Ces cavités forment des abris naturels dont il est pratiquement impossible d'éliminer les microorganismes. C'est d'ailleurs à partir de ces cavités que la flore microbienne cutanée se renouvelle après des soins corporels.

On divise généralement la peau en endroits riches et en endroits pauvres selon la quantité de microorganismes qui y vivent. En fait, la densité de la population microbienne en un lieu donné dépend principalement du nombre de follicules pileux et sudoraux étant donné qu'ils offrent des conditions propices au développement microbien. Les zones corporelles les plus riches en microorganismes sont le cuir chevelu, certaines régions de la face, les aisselles, les plis interdigitaux des mains et des pieds, le périnée et, d'une façon plus générale, la peau à proximité des orifices naturels. Dans ces endroits, la population microbienne atteint facilement un à deux millions d'individus par cm². Les endroits du corps qui abritent des populations microbiennes moins denses sont la face externe des membres supérieurs et inférieurs, le thorax et l'abdomen. Les populations microbiennes y dépassent rarement plusieurs milliers d'individus par cm².

Constamment exposée à l'environnement, la flore commensale est susceptible d'accueillir des microorganismes transitoires, principalement des bactéries Gram positif. Elle varie cependant selon les zones corporelles, car elle est généralement modifiée par les sécrétions des muqueuses ou les produits émis à l'orifice des cavités naturelles, surtout la bouche, le nez, l'anus et le vagin.

Parmi les microorganismes résidants ayant une incidence supérieure à 50 % (figure 7.7), on trouve :

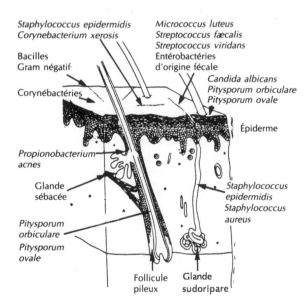

Figure 7.7
Microorganismes résidants de la peau.
La peau sert de refuge à d'importantes populations microbiennes. Toutefois, les microorganismes qui y vivent se trouvent sur la partie la plus superficielle de l'épiderme, dans les conduits des follicules pileux ainsi que dans le canal des glandes sébacées et sudoripares.

– *Staphylococcus epidermidis*, sur toute la peau;
– des corynébactéries aérobies, dont *Corynebacterium xerosis*, en particulier dans les plis cutanés;
– *Propionobacterium acnes*, surtout dans les glandes sébacées, mais dont la prolifération dans les glandes sébacées ne semble pas directement liée à l'acné;
– *Mycobacterium smegmatis*, fréquent dans le conduit auditif externe et les organes génitaux des deux sexes[1];
– *Micrococcus luteus*;
– *Streptococcus fæcalis*, provenant de l'intestin et surtout présent dans la région périnéale;
– *Streptococcus viridans*.

Généralement, la peau abrite aussi plusieurs espèces de levures. On distingue les levures lipophiles, comme *Pitysporum orbiculare* et *Pitysporum ovale* qui vivent nombreuses dans les follicules pileux et les levures non lipophiles, comme *Candida albicans*.

Parmi les bactéries Gram négatif, on trouve notamment *Escherichia coli* et d'autres entérobactéries. Toutes ces espèces sont d'origine fécale. On constate que les bactéries Gram négatif vivent moins facilement sur la peau que les bactéries Gram positif. Comme les bactéries Gram négatif occupent le terrain facilement et prolifèrent abondamment après l'élimination des bactéries Gram positif, par antibiothérapie par exemple, on ne peut exclure l'hypothèse d'un effet de barrière des bactéries Gram positif sur les bactéries Gram négatif.

De plus, on trouve occasionnellement des microorganismes telluriques et des levures (*Candida*

---

1. Dans les organes génitaux, cette bactérie vit dans le smegma, une matière blanchâtre causée par la desquamation des cellules épithéliales situées à la base du prépuce chez l'homme, et entre les petites lèvres et le clitoris chez la femme.

albicans). On évalue qu'environ 25 % des individus sont porteurs de *Staphylococcus aureus.* Ce microorganisme potentiellement pathogène provient généralement des muqueuses nasales. De là, il peut être transporté ailleurs sur la peau, ce qui explique qu'on le trouve sur la face, sur les mains et sur le périnée.

7.5 FLORE DE L'APPAREIL RESPIRATOIRE

De tout l'appareil respiratoire, seules les voies supérieures, principalement le nez et le pharynx, abritent un grand nombre de microorganismes (figure 7.8). La trachée, les bronches, les bronchioles et les alvéoles pulmonaires contiennent très peu de microorganismes et sont normalement stériles. En effet, à mesure que l'air progresse dans les ramifications de l'arbre pulmonaire, il y a épuration graduelle des microorganismes. Ceux-ci sont éliminés sous l'action de l'appareil muco-ciliaire qui recouvre les conduits respiratoires. Le mucus sécrété par certaines cellules épithéliales emprisonne poussières et microorganismes. Ces particules refluent ensuite vers l'extérieur sous l'action des cils mobiles dont sont dotées d'autres cellules épithéliales. L'activité phagocytaire fournit aussi une contribution appréciable à l'épuration de l'air circulant dans les voies respiratoires.

La flore de l'appareil respiratoire est surtout composée d'espèces aérobies. On y trouve occasionnellement des anaérobies comme *Bacteroides, Veillonella* ou certains streptocoques anaérobies, mais toujours en très petite quantité. Parmi la vingtaine de microorganismes colonisant habituellement le nez et le pharynx, on identifie le plus souvent :

– *Staphylococcus epidermidis;*
– *Staphylococcus aureus;*
– *Streptococcus pneumoniæ;*

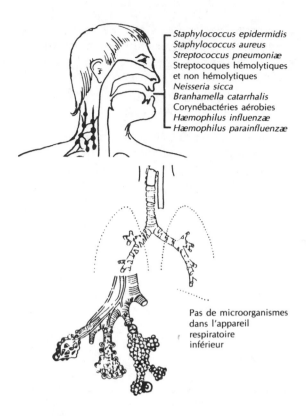

Staphylococcus epidermidis
Staphylococcus aureus
Streptococcus pneumoniæ
Streptocoques hémolytiques et non hémolytiques
Neisseria sicca
Branhamella catarrhalis
Corynébactéries aérobies
Hæmophilus influenzæ
Hæmophilus parainfluenzæ

Pas de microorganismes dans l'appareil respiratoire inférieur

Figure 7.8
Microorganismes résidants des voies respiratoires.

Les microorganismes ne colonisent que la partie supérieure des voies respiratoires, c'est-à-dire le nez, le pharynx, le larynx et la trachée. Leur nombre diminue alors que l'on progresse dans l'arbre respiratoire, car il y a épuration graduelle.

– des streptocoques α-hémolytiques et non hémolytiques;
– *Neisseria sicca;*
– *Branhamella catarrhalis;*
– des corynébactéries aérobies.

Hæmophilus influenzæ et *Hæmophilus parainfluenzæ* ont également été identifiés chez certains individus. En période hivernale surtout, un certain nombre d'individus sont aussi porteurs sains de *Neisseria meningitidis* et de *Corynebac-*

terium diphteriæ. Enfin, *Pneumocystis carinii*, un protozoaire généralement inoffensif, peut se mettre à proliférer de façon incontrôlable et causer des pneumonies graves chez les individus souffrant d'immunodéficience.

On connaît peu de choses sur le rôle de la flore microbienne de l'appareil respiratoire. On a toutefois constaté que *Streptococcus viridans* inhibe la colonisation et le développement de *Streptococcus pyogenes* (angine et scarlatine) et que la présence combinée de certaines espèces de *Neisseria* non pathogènes et de *Streptococcus viridans* exerce un effet de barrière sur *Staphylococcus aureus* et *Neisseria meningitidis*.

7.6 FLORE DE L'APPAREIL DIGESTIF

L'appareil digestif constitue un écosystème complexe et très diversifié. Dans certains des organes qui le constituent, on trouve des populations microbiennes d'une extraordinaire densité. Le tableau 7.3 permet de comparer la densité de la flore intestinale à celle de la peau, de la bouche et des organes génitaux.

Ainsi, on évalue à 10^{14} le nombre de bactéries vivant dans le tube digestif humain. Ce nombre est 10 fois supérieur à celui des cellules qui le constituent.

On insistera surtout sur les flores de la bouche et du côlon qui sont les plus abondantes à cause des conditions favorables qu'y trouvent les microorganismes : la bouche, à cause des aliments qui y pénètrent, notamment les glucides, et le côlon, à cause du fluide riche en cellulose et de pH neutre ou légèrement alcalin qu'il contient. En revanche, l'estomac et le jéjunum contiennent un fluide acide qui freine la prolifération microbienne.

Tableau 7.3
Densité de quelques populations microbiennes.

FLORES MICROBIENNES	DENSITÉ
Flore cutanée	
Endroits riches	$1,10^6$ - $2,10^6$/cm^2
Endroits pauvres	10^2- 10^3/cm^2
Flore buccale	
Salive	10^6/ml
Plaque dentaire	10^{11} - 10^{12}/g
Flore intestinale	
Estomac	10^3/g
Jéjunum	10^4/g
Iléon	10^8/g
Côlon	10^{11}/g
Matières fécales	10^{11} - 10^{12}/g
Flore génitales	
Organes génitaux externes	$2 \cdot 10^6$ - $3 \cdot 10^6$/cm2
Sécrétions vaginales	10^9/ml

7.6.1 FLORE BUCCALE

La bouche constitue un milieu très propice à la vie microbienne de par la sécrétion salivaire et la présence de nombreux résidus alimentaires. Au moins une quinzaine d'espèces différentes y prolifèrent et leur population totale est considérable : chaque millilitre de salive contient plus d'un million de bactéries. D'un individu à un autre, la flore microbienne buccale est sujette à de très grandes variations mais le nombre d'espèces se situe généralement à une quinzaine, ces dernières formant la fraction la plus importante de la flore buccale. Parmi les microorganismes aérobies, citons :

– *Staphylococcus epidermidis*;
– *Streptococcus sanguis*;
– *Streptococcus salivarius*;
– *Streptococcus mitis*;
– *Streptococcus mutans*;
– *Branhamella catarrhalis*.

Les différentes espèces de streptocoques colonisent des endroits précis de la bouche. Ainsi, *Streptococcus mitis* se tient surtout à la surface de la muqueuse buccale alors que *Streptococcus salivarius* se multiplie surtout sur la muqueuse linguale. En revanche, *Streptococcus mutans* et *Streptococcus sanguis* se trouvent surtout sur les dents et dans la plaque dentaire.

Les principaux représentants des microorganismes anaérobies (facultatifs et stricts) de la flore buccale sont :

– *Lactobacillus casei*;
– *Bacteroides fragilis*;
– *Bacteroides melaninogenicus*;
– *Fusobacterium nucleatum*;
– *Treponema denticola*;
– *Treponema vincentii*;
– *Peptostreptococcus elsdenii*;
– *Clostridium sp.*;
– *Actynomyces israelii*;
– *Candida albicans*.

Ces microorganismes anaérobies vivent principalement dans les crevasses se formant à la surface et au collet des dents, là où la pression d'oxygène est inférieure à 0,5 %.

Notons que ces différentes espèces sont celles de la bouche des enfants ou des adultes et que la flore buccale des nouveau-nés ne contient pas les mêmes espèces. En effet, peu après la naissance, la première contamination par les microorganismes s'effectue lors de l'accouchement. Il n'est donc pas surprenant de retrouver dans la bouche du nouveau-né les différents éléments de la flore vaginale maternelle : des lactobacilles, des corynébactéries, des streptocoques, des staphylocoques, des entérocoques, des coliformes et des levures. Il faut de deux à cinq jours pour que cette flore initiale soit remplacée par la flore buccale permanente, à l'exception de *Streptococcus mutans* qui ne fait son apparition qu'à la poussée des premières dents.

7.6.2 BACTÉRIES CARIOGÈNES

Les staphylocoques, les diverses espèces de streptocoques et les lactobacilles ne sont pas pathogènes car ils ne produisent pas de toxines. Toutefois, leur pouvoir CARIOGÈNE n'en fait pas des microorganismes totalement inoffensifs. En effet, ils sont indirectement responsables des caries dentaires. Pour cette raison, il arrive que la carie dentaire soit considérée comme une maladie infectieuse. La figure 7.9 illustre le déroulement du processus cariogène et montre le rôle qu'y jouent les bactéries.

Plusieurs facteurs interviennent dans la carie dentaire : les aliments, les bactéries, la dent elle-même et, dans une certaine mesure, la salive. Parmi les résidus alimentaires qui adhèrent à la surface de la dent, ce sont les glucides à assimilation rapide comme le lactose et le saccharose qui jouent le rôle le plus important. Ces oses s'accumulent dans la plaque dentaire où ils sont métabolisés par les bactéries. En fait, la plaque dentaire constitue un milieu très propice à la prolifération microbienne; chaque gramme de plaque dentaire abrite 10^{11} streptocoques, en plus des bactéries des genres *Bacteroides*, *Veillonella*, *Actynomyces*, etc. Or, les activités métaboliques des microorganismes transforment les sucres en acides. Ces acides dissolvent l'émail, revêtement extérieur de la dent constitué de phosphate de calcium. La déminéralisation de l'émail par *Staphylococcus epidermidis*, *Streptococcus sanguis*, *Streptococcus mutans*, *Streptococcus mitis* et *Lactobacillus casei* constitue l'étape initiale de toute carie dentaire. Soulignons le rôle particulier de *Streptococcus mutans* dans le processus cariogène. Ainsi nommée parce qu'on en a isolé une soixantaine de variétés, cette espèce est directement responsable de la production de polysaccharides insolubles, les dextranes, qui forment la trame de la plaque dentaire.

Une fois le processus enclenché, il ne peut régresser de lui-même : l'ivoire et le cément sont dé-

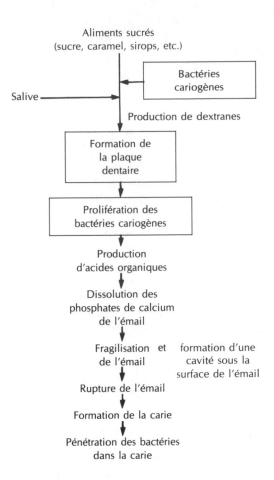

Aliments sucrés
(sucre, caramel, sirops, etc.)

Bactéries
cariogènes

Salive

Production de dextranes

Formation de
la plaque
dentaire

Prolifération des
bactéries cariogènes

Production
d'acides organiques

Dissolution des
phosphates de calcium
de l'émail

Fragilisation et   formation d'une
de l'émail   cavité sous la
                     surface de l'émail

Rupture de l'émail

Formation de la carie

Pénétration des bactéries
dans la carie

Figure 7.9
Rôle des bactéries dans la carie dentaire.

Les bactéries cariogènes interviennent dans le développement des caries dentaires. En produisant des acides qui dissolvent les phosphates de calcium de l'émail, elles induisent un processus de déminéralisation qui détruit progressivement le tissu superficiel de la dent et causent la formation de cavités qu'elles colonisent par la suite.

composés à leur tour. La cavité ne fait que s'agrandir, ce qui risque de provoquer des complications locales (abcès, gengivites, destruction de l'os maxillaire, etc.), voire générales, si des microorganismes pénètrent dans le système circulatoire. La figure 7.10 illustre l'évolution d'une carie dentaire.

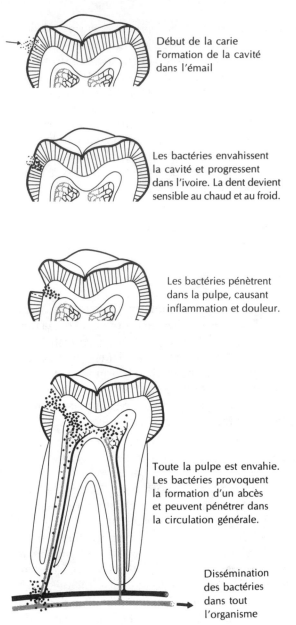

Début de la carie
Formation de la cavité
dans l'émail

Les bactéries envahissent la cavité et progressent dans l'ivoire. La dent devient sensible au chaud et au froid.

Les bactéries pénètrent dans la pulpe, causant inflammation et douleur.

Toute la pulpe est envahie. Les bactéries provoquent la formation d'un abcès et peuvent pénétrer dans la circulation générale.

Dissémination des bactéries dans tout l'organisme

Figure 7.10
Évolution d'une carie dentaire.

En l'absence de soins, la carie progresse vers la pulpe de la dent. Les bactéries peuvent atteindre les tissus péridentaires, causant des abcès dentaires, des infections du périodonte ou du maxillaire. Éventuellement, elles peuvent pénétrer dans le système circulatoire et entraîner de sérieuses complications infectieuses.

Le brossage systématique des dents après chaque repas, l'utilisation régulière de la soie dentaire, la réduction de l'alimentation sucrée constituent trois moyens efficaces pour réduire le risque cariogène. Les traitements à base de fluore constituent un autre moyen de lutte parce qu'ils solidifient l'émail, mais la fluoration de l'eau ne fait pas l'unanimité chez les hygiénistes. La carie dentaire étant causée par des bactéries, il n'est pas impossible qu'un vaccin anticarie voit le jour dans quelques années[1].

7.6.3 FLORE INTESTINALE

La flore intestinale est, chez l'Homme, la flore microbienne la plus abondante et la plus diversifiée, avec plus de 300 espèces différentes identifiées et plusieurs dizaines de milliards de bactéries. Dans le tube digestif proprement dit, la flore microbienne n'est pas répartie également, car les microorganismes ne bénéficient pas partout des conditions optimales de développement. Parmi les facteurs les plus importants, mentionnons le pH, qui doit être neutre ou légèrement alcalin, et le transit intestinal, qui doit être assez lent.

Avec un pH de 2, donc fortement acide, l'estomac, le duodénum et le jéjunum ne constituent pas des milieux favorables à la prolifération microbienne. De plus, le transit est rapide dans l'intestin grêle : il faut généralement moins de cinq heures pour que le contenu stomacal traverse tout l'intestin grêle, ce dernier formant les trois quarts du tube digestif. On suppose donc que, dans cette partie du tube digestif, seuls peuvent vivre les microorganismes capables de se fixer à la surface des cellules épithéliales afin

de ne pas être entraînés avec le chyme. En revanche, le pH du côlon est neutre ou légèrement alcalin et ce dernier quart du tube digestif est parcouru lentement, soit en 18 h environ. Les microorganismes peuvent donc y proliférer abondamment, tant à la surface de la muqueuse qu'au sein des matières contenues dans le côlon.

On distingue donc des endroits pauvres en raison de l'acidité qui y règne, soit l'estomac, le duodénum et le jéjunum, et des endroits très riches, soit l'iléon et le côlon (figure 7.11). D'une manière générale, il existe une augmentation progressive de la densité microbienne de l'estomac au côlon; de 10^3 par gramme de matières dans l'estomac et le duodénum, la densité passe à 10^4 dans le jéjunum, à 10^8 dans l'iléon et s'élève à 10^{11} dans le côlon. Au total, on évalue que 10^{14} bactéries colonisent en permanence le tube digestif. Par ailleurs, un gramme de matières fécales contient généralement de 10 milliards à 100 milliards de bactéries qui forment entre 20 et 40 % de la matière fécale.

La flore varie aussi qualitativement selon la région du tube digestif. En général, les flores gastriques et jéjunales sont surtout aérobies. En plus des streptocoques qui en constituent l'élément principal, on trouve des coliformes, des levures anaérobies facultatifs et des lactobacilles. En revanche, la flore colique contient mille fois plus d'espèces anaérobies que d'espèces aérobies.

Dans une selle normale, on isole, à une fréquence variable selon les individus, la plupart des bactéries suivantes :

– *Escherichia coli*;

– *Streptococcus fæcalis*;

– *Peptostreptococcus*;

– *Bacteroides fragilis*;

– *Bacteroides oralis*;

– *Bacteroides melaninogenicus*;

---

1. Mais il faudra toujours se brosser les dents, car le brossage permet d'éliminer la plaque et le tartre qui se forment constamment. À la longue, l'accumulation de ces matières finit par abîmer les gencives et déchausser les dents.

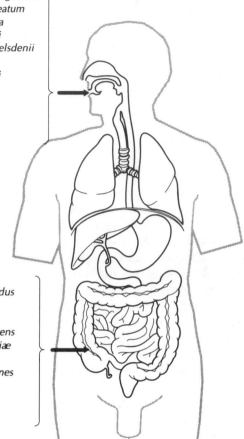

BOUCHE

Staphylococcus epidermidis	*Bacteroides melaninogenicus*
Streptococcus sanguis	*Fusobacterium nucleatum*
Streptococcus salivarius	*Treponema denticola*
Streptococcus mitis	*Treponema vincentii*
Streptococcus mutans	*Peptostreptococcus elsdenii*
Branhamella catarrhalis	*Clostridium*
Lactobacillus casei	*Actynomyces israelii*
Bacteroides fragilis	*Candida albicans*

CÔLON

Escherichia coli	*Bifidobacterium bifidus*
Streptococcus fæcalis	*Lactobacillus sp.*
Peptostreptococcus	*Eubacterium*
Bacteroides fragilis	*Clostridium perfringens*
Bacteroides oralis	*Klebsiella pneumoniæ*
Bacteroides melaninogenicus	*Proteus mirabilis*
Fusobacterium nucleatum	*Enterobacter aerogenes*
Fusobacterium necrophorum	*Candida albicans*

Figure 7.11
Flore microbienne intestinale.

La flore microbienne intestinale est la plus abondante et la plus diversifiée de toutes les flores microbiennes de l'Homme. On y compte plus de 300 espèces différentes et on évalue à cent millions de millions (10^{14}) le nombre de microorganismes qui colonisent en permanence le tube digestif.

- *Eubacterium*;
- *Fusobacterium nucleatum*;
- *Bifidobacterium bifidus*;
- *Lactobacillus sp.*;
- *Clostridium perfringens*;
- *Klebsiella pneumoniæ*;
- *Proteus mirabilis*;
- *Enterobacter aerogenes*;
- *Candida albicans*.

Les bactéries des genres *Bacteroides* et *Bifidobacterium* sont les plus abondantes : elles formeraient 90 % de toute la flore colique. Le tableau 7.4 donne une idée de la densité des principales espèces bactériennes vivant dans le côlon.

Tableau 7.4
Densité des populations bactériennes de la flore colique.

GENRES ET ESPÈCES	DENSITÉ
Bacteroides	$10^{10} - 10^{11}$
Bifidobacterium bifidus	$10^{10} - 10^{11}$
Eubacterium	10^{10}
Streptococcus fæcalis	$10^7 - 10^8$
Escherichia coli	$10^6 - 10^8$

Comme on l'a constaté auparavant, la flore microbienne intestinale joue un rôle important dans différentes activités de la digestion. Les bactéries de la flore colique métabolisent la cellulose qui n'est pas digérée dans l'intestin grêle ainsi que des lipides et des protides qui n'ont pas été absorbés ou qui sont rejetés avec la bile. À partir de ces substances, les bactéries produisent un grand nombre de métabolites qu'elles utilisent pour leurs propres besoins ou qu'elles rejettent dans le tube digestif. Comme cette dégradation s'effectue en anaérobiose, il se forme de nombreux produits organiques. Un certain nombre de ces produits sont à l'état gazeux : outre le gaz carbonique, les bactéries produisent de l'ammoniac, du méthane et du sulfure d'hydrogène. Une partie de ces gaz est diffusée dans le système circulatoire, l'autre est rejetée telle quelle sous forme de gaz intestinaux. Leur production en excès cause la flatulence.

En plus de ces gaz, les bactéries élaborent divers produits organiques à partir de la décomposition des substances lipidiques et protéiques. Certains sont des dérivés élaborés à partir des acides aminés. C'est le cas des amines, de l'indole et du scatole, composés volatils qui donnent aux matières fécales leur odeur caractéristique. Lorsqu'elles sont produites en quantité importante et s'accumulent dans le côlon lors de la constipation, les substances produites par les microorganismes exercent un effet toxique, non seulement sur les microorganismes dont elles inhibent la prolifération, mais aussi sur l'hôte.

Des études récentes ont permis de poser l'hypothèse d'un lien entre la présence des microorganismes dans l'intestin et la production de substances cancérigènes. Cette hypothèse a été envisagée pour les nitrosamines formées lors du métabolisme des nitrites, agents de conservation que l'on incorpore notamment à la charcuterie pour réduire la prolifération bactérienne et pour conserver plus longtemps l'apparence de fraîcheur que donne sa couleur rosée.

Il serait erroné de croire que les bactéries intestinales ne jouent qu'un rôle négatif car elles produisent aussi des substances utiles, notamment des vitamines comme la niacine, la thiamine, la riboflavine, la pyridoxine, l'acide folique, l'acide pantothénique et la vitamine K. Enfin, les bactéries de l'intestin dégradent un certain nombre de déchets du métabolisme hépatique rejetés avec la bile. Elles transforment les acides biliaires qui sont par la suite réabsorbés et retournés au foie; elles transforment aussi la bilirubine, un produit de dégradation de l'hémoglobine en urobilinogène. Ce dernier est réabsorbé par l'intestin, puis excrété de nouveau dans la bile et dans l'urine.

Outre l'effet de barrière de la flore intestinale, il est reconnu que les entérobactéries produisant du H_2S inhibent ou tuent d'autres espèces microbiennes comme *Escherichia coli*. On a aussi constaté que les acides gras à courte chaîne carbonée produits par les bactéries résidantes de l'intestin inhibent la multiplication de *Salmonella*, de *Shigella*, de *Klebsiella* et de *Pseudomonas*.

L'intestin du nouveau-né est stérile, mais il est colonisé dans les 24 heures qui suivent sa naissance. Les bébés nourris au lait maternel ont une flore intestinale dans laquelle *Bifidobacterium bifidus* prédomine très nettement. On ignore si cette espèce joue un rôle particulier, mais on constate que les selles de ces enfants sont reconnaissables par leur couleur jaune doré et leur odeur légèrement acide, très différente des selles d'enfant nourris au lait de vache ou des selles d'adultes. Dès le premier jour, les enfants nourris au lait de vache présentent une flore microbienne diversifiée : des lactobacilles, des streptocoques fécaux et des microorganismes anaérobies comme *Escherichia coli* et des espèces du genre *Clostridium*.

7.7 FLORE DE L'APPAREIL GÉNITO-URINAIRE

L'appareil urinaire inférieur, les organes génitaux externes des deux sexes et le vagin abritent des populations microbiennes importantes à cause des conduits naturels qui y débouchent, de l'humidité permanente entretenue par l'urine et les sécrétions génitales, et à cause de la proximité de l'anus (figure 7.12).

7.7.1 FLORE DE L'APPAREIL URINAIRE

Comme l'urètre débouche à l'extérieur, il est normal que sa portion terminale abrite des microorganismes. Cette flore microbienne est pratiquement identique à celle que l'on trouve sur la peau. Toutefois, l'épithélium urétral n'est pas un milieu très propice à la prolifération microbienne : le flot urinaire élimine un certain nombre de microorganismes à chaque miction; le pH légèrement acide de l'urine inhibe la multiplication des bactéries provenant de l'intestin. En temps normal, l'urètre inférieur est la seule partie de l'appareil urinaire à contenir des microorganismes : la vessie, les uretères et les reins sont stériles.

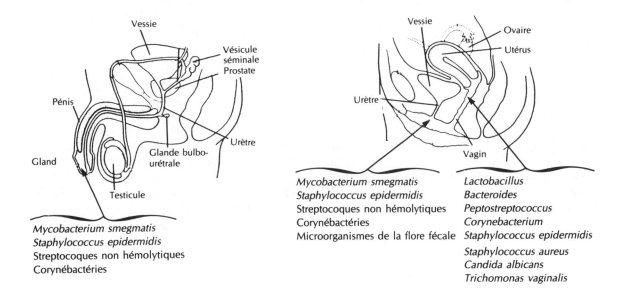

Figure 7.12
Localisation des flores commensales des appareils génito-urinaires de l'homme et de la femme.

7.7.2 FLORE DE L'APPAREIL GÉNITAL

Sur les organes génitaux externes des femmes et des hommes non circoncis, on trouve fréquemment une mycobactérie inoffensive, *Mycobacterium smegmatis*. Comme l'indique son qualificatif spécifique, cette bactérie vit dans le smegma, une matière blanchâtre formée de cellules épithéliales desquamées qui s'accumule à la base du prépuce chez l'homme, et entre les petites lèvres et le clitoris chez la femme. Outre cette bactérie qu'il ne faut pas confondre à l'examen bactériologique avec *Mycobacterium tuberculosis* qui peut être présente dans l'urine, on trouve des streptocoques non hémolytiques, des staphylocoques non pathogènes (*Staphylococcus epidermidis*), des corynébactéries et des microorganismes de la flore fécale.

En revanche, chez la femme, il faut distinguer entre la flore de la vulve, riche et variée, constituée d'espèces microbiennes avoisinantes (provenant en particulier du périnée) et la flore du vagin, plus spécifique, généralement stable mais variable avec l'âge. Cette flore microbienne est aussi très abondante : il y a environ 10^9 bactéries par millilitre de sécrétions.

Dans la petite enfance et au cours de la période prépubertaire, les organes génitaux sont colonisés principalement par les bactéries Gram positif de la peau, c'est-à-dire les streptocoques, les staphylocoques et les diphtéroïdes. Après la puberté, la flore microbienne change par suite du développement prépondérant des lactobacilles. Avec la ménopause, marquée notamment par l'arrêt de la sécrétion d'œstrogènes, la flore microbienne redevient identique à celle qui était présente à la période prépubertaire.

On compte généralement une quinzaine d'espèces différentes. Les plus significatives sont :

– *Lactobacillus*;
– *Bacteroides*;
– *Peptostreptococcus*;
– *Corynebacterium*;
– *Staphylococcus epidermidis*.

À ces espèces s'ajoutent les streptocoques du groupe D et des entérobactéries. Certains auteurs considèrent *Candida albicans*, *Trichomonas vaginalis* et *Staphylococcus aureus* comme des espèces résidantes au même titre que les commensaux vrais quoiqu'elles soient dotées de pouvoir pathogène.

7.8 RÉSUMÉ

Les êtres humains abritent sur leur peau et leurs muqueuses un grand nombre de microorganismes, formant de véritables écosystèmes.

La dépendance des microorganismes à l'égard des matières organiques est à l'origine de plusieurs adaptations permettant de faciliter la recherche de nourriture. Parmi ces adaptations, la symbiose est la plus importante. La symbiose repose sur l'établissement de liens étroits entre des microorganismes et un organisme hôte qui leur fournit abri et nourriture. La symbiose peut prendre la forme d'une relation mutuelle ou parasitaire. Dans le premier cas, microorganismes et organisme hôte tirent profit de l'association. Dans le second cas, seul le parasite bénéficie de la symbiose. Alors que les microorganismes tirent toujours profit de leur hôte, ce dernier est le plus souvent indifférent à leur présence. Il en tire parfois bénéfice, mais il peut aussi être affecté par leur présence. Les microorganismes inoffensifs ou bénéfiques sont qualifiés de commensaux, les autres, qui affectent la santé de l'hôte, sont dits pathogènes.

Toutes ces relations hôte-microorganismes sont extrêmement complexes et sont influencées par de nombreux facteurs. Il s'établit généralement un équilibre dynamique, mais fragile et facilement rompu. La plupart du temps, les microorganismes établissent entre eux des relations de coopération qui permettent la réalisation d'un travail d'équipe qui dépasse les capacités de chaque espèce prise séparément. D'autres microorganismes établissent des relations antagonistes vis-à-vis d'espèces particulières; ils tendent ainsi à protéger leur environnement et à occuper un maximum d'espace au détriment d'espèces dont ils réduisent la multiplication ou qu'ils éliminent totalement.

Les microorganismes commensaux colonisent l'être humain dès sa naissance et restent présents toute sa vie. La première contamination survient au moment de l'accouchement. Elle est rapidement complétée par l'inhalation de l'air, par l'ingestion d'aliments qui contiennent toujours quelques microorganismes, par la déglutition des microorganismes présents dans la bouche et par le contact avec l'entourage. La colonisation est un processus complexe qui se prolonge tardivement, car on note des différences entre les espèces microbiennes chez les jeunes et chez les adultes. Cependant, une fois que les espèces microbiennes sont implantées, la flore est généralement très stable, surtout en ce qui concerne les espèces dites résidantes. On trouve aussi des espèces transitoires qui ne s'implantent pas de façon durable.

Les microorganismes commensaux ne jouent pas un rôle vital mais on en a peut-être sous-estimé l'importance. On sait maintenant qu'ils ont d'indéniables effets métaboliques, histologiques, physiologiques et immunitaires. Entre autres, la flore commensale intestinale exerce un effet de barrière qui empêche les microorganismes indésirables de s'installer dans l'intestin ou de s'y multiplier abondamment.

D'importantes populations microbiennes vivent sur l'épiderme, les conduits des glandes sudoripares et sébacées ainsi que dans les follicules pileux. La flore cutanée est essentiellement composée de bactéries Gram positif, de levures lipo-philes et non lipophiles. La présence des bactéries Gram positif en grand nombre limiterait la prolifération des bactéries Gram négatif.

Seule la partie supérieure de l'appareil respiratoire est colonisée par les microorganismes. Le nombre de microorganismes décroît à mesure que l'on progresse dans les ramifications de l'arbre respiratoire. La flore microbienne respiratoire est principalement caractérisée par la prédominance des bactéries aérobies.

L'appareil digestif abrite la flore microbienne la plus dense de tout l'organisme. Inégalement répartie, c'est dans la bouche et dans le côlon que vivent les populations les plus nombreuses. La flore buccale est composée d'espèces aérobies et anaérobies. Par leur action sur les glucides alimentaires, certaines espèces de bactéries vivant dans la bouche interviennent dans la formation des caries dentaires. Surtout à cause de l'acidité qui y règne, l'estomac et le jéjunum ne sont pas des milieux favorables à la prolifération microbienne. En revanche, le côlon abrite une flore microbienne considérable. Les bactéries métabolisent la cellulose, les substances lipidiques et protéiques qui n'ont pas été transformées ou absorbées dans l'intestin grêle. Les bactéries de la flore colique exercent aussi des effets de barrière envers certaines espèces pathogènes.

Les microorganismes colonisent aussi les organes génitaux externes de l'homme et de la femme, l'urètre et le vagin. Ils appartiennent principalement aux espèces trouvées sur la peau, hormis la flore vaginale où prédominent les lactobacilles. Ces derniers ont un effet de barrière important.

LECTURES SUGGÉRÉES

ATLAS, R.M. et R. BARTHA. *Microbial Ecology. Fundamentals and Applications.* 2e éd., Menlo Park, Benjamin/Cummings publishers, 1987, 533 p.

JOKLICK, W. K., WILLET, H. P. et D. B. AMOS. *Zinsser Microbiology*. 18e éd, Norwalk, Appleton-Century-Crofts, 1984, 1316 p.

LEMONIER, D. « Le yaourt, enjeu scientifique et industriel ». *La recherche*, vol. 19, n° 198 (avril 1988), p. 543-545.

NOBLE, W. C. *Microbiology of Human Skin*. 2e éd., Londres, Lloyd-Luke Medical Books, 1981, 433 p.

RAIBAUD, P. et R. DUCLUZEAU. « Les bactéries du tube digestif ». *La recherche*, vol. 15, n° 151 (janvier 1984), p. 12-21.

REGNAULT, J.-P. *Microbiologie générale*. Montréal, Décarie, 1990, 859 p.

REVILLARD, J.-P. « Écologie moléculaire des interactions hôtes-agents infectieux ». *Médecine sciences*, vol. 6, supplément au n° 7 (août 1990), p. 31-39.

ROSEBURY, T. *Microorganisms Indigenous to Man*. New York, McGraw-Hill, 1962, 435 p.

SKINNER, F. A. et J. G. CARR. *The Normal Microbial Flora of Man*. New York, Academic Press, 1974, 612 p.

SONEA, S. et M. PANISSET. *Introduction à la nouvelle microbiologie*. Montréal, Presses de l'Université de Montréal, 1980, 127 p.

TRILLER, M. « La carie dentaire ». *La recherche*, vol. 12, n° 124 (juillet-août 1981), p. 800-809.

chapitre **8**

organes et cellules immunitaires

8.1 INTRODUCTION

Comme on l'a constaté au fil des précédents chapitres, l'Homme vit entouré de microorganismes. Il vit avec eux dans un équilibre précaire mais harmonieux, sauf s'il est assailli par des agents pathogènes qui causent des infections et compromettent sa santé.

Mais l'Homme est loin d'être démuni contre ses assaillants. Il dispose de barrières naturelles et d'un système immunitaire qui lui permettent de réagir contre ces hôtes indésirables. Il les combat, les élimine et, généralement, recouvre la santé. De plus, certains mécanismes intervenant au cours de cet affrontement font acquérir à l'hôte un état de résistance qui le protègera d'une agression ultérieure et l'aidera à se maintenir en bonne santé.

Nous consacrerons plusieurs chapitres à l'étude de l'immunité car, avant de décrire dans le détail les réactions immunitaires proprement dites, il faut présenter le support de l'immunité, décrire les organes et les cellules immunitaires, caractériser les substances qui stimulent le système de défense de l'organisme et celles qui sont produites en réponse à cette stimulation.

Dans ce chapitre, nous présenterons les éléments du système immunitaire en nous arrêtant principalement aux organes lymphoïdes et aux cellules immunitaires. Nous définirons d'abord le concept d'organes lymphoïdes centraux et d'organes lymphoïdes périphériques, puis nous préciserons les fonctions de ces deux catégories d'organes et le rôle de la moelle osseuse dans les fonctions immunitaires. Ensuite, nous nous intéresserons aux différentes catégories de globules blancs qui interviennent dans les réactions immunitaires. Nous les décrirons et nous préciserons leurs fonctions.

8.2 ORGANES LYMPHOÏDES

Les organes lymphoïdes sont les organes responsables des réactions immunitaires. On distingue généralement les organes lymphoïdes centraux et les organes lymphoïdes périphériques. Cette distinction ne s'appuie pas seulement sur des considérations anatomiques; elle repose sur des caractéristiques structurales et fonctionnelles propres à chaque groupe.

Comme l'indique le tableau 8.1, les principaux organes lymphoïdes sont :
- le thymus;
- la rate;
- les ganglions lymphatiques;
- les amygdales;
- les formations lymphoïdes associées au système digestif (plaques de Peyer et ganglions mésentériques);
- les formations lymphoïdes associées au système respiratoire.

À cette liste s'ajoute la moelle osseuse qui, à proprement parler, n'est pas un organe lymphoïde mais qui joue un rôle important dans l'immunité puisqu'elle abrite les cellules souches qui donnent naissance aux différentes catégories de cel-

Tableau 8.1
Organes lymphoïdes centraux et périphériques.

ORGANES LYMPHOÏDES CENTRAUX	ORGANES LYMPHOÏDES PÉRIPHÉRIQUES
Thymus	Rate
	Ganglions lymphatiques
	Amygdales
	Plaques de Peyer
	Formations lymphoïdes associées au système respiratoire

lules immunitaires. Le tableau 8.2 présente les caractéristiques distinctives de ces deux catégories d'organes, tandis que la figure 8.1 les situe chez l'être humain.

Tableau 8.2
Caractéristiques distinctives des organes lymphoïdes centraux et périphériques.

ORGANES CENTRAUX	ORGANES PÉRIPHÉRIQUES
Développement embryonnaire précoce	Développement embryonnaire tardif
Développement indépendant de toute stimulation antigénique	Développement complet dépendant des sollicitations antigéniques extérieures
Colonisation par des cellules souches provenant de la moelle osseuse	Colonisés par les lymphocytes provenant des organes centraux
Lieux d'acquisition de l'immunocompétence	Aires spécialisées à lymphocytes T et à lymphocytes B
Régression précoce au cours de la vie de l'individu	En constant remaniement

> **LE THYMUS EST LE SEUL ORGANE LYMPHOÏDE CENTRAL DES MAMMIFÈRES. C'EST DANS CET ORGANE QUE LES LYMPHOCYTES ACQUIÈRENT LEUR IMMUNOCOMPÉTENCE.**
> **LA RATE, LES GANGLIONS LYMPHATIQUES, LES FORMATIONS LYMPHOÏDES DES SYSTÈMES DIGESTIF ET RESPIRATOIRE FORMENT LES ORGANES LYMPHOÏDES PÉRIPHÉRIQUES. CE SONT LES ORGANES EFFECTEURS DE L'IMMUNITÉ.**

8.2.1 ORGANES LYMPHOÏDES CENTRAUX

Chez les mammifères, et chez l'Homme en particulier, le seul organe lymphoïde central connu est le thymus. D'une façon générale, les organes lymphoïdes centraux sont responsables de la production de cellules immunocompétentes, c'est-à-dire dotées de pouvoir immunitaire. Plus précisément, ils sont le lieu de l'acquisition de l'immunocompétence. Par ce terme, on désigne la propriété de certaines cellules immunitaires de reconnaître les marqueurs du soi ou de réagir avec des antigènes particuliers.

THYMUS

Le thymus est formé de tissu conjonctif et d'une multitude de petits lobules. Ces lobules contiennent une catégorie particulière de lymphocytes, les lymphocytes T (T pour thymus), ou thymocytes.

C'est dans cet organe que les lymphocytes T se différencient et deviennent immunocompétents. Au cours de cette période de différenciation, qui s'effectue sous l'influence de facteurs chimiques produits par le thymus, les lymphocytes acquièrent des marqueurs de surface grâce auxquels ils seront en mesure de distinguer le soi du non-soi et d'assurer les réactions immunitaires à médiation cellulaire.

Nous décrirons en détail cette catégorie de cellules avec les autres lymphocytes à la section 8.4.

ÉVOLUTION DU THYMUS

Le thymus est un organe qui se développe précocement au cours de la vie fœtale. Mais il régresse rapidement. Chez l'être humain, le thymus atteint son poids maximal avant la puberté (figure 8.2). Passé cette période, on observe une régression progressive. Cependant, l'involution n'est jamais totale.

8.2.2 ORGANES LYMPHOÏDES PÉRIPHÉRIQUES

Les organes lymphoïdes périphériques accomplissent une tâche différente des organes centraux : ce sont les organes effecteurs de l'immunité. En d'autres termes, ils interviennent directe-

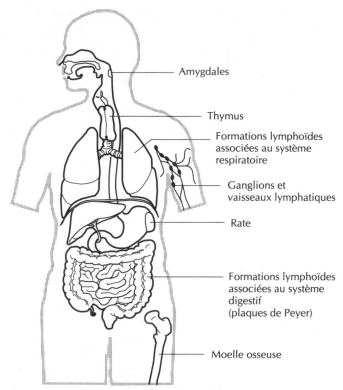

Amygdales

Thymus

Formations lymphoïdes
associées au système
respiratoire

Ganglions et
vaisseaux lymphatiques

Rate

Formations lymphoïdes
associées au système
digestif
(plaques de Peyer)

Moelle osseuse

Figure 8.1
Localisation des organes lymphoïdes centraux et périphériques.

Le système immunitaire est composé d'organes centraux (le thymus et la bourse de Fabricius chez les oiseaux) et périphériques disséminés dans tout l'organisme : la rate, les ganglions lymphatiques et les formations lymphoïdes des appareils respiratoire et digestif. Après la vie fœtale, les lymphocytes produits dans la moelle osseuse (qui n'est pas à proprement parlé un organe lymphoïde) migrent dans le thymus, dans les ganglions lymphatiques et dans la rate.

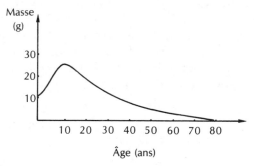

Figure 8.2
Évolution du thymus en fonction de l'âge.

Le volume du thymus est maximal juste avant la puberté. Après cette période, la glande diminue de volume progressivement.

ment dans le déroulement de la réponse immunitaire. Ces organes sont peuplés par diverses cellules immunitaires mais le groupe numériquement le plus important est constitué par les lymphocytes regroupés en unités de fonction particulières, les follicules lymphoïdes.

Le développement des organes lymphoïdes périphériques est plus tardif que celui des organes centraux. Les organes périphériques ne terminent leur développement qu'après la naissance sous l'influence des stimulations antigéniques dont sont responsables les agents infectieux qui parasitent l'organisme. Par ailleurs, leur degré de développement dépend des sollicitations anti-géniques dont ils sont l'objet. En d'autres termes, plus la sollicitation antigénique est forte et plus l'organe est actif et développé. C'est le cas, par exemple, d'un ganglion lymphatique, hyper-trophié à la suite d'une infection locale et dans lequel on note une intense activité lymphocy-taire et macrophagique.

RATE

La rate est le plus volumineux des organes lym-phoïdes. Elle possède de nombreuses fonctions non immunologiques, mais elle peut être avant tout considérée comme un filtre placé dans le courant sanguin. En ce sens, la rate est au sys-tème sanguin ce que les ganglions lymphatiques sont au système lymphatique : les particules étran-gères, les antigènes, les débris cellulaires y sont captés et détruits.

La rate répond puissamment aux stimulations antigéniques et assure deux fonctions immuno-logiques importantes :

– la production d'anticorps et de lymphocytes T immunocompétents contre les antigènes in-troduits par voie sanguine;
– l'élimination des particules étrangères par les macrophages présents en grand nombre.

La structure microscopique de cet organe est or-ganisée autour d'un réseau sanguin complexe : le versant artériel est associé à la pulpe blanche, chaque artériole étant entourée d'un manchon lymphoïde, tandis que le versant veineux, séparé du versant artériel par la zone marginale, est associé à la pulpe rouge, un tissu dans lequel abondent les lymphocytes et les macrophages. C'est dans la pulpe rouge et dans la zone margi-nale que le sang est filtré.

> **LA RATE EST UN FILTRE CHARGÉ D'ÉLI-MINER LES ANTIGÈNES INTRODUITS PAR VOIE SANGUINE.**

GANGLIONS LYMPHATIQUES

Les ganglions lymphatiques sont des organes arrondis, lenticulaires ou réniformes, de couleur blanchâtre et dont la taille varie de 1 à 25 mm . Ils sont le lieu de stockage et de prolifération des lymphocytes. Souvent réunis en groupe, ils occu-pent des positions stratégiques dans l'organisme de façon à protéger les organes vitaux. Ils filtrent la lymphe et la débarrassent des corps étrangers avant de la retourner vers le sang. Arrivant par les vaisseaux afférents situés en périphérie, la lym-phe traverse lentement le ganglion et en ressort par un vaisseau efférent au niveau du hile.

FONCTIONS DES GANGLIONS LYMPHATIQUES

Les ganglions lymphatiques sont des lieux de stockage et de prolifération des cellules immuni-taires. Ces cellules participent à plusieurs activi-tés importantes :

– Présents en très grand nombre, les macro-phages détruisent les bactéries et les corps étrangers contenus dans la lymphe. Ils traitent les antigènes phagocytés avant de les présen-ter aux lymphocytes.
– Les lymphocytes assurent les réactions immu-nitaires spécifiques. Les lymphocytes T inter-viennent dans les réactions à médiation cellu-laire et stimulent les lymphocytes B dont les clones spécifiques se mettent à produire les anticorps.

Lors d'une infection, on observe une augmenta-tion du volume de certains ganglions. Cette aug-mentation résulte :

– de la dilatation des vaisseaux sanguins gan-glionnaires sous l'effet de facteurs chimiques sécrétés par les lymphocytes;
– de l'accumulation de cellules phagocytaires (macrophages et granulocytes) attirées par d'autres facteurs;
– de la multiplication des lymphocytes immuno-compétents.

> **LES GANGLIONS LYMPHATIQUES SONT LES UNITÉS DE STOCKAGE ET DE PROLIFÉRATION DES CELLULES IMMUNITAIRES.**
> **PLACÉS AUX ENDROITS STRATÉGIQUES DE L'ORGANISME, LES GANGLIONS LYMPHATIQUES FILTRENT LA LYMPHE, ÉLIMINANT AINSI LES ANTIGÈNES QU'ELLE CONTIENT.**

MOELLE OSSEUSE

La moelle osseuse est un organe hématopoïétique qui assure le renouvellement des cellules sanguines. De ce fait, elle joue un rôle capital sur le plan immunitaire. En effet, elle abrite les cellules souches communes à partir desquelles se forment les différents groupes de cellules immunitaires : lymphocytes, monocytes et granulocytes. Comme la moelle osseuse constitue un site de différenciation de certains lymphocytes, et contient des cellules immunitaires, on tend à considérer la moelle osseuse comme un organe lymphoïde périphérique.

Chez l'adulte, on trouve surtout la moelle osseuse dans les os plats, dans les côtes et le sternum, dans les vertèbres, dans le bassin, dans le crâne ainsi que dans les épiphyses des os longs (fémur, humérus, etc.). C'est dans la moelle rouge que se trouve le tissu hématopoïétique actif, alors que la moelle jaune, qu'on trouve ailleurs, est constituée de cellules adipeuses et de cellules hématopoïétiques inactives.

La majeure partie des cellules nouvellement formées quitte la moelle osseuse et gagne la circulation sanguine. Transportées par le sang, ces cellules vont ensemencer les organes lymphoïdes centraux et périphériques. L'autre contingent de cellules formées dans la moelle reste sur place. Il forme les lymphocytes et les monocytes médullaires.

FORMATIONS LYMPHOÏDES DES APPAREILS RESPIRATOIRE ET DIGESTIF

Un système lymphoïde particulièrement développé est associé aux appareils respiratoire et digestif. Il joue un rôle important en intervenant localement dans l'élimination des agresseurs. Ce système lymphoïde est constitué par des ganglions lymphatiques et des formations lymphoïdes.

Constitué de tissu lymphoïde et situé dans le tissu conjonctif supportant l'épithélium, ce système détermine une ligne de défense quasi continue tout au long de ces appareils. Par endroits, les cellules lymphoïdes se rassemblent pour former des follicules et des structures bien individualisées : les amygdales, les follicules clos et les plaques de Peyer. Ces formations lymphoïdes se différencient notamment des ganglions lymphatiques par l'absence de vaisseaux lymphatiques afférents.

AMYGDALES

Les amygdales sont constituées par des amas de follicules lymphoïdes identiques à ceux que l'on observe dans les ganglions lymphatiques. Ces follicules contiennent des lymphocytes producteurs d'anticorps.

Les amygdales encerclent le pharynx selon quatre localisations :

- les amygdales linguales, à la racine de la langue (surface postérieure);
- les amygdales palatines, disposées entre les piliers du palais;
- les amygdales pharyngées, situées sur la face postérieure du pharynx;
- les amygdales tubaires, situées près de l'orifice des trompes d'Eustache.

PLAQUES DE PEYER

Les plaques de Peyer sont formées d'amas lymphoïdes envahissant le chorion de la muqueuse au niveau de l'iléon. Les follicules présentent des centres germinatifs actifs identiques à ceux des ganglions lymphatiques. Ce sont des zones thymo-indépendantes.

GANGLIONS MÉSENTÉRIQUES

Les ganglions mésentériques forment une chaîne particulièrement développée. Ces ganglions ont une structure identique à celle des autres ganglions, mais ils présentent un très grand nombre de follicules secondaires, témoignant de la stimulation antigénique permanente dont ils sont l'objet. En effet, le tube digestif constitue une porte d'entrée importante pour les agresseurs transportés par l'eau et les aliments.

Ces ganglions mésentériques drainent et filtrent la lymphe qui provient des chylifères. Ils contiennent de nombreux lymphocytes producteurs d'anticorps.

8.3 CELLULES IMMUNITAIRES

Les cellules effectrices des réactions immunitaires sont les globules blancs. Ils sont transportés par le sang et ramenés à lui par la lymphe. Un très grand nombre d'entre eux sont cantonnés dans les organes du système lymphatique; d'autres résident dans les tissus et les autres organes. Leur rôle est de réagir avec les antigènes et de les éliminer.

Les cellules immunitaires représentent moins de 1 % de la fraction cellulaire du sang d'un adulte en bonne santé. La numération globulaire donne une valeur moyenne de 7500 globules blancs par mm^3 de sang. La proportion des différents groupes de globules blancs est donnée par le tableau 8.3.

Les réactions immunitaires reposent sur l'intervention de deux groupes de cellules immunitaires : les cellules lymphoïdes et les cellules phagocytaires. Les premières, auxquelles appar-

Tableau 8.3
Valeurs normales (relatives et absolues) des différents groupes de globules blancs présents dans le sang[1].

GROUPES DE CELLULES	POURCENTAGE	NOMBRE NORMAL ABSOLU (par mm^3)
Granulocytes		
Neutrophiles	40 – 75	2000 – 7500
Éosinophiles	1 – 2	50 – 200
Basophiles	0 – 1	20 – 60
Stabs[2]	0 – 5	0 – 500
Lymphocytes	25 – 33	1500 – 3500
Monocytes	4 – 8	200 – 800

1. Les macrophages n'apparaissent pas dans ce tableau, car ils ne sont présents que dans les tissus et les organes lymphoïdes. Ils ne sont jamais rencontrés dans le sang en tant que cellules circulantes.
2. On appelle stabs les neutrophiles nouvellement formés. Leur noyau en forme de U permet de les différencier des granulocytes neutrophiles adultes au noyau plurilobé.

tiennent les lymphocytes et les cellules issues de leur différenciation, les lymphoblastes et les PLASMOCYTES, sont responsables des réactions immunitaires spécifiques à médiation cellulaire et humorale. Au groupe des cellules phagocytaires appartiennent les GRANULOCYTES, les MACROPHAGES et leurs précurseurs, les monocytes. Ces cellules participent à la réaction immunitaire non spécifique qui repose, entre autres, sur la PHAGOCYTOSE, au cours de laquelle les particules inertes ou les microorganismes sont captés et détruits.

Les globules blancs présents dans le sang ne constituent qu'une fraction du total, car un grand nombre de ces cellules sont dispersées dans les tissus. Ainsi, on évalue à 1500 g le poids de tous les lymphocytes d'un organisme humain adulte; ils se répartissent comme suit :

– 3 g dans le sang;
– 70 g dans la moelle osseuse;

– 100 g dans les ganglions lymphatiques et les formations lymphoïdes;
– 1300 g dans les autres tissus.

> **LES RÉACTIONS IMMUNITAIRES REPOSENT SUR L'INTERVENTION DE DEUX GROUPES DE CELLULES IMMUNITAIRES :**
> – **LES CELLULES LYMPHOÏDES;**
> – **LES CELLULES PHAGOCYTAIRES.**
> **LES CELLULES LYMPHOÏDES ASSURENT LES RÉACTIONS IMMUNITAIRES SPÉCIFIQUES À MÉDIATION CELLULAIRE ET HUMORALE.**
> **LES CELLULES PHAGOCYTAIRES INTERVIENNENT DANS LES RÉACTIONS IMMUNITAIRES NON SPÉCIFIQUES.**

8.4 LYMPHOCYTES

Les lymphocytes sont responsables des réactions immunitaires spécifiques et constituent les cellules immunocompétentes. Ils se différencient des autres globules blancs par un certain nombre de propriétés, les plus remarquables étant :

– la présence de marqueurs et de récepteurs de surface dont dépendent les activités fonctionnelles des lymphocytes;
– la capacité de se transformer en cellules matures et fonctionnelles;
– leur incapacité de réaliser la phagocytose.

En microscopie optique, les lymphocytes sont des cellules arrondies, dont le diamètre varie entre 6 et 9 μm, et possèdent un volumineux noyau. Ce noyau occupe les 9/10 du volume cellulaire. Il est rond, ovoïde ou légèrement réniforme et paraît dense. Le cytoplasme, basophile, bleu à la coloration de Giemsa, est peu abondant. Il ne forme qu'une mince bande, visible seulement à l'un des pôles cellulaires (figure 8.3).

Si la microscopie optique et la microscopie électronique classique ne permettent pas de révéler de différences morphologiques entre les lymphocytes T et les lymphocytes B, la microscopie électronique à balayage rend possible cette distinction. Comme le montre la figure 8.4, les lymphocytes T circulants présentent une surface lisse, tandis que les lymphocytes B paraissent hérissés de villosités.

Il existe deux populations de lymphocytes et chaque population exerce un rôle prépondérant dans un des deux types de réactions immunitaires :

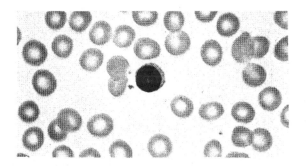

Figure 8.3
Lymphocytes du sang.
Source : Lord-Dubé, H. et R. L'Italien. *Hématologie.* Montréal, Décarie, 1983.

Figure 8.4
Lymphocytes T et B observés en microscopie électronique à balayage.
En microscopie électronique à balayage, les lymphocytes B apparaissent hérissés de villosités, tandis que les lymphocytes T sont lisses.

- les lymphocytes T interviennent de façon prépondérante dans les réactions immunitaires à médiation cellulaire;
- les lymphocytes B assurent les réactions à médiation humorale.

Les lymphocytes T acquièrent leur immunocompétence dans le thymus, tandis que les lymphocytes B acquièrent vraisemblablement la leur dans la moelle osseuse. Ces lymphocytes migrent ensuite dans des zones distinctes des organes lymphoïdes périphériques.

> LES LYMPHOCYTES SE DISTINGUENT DES AUTRES CELLULES IMMUNITAIRES PAR :
> - DES MARQUEURS ET DES RÉCEPTEURS DE SURFACE;
> - LEUR INTERVENTION DANS LES RÉACTIONS IMMUNITAIRES SPÉCIFIQUES;
> - LA MÉMORISATION D'INFORMATION RELATIVE AUX AGRESSEURS;
> - L'INCAPACITÉ DE RÉALISER LA DIAPÉDÈSE ET LA PHAGOCYTOSE;
> - LEUR CAPACITÉ DE SE TRANSFORMER EN CELLULES FONCTIONNELLES.

8.4.1 LYMPHOCYTES T

Les lymphocytes T forment une population hétérogène dans laquelle on distingue plusieurs groupes fonctionnels possédant des rôles différents. Ils constituent les trois quarts de la population lymphoïde et jouent un rôle prépondérant dans les réactions immunitaires.

On divise généralement les lymphocytes T en deux groupes : les LYMPHOCYTES T RÉGULATEURS et les LYMPHOCYTES T EFFECTEURS, comme l'illustre le tableau 8.4.

Les lymphocytes T régulateurs assurent le contrôle des réactions immunitaires. Ils ont une fonction amplificatrice ou une fonction suppressive. Les lymphocytes T amplificateurs, par exemple, pourront stimuler et amplifier la production d'anticorps par les lymphocytes B, tandis que les lymphocytes T suppresseurs pourront freiner cette production.

Les lymphocytes T effecteurs interviennent dans diverses réactions immunitaires à médiation cellulaire. Il en existe trois groupes.

Un premier groupe de lymphocytes T effecteurs intervient dans le rejet des greffes, dans l'élimination des cellules tumorales et dans la destruction des cellules infectées par les virus. Ils détruisent les cellules par des réactions de cytotoxicité. Pour cette raison, ils sont appelés lymphocytes T cytotoxiques ou lymphocytes T tueurs. Sous leur action, les cellules éclatent et meurent.

Un second groupe de lymphocytes T effecteurs intervient dans les réactions cutanées d'hyper-

Tableau 8.4
Sous-populations et groupes fonctionnels de lymphocytes T.

SOUS-POPULATIONS	FONCTIONS
Lymphocytes T régulateurs	Contrôle des réactions immunitaires
Amplificateurs	Stimulation des lymphocytes B
Suppresseurs	Inhibition des lymphocytes B
Lymphocytes T effecteurs	
Lymphocytes T cytotoxiques (lymphocytes T tueurs)	Rejet des greffes, des cellules tumorales et des cellules infectées par des virus
Lymphocytes des réactions d'hypersensibilité retardée	Réactions cutanées d'hypersensibilité retardée
Lymphocytes des réactions lymphocytaires mixtes	Stimulation des lymphocytes allogéniques mis en présence

sensibilité retardée; un troisième, enfin, participe aux réactions lymphocytaires mixtes et au rejet des greffes. Les réactions lymphocytaires mixtes sont observées quand des lymphocytes provenant d'individus génétiquement différents sont mis en contact.

Par ailleurs, certains lymphocytes T – mais on ne peut encore préciser lesquels – possèdent un pouvoir sécréteur important. Ils sécrètent des LYMPHOKINES qui jouent le rôle de médiateur dans l'élaboration, dans le renforcement et dans l'arrêt des réactions immunitaires.

Au groupe des lymphocytes T régulateurs et des lymphocytes T effecteurs s'ajoute celui des lymphocytes T mémoires. Ces lymphocytes assurent une réponse rapide et intense lorsque l'organisme est exposé au même antigène une seconde fois : elles se multiplieront alors très rapidement et se transformeront en cellules effectrices.

On distingue aussi deux sous-populations de lymphocytes T d'après certains antigènes de surface qu'ils ont acquis lors de leur séjour dans le thymus. Ces antigènes sont symbolisés par la lettre T et, chez les cellules matures, on trouve soit l'antigène T4, soit l'antigène T8. Ces deux sous-groupes, qui sont aussi parfois qualifiés respectivement de CD4 et de CD8[1], possèdent des propriétés fonctionnelles distinctes, agissant soit comme régulateurs, soit comme effecteurs.

Les lymphocytes T4 regroupent :

– les cellules qui stimulent la transformation et la multiplication des lymphocytes B en plasmocytes sécréteurs d'anticorps;

---

1. CD signifie *Cluster of Differenciation* et fait référence aux anticorps monoclonaux qui permettent de séparer les deux groupes de lymphocytes T.

– les cellules qui assurent le développement et l'activation des cellules cytotoxiques et des cellules suppressives;
– les cellules effectrices des réactions d'hypersensibilité retardée.

De leur côté, les lymphocytes T8 regroupent :

– les lymphocytes effecteurs cytotoxiques;
– les lymphocytes suppresseurs des réactions d'hypersensibilité retardée;
– les lymphocytes suppresseurs ralentissant la synthèse des immunoglobulines par les plasmocytes.

LES LYMPHOCYTES T FORMENT UNE POPULATION HÉTÉROGÈNE DANS LAQUELLE ON DISTINGUE :
– **DES LYMPHOCYTES RÉGULATEURS QUI, PAR LEURS FONCTIONS AMPLIFICATRICES OU SUPPRESSIVES, CONTRÔLENT LES ACTIVITÉS DES AUTRES GROUPES DE LYMPHOCYTES T ET DES LYMPHOCYTES B;**
– **LES LYMPHOCYTES T EFFECTEURS CHARGÉS DES RÉACTIONS IMMUNITAIRES À MÉDIATION CELLULAIRE;**
– **LES LYMPHOCYTES T MÉMOIRES.**

ACTIVATION DES LYMPHOCYTES T ET COOPÉRATION DES CELLULES ACCESSOIRES

L'activation des lymphocytes T nécessite la participation de cellules accessoires. Ces cellules accessoires, parmi lesquelles on trouve les macrophages, les cellules dendritiques et les cellules de Langerhans, ont une double fonction. D'une part, elles présentent l'antigène au lymphocytes T, en conjonction avec les marqueurs du soi; d'autre part, elles sécrètent des facteurs chimiques indispensables à l'activation des lymphocytes T. Parmi ces facteurs se trouve notamment l'interleukine 1 (IL-1).

> **L'ACTIVATION DES LYMPHOCYTES T RE-POSE SUR L'INTERVENTION DES CEL-LULES ACCESSOIRES.**
> **CES CELLULES ACCESSOIRES PRÉSEN-TENT L'ANTIGÈNE AUX LYMPHOCYTES T ET SÉCRÈTENT DES FACTEURS CHIMI-QUES INDISPENSABLES À L'ACTIVATION DES LYMPHOCYTES T.**

8.4.2 LYMPHOCYTES B

Les lymphocytes B représentent 5 à 15 % de tous les lymphocytes. Ils sont responsables des réactions immunitaires spécifiques à médiation humorale, caractérisées par la production d'anticorps. Tout comme les lymphocytes T, ils forment une population hétérogène dans laquelle on distingue :

- les précurseurs des cellules qui produiront les différentes classes d'anticorps;
- les cellules mémoires, qui forment des groupes d'une importance primordiale puisqu'elles assurent une réponse rapide et intense lorsque l'organisme est exposé au même antigène une seconde fois : elles se multiplieront alors très rapidement et se transformeront en plasmocytes sécréteurs d'anticorps;
- les lymphocytes B régulateurs, qui assureraient des fonctions analogues aux lymphocytes T régulateurs.

Les lymphocytes B sont issus des cellules souches de la moelle osseuse. On n'a jamais découvert chez les mammifères un organe responsable de l'induction et de la différenciation de ces lymphocytes. On suppose donc que la moelle osseuse constitue le micro-environnement dans lequel s'effectue cette différenciation, mais on ignore de quelle façon et sous l'influence de quels facteurs.

ACTIVATION ET DIFFÉRENCIATION DES LYMPHOCYTES B

L'activation et la différenciation des lymphocytes B constituent des phénomènes complexes et encore mal connus. Un certain nombre d'expériences récentes ont cependant permis de préciser que deux éléments sont à l'origine de la différenciation des lymphocytes B :

- la fixation de l'antigène sur des immunoglobulines spécifiques disposées à la surface de certains lymphocytes B;
- l'intervention des lymphocytes T amplificateurs activés.

Lorsqu'ils sont stimulés, les lymphocytes B activés se multiplient et se différencient en plasmocytes, c'est-à-dire en cellules effectrices de la réponse immunitaire spécifique à médiation humorale. Ce sont donc les plasmocytes qui sécrètent les immunoglobulines. D'autres lymphocytes B activés se multiplient mais ne se différencient pas. Ils reviennent à l'état de repos. Ces lymphocytes sont des cellules mémoires. Elles interviendront dans les réponses subséquentes aux mêmes antigènes. Elles se multiplieront alors très rapidement et se transformeront en plasmocytes sécréteurs d'immunoglobulines.

> **L'ACTIVATION ET LA DIFFÉRENCIATION DES LYMPHOCYTES B REPOSENT SUR UN DOUBLE MÉCANISME :**
> - **LA FIXATION DE L'ANTIGÈNE AUX IMMUNOGLOBULINES DE SURFACE DU LYMPHOCYTES B;**
> - **L'INTERVENTION DES LYMPHOCYTES T ACTIVÉS.**

PLASMOCYTES

Les plasmocytes sont des cellules issues de la transformation des lymphocytes B à la suite d'une stimulation antigénique.

Les plasmocytes sont des cellules volumineuses, ovoïdes, mesurant entre 12 et 15 μm. Le noyau, excentré et réniforme, est caractéristique de ces cellules. Ce sont eux qui synthétisent les immunoglobulines. On estime que chaque plasmocyte produit plusieurs milliers de molécules d'immunoglobulines par seconde. Ces immunoglobulines sont spécifiques d'un seul antigène. En d'autres termes, un plasmocyte ne produit jamais d'immunoglobulines contre deux antigènes différents.

Faiblement mobiles, les plasmocytes sont concentrés dans les organes lymphoïdes périphériques, dans la moelle osseuse, dans le tissu conjonctif des muqueuses tapissant les voies digestives et respiratoires ainsi que dans la peau. Ces plasmocytes sont stationnaires; c'est pourquoi, à l'état normal, on ne trouve pas de plasmocytes dans le sang et on n'en retrouve qu'une quantité minime dans la lymphe.

> ISSUS DE LA DIFFÉRENCIATION ET DE LA PROLIFÉRATION DES LYMPHOCYTES B, LES PLASMOCYTES SONT LES CELLULES EFFECTRICES DE L'IMMUNITÉ À MÉDIATION HUMORALE. ILS PRODUISENT LES IMMUNOGLOBULINES.
> CES PLASMOCYTES SONT LOCALISÉS DANS LES AIRES THYMOINDÉPENDANTES DES ORGANES LYMPHOÏDES PÉRIPHÉRIQUES.

8.5 CELLULES PHAGOCYTAIRES

Le groupe des cellules phagocytaires comprend les granulocytes, les macrophages et les monocytes, qui sont les précurseurs des macrophages. Granulocytes et macrophages sont les effecteurs de l'immunité non spécifique.

Ces deux groupes de cellules possèdent la propriété de capter les particules étrangères, les débris cellulaires ou les cellules âgées et de les détruire. Outre cette fonction principale appelée phagocytose, les cellules phagocytaires, et en particulier les macrophages, sont mises en jeu dans la reconnaissance cellulaire – elles jouent le rôle de cellules accessoires pour les lymphocytes – et dans des fonctions non immunitaires.

Les cellules phagocytaires ont, elles aussi, une origine médullaire. Après une période de prolifération et de maturation, elles quittent la moelle osseuse pour la circulation sanguine. De là, elles peuvent gagner les tissus et certains organes.

Contrairement aux lymphocytes, les cellules phagocytaires adultes sont dépourvues de pouvoir de multiplication. Elles ont donc une vie relativement courte.

8.5.1 FONCTIONS IMMUNITAIRES DES CELLULES PHAGOCYTAIRES

Les cellules phagocytaires interviennent dans de multiples réactions immunitaires mais leur fonction principale est la phagocytose.

PHAGOCYTOSE

La phagocytose est caractérisée par l'adhésion, l'ingestion et éventuellement par la digestion de particules de diamètre supérieur à 10 µm. La figure 8.5 illustre cette activité qui constitue un élément essentiel de la défense non spécifique[1]. Hormis quelques différences, le processus de la phagocytose est fondamentalement le même chez les granulocytes et les macrophages. Il est habituellement découpé en trois phases : adhésion, ingestion et digestion. Toutefois, cette dernière n'est pas inéluctable, car il arrive que la particule ne soit pas détruite.

---

1. La défense non spécifique est ainsi qualifiée car elle est indépendante de la nature de l'agresseur.

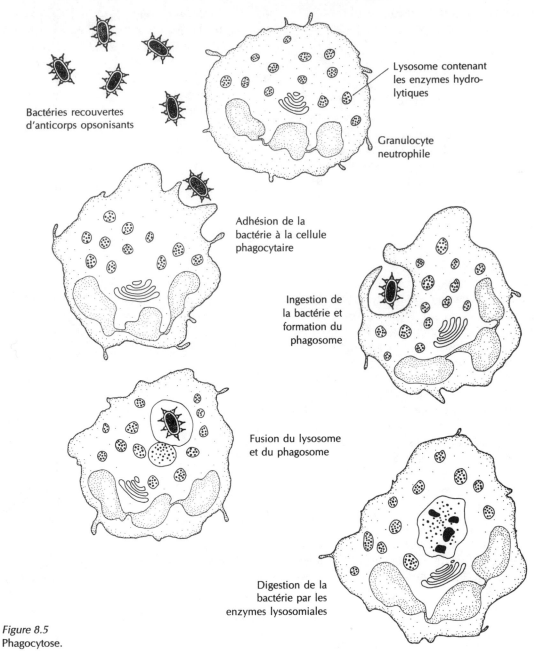

Bactéries recouvertes
d'anticorps opsonisants

Lysosome contenant
les enzymes hydro-
lytiques

Granulocyte
neutrophile

Adhésion de la
bactérie à la cellule
phagocytaire

Ingestion de
la bactérie et
formation du
phagosome

Fusion du lysosome
et du phagosome

Digestion de la
bactérie par les
enzymes lysosomiales

Figure 8.5
Phagocytose.

Dans une première étape, les bactéries recouvertes d'anticorps adhèrent à la membrane cytoplasmique des granulocytes. L'adhésion détermine la formation d'une invagination de la membrane cytoplasmique puis la formation d'une vacuole intracytoplasmique nommée phagosome. Ce phagosome fusionne avec un lysosome. La bactérie ingérée est alors digérée par les enzymes lysosomiales contenues dans le lysosome.

Source : Klainer, A. S. et I. Geiss. *Agents of Bacterial Disease.* Harper & Row, 1973.

DEVENIR DES PARTICULES INGÉRÉES

Dans la très grande majorité des cas, la particule ingérée est catabolisée. Il arrive cependant que certaines particules ingérées ne soient pas détruites (figure 8.6). C'est ce que l'on observe notamment à la suite de la pénétration de particules de silice, de carbone ou d'amiante dans les voies respiratoires. Les macrophages peuvent retenir indéfiniment ces substances non biodégradables et d'autres telles que les colorants[1] ou le métal. De même, des bactéries peuvent vivre à l'intérieur des cellules phagocytaires, voire s'y multiplier.

La persistance ou la multiplication intracellulaire des microorganismes sont causées par le blocage de la formation du phagosome ou par le blocage du contact du phagosome et des lysosomes. Les microorganismes peuvent alors se développer. Par ailleurs, certains microorganismes (*Mycobacterium tuberculosis, Listeria monocytogenes*, par exemple) sécrètent des cytolysines, substances qui traversent le phagosome et détruisent les lysosomes. D'autres, comme *Toxoplasma gondii, Chlamydia sp.*, passent directement dans le cytoplasme sans séjourner dans le phagosome. C'est aussi le cas de *Legionella pneumophila*, une bactérie qui est captée par les granulocytes neutrophiles, mais qui se multiplie en dehors du phagosome.

La présence de ces microorganismes dans les cellules phagocytaires n'est pas sans conséquences. D'une part, ils peuvent tuer les cellules phagocytaires qu'ils ont envahies par les méta-bolites qu'ils excrètent dans le cytoplasme (comme les leucocidines produites par les staphylocoques et les streptocoques pyogènes); d'autre part, ils se mettent à l'abri de l'action des antibiotiques. Les microorganismes échappant à la destruction causent alors des infections latentes ou chroniques dont il est difficile de se débarrasser.

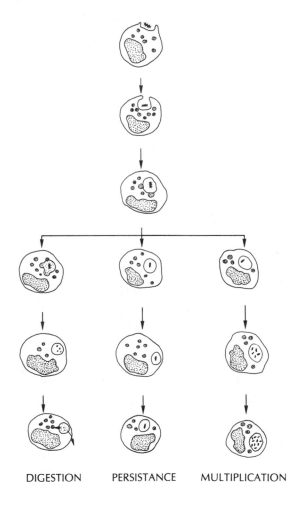

DIGESTION   PERSISTANCE   MULTIPLICATION

Figure 8.6
Devenir des particules phagocytées.

Il arrive que les microorganismes ne soient pas tués et digérés. Ils peuvent soit persister, soit se multiplier dans le cytoplasme de la cellule phagocytaire.

---

1. Ce sont les macrophages qui sont responsables de la persistance des tatouages. L'introduction des colorants sous la peau déclenche une réaction inflammatoire locale qui attire les macrophages. Ces derniers phagocytent le colorant mais ils sont immobilisés. Ils restent sur place presque indéfiniment.

sont aussi appelés polynucléaires en raison de leur noyau plurilobé. Les granulocytes constituent la fraction la plus importante des globules blancs : ils représentent environ 70 % du total. Par comparaison, les lymphocytes ne forment qu'entre 25 et 33 %.

Les granulocytes constituent un ensemble hétérogène que l'on classe en trois groupes selon l'affinité tinctoriale de leurs granulations cytoplasmiques. On distingue des granulocytes neutrophiles, éosinophiles et basophiles. À peine visibles, les granulations des neutrophiles sont beige rosé, celles des éosinophiles sont colorées en rose orangé et celles des basophiles sont colorées en bleu-noir. De morphologies différentes, ces trois groupes jouent des rôles particuliers (tableau 8.5 et figure 8.7).

8.5.2 GRANULOCYTES

Les granulocytes sont appelés ainsi car leur cytoplasme contient de nombreuses granulations. Ils

PROPRIÉTÉS DES GRANULOCYTES

Les granulocytes possèdent plusieurs propriétés qui les distinguent des autres groupes de cellules immunitaires. Parmi ces propriétés, nous retien-

Tableau 8.5
Caractères distinctifs des granulocytes.

TYPE	MORPHOLOGIE	FONCTIONS
Neutrophiles	Noyau segmenté (2 lobes et plus) Cytoplasme rose acidophile Granulations fines, beige rosé et à peine visibles	Destruction de nombreux agents pathogènes par phagocytose. Sécrétion et excrétion de métabolites et de médiateurs causant le renforcement de la réaction inflammatoire, la dégranulation des mastocytes et induisant la fièvre.
Éosinophiles	Noyau bisegmenté Cytoplasme rose, presque incolore Granulations orangés, rondes et de taille uniforme	Participation à la lutte anti-infectieuse dirigée contre les protozoaires et les helminthes (vers). Intervention dans certains états allergiques. Phagocytose des complexes antigènes-anticorps. Transport du plasminogène intervenant dans la fibrinolyse et la cicatrisation. Ralentissement de la réaction inflammatoire par inhibition de l'action des médiateurs chimiques (histamine, sérotonine, etc.).
Basophiles	Noyau segmenté et très volumineux Cytoplasme réduit, rosé, parfois incolore Granulations très nombreuses et presque noires	Intervention dans les réactions d'hypersensibilité immédiate.

Granulocyte neutrophile
12-14 μm

Granulocyte éosinophile
12-16 μm

Granulocyte basophile
10-14 μm

Figure 8.7
Morphologie des granulocytes neutrophiles, éosinophiles et basophiles.

drons : l'adhérence et la déformabilité, la diapédèse, la chimiotaxie, la présence de récepteurs membranaires ainsi que leur intervention précoce dans la défense anti-infectieuse.

Les granulocytes sont des cellules adhérentes et déformables. Ces propriétés favorisent leur déplacement. C'est aussi grâce à ces propriétés qu'ils sont capables de DIAPÉDÈSE, une activité au cours de laquelle ils passent du système circulatoire aux tissus en se glissant entre les cellules endothéliales des capillaires sanguins. En fait, ils se déplacent et captent les particules à l'aide de pseudopodes, des prolongements cytoplasmiques émis en tous sens (figure 8.8).

Les granulocytes constituent la première catégorie de cellules à intervenir dans la réaction immunitaire. Ce sont les premiers à arriver en grand nombre sur les lieux de l'infection, mais ce sont aussi les premiers à disparaître en raison de leur courte durée de vie (quelques jours seulement) et de l'absence de tout pouvoir de multiplication. De ce fait, ils doivent être continuellement pro-

Figure 8.8
Microphotographie d'un granulocyte phagocytant un groupe de bactéries.

Cette photographie, prise en microscopie électronique à balayage, montre le pseudopode à l'aide duquel sont captées les bactéries.

Source : Klainer, A. S. et I. Geiss. *Agents of Bacterial Disease.* New York, Harper & Row, 1973.

duits par la moelle osseuse. C'est pourquoi on trouve de grandes quantités de jeunes granulocytes – appelés stabs – chez les personnes souffrant d'infections chroniques.

La CHIMIOTAXIE est une autre propriété remarquable des granulocytes. Par ce terme, on désigne la capacité pour les granulocytes du système circulatoire de se diriger dans une direction particulière, vers un foyer infectieux, par exemple, sous l'influence de composés auxquels ils sont sensibles. Parmi ces composés, on trouve notamment :

– des substances présentes en concentrations élevées dans le milieu extravasculaire après l'apparition de microorganismes;
– des substances produites par les cellules lésées ou par les tissus nécrosés;
– les anaphylatoxines, qui sont des fragments du complément activé;
– les substances sécrétées par les lymphocytes.

Par ailleurs, les granulocytes possèdent plusieurs types de récepteurs membranaires qui leur permettent de fixer diverses substances intervenant dans les réactions immunitaires.

FONCTIONS IMMUNITAIRES DES GRANULOCYTES

Chaque groupe de granulocytes possède des fonctions différentes.

Les neutrophiles sont reconnus comme les agents essentiels de la défense antibactérienne. Grâce à la chimiotaxie, ils traversent la paroi des vaisseaux sanguins, gagnent les foyers infectieux où ils détruisent un grand nombre d'agents pathogènes. D'une part, ils phagocytent les microorganismes et, d'autre part, ils excrètent des métabolites et des médiateurs qui interviennent à leur tour en renforçant la réaction inflammatoire, en provoquant la dégranulation des mastocytes ou en induisant la fièvre par la sécrétion de substances pyrogènes.

De façon générale, on distingue les neutrophiles circulants et les neutrophiles accolés à la paroi des vaisseaux sanguins. Les neutrophiles circulants séjournent brièvement dans le sang (8 à 12 heures maximum), traversent les parois des capillaires et gagnent les tissus.

Les éosinophiles ont encore un rôle assez mal connu. On constate que leur nombre augmente à la suite d'infections à protozoaires et à helminthes (vers) et dans certains états allergiques.

Ils assurent aussi la phagocytose des complexes antigène-anticorps. Ils seraient mis en jeu dans le transport du plasminogène qui intervient dans la fibrinolyse et dans la cicatrisation. Enfin, comme les granules des éosinophiles contiennent des substances inhibitrices de l'histamine, de la sérotonine et de la bradykinine, on suppose qu'ils pourraient contribuer à diminuer les effets de ces médiateurs de la réaction inflammatoire.

Les basophiles possèdent un pouvoir phagocytaire très limité. On ne connaît pas précisément leur rôle dans la défense anti-infectieuse. On sait qu'ils possèdent une fonction sécrétoire de premier plan. Les granules qu'ils contiennent sont riches en amines vasoactives, notamment en histamine. Sensibles au chimiotactisme, on les trouve dans les foyers d'inflammation. Ils sont mis en cause directement dans les réactions d'hypersensibilité immédiate (chapitre 22).

LES GRANULOCYTES FORMENT DES SOUS-GROUPES AUX PROPRIÉTÉS DISTINCTES :
– **LES NEUTROPHILES SONT LES AGENTS ESSENTIELS DE LA DÉFENSE ANTIMICROBIENNE NON SPÉCIFIQUE;**
– **LES ÉOSINOPHILES SONT MIS EN JEU DANS LA DÉFENSE ANTIPARASITAIRE ET DANS LA RÉGULATION DE LA RÉACTION INFLAMMATOIRE;**
– **LES BASOPHILES PARTICIPENT AUX RÉACTIONS D'HYPERSENSIBILITÉ IMMÉDIATE.**

8.5.3 MACROPHAGES

Les macrophages représentent un autre groupe de cellules effectrices. Ils proviennent de la différenciation des monocytes formés dans la moelle osseuse. Une fois dans le sang, les monocytes gagnent par diapédèse les tissus où ils se transforment en macrophages doués de phagocytose.

On trouve des macrophages dans le foie : ce sont les cellules de Küpffer des capillaires sinusoïdes; on en trouve également dans la rate, les ganglions lymphatiques, l'épithélium pulmonaire, le péritoine et le tissu conjonctif. Ces cellules ne circulent pas : elles forment le tissu réticulo-endothélial, ou réticulo-histiocytaire, que l'on rencontre dans de nombreux organes. D'autres macrophages tapissent les vaisseaux sanguins et lymphatiques.

Les macrophages se distinguent des granulocytes par leur grande taille (10 à 40 µm), par leur noyau homogène, ovale ou réniforme, et par la présence d'organites cytoplasmiques. Le nombre de ces organites varie selon le degré d'activation des macrophages. Ils se distinguent aussi par la présence de nombreux lysosomes. Ces lysosomes contiennent des enzymes hydrolytiques grâce auxquels les produits phagocytés sont détruits.

Par ailleurs, la membrane cytoplasmique des macrophages présente des ondulations membranaires caractéristiques. Ces voiles membranaires sont l'équivalent des pseudopodes émis par les granulocytes et servent à capter les particules étrangères.

> **LES MACROPHAGES SONT ISSUS DE LA DIFFÉRENCIATION DES MONOCYTES. OUTRE LA PHAGOCYTOSE, ILS INTERVIENNENT DANS LA PRÉSENTATION DES ANTIGÈNES AUX LYMPHOCYTES T ET POSSÈDENT DES FONCTIONS SÉCRÉTOIRES TRÈS IMPORTANTES.**

FONCTION DES MACROPHAGES

Les macrophages remplissent plusieurs fonctions immunitaires et non immunitaires. Ces multiples activités font des macrophages un groupe de cellules essentiel pour le bon fonctionnement de l'organisme.

FONCTIONS IMMUNITAIRES

Les macrophages ont une double fonction immunitaire : ils assurent la phagocytose et la présentation des antigènes aux lymphocytes T.

Grâce aux propriétés particulières de leur membrane cytoplasmique, les macrophages sont des agents efficaces de la phagocytose. Ils captent et ingèrent les agents pathogènes et les débris cellulaires afin de les détruire. L'ingestion se fait par pinocytose ou par phagocytose. Au cours de la phagocytose, les particules captées adhèrent à la membrane cytoplasmique et s'y fixent par des récepteurs spécifiques et non spécifiques.

Tout comme les granulocytes, les macrophages se déplacent par chimiotactisme. Grâce aux propriétés particulières de leur membrane cytoplasmique, ils captent et ingèrent les agents pathogènes et les débris cellulaires afin de les détruire. Leur membrane cytoplasmique présente continuellement des ondulations membranaires caractéristiques en forme de voiles, contrairement aux granulocytes qui émettent des pseudopodes.

Sur le plan immunitaire, les macrophages jouent aussi le rôle de CELLULES ACCESSOIRES. En effet, avec d'autres groupes de cellules immunitaires, les macrophages présentent les antigènes aux lymphocytes T et sécrètent des médiateurs chimiques qui interviennent dans l'activation des lymphocytes T. Après avoir reçu ce premier signal, ces lymphocytes se différencient et se multiplient pour former des populations cellulaires fonctionnelles.

FONCTIONS SÉCRÉTOIRES

De plus, les macrophages possèdent des fonctions métaboliques et sécrétoires très importantes. Ils sont mis en jeu dans de nombreuses activités métaboliques. Une cinquantaine de produits différents a déjà été identifiée. Un certain nombre d'entre eux interviennent dans la réaction inflammatoire. D'autres sont des enzymes ou des produits à action physiologique participant à des réactions aussi diverses que la coagulation, la fibrinolyse, le contrôle de l'activité des enzymes protéolytiques, l'adhérence des macrophages et la régulation des fonctions cellulaires.

8.6 AUTRES CELLULES IMMUNITAIRES

Il y a six autres groupes de cellules qui interviennent dans les réactions immunitaires :

– les mastocytes;
– les cellules NK;
– les cellules K;
– les cellules dendritiques;
– les cellules de Langerhans;
– les plaquettes.

Les cinq premiers groupes de cellules présentent des ressemblances avec les autres cellules immunitaires, mais elles s'en distinguent principalement par une origine hématopoïétique différente et par des activités particulières. Les cellules K et NK ont une origine lymphoïde, mais elles ne portent aucun marqueur propre aux lymphocytes T ou B. Pour cette raison, on les appelle parfois cellules nulles ou cellules non B non T.

8.6.1 MASTOCYTES

Les mastocytes ont été longtemps confondus avec les granulocytes basophiles à cause de leur ressemblance : tous les deux prennent les colorants basiques et ont des granulations riches en histamine et en héparine. Ces substances sont des médiateurs de la réaction inflammatoire. De plus, basophiles et mastocytes ont en commun de posséder des récepteurs pour les IgE, des immunoglobulines mises en jeu dans les réactions d'hypersensibilité immédiate.

Pourtant, les mastocytes se distinguent des basophiles par plusieurs caractères. En effet, les mastocytes :

– sont issus d'une lignée cellulaire indépendante;
– possèdent des noyaux plus sphériques que ceux des basophiles;
– contiennent un grand nombre de petites granulations intracytoplasmiques alors que les basophiles possèdent un petit nombre de granules plus volumineux.

Les mastocytes sont localisés dans différents endroits de l'organisme. On les rencontre surtout dans les organes lymphoïdes périphériques, dans la moelle osseuse, dans le tissu conjonctif qui entoure les vaisseaux sanguins, les nerfs, les glandes et, enfin, dans le tissu conjonctif sous-cutané.

8.6.2 CELLULES NK

Les cellules NK (*Natural Killer*) sont ainsi qualifiées car elles possèdent des propriétés cytotoxiques naturelles. En effet, elles peuvent détruire des cellules à l'égard desquelles elles n'ont pas été sensibilisées.

À l'examen microscopique, on peut reconnaître les cellules NK par leur noyau sphérique et par la présence de granulations intracytoplasmiques azurophiles. Elles ressemblent aux grands lymphocytes.

On trouve des cellules NK dans la rate, dans les ganglions lymphatiques, dans le sang périphérique et dans le péritoine. Chez la souris, on a montré que ces cellules apparaissent rapidement au début de la vie fœtale, qu'elles sont très nombreuses chez le jeune animal et que leur nombre diminue rapidement avec l'âge.

Le rôle des cellules NK n'est pas encore clairement établi. On a cependant démontré plusieurs activités immunitaires :

- elles possèdent une forte activité cytotoxique naturelle à l'égard des cellules tumorales. De ce fait, ce groupe de cellules pourrait jouer un rôle important dans la résistance naturelle d'un organisme aux tumeurs;
- elles détruisent les cellules infectées par les virus;
- elles interviendraient dans la défense active du fœtus contre les réactions de rejet développées par le système immunitaire maternel;
- elles participeraient à la régulation de la réponse immunitaire.

8.6.3 CELLULES K

Découvertes récemment, les cellules K sont caractérisées par l'absence de tout antigène de surface. Elles sont abondantes dans le sang et dans la rate. Elles sont trouvées en plus faible quantité dans les ganglions lymphatiques et sont absentes du thymus.

Les cellules K sont capables de détruire des cellules recouvertes d'anticorps, en l'absence du complément. Le processus cellulaire dans lequel lysent les cellules cibles porte le nom de cytotoxicité à médiation cellulaire dépendante des anticorps (en anglais, ADCC). C'est pourquoi ce groupe de cellules est aussi connu sous le nom de cellules effectrices de l'ADCC.

8.6.4 CELLULES DENDRITIQUES

Les cellules dendritiques sont reconnaissables par leurs fins prolongements cytoplasmiques toujours en mouvement. Ces cellules sont très nombreuses dans les zones thymoindépendantes des follicules de la rate. On les trouve en plus faible quantité dans les follicules des ganglions lymphatiques et dans les plaques de Peyer.

Le rôle des cellules dendritiques est encore mal connu. On croit qu'elles interviennent dans la présentation des antigènes aux lymphocytes T.

8.6.5 CELLULES DE LANGERHANS

Les cellules de Langerhans sont connues depuis le milieu du XIXe siècle, mais leurs fonctions immunitaires n'ont été découvertes que très récemment. Morphologiquement, elles ressemblent aux cellules dendritiques, mais elles s'en distinguent par la présence de marqueurs de surface différents et par leur localisation[1]. En effet, les cellules de Langerhans sont trouvées dans l'épiderme, dans les zones thymodépendantes des ganglions lymphatiques et dans le thymus.

Les cellules de Langerhans interviennent dans la présentation de l'antigène aux lymphocytes T. Elles joueraient un rôle important dans la réponse immunitaire cutanée. Les cellules dendritiques et les cellules de Langerhans sont donc des cellules accessoires, tout comme les macrophages.

8.6.6 PLAQUETTES

Les plaquettes ont des fonctions immunitaires importantes, principalement liées à la réaction inflammatoire, en plus du rôle fondamental qu'elles jouent dans l'hémostase. En effet, les plaquettes libèrent des médiateurs chimiques à effet vasoactif et perméabilisant ainsi que des substances activant le complément.

8.7 RÉSUMÉ

Le système lymphoïde constitue le support de l'immunité. Il comprend les organes qui donnent naissance aux cellules dotées de pouvoir immunitaire, supportent leur maturation et les stoc-

---

1. Certains auteurs ne font qu'un groupe de cellules dendritiques et des cellules de Langerhans, qu'ils appellent cellules présentant l'antigène (CPAg).

kent. On distingue les organes lymphoïdes centraux, qui ne sont représentés que par le thymus chez l'Homme, et les organes périphériques, soit la rate, les ganglions lymphatiques et les formations lymphoïdes associées aux systèmes respiratoire et digestif. Les organes centraux sont responsables de la production des cellules immunocompétentes. Le thymus assure la formation et l'éducation des lymphocytes T. Les organes lymphoïdes périphériques sont les effecteurs de l'immunité.

Les réactions immunitaires reposent principalement sur l'intervention des cellules lymphoïdes, des cellules phagocytaires, des cellules NK, des cellules K, des cellules dendritiques et des cellules de Langerhans.

Les lymphocytes interviennent dans les réactions immunitaires spécifiques. Ils se distinguent notamment des cellules phagocytaires par la présence de marqueurs de surface. On distingue deux populations distinctes de lymphocytes : les lymphocytes T et les lymphocytes B. Les lymphocytes T, qui proviennent du thymus, interviennent soit dans les réactions à médiation cellulaire, soit dans la régulation des réactions immunitaires qu'ils amplifient ou qu'ils bloquent. Les lymphocytes B sont responsables des réactions immunitaires à médiation humorale. Ils produisent les anticorps.

Les cellules phagocytaires interviennent dans les réactions immunitaires non spécifiques. On trouve dans ce groupe les granulocytes, les macrophages et les monocytes. Ces groupes cellulaires possèdent la propriété de capter les particules étrangères, les débris cellulaires ou les cellules sénescentes et de les détruire. Les granulocytes, reconnaissables à leur noyau plurilobé et à leurs granulations caractéristiques, forment un groupe hétérogène dans lequel on distingue les neutrophiles, les éosinophiles et les basophiles.

Les granulocytes neutrophiles sont reconnus comme les agents essentiels de la défense antimicrobienne non spécifique. Par chimiotactisme, ces neutrophiles traversent la paroi des vaisseaux sanguins, gagnent les foyers infectieux où ils phagocytent les agents pathogènes. Les granulocytes éosinophiles semblent mis en jeu dans la lutte contre les infections à protozoaires et à helminthes. Ils assurent aussi la phagocytose des complexes antigène-anticorps et exercent un effet inhibiteur sur la réaction inflammatoire. Les basophiles possèdent un pouvoir phagocytaire limité. On ne leur connaît pas de rôle dans la défense anti-infectieuse. Ils participent directement aux réactions d'hypersensibilité immédiate.

Les macrophages se distinguent principalement des granulocytes par leur grande taille et par un noyau unilobé. Outre la fonction de phagocytose, les macrophages sont mis en jeu dans la présentation des antigènes aux lymphocytes T, une fonction qu'ils partagent avec les cellules dendritiques et les cellules de Langerhans. Les macrophages sécrètent aussi de nombreuses substances directement ou indirectement reliées à la défense de l'organisme.

Récemment découvertes, les cellules NK et les cellules K sont deux groupes de cellules mises en jeu dans des réactions de cytotoxicité. Les premières participeraient à la défense antitumorale et protégeraient l'embryon contre les réactions de rejet causées par le système immunitaire maternel. Les secondes assureraient les réactions de cytotoxicité à médiation cellulaire dépendante des anticorps.

LECTURES SUGGÉRÉES

BACH, J.-F. « Le thymus ». *La recherche*, vol. 9, n° 90 (juin 1978), p. 536-543.

BACH, J.-F. *Immunologie*. Paris, Flammarion, Médecine-science, 1981, 942 p.

BENSUSSAN, A. et V. DAVID. « Le récepteur spécifique du lymphocyte T ». *Médecine sciences*, vol. 2, n° 6 (juin-juillet 1986), p. 296-297.

BLOOM, B. R. « L'immunité à médiation cellulaire ». *La recherche*, vol. 6, n° 55 (avril 1975), p. 336-343.

BOEHMER, H. von et P. KISILOW. « L'apprentisage du soi ». *Pour la science*, n° 170 (décembre 1991), p. 58-66.

CLAVERIE, J.-M. « Immunologie 1989 : la révolution peptidique ». *Médecine sciences*, vol. 6, n° 6 (juin 1990), p. 367-376.

DEGOS, L. et A. KAHN. « Lexique. Immunologie ». *Médecine sciences*, vol. 5, supplément au n° 1 (janvier 1989), 40 p.

FAUVE, R. « Les macrophages ». *La recherche*, vol. 6, n° 57 (juin 1975), p. 520-527.

FELDMANN, M. « Les cellules qui suppriment l'immunité ». *La recherche*, vol. 17, n° 177 (juin 1986), p. 692-699.

FOUGEREAU, M. « La reconnaissance immunitaire ». *La recherche*, supplément au n° 237 (novembre 1991), p. 4-10.

GOLDE, D. « Les cellules souches ». *Pour la science*, n° 172 (février 1992), p. 62-69.

GOLDSTEIN, P., BRUNET, J.-F. et F. DENISOT. « Les cellules T tueuses ». *La recherche*, vol. 19, n° 197 (mars 1988), p. 310-325.

GREY, H., SETTE, A. et S. BUUS. « Comment les lymphocytes T reconnaissent les antigènes ». *Pour la science*, n° 147 (janvier 1990), p. 52-62.

HOULD, R. *Histologie descriptive*. Montréal, Décarie, 1982, 303 p.

KLEIN, J. *Immunology. The Science of Self-nonself Discrimination*. New York, Wiley and Sons, 1982, 687 p.

KOURILSKY, P. et J.-M. CLAVERIE. « Le modèle du soi peptidique ». *Médecine sciences*, vol. 4, n° 3 (mars 1988), p. 177-183.

RABOURDIN-COMBES, C., BERTOLINO, P., CALIN-LAURENS, V. et D. GERLIER. « La présentation de l'antigène aux lymphocytes T ». *Médecine sciences*, vol. 7, n° 7 (septembre 1991), p. 674-680.

REGNAULT, J.-P. *Immunologie générale*. Montréal, Décarie, 1988, 469 p.

ROITT, Y., BROSTOFF, J. et D. MALE. *Immunologie fondamentale et appliquée*. Medsi, Paris, 1987, 352 p.

SCHMIDTT, B., DEZUTTER-DAMBUYRANT, C., STACQUET M. J. et J. THIVOLET. « La cellule de Langerhans ». *Médecine sciences*, vol. 5, n° 2 (février 1989), p. 103-111.

SMITH, K. « L'interleukine 2 ». *Pour la science*, n° 151 (mai 1990), p. 78-87.

TRUFFAT-BACCHI, P. « Comment les cellules coopèrent pour défendre l'organisme ». *La recherche*, vol. 17, n° 177 (mai 1986), 702-719.

YOUNG, J. et Z. COHN. « Les cellules tueuses ». *Pour la science*, n° 125 (mars 1988), p. 80-87.

chapitre **9**

antigènes

SOMMAIRE

9.1 INTRODUCTION

Dans le chapitre précédent, nous avons décrit les éléments constitutifs du système immunitaire. Il faut maintenant répondre à une question fondamentale : quelles substances, quels produits stimulent la réaction immunitaire, en particulier la réponse immunitaire spécifique assurée par les cellules lymphoïdes ?

Ces substances, ces produits portent le nom d'antigènes. Nous en donnerons une définition générale qui tient compte des développements récents de l'immunologie. Ensuite, nous préciserons les propriétés caractéristiques des antigènes et nous présenterons les différentes catégories d'antigènes. Nous décrirons plus en détail deux types d'antigènes naturels : les antigènes d'agresseurs microbiens et les antigènes cellulaires de l'organisme humain.

9.2 DÉFINITIONS

Au tout début de l'immunologie, on a donné le nom d'antigènes aux substances capables d'induire la production d'anticorps et de réagir spécifiquement avec eux. Cependant, avec le développement de l'immunologie et la découverte de nouveaux aspects des réactions immunitaires, cette première définition apparaît incomplète et ne rend pas vraiment compte de la réalité observée : les antigènes peuvent provoquer d'autres réponses que la production d'anticorps. Certaines réactions d'hypersensibilité, les réactions à médiation cellulaire ou la tolérance immunitaire sont des cas particuliers de réactions immunitaires où la stimulation antigénique n'induit pas la production d'anticorps.

9.2.1 ANTIGÈNES ET ANTIGÉNICITÉ

Tout composé chimique ou toute particule qui entraîne une réaction immunitaire à la suite de son introduction dans un organisme étranger est qualifié d'ANTIGÈNE. Cette réaction repose sur la participation des cellules lymphoïdes et aboutit à la production d'anticorps ou à la différenciation de cellules porteuses de récepteurs cellulaires, les uns et les autres étant spécifiques de l'antigène et possédant la propriété de se combiner avec lui.

Un antigène peut se présenter sous forme soluble ou particulaire. Les composés chimiques appartiennent au groupe des antigènes solubles; les cellules et les particules forment le groupe des antigènes particulaires.

L'antigénicité dépend d'un certain nombre de facteurs, en particulier du caractère étranger de la substance qui entre en contact avec l'individu. Par exemple, une molécule d'albumine humaine n'est pas antigénique pour un autre être humain. En revanche, cette même molécule humaine est antigénique pour le lapin, le cobaye ou la souris. Ces animaux produisent des anticorps anti-albumine humaine après avoir été immunisés à cette substance. Par ailleurs, l'inverse est tout aussi vrai : l'être humain produit des anticorps anti-albumine de lapin s'il entre en contact avec cette substance.

> **LES ANTIGÈNES SONT DES SUBSTANCES QUI STIMULENT LES CELLULES IMMUNOCOMPÉTENTES.**

9.2.2 HAPTÈNES

Le terme HAPTÈNE désigne les substances particulières qui réagissent avec les anticorps préformés mais qui sont incapables d'en induire la formation. Pour qu'ils puissent induire la formation d'anticorps, ils doivent être couplés à des molécules de plus grande taille que l'on nomme PORTEURS.

9.2.3 IMMUNOGÈNES

Après la découverte des haptènes, il fut proposé de qualifier d'immunogènes les substances capables de provoquer une réaction immunitaire. Ainsi, l'IMMUNOGÉNICITÉ correspond donc à l'induction d'une réaction immunitaire spécifique, tandis que l'antigénicité correspond à la capacité de réaction de l'antigène avec un anticorps correspondant. Dans ce sens, on dira que les antigènes sont immunogènes, tandis que les haptènes ne le sont pas. Le tableau 9.1 rappelle les définitions importantes.

9.3 POUVOIR IMMUNOGÈNE

Le pouvoir immunogène est un phénomène complexe qui ne peut être vraiment compris que sur le plan moléculaire, car il repose sur la présence de groupements moléculaires particuliers, appelés déterminants antigéniques. Par ailleurs, le pouvoir immunogène dépend de multiples facteurs, souvent interdépendants.

9.3.1 DÉTERMINANTS ANTIGÉNIQUES

Sur le plan moléculaire, le pouvoir immunogène repose sur la présence de DÉTERMINANTS ANTIGÉNIQUES. Ces déterminants, parfois qualifiés d'épitopes, sont des sites particuliers de la molécule d'antigène qui peuvent s'unir aux récepteurs des lymphocytes B et T. C'est aussi au niveau de ces déterminants que se fixent les anticorps. En d'autres termes, ces déterminants, plus ou moins nombreux, constituent la partie active de la molécule antigénique.

À titre d'exemple, prenons le système antigénique ABO des groupes sanguins, qui pemet d'illustrer ce concept et de préciser la notion de spécificité appliquée aux déterminants antigéniques (figure 9.1).

Tous les antigènes de surface du système ABO sont formés des mêmes chaînes polysaccharidiques : seul le dernier composé varie. Sur les globules rouges du groupe A, le composé terminal est la N-acétylgalactosamine, tandis que sur les globules rouges du groupe B ce composé terminal est le D-galactose. C'est ce composé terminal qui constitue le déterminant antigénique.

Les globules rouges du groupe AB portent les deux types de déterminants. Quant aux globules rouges du groupe O, ils ne portent ni l'un ni l'autre de ces déterminants. Ainsi, dans le système ABO, la spécificité antigénique porte sur la présence ou l'absence d'une molécule particulière à l'extrémité d'une chaîne commune de polysaccharides.

Tableau 9.1
Définitions.

Antigènes	Substances entraînant une réaction immunitaire reposant sur la participation de cellules lymphoïdes. Les anticorps formés ou les cellules différenciées à la suite de la stimulation antigénique sont spécifiques de l'antigène.
Haptènes	Catégorie de substances chimiques simples qui réagissent avec des anticorps préformés, mais qui sont incapables d'en induire la formation, à moins d'être couplées à un porteur.
Porteurs	Substances chimiques auxquelles se fixent les haptènes pour former un tout immunogène.
Immunogènes	Substances capables de provoquer une réponse immunitaire.

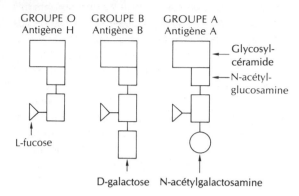

Figure 9.1
Concept de déterminant antigénique.

Un déterminant antigénique est un site particulier qui assure la spécificité de l'antigène. Dans le système ABO, la spécificité antigénique repose sur la présence d'une molécule particulière à l'extrémité d'une chaîne polysaccharidique commune.

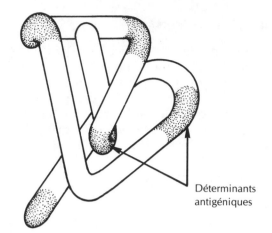

Figure 9.2
Localisation des déterminants antigéniques sur une protéine globulaire.

La figure 9.2 illustre aussi ce concept de déterminant antigénique et montre que, dans les protéines globulaires, ce sont de courtes séquences d'acides aminés, moins de six en général, qui constituent les déterminants antigéniques.

LA SPÉCIFICITÉ ANTIGÉNIQUE REPOSE SUR LA PRÉSENCE DE DÉTERMINANTS ANTIGÉNIQUES. CES DÉTERMINANTS SONT DES SITES PARTICULIERS QUI STIMULENT LES RÉCEPTEURS DES LYMPHOCYTES ET AU NIVEAU DESQUELS SE FIXENT LES ANTICORPS.

9.3.2 FACTEURS INFLUANT SUR LE POUVOIR IMMUNOGÈNE

Plusieurs facteurs influent sur le pouvoir immunogène d'une substance. Parmi les plus importants, nous retiendrons : l'origine étrangère, la nature chimique, la masse moléculaire, la voie d'administration et l'utilisation d'adjuvants.

ORIGINE ÉTRANGÈRE

De manière générale, un organisme ne réagit immunologiquement que contre des structures ou des substances d'origine étrangère. L'organisme sait reconnaître le soi du non-soi et, sauf exception, ne réagit pas contre ses propres structures.

Une substance peut être étrangère à l'hôte par sa structure chimique ou par son origine génétique éloignée. En règle générale, plus cette substance est étrangère et plus son pouvoir immunogène est élevé. Par exemple, chez l'Homme, l'ovalbumine (albumine de l'œuf) ou une protéine virale sont immunogènes, l'albumine humaine ne l'est pas.

MASSE MOLÉCULAIRE ÉLEVÉE

Pour être immunogène, une substance doit posséder une masse moléculaire minimale. L'immunogène typique possède une masse moléculaire comprise entre 10 000 et 100 000 daltons. Généralement, les molécules de très faible masse moléculaire, comme les acides aminés ou les sucres simples, sont dépourvues de pouvoir immunogène.

NATURE CHIMIQUE DES ANTIGÈNES

Les substances inorganiques ne stimulent pas les lymphocytes. L'absence de pouvoir immunogène ne peut être expliquée que par la faible masse moléculaire de ces substances, car de très gros cristaux, comme ceux qui forment les calculs rénaux, n'induisent pas de réponse immunitaire. On croit donc que les substances inorganiques ne peuvent se lier aux récepteurs des lymphocytes qui seraient spécialisés dans la reconnaissance des molécules organiques.

De tous les composés organiques, les protéines constituent les immunogènes les plus puissants. Les polyosides sont plus faiblement immunogènes, tandis que les lipides et les acides nucléiques ne le sont pas. Cependant, ces deux dernières catégories de composés peuvent se comporter comme des haptènes et provoquer une réponse immunitaire quand ils sont couplés avec des protéines qui agissent comme porteurs.

VOIE D'ADMINISTRATION

La voie d'administration est un facteur qui influe sur le pouvoir immunogène d'une substance donnée. La voie d'administration la plus efficace est la voie parentérale. Les immunisations sous-cutanée, intramusculaire, intraveineuse et intrapéritonéale déclenchent les réactions immunitaires les plus fortes si on les compare aux voies digestives ou respiratoires. Cela s'explique par le fait qu'après l'administration parentérale l'antigène se trouve très rapidement en contact avec les cellules immunocompétentes. À la suite d'une injection intraveineuse, c'est dans la rate que s'effectue principalement la réponse immunitaire, et la réponse sera principalement humorale : il y aura production d'anticorps. Quand l'introduction de l'antigène se fait par voie intramusculaire, sous-cutanée ou intrapéritonéale, la réponse immunitaire se déroule essentiellement dans les ganglions lymphatiques, et elle fait appel aux médiations cellulaire et humorale.

Signalons que certaines zones de l'organisme ne sont pas propices à l'introduction d'antigènes : l'introduction d'antigènes dans le tissu nerveux ou la chambre antérieure de l'œil ne provoque aucune réaction immunitaire. Il n'y a pas de réponse immunitaire car, passée la barrière hémato-méningée, pour le cerveau, la très faible vascularisation rend difficile le contact entre l'antigène et le système immunitaire. Ces cas particuliers sont d'un très grand intérêt sur le plan clinique, car ils permettent de greffer des tissus histo-incompatibles sans risque de rejet.

Mentionnons aussi le cas particulier de l'injection des spermatozoïdes d'un individu à l'intérieur de sa propre cavité péritonéale. Cette injection intrapéritonéale déclenche une réaction immunitaire dirigée contre des cellules qui, pourtant, font partie intégrante de l'organisme. Mais, comme le système immunitaire n'est jamais entré en contact avec les spermatozoïdes au cours de la vie embryonnaire[1] (les spermatozoïdes ne sont produits qu'après la puberté), ceux-ci ne sont pas reconnus comme appartenant au soi immunologique. Ils sont donc détruits.

UTILISATION D'ADJUVANTS

Un adjuvant est une substance qui amplifie la réaction immunitaire quand il est administré en même temps et au même point que l'antigène.

L'utilisation d'adjuvants permet d'amplifier et de prolonger le stimulus antigénique produit par les antigènes solubles dont l'élimination est généralement plus rapide que les antigènes particulaires.

De tels adjuvants injectés par voie intraveineuse, intramusculaire ou sous-cutanée provoquent une réaction plus intense et plus durable. On les utilise

---

1. C'est au cours de cette période que le système immunitaire apprend à distinguer le soi du non-soi.

expérimentalement soit pour augmenter la production d'anticorps, soit pour favoriser le développement de réactions d'hypersensibilité retardée. On les emploie aussi dans les vaccinations. L'utilisation d'adjuvants à effet immunostimulant pourrait aussi se révéler bénéfique dans le traitement de certains cancers.

Les substances utilisées comme adjuvants sont principalement :

– des sels minéraux insolubles, comme l'alun de potassium et les hydrates d'alumine;
– des substances tensio-actives, comme la lanoline et les sels d'ammonium quaternaire;
– des extraits microbiens et des endotoxines;
– des microorganismes entiers tels que mycobactéries, corynébactéries, etc.;
– des substances huileuses.

Le tableau 9.2 présente d'autres facteurs influant sur l'immunogénicité.

> **LE POUVOIR IMMUNOGÈNE EST UN PHÉNOMÈNE COMPLEXE QUI DÉPEND DE MULTIPLES FACTEURS.**
> **EN PLUS DE POSSÉDER DES DÉTERMINANTS ANTIGÉNIQUES, UNE SUBSTANCE DOIT AVANT TOUT ÊTRE D'ORIGINE ÉTRANGÈRE ET DE MASSE MOLÉCULAIRE ÉLEVÉE.**

9.4 SPÉCIFICITÉ ANTIGÉNIQUE

La reconnaissance de l'antigène par l'anticorps est généralement très stricte. C'est pourquoi on parle de spécificité antigénique; l'anticorps ne se lie qu'à l'antigène qui en a induit la formation. C'est aussi pourquoi une telle réaction immunitaire est qualifiée de réaction immunitaire spécifique. On peut illustrer ce concept de spécificité antigénique par l'image de la clé et de la serrure :

Tableau 9.2
Principaux facteurs influant sur l'immunogénicité.

FACTEURS	REMARQUES
Origine étrangère	L'organisme réagit contre des structures ou des substances qu'il ne possède pas.
Nature chimique	Les protéines sont les immunogènes les plus puissants.
Masse moléculaire	Plus la masse moléculaire est élevée, plus la substance est immunogène. Masse moléculaire minimale : 10 000 daltons.
Complexité chimique	Plus la substance est chimiquement complexe et plus le nombre de déterminants antigéniques est élevé.
Voies d'administration	Les voies parentérales sont les plus efficaces.
Doses d'antigènes utilisées	Une dose minimale est nécessaire; la réaction est proportionnelle à la quantité d'antigène, jusqu'à un seuil maximal.
Utilisation d'adjuvants	Les adjuvants exercent un effet stimulant.
Facteurs génétiques	La force de la réponse immunitaire est génétiquement contrôlée : elle peut varier selon les individus.

il n'existe qu'une seule clé complémentaire d'une serrure donnée.

Théoriquement, cette spécificité implique que chaque déterminant antigénique sur la molécule d'antigène réagit avec un anticorps qui lui est complémentaire (figure 9.3).

> **LA SPÉCIFICITÉ DÉSIGNE LA PROPRIÉTÉ D'UN ANTIGÈNE DONNÉ DE NE RÉAGIR QU'AVEC UN ANTICORPS QUI LUI EST COMPLÉMENTAIRE.**

SPÉCIFICITÉ D'ESPÈCES

La notion de spécificité antigénique peut être appliquée aux organismes d'espèces différentes. En effet, il existe des antigènes spécifiques d'espèces que l'on ne rencontre que chez les membres d'une espèce donnée. Cette propriété repose sur la présence de protéines particulières spécifiques à cette espèce.

Cette constatation a conduit à distinguer trois catégories d'antigènes spécifiques selon leur répartition dans les espèces : les XÉNO-ANTIGÈNES, les ALLO-ANTIGÈNES et les AUTO-ANTIGÈNES. Le tableau 9.3 donne la définition de ces trois catégories d'antigènes.

XÉNO-ANTIGÈNES

Les xéno-antigènes sont présents chez les individus de plusieurs espèces distinctes. C'est le cas de l'antigène de Forssman que l'on trouve sur les globules de plusieurs espèces animales (cheval, mouton, chien, cobaye), sur les globules de l'Homme (groupes A_1 et A_2), sur les cellules du rein de cobayes et chez certains microorganismes. Ces antigènes reproduits par coïncidence chez des organismes très différents portent aussi le nom

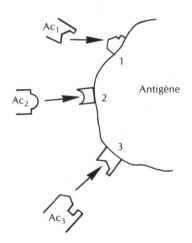

Figure 9.3
Représentation schématique de la spécificité antigénique.
Chaque déterminant antigénique, 1, 2, 3, etc., réagit avec un anticorps qui lui est complémentaire.

Tableau 9.3
Définition des différentes catégories d'antigènes naturels selon leur répartition dans les espèces.

CATÉGORIES	DÉFINITION
Xéno-antigènes	Présents chez les individus de plusieurs espèces différentes
	Exemple : antigène de Forssman
Allo-antigènes	Présents chez les individus de la même espèce, mais ces individus sont génétiquement différents
	Exemple : antigènes des groupes sanguins
Auto-antigènes	Présents dans les cellules d'un individu immunisé contre certaines de ses structures cellulaires ou tissulaires
	Exemple : antigènes reliés aux maladies auto-immunes

d'antigènes hétérophiles ou d'antigènes ubiqui-
taires.

ALLO-ANTIGÈNES

Le terme allo-antigène désigne des antigènes
provenant d'individus de la même espèce mais
génétiquement différents. Le préfixe *allo* signifie
étranger. Les antigènes des groupes sanguins
ABO, les antigènes d'histocompatibilité, les antigènes de différenciation des lymphocytes sont
des exemples d'allo-antigènes. Généralement,
ces allo-antigènes induisent une réaction immunitaire chez l'individu chez qui ils ont été introduits.

Dans le vocabulaire de l'immunologie moderne,
on a utilisé le préfixe *allo* pour créer de nouveaux
termes comme allo-immunisation ou allogreffes.
Le terme d'allo-immunisation désigne une réaction immunitaire engendrée par des allo-antigènes
et celui d'allogreffe désigne un tissu ou un organe
provenant d'un autre individu de la même espèce. Ces deux termes s'opposent respectivement à
ceux d'auto-immunité et d'autogreffes dont le
préfixe *auto*, qui signifie *soi*, indique que l'antigène
ou le tissu greffé provient de l'individu lui-même.
Nous insisterons surtout sur les allo-antigènes et
les auto-antigènes en raison de l'importance des
réactions immunitaires qu'ils déclenchent. Ce
sont des allo-antigènes qui sont responsables des
accidents transfusionnels et des réactions de rejet
des greffes. Quant aux auto-antigènes, ils sont à
l'origine de diverses pathologies mal connues
causées par la production d'anticorps dirigés
contre certaines structures de l'organisme mais
identifiées au non-soi par le système immunitaire.

AUTO-ANTIGÈNES

Les auto-antigènes sont présents dans les cellules
mêmes de l'individu immunisé et sont reliés aux
maladies auto-immunes. C'est contre de tels antigènes qu'est dirigée la réponse immunitaire observée lors de ce type d'affections.

9.5 PRINCIPALES CATÉGORIES D'ANTIGÈNES NATURELS

Il existe dans les milieux naturels une infinité
d'antigènes. Nous nous limiterons à l'étude des
antigènes bactériens et viraux, des antigènes des
parasites et des antigènes cellulaires. Dans cette
dernière catégorie, nous ne nous attarderons
qu'aux antigènes des groupes sanguins ABO et
Rhésus ainsi qu'aux antigènes d'histocompatibilité.

9.5.1 ANTIGÈNES DES BACTÉRIES

De nombreuses structures bactériennes possèdent un pouvoir antigénique. Parmi ces structures, on trouve surtout des éléments superficiels
comme la paroi, la capsule, les flagelles ainsi que
divers composés chimiques comme les enzymes
ou les toxines. Ces produits du métabolisme sont
excrétés au cours de la vie des bactéries ou au
moment de la lyse cellulaire qui suit leur mort. Le
tableau 9.4 établit la liste des structures et des
produits bactériens doués de propriétés antigéniques.

> **LA CAPSULE, LA PAROI, LES FLAGELLES,
> LES TOXINES ET CERTAINES ENZYMES
> CONSTITUENT DE PUISSANTS ANTI-
> GÈNES BACTÉRIENS.**

9.5.2 ANTIGÈNES DES VIRUS

Tous les éléments des virus possèdent, à des
degrés divers, un pouvoir antigénique. Mais de
tous les éléments constituant les virions, soit
l'acide nucléique, les glycoprotéines de l'enveloppe et la capside, ce sont les protéines de la
capside qui sont les plus immunogènes. Plus
généralement, on distingue chez les virus trois
catégories d'antigènes (tableau 9.5).

Tableau 9.4
Structures et produits bactériens doués de pouvoir antigénique.

STRUCTURES	REMARQUES
Capsule	La capsule exerce un pouvoir immunogène puissant. Les antigènes capsulaires sont de nature polysaccharidique. Exemple : *Streptococcus pneumoniæ, Klebsiella pneumoniæ, Streptococcus pyogenes, Escherichia coli, Hæmophilus influenzæ*.
Paroi des bactéries Gram positif	Chez les bactéries Gram positif, quatre composants possèdent un pouvoir antigénique : le mucopeptide, les protéines de la paroi[1], les polysaccharides et les acides teichoïques.
Paroi des bactéries Gram négatif	L'antigène majeur de la paroi des bactéries Gram négatif est formé par le complexe lipopolysaccharidique (LPS). Ce complexe est aussi appelé antigène O ou antigène somatique.
Flagelles	Les flagelles sont constitués de filaments de protéines. Ils sont fortement antigéniques et portent le nom d'antigènes H.
Antigènes Vi	Les antigènes Vi sont des polysaccharides de la surface, mais ils ne font partie ni de la paroi ni de la capsule. Ils sont présents chez certaines bactéries Gram négatif (comme *Salmonella*).
Métabolites antigéniques	Ce groupe d'antigènes contient de nombreuses substances, notamment les exotoxines (diphtérique, tétanique, streptococcique, botulique, etc.). Il comprend aussi les cytolysines.

1. Dont la protéine M isolée de la paroi de *Streptococcus pyogenes*.

Parmi les antigènes viraux, on distingue habituellement :

– Les antigènes corpusculaires, que représentent les unités virales intactes, capside et acide nucléique.
– Les antigènes solubles, qui correspondent à des fragments de la particule virale.
– Les antigènes hémagglutinants, qui sont des constituants présents à la surface de certains virions. Ces antigènes ont la propriété de se fixer sur certains récepteurs de surface des hématies et d'en provoquer l'agglutination.

Très souvent, les neuraminidases présentes chez certains groupes de virus sont associées aux antigènes hémagglutinants. Ces enzymes, qui interviennent dans le processus de sortie de la cellule où le virus s'est reproduit, sont fortement antigéniques.

Tableau 9.5
Principales catégories d'antigènes viraux.

CATÉGORIES	PROPRIÉTÉS ET REMARQUES
Antigènes corpusculaires	Constitués par les particules virales entières, intactes, formées de la capside, des spicules et de l'acide nucléique.
Antigènes solubles	Correspondent à des fragments de la particule virale.
Antigènes hémagglutinants	Formés par les spicules des virus, les antigènes hémagglutinants se fixent sur certains récepteurs de surface des globules rouges et en provoquent l'agglutination.

Il est fréquent d'observer l'apparition de nouveaux déterminants antigéniques à la surface des cellules infectées par des virus. Ces antigènes de surface particuliers constituent un signal capable de déclencher une réponse immunitaire dirigée contre les cellules infectées afin de les détruire et de produire des anticorps neutralisant les virus.

De tels antigènes de surface sont généralement codés par le génome viral. Ils pourraient aussi apparaître à la suite de modifications du génome cellulaire provoquées par la présence du virus.

> **LES ANTIGÈNES CORPUSCULAIRES, LES ANTIGÈNES SOLUBLES ET LES ANTIGÈNES HÉMAGGLUTINANTS FORMENT LES TROIS CATÉGORIES D'ANTIGÈNES VIRAUX.**

9.5.3 ANTIGÈNES DES PROTOZOAIRES ET DES HELMINTHES

Sur le plan antigénique, les parasites présentent une très grande diversité. De nombreux constituants et métabolites fortement immunogènes forment une mosaïque antigénique extrêmement complexe. Pour certains parasites, on a distingué jusqu'à 60 substances antigéniques. Les unes sont hautement spécifiques, tandis que d'autres, communes à plusieurs espèces, révèlent des parentés antigéniques. On remarque aussi que l'on peut identifier, pour chaque espèce, des antigènes spécifiques des différents stades du cycle parasitaire.

On reconnaît généralement deux grands groupes d'antigènes chez les parasites : les antigènes somatiques et les antigènes métaboliques (tableau 9.6).

Les antigènes somatiques correspondent aux différents éléments constitutifs du parasite en contact direct avec les tissus de l'hôte, notamment la cuticule ou la membrane cytoplasmique.

Tableau 9.6
Antigènes des protozoaires et des helminthes.

CATÉGORIES	REMARQUES
Antigènes somatiques	Formés par les différents éléments constitutifs des parasites en contact direct avec les tissus de l'hôte, notamment la cuticule et la membrane cytoplasmique.
Antigènes métaboliques	Constitués par les produits de sécrétions glandulaires et digestives des parasites vivants.

Les antigènes métaboliques, beaucoup plus antigéniques, sont constitués par des produits de sécrétions glandulaires et digestives des parasites vivants. Ces antigènes solubles peuvent être détectés dans le sérum ou l'urine des personnes souffrant de ces parasitoses. C'est le cas avec *Plasmodium*, *Trypanosoma* ou *Trichinella*, agents respectifs du paludisme, de la trypanosomiase, ou maladie du sommeil, et de la trichinose, une parasitose intestinale.

9.5.4 ANTIGÈNES DES MYCÈTES

Certains composants de la paroi des végétaux et des mycètes sont immunogènes. Toutefois, on ignore si ce sont les polysaccharides seuls, comme la chitine, la cellulose, etc., qui possèdent ces propriétés antigéniques ou si des protéines leur sont associées.

9.6 ANTIGÈNES CELLULAIRES

Toutes les cellules des êtres vivants présentent sur leur membrane cytoplasmique des molécules qui se comportent comme des antigènes. Ces antigènes sont des marqueurs qui caractérisent l'individu qui les porte. La composition et la structure de ces molécules sont génétiquement déterminées. L'extrême variabilité des systèmes génétiques qui les contrôlent entraîne un si grand nombre de combinaisons qu'il est impossible, ou presque, que deux individus présentent les mêmes antigènes cellulaires, à l'exception des jumeaux homozygotes.

Les antigènes des groupes sanguins et les antigènes d'histocompatibilité forment les deux groupes les plus importants de ces antigènes cellulaires. Leur découverte, l'analyse de leurs propriétés, de leur structure moléculaire, de leur mode de fonctionnement et de transmission, même si elles sont encore très incomplètes, sont d'une importance primordiale. Grâce à ces connaissances, il est désormais possible d'entrevoir comment l'organisme procède pour maintenir son intégrité et pour régler ses relations avec l'environnement par la distinction du soi et du non-soi.

En fait, le contrôle de l'identité immunologique est génétiquement commandé et transmis selon les lois de la génétique. Plus précisément, un ensemble de gènes code les marqueurs de surface responsables du soi d'un organisme et contrôle le déroulement de nombreuses réactions immunologiques. Ces gènes portent le nom de gènes d'histocompatibilité, car ils ont été mis en évidence au cours de recherches portant sur le rejet et l'acceptation des greffes.

> TOUTES LES CELLULES PORTENT DES ANTIGÈNES D'HISTOCOMPATIBILITÉ. CES ANTIGÈNES CONSTITUENT DES MARQUEURS QUI CARACTÉRISENT LES INDIVIDUS QUI LES POSSÈDENT.

9.6.1 ANTIGÈNES DES GROUPES SANGUINS

Les antigènes des groupes sanguins sont des allo-antigènes. Par définition, ce sont des antigènes qui, au sein d'une espèce donnée, sont présents chez certains individus et absents chez d'autres. Les antigènes des systèmes ABO et Rhésus ont été les premiers découverts, mais on en connaît plusieurs autres aujourd'hui comme les systèmes Kelly, Duffy, Kidd et MNSs. Nous ne décrirons ici que le système ABO.

Le système ABO a été découvert par Landsteiner en 1900 à la suite de l'observation de réactions d'agglutination entre sérums et globules rouges provenant d'individus différents. De ces expériences, Landsteiner a déduit la présence de deux antigènes érythrocytaires A et B, et l'existence, dans le sérum, de deux anticorps agglutinants, les agglutinines anti-A et anti-B. Par la suite, on a établi l'existence de quatre groupes sanguins : A, B, O, et AB. Le tableau 9.7 indique les caractéristiques des groupes sanguins du système ABO.

PHÉNOTYPES ET GÉNOTYPES ABO

Le tableau 9.8 représente les différents phénotypes et génotypes déterminés par le système ABO. Les phénotypes se réfèrent au caractère tel qu'il se manifeste. Dans ce cas, le phénotype correspond à la présence ou à l'absence d'antigènes A, B ou AB portés à la surface de la membrane des globules rouges et révélés par les anticorps anti-A ou anti-B. Les génotypes correspondent aux gènes ou aux combinaisons de gènes que porte cet individu.

Tableau 9.7
Caractéristiques des groupes sanguins du système ABO.

GROUPES	CARACTÉRISTIQUES
Groupe A	Antigène A Agglutinine anti-B
Groupe B	Antigène B Agglutinine anti-A
Groupe O	Agglutinines anti-A et anti-B
Groupe AB	Antigènes A et B

PHÉNOTYPES	GÉNOTYPES	ANTIGÈNES	ANTICORPS SÉRIQUES
A	AA ou AO	A	Anti-B
B	BB ou BO	B	Anti-A
AB	AB	AB	Aucun
O	OO	Aucun	Anti-A
			Anti-B

On peut voir dans ce tableau que les phénotypes A et B correspondent à plusieurs génotypes. Rappelons que A et B dominent O. Donc le phénotype A peut correspondre aux génotypes AA ou AO, et le phénotype B aux génotypes BB ou BO. Selon les allèles transmis par les parents, l'individu peut être homozygote (AA, BB) ou hétérozygote (AO, BO). Seule l'étude familiale permet d'établir le génotype. Il n'existe qu'un seul génotype pour le phénotype O, car il est nécessairement homozygote pour être exprimé. Il en va de même pour le phénotype AB qui est nécessairement hétérozygote. La figure 9.4 illustre un exemple de transmission héréditaire des antigènes du système ABO.

LOCALISATION

Les antigènes A, B et O sont présents sur les globules rouges correspondants[1]. On les rencontre aussi sur de nombreuses surfaces cellulaires et, en particulier, sur les plaquettes, sur les globules blancs, sur les cellules épithéliales, sur les cellules épidermiques et sur les spermatozoïdes.

On les trouve également dans certains produits de sécrétion des glandes exocrines, notamment la salive.

COMPATIBILITÉ TRANSFUSIONNELLE

La présence d'antigènes spécifiques des groupes sanguins ABO et Rh est à l'origine d'un certain nombre d'accidents transfusionnels. Rares aujourd'hui, ces accidents survenaient fréquem-

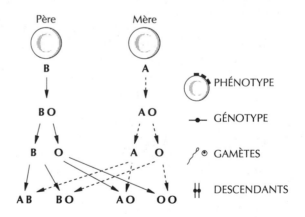

Figure 9.4
Transmission héréditaire des antigènes des groupes sanguins ABO.

Au cours de la formation des gamètes, les gènes allèles sont séparés. Les spermatozoïdes sont B ou O, les ovules sont A ou O. Au moment de la fécondation, une des quatre recombinaisons s'effectuera au hasard : AB, BO, AO ou OO.

---

1. À proprement parler, il n'y a pas d'antigène O. La structure moléculaire correspondant au groupe sanguin O est codée par un autre gène, le gène H. La protéine qu'il code se trouve à la surface des hématies de tous les groupes. Cette protéine est aussi le précurseur des antigènes A et B.

ment avant la découverte et le typage des groupes sanguins, ce qui limitait considérablement l'usage de la transfusion sanguine.

Ces accidents transfusionnels sont liés à des incompatibilités érythrocytaires provoquées par la présence d'agglutinines anti-A et anti-B. Ils se traduisent chez le receveur par une réaction antigène-anticorps au cours de laquelle les globules rouges sont agglutinés et hémolysés. Cette réaction hémolytique nécessite un taux relativement élevé d'anticorps dirigés contre les globules rouges du donneur pour entraîner la destruction d'un nombre significatif de globules rouges. C'est pourquoi, lors d'une transfusion sanguine, on se préoccupe plus des agglutinogènes des globules rouges du donneur que des agglutinines contenues dans le sérum du receveur.

Pour éviter de tels accidents, il est essentiel de déterminer la compatibilité transfusionnelle du receveur et du donneur. Il est toujours préférable d'effectuer une transfusion isogroupe, c'est-à-dire une transfusion où donneur et receveur sont du même groupe. On diminue ainsi le risque de sensibiliser le receveur à un antigène étranger. Si la transfusion isogroupe n'est pas possible, il faut s'assurer que les groupes sanguins sont compatibles.

La figure 9.5 illustre les différentes réactions observées quand les globules rouges du donneur sont mises en présence du sérum du receveur et permet de déterminer les compatibilités transfusionnelles. On constate que les globules rouges du groupe O peuvent être transfusés aux groupes A, B, AB et O : dépourvus d'antigènes, ils ne peuvent être détruits par les anticorps du receveur. C'est pourquoi le groupe O est qualifié de donneur universel. À l'opposé, le groupe AB peut recevoir du sang de groupe A, B, O et AB puisqu'il ne possède aucun des anticorps du système ABO. Le groupe AB est donc receveur universel.

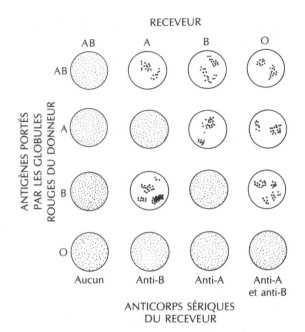

Figure 9.5
Détermination des compatibilités transfusionnelles du système ABO.

Une réaction positive traduit l'agglutination des globules rouges du donneur par les anticorps du receveur. Le groupe O, dépourvu d'antigène, est le donneur universel; le groupe AB, dépourvu d'anticorps, est le receveur universel.

> **LES ANTIGÈNES DES GROUPES SANGUINS SONT DES ALLO-ANTIGÈNES. LEUR PRÉSENCE EST À L'ORIGINE D'UN CERTAIN NOMBRE D'ACCIDENTS TRANSFUSIONNELS LIÉS À DES INCOMPATIBILITÉS ANTIGÉNIQUES ENTRE DONNEURS ET RECEVEURS.**

9.6.2 ANTIGÈNES D'HISTOCOMPATIBILITÉ

Les antigènes d'histocompatibilité sont des allo-antigènes présents à la surface de toutes les cellules nucléées. Ils portent aussi le nom d'antigènes tissulaires. Ces antigènes, spécifiques à chaque individu, sont génétiquement codés et forment une véritable carte d'identité biologique. Ils sont notamment à l'origine du rejet des ALLOGREFFES : le système immunitaire de l'individu qui a subi la greffe reconnaît comme étrangers les antigènes tissulaires du greffon. Il s'ensuit une réaction de rejet à l'issue de laquelle le greffon est détruit.

La présence des antigènes d'histocompatibilité à la surface des cellules est génétiquement contrôlée par le complexe majeur d'histocompatibilité. Localisé sur le chromosome 6 chez l'Homme, le complexe majeur d'histocompatibilité est aussi appelé complexe ou système HLA (*Human Leukocytes Antigens*). Il est ainsi dénommé pour avoir été tout d'abord découvert sur les globules blancs[1].

Les gènes du COMPLEXE MAJEUR D'HISTOCOMPATIBILITÉ accomplissent des fonctions diverses parmi lesquelles on peut retenir :

– le contrôle de l'intensité de la réponse immunitaire, ce qui expliquerait que certains sujets présentent une réaction immunitaire forte, alors que d'autres n'ont qu'une réponse faible;

– le contrôle de l'expression des antigènes d'histocompatibilité;

– la réaction lymphocytaire mixte;

– la cytolyse à médiation cellulaire;

– les interactions cellulaires entre les macrophages et les lymphocytes T, et les lymphocytes T et B.

Les gènes du complexe majeur d'histocompatibilité ont été regroupés en trois classes :

– Les gènes de classe I, qui codent les antigènes HLA-A, HLA-B et HLA-C des cellules. Ces antigènes, qualifiés d'ANTIGÈNES DE CLASSE I,

interviennent dans le rejet des greffes; ils constituent aussi la cible des lymphocytes T cytotoxiques.

– Les gènes de classe II, qui codent les ANTIGÈNES DE CLASSE II, HLA-D et HLA-DR des cellules. Ces antigènes participent à la reconnaissance du non-soi et à la coopération cellulaire (notamment entre les macrophages et les lymphocytes T régulateurs).

– Les gènes de classe III, qui contrôlent la synthèse de certains composants du complément.

LES CELLULES NUCLÉÉES PORTENT DES ANTIGÈNES D'HISTOCOMPATIBILITÉ. CES ANTIGÈNES SONT CODÉS PAR LES GÈNES DU COMPLEXE MAJEUR D'HISTOCOMPATIBILITÉ.
LES ANTIGÈNES D'HISTOCOMPATIBILITÉ INTERVIENNENT DANS DE NOMBREUX PHÉNOMÈNES CELLULAIRES DE L'IMMUNITÉ.

FONCTIONS DES ANTIGÈNES D'HISTOCOMPATIBILITÉ

Les antigènes de classe I, HLA-A, HLA-B et HLA-C sont ceux qui sont reconnus au cours de réactions de rejet des greffes. Ils sont aussi mis en jeu dans les réactions médiées par les lymphocytes T cytotoxiques dont ils constituent la cible, et dans la reconnaissance et la destruction des cellules infectées par les virus. On se rappelle, en effet, que les lymphocytes T ne reconnaissent les antigènes exprimés à la surface des cellules que s'ils sont présentés en conjonction avec ces antigènes de classe I.

Les antigènes de classe II, c'est-à-dire les antigènes HLA-D et HLA-DR, semblent intervenir dans la reconnaissance du non-soi et dans la coopération cellulaire. On observe, en effet, que la reconnaissance par l'organisme d'antigènes HLA-D

---

1. On emploiera donc indistinctement ces deux expressions.

différents déclenche l'activité et la prolifération des lymphocytes T amplificateurs. Les antigènes HLA-D jouent aussi un rôle déterminant dans le déroulement des réactions lymphocytaires mixtes.

Quant aux antigènes HLA-DR, ils constituent des structures qui pourraient servir de moyens de reconnaissance utilisés par différents groupes de cellules immunitaires. Ils interviennent aussi dans les phénomènes de coopération cellulaire. On a aussi montré que les antigènes HLA-DR sont indispensables au moment de la présentation d'un antigène par les macrophages aux lympho-cytes T. Par ailleurs, ces antigènes que l'on trouve aussi sur les lymphocytes B interviennent dans la coopération cellulaire T-B.

SYSTÈMES HLA ET TRANSPLANTATIONS

La présence des antigènes HLA est à l'origine du rejet des greffes d'organes. Le principe est le même que lors des transfusions sanguines : la présence d'allo-antigènes entraîne une réaction immunitaire responsable du rejet du greffon. Dans le domaine des transplantations, il est donc essentiel de respecter les règles de compatibilité. On tente plutôt d'obtenir une compatibilité maxi-male, car il est établi que la survie du greffon est proportionnelle au degré de compatibilité des an-tigènes HLA donneur-receveur.

Les greffes de rein, qui constituent maintenant une pratique courante, ont fait l'objet d'études statistiques qui permettent d'attester le rôle pri-mordial de la compatibilité HLA dans le temps de survie du greffon (figure 9.6).

Ainsi, le temps de survie dépasse cinq ans dans 80 % des cas de greffes entre jumeaux homo-zygotes; il est de 65 % quand on respecte les compatibilités entre enfants d'une même famille ou parent-enfant; il n'est que de 35 % quand les gènes HLA ne sont pas apparentés.

Avant de procéder à une transplantation, on vérifie en premier lieu la compatibilité ABO qui

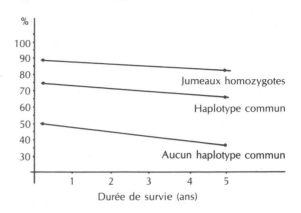

Figure 9.6
Influence de la compatibilité HLA sur la survie d'une greffe de rein.

constitue une bonne indication. On s'assure aussi que le receveur n'est pas immunisé au préalable contre les antigènes HLA du donneur. Par ailleurs, on observe qu'une transfusion sanguine effec-tuée plusieurs semaines avant la transplantation favorise la survie du greffon. On peut aussi limiter l'importance de la réaction immunitaire en ins-taurant un traitement immunosuppresseur. La découverte d'immunosuppresseurs peu toxiques, comme la ciclosporine, a donné un essor prodi-gieux aux programmes de transplantation. Les transplantations de cœur, de cœur-poumons, de foie, de moelle osseuse, voire de pancréas, sont aujourd'hui des interventions courantes qui of-frent un taux de survie acceptable.

SYSTÈME HLA ET MALADIES

Il existe une relation entre les groupes HLA et certaines maladies pour lesquelles aucun mécanisme physiopathologique n'a été confirmé mais qui, dans la majorité des cas, sont associées à des anomalies immunitaires. On ne peut parler de transmission strictement héréditaire, sauf exception, mais il existe souvent un terrain familial qui traduit une disposition à un tel genre d'affection.

Pour certaines maladies, on a identifié des marqueurs qu'on rencontre à une fréquence significative. Par exemple, le gène HLA-B_{27} est retrouvé chez 80 à 90 % des gens atteints de spondylarthrite ankylosante par rapport à 10 % des individus qui ne souffrent pas de cette affection.

Certaines infections bactériennes pourraient être liées à des antigènes HLA particuliers. Par ailleurs, on a rapporté une corrélation entre la production d'anticorps particuliers (IgE) dans le rhume des foins causé par l'herbe aux poux et la présence de l'antigène HLA-B_{27}. Cette dernière observation attend toutefois d'être confirmée.

9.7 RÉSUMÉ

Un antigène est une substance qui, lorsqu'elle est introduite dans un organisme, entraîne une réaction immunitaire. Cette réaction repose sur l'intervention des cellules lymphoïdes. Elle conduit à la production d'anticorps ou à la différenciation de cellules portant des récepteurs cellulaires, les uns et les autres étant spécifiques de l'antigène et possédant la propriété de se combiner avec lui.

Sont définies comme haptènes des substances chimiques simples, de faible masse moléculaire, qui réagissent avec des anticorps préformés mais qui sont incapables d'en induire la formation.

L'immunogénicité correspond à la capacité de réaction de l'antigène avec un anticorps correspondant. Le pouvoir immunogène est un phénomène complexe qui dépend de multiples facteurs. Il dépend d'abord de la présence de déterminants antigéniques. Ces déterminants sont des sites particuliers de la molécule d'antigène au niveau desquels se fixent les anticorps; ils constituent la partie antigénique de la molécule. Pour être immunogène, une substance doit aussi être étrangère à l'organisme, de masse moléculaire élevée et de composition chimique particulière.

Selon leur origine, on distingue les antigènes naturels, rencontrés dans la nature, les antigènes artificiels, obtenus par modification chimique, et les antigènes synthétiques, fabriqués de toutes pièces. Selon leur distribution au sein des espèces, les antigènes naturels se répartissent en xéno-antigènes, présents chez plusieurs espèces distinctes, en allo-antigènes, que l'on rencontre chez plusieurs individus de la même espèce, et les auto-antigènes qui appartiennent à un individu donné.

Selon la nature des réactions immunitaires qu'ils induisent, on distingue les antigènes thymodépendants des antigènes thymoindépendants. Les premiers impliquent la participation des lymphocytes T dans la production d'anticorps, alors que les seconds n'impliquent que la participation des lymphocytes B.

Chez les bactéries, les virus, les parasites et les mycètes, de nombreuses structures possèdent un pouvoir antigénique. Chez les bactéries, on trouve notamment la capsule, les flagelles, la paroi et de nombreux métabolites, parmi lesquels on distingue les exotoxines. Chez les virus, les protéines de la capside constituent des antigènes de première importance. À cette première catégorie s'ajoutent les antigènes hémagglutinants et les neuraminidases. Chez les parasites, de nombreux constituants et métabolites sont fortement immunogènes.

Toutes les cellules des êtres vivants portent à leur surface des marqueurs qui caractérisent les individus qui les possèdent. Ces structures cellulaires, dont font partie les antigènes de groupes sanguins, et les antigènes d'histocompatibilité sont génétiquement déterminées. Les antigènes d'histocompatibilité sont codés par le système HLA. Les gènes du système HLA ont été regroupés en trois classes. Les gènes de classe I, HLA-A, HLA-B et HLA-C, sont mis en jeu dans le rejet des greffes et sont la cibles des lymphocytes cytotoxiques. Les gènes de classe II, HLA-D et HLA-DR participent à la reconnaissance du soi et à la coopération cellulaire. Les gènes de classe III contrôlent la synthèse de certains composants du complément.

La présence des antigènes HLA est responsable du rejet des greffes d'organes : les antigènes différents portés par le greffon entraînent une réaction immunitaire qui élimine les tissus apparentés au non-soi. Il faut rechercher une compatibilité maximale, car il est maintenant établi que la survie du greffon est proportionnelle à la compatibilité des antigènes HLA du donneur et du receveur.

Par ailleurs, il existe une relation entre les groupes HLA et certaines maladies. Des marqueurs ont été identifiés : l'allèle HLA-B_{27} est retrouvé dans 80-90 % des cas chez les sujets atteints de spondylarthrite ankylosante.

LECTURES SUGGÉRÉES

ARNON, R. et M. SELA. « Les antigènes et les vaccins synthétiques ». *La recherche*, vol. 14, n° 142 (mai 1983), p. 349-358.

BACH, J.-F. *Immunologie*. Paris, Flammarion, Médecine-science, 1981, 942 p.

CUNNINGHAM, B. A. « Structure et fonction des gènes d'histocompatibilité ». *Pour la science*, n° 2 (décembre 1977), p. 106-117.

DEGOS, L. et A. KAHN. « Lexique. Immunologie ». *Médecine sciences*, vol. 5, supplément au n° 1 (janvier 1989), 40 p.

KLEIN, J. « Les gènes de la résistance aux maladies ». *La recherche*, vol. 11, n° 109 (mars 1980), p. 294-304.

KLEIN, J. *Immunology. The Science of Self-nonself Discrimination*. New York, Wiley and Sons, 1982, 687 p.

LAFONTAINE, M. et S. Lebrun. *Immuno-hématologie*. Montréal, Décarie, 1985, 378 p.

REGNAULT, J.-P. *Immunologie générale*. Montréal, Décarie, 1988, 469 p.

ROITT, Y., BROSTOFF, J. et D. MALE. *Immunologie fondamentale et appliquée*. Medsi, Paris, 1987, 352 p.

STITES, D. P., STOBO, I. D. et H. H. FUDENBERG. *Basic and Clinical Immunology*. 5e éd., Los Altos, Lange Medical Publications, 1984, 803 p.

chapitre **10**

anticorps et complément

10.1 INTRODUCTION

L'injection d'un antigène est généralement suivie d'une réponse immunitaire qui a pour effet d'assurer l'élimination de cet antigène. Comme nous l'avons vu au chapitre 1, cette réponse peut être à médiation cellulaire ou à médiation humorale; elle peut aussi être spécifique ou non spécifique à cet antigène.

Anticorps et complément sont les éléments de la réponse humorale. La réponse humorale spécifique repose sur les anticorps, spécialement adaptée à l'antigène, tandis que le complément intervient dans la réponse humorale non spécifique. Par ses multiples activités, ce dernier participe directement ou indirectement à l'élimination de l'agresseur.

Dans ce chapitre, nous décrirons la structure des anticorps en gardant présente à l'esprit la nature spécifique des réactions qui réunissent les anticorps aux antigènes. Nous préciserons aussi les propriétés biologiques et les fonctions effectrices assurées par les différentes classes d'anticorps. Ensuite, nous étudierons le complément afin de réaliser l'importance de son rôle dans la lutte anti-infectieuse et dans le maintien de l'intégrité de l'organisme.

10.2 ANTICORPS

Les ANTICORPS sont des protéines plasmatiques synthétisées par des plasmocytes en réponse à une substance antigénique. Ils ont pour fonction de se combiner avec cette substance de manière à la neutraliser.

Ces protéines sont des globulines, c'est-à-dire des protéines globulaires, appelées les gammaglobulines. Elles constituent un des quatre groupes de protéines sériques, les trois autres étant respectivement les albumines, les globulines alpha et les globulines bêta (figure 10.1). C'est donc en référence à leur composition chimique et à leurs fonctions immunitaires que les anticorps sont le plus souvent qualifiés de gammaglobulines ou d'IMMUNOGLOBULINES, en abrégé Ig. C'est d'ailleurs par ce dernier terme que nous les appellerons le plus souvent.

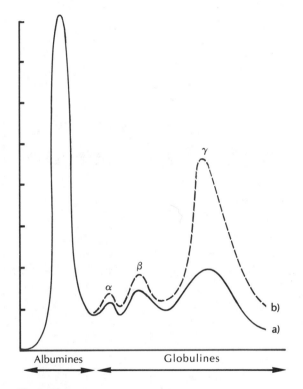

Figure 10.1
Protéines sériques et gammaglobulines.

a) Sérum normal.

b) Sérum d'un sujet immunisé.

Un sérum soumis à l'électrophorèse dans un champ électrique permet de séparer les protéines en quatre groupes : les albumines (60 %), les globulines α (12 %), les globulines β (12 %) et les globulines γ ou gammaglobulines (16 %). Les fonctions anticorps sont principalement assurées par les gammaglobulines. La courbe a représente l'électrophorèse d'un sérum normal, la courbe b celle d'un sérum d'un sujet immunisé. On note une augmentation importante des gammaglobulines.

10.2.1 STRUCTURE DES IMMUNOGLOBULINES

Toutes les immunoglobulines présentent la même structure fondamentale : chaque molécule est formée de quatre chaînes polypeptidiques identiques deux à deux, reliées par des ponts disulfures et formant deux sites anticorps semblables. Comme l'illustre la figure 10.2, une molécule d'immunoglobuline contient deux types de chaînes polypeptidiques : les chaînes lourdes, contenant 450 acides aminés, et les chaînes légères, contenant 212 acides aminés. Chaînes lourdes et chaînes légères sont réunies par plusieurs ponts disulfures.

Les deux extrémités d'une molécule d'immunoglobuline sont différentes sur le plan structural comme sur le plan fonctionnel. L'extrémité qui n'est formée que de deux chaînes lourdes, et qui porte le nom de fragment Fc (« c » pour cristallisable), est responsable des différentes fonctions effectrices; l'autre extrémité est caractérisée par la présence d'une chaîne lourde et d'une chaîne légère. C'est au niveau de cette extrémité, nommée fragment Fab (*antigen binding*), que se trouve le site anticorps, c'est-à-dire la zone de la molécule au niveau de laquelle l'antigène se fixe. Ainsi, une molécule d'immunoglobuline porte deux sites anticorps identiques.

Des études plus fouillées ont montré qu'il existait en fait cinq types de chaînes lourdes respectivement appelées gamma (γ), alpha (α), mu (μ), delta (δ) et epsilon (ϵ). Chacun de ces types de

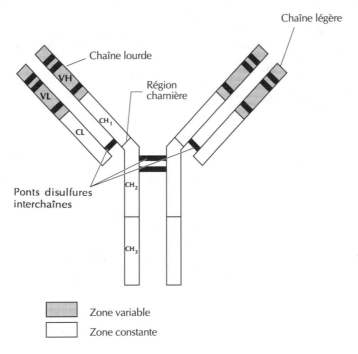

Figure 10.2
Structure générale d'une immunoglobuline.

Une immunoglobuline est constituée par la réunion de quatre chaînes polypeptidiques identiques deux à deux : deux chaînes légères et deux chaînes lourdes réunies par des ponts disulfures. Une molécule d'immunoglobuline contient deux sites anticorps semblables.

chaînes lourdes caractérise une classe d'immunoglobulines : IgG, IgA, IgM, IgD et IgE. Par ailleurs, il existe deux types de chaînes légères, les chaînes kappa (ϰ) et lambda (λ).

De plus, chaque type de chaînes lourdes et chaque type de chaînes légères présentent deux zones caractéristiques. L'une est qualifiée de région constante, car d'une chaîne lourde à une autre on trouve une séquence d'acides aminés relativement constante; l'autre zone est qualifiée de région variable, car la séquence d'acides aminés qui la constituent y présente des variations considérables.

Les régions constantes participent aux fonctions effectrices, tandis que les régions variables participent à la reconnaissance de l'antigène. La structure des immunoglobulines reflète donc bien la dualité fonctionnelle des anticorps.

La figure 10.3 montre les chaînes lourdes et les chaînes légères d'une molécule d'immunoglobuline. Les quatre chaînes sont maintenues deux à deux par des ponts disulfures. On observe aussi que les chaînes lourdes et légères sont repliées sur elles-mêmes, déterminant des boucles maintenues elles aussi par des ponts disulfures. Elles sont qualifiées de domaines et chaque domaine possède une fonction biologique distincte :

– la combinaison des domaines variables des chaînes lourdes et légères forme le site anticorps;

– le domaine constant CH_2 sert de point de fixation au complément;

– le domaine constant CH_3 sert de lieu de fixation aux globulines cytophiles[1], aux basophiles, aux mastocytes et aux macrophages.

---

1. La cytophilie désigne l'affinité des immunoglobulines pour certaines cellules sur lesquelles elles se fixent.

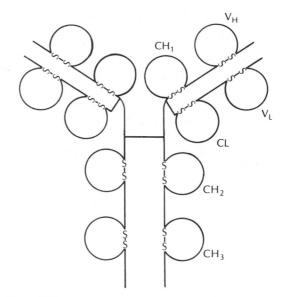

Figure 10.3
Organisation des immunoglobulines en domaines.

Les chaînes lourdes et légères des molécules d'immunoglobulines sont constituées en un certain nombre d'unités nommées domaines. Chaque domaine forme une boucle maintenue par un pont disulfure.

Le complément se fixe sur le domaine CH_2, tandis que les globulines cytophiles se fixent par le domaine CH_3.

10.2.2 FONCTIONS DES IMMUNOGLOBULINES

On reconnaît aux immunoglobulines deux grandes catégories de fonctions : des fonctions de reconnaissance de l'antigène et des fonctions effectrices (figure 10.4). Ces deux catégories de fonctions sont indépendantes.

FONCTIONS DE RECONNAISSANCE DES ANTIGÈNES

La fonction de reconnaissance des antigènes est assurée par les sites anticorps des molécules d'immunoglobulines. Ces sites anticorps sont caractérisés par leur très grande spécificité. Autrement dit, une molécule d'immunoglobuline donnée ne reconnaît qu'un seul antigène. Il doit donc

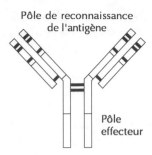

Pôle de reconnaissance
de l'antigène

Pôle
effecteur

Figure 10.4
Dualité fonctionnelle des immunoglobulines.

Les immunoglobulines remplissent des fonctions anticorps et des fonctions effectrices. Chaque type de fonctions est assuré par une région distincte de la molécule.

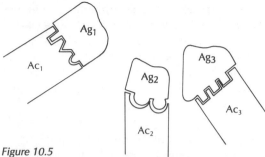

Figure 10.5
Reconnaissance spécifique des antigènes par les anticorps.

Une des propriétés fondamentales des anticorps est la reconnaissance spécifique des antigènes : l'antigène Ag_1 ne peut être reconnu et neutralisé que par l'anticorps Ac_1.

exister[1] autant de types différents d'immunoglobulines qu'il existe d'antigènes (figure 10.5).

En fait, il serait plus juste d'affirmer qu'un anticorps donné ne reconnaît qu'un déterminant antigénique particulier. Comme une molécule d'antigène contient généralement plusieurs déterminants antigéniques différents, il faut plusieurs types d'anticorps spécifiques pour la neutraliser. De ce fait, il est généralement impossible d'obtenir des anticorps homogènes. Ce problème a été résolu récemment grâce à la production d'ANTICORPS MONOCLONAUX, c'est-à-dire d'anticorps dirigés contre un déterminant génétique unique.

FONCTIONS EFFECTRICES

Les molécules d'immunoglobulines ont aussi des fonctions effectrices. Parmi celles-ci, il faut retenir :

- la fixation du complément;
- la fixation à certaines cellules (basophiles, mastocytes);
- le passage transplacentaire;

---

1. Il existe des théories pour expliquer l'origine de la diversité des anticorps. Elles ne seront pas abordées ici, car elles dépassent le cadre de ce manuel.

- les réactions d'hypersensibilité (à l'exception des réactions de type IV).

Contrairement aux fonctions de reconnaissance, les fonctions effectrices ne sont pas spécifiques.

> **LES IMMUNOGLOBULINES ASSURENT DES FONCTIONS ANTICORPS ET DES FONCTIONS EFFECTRICES.**
> **LES FONCTIONS ANTICORPS CORRESPONDENT À LA RÉACTION AVEC LES ANTIGÈNES.**
> **LES PRINCIPALES FONCTIONS EFFECTRICES SONT LE PASSAGE TRANSPLACENTAIRE, LA CYTOPHILIE, LA FIXATION DU COMPLÉMENT ET LA FIXATION DES IMMUNOGLOBULINES SUR DIFFÉRENTES CELLULES IMMUNITAIRES.**

10.2.3 CLASSIFICATION DES IMMUNOGLOBULINES

Les immunoglobulines sont classées en cinq groupes : IgG, IgA, IgM, IgD et IgE, selon leur structure et leurs propriétés. Ces cinq classes d'immunoglobulines présentent l'unité structurale précédemment décrite (deux chaînes lourdes et deux chaînes légères réunies par des ponts disulfures), mais elles présentent une organisation particulière : une molécule peut être constituée par un monomère (une unité fondamentale), un dimère ou un polymère. De plus, chaque classe d'immunoglobulines possède des fonctions anticorps et des fonctions effectrices particulières.

IgG

Les IgG représentent la fraction la plus importante de toutes les immunoglobulines (70 à 80 %). Elles sont présentes dans les liquides extravasculaires et remplissent des fonctions anticorps et des fonctions effectrices importantes.

Dotées d'un faible pouvoir agglutinant, les IgG sont surtout mises en jeu dans la neutralisation des toxines bactériennes et l'opsonisation. L'opsonisation est le processus par lequel les anticorps, dont les IgG, favorisent et renforcent la phagocytose de l'antigène particulaire avec lequel ils se sont combinés. Les IgG sont les dernières immunoglobulines à apparaître après une immunisation.

Parmi les fonctions effectrices assurées par le fragment Fc des IgG, on retiendra le passage transplacentaire et la fixation du complément.

Passage transplacentaire

Seules les IgG possèdent la capacité de traverser le placenta et de gagner la circulation fœtale. Elles protègent donc le fœtus et constituent la première ligne de défense du nouveau-né, puisque les immunoglobulines exercent leur effet plusieurs mois après la naissance. Le mécanisme du transfert placentaire des IgG n'est pas encore élucidé. On suppose que ce mécanisme fait intervenir des interactions entre les cellules du placenta et un site actif localisé sur le fragment Fc de la molécule d'immunoglobuline.

Fixation du complément

Les IgG fixent et activent le complément. L'activation s'effectue au niveau du composant C1, plus précisément sur une de ses sous-unités, le C1q. Le site de fixation du complément sur les IgG est situé sur le domaine CH_2.

IgM

Les IgM sont des pentamères : elles sont constituées de cinq sous-unités réunies par une chaîne polypeptidique. Chaque sous-unité possède la structure générale des immunoglobulines : deux chaînes lourdes du type μ et deux chaînes légères. En forme d'étoile à cinq branches, chaque IgM possède 10 sites anticorps, ce qui lui confère une très grande avidité pour les antigènes.

Les IgM représentent environ 10 % de toutes les immunoglobulines. Elles sont surtout présentes dans le sang. Pour cette raison, elles forment une première ligne de défense efficace dans le cas d'infections sanguines (septicémie). Elles ont des fonctions agglutinantes et cytolytiques. Elles interviennent efficacement lors d'infections bactériennes et virales, en particulier lors d'infections primaires, c'est-à-dire au moment où l'organisme entre en contact pour la première fois avec un antigène donné. C'est à cette catégorie d'immunoglobulines qu'appartiennent les agglutinines anti-A et anti-B qui interviennent dans l'agglutination des globules rouges portant des alloantigènes.

Les IgM sont les premières immunoglobulines synthétisées en réponse à l'infection primaire. Elles apparaissent dès le troisième jour et atteignent leur concentration maximale entre le 5e et le 6e jour. Cependant, cette réponse est brève : elle ne dépasse pas 10 jours; par la suite, les IgG prennent la relève. De ce fait, la présence des IgM témoigne d'une infection récente.

Les IgM ne traversent pas le placenta. Par conséquent, la présence d'IgM dans la circulation sanguine du nouveau-né est le signe d'une infection fœtale[1].

---

1. Dès le 4e mois, le fœtus peut produire des IgM en réponse à un antigène qui a franchi la barrière placentaire.

De toutes les immunoglobulines, ce sont les IgM qui fixent le plus efficacement le complément.

IgA

Les IgA représentent environ 12 % des immunoglobulines sériques. Les IgA sériques ne représentent cependant que 40 % de toutes les IgA. En effet, ces immunoglobulines sont principalement trouvées dans les sécrétions et les liquides biologiques.

Les IgA sériques et sécrétoires se différencient par plusieurs propriétés physico-chimiques. Les IgA sériques se présentent, pour la plupart, sous forme de monomères : elles ne sont formées que par une seule unité constitutive. De leur côté, les IgA sécrétoires se présentent principalement sous forme dimérique et polymérique. Les sous-unités des IgA sont alors réunies entre elles par une chaîne J et par une pièce sécrétoire. Cette pièce sécrétoire, de nature glycoprotéique, n'est trouvée nulle part ailleurs que dans les liquides biologiques. Elle est élaborée par les cellules épithéliales de l'intestin. Le rôle de cette pièce sécrétoire est encore incertain, mais on s'accorde pour lui attribuer une fonction protectrice : elle protégerait les IgA sécrétoires de l'action protéolytique des enzymes intestinales, favorisant ainsi leur persistance et prolongeant leur action protectrice au niveau de la muqueuse intestinale.

Les IgA participent à la première ligne de défense anti-infectieuse. C'est la classe d'immunoglobulines la plus abondante dans les sécrétions. On les décèle notamment dans le colostrum et le lait, les larmes, la salive, les sécrétions (mucus) respiratoires et digestives, le liquide séminal et les sécrétions vaginales. Elles constituent un moyen de défense efficace contre les bactéries et, plus encore, contre les virus[1].

___

1. Le pouvoir antibactérien des IgA est plus faible, mais on note que les IgM présentent l'effet inverse : forte activité bactériolytique mais faible activité antivirale.

On ne connaît pas aux IgA d'activités effectrices particulières. Elles ne traversent pas le placenta, quoiqu'elles traversent la barrière hémato-méningée; elles n'activent pas le complément, du moins par la voie directe. Enfin, les IgA ne se fixent ni aux mastocytes ni aux basophiles.

IgD

Les IgD, qui représentent moins de 1 % de toutes les immunoglobulines, ne présentent aucune des propriétés biologiques des autres classes d'immunoglobulines. Leur rôle reste encore hypothétique aujourd'hui : elles pourraient intervenir dans la différenciation des lymphocytes B et dans la régulation de certaines immunoglobulines.

IgE

Les IgE, qui forment environ 0,004 % des immunoglobulines sériques, n'interviennent pas dans la défense anti-infectieuse. Elles sont surtout connues pour leur capacité de se fixer aux granulocytes basophiles et aux mastocytes ainsi que pour le rôle qu'elles jouent dans les réactions d'hypersensibilité immédiate, telles que le choc anaphylactique, le rhume des foins, l'asthme ou l'urticaire.

> LES IMMUNOGLOBULINES SONT RÉPARTIES EN IgG, IgM, IgA, IgE ET IgD. CES CLASSES PRÉSENTENT DES FONCTIONS ANTICORPS ET DES FONCTIONS EFFECTRICES PARTICULIÈRES.
> LES IgG, LES IgM ET LES IgA PARTICIPENT À LA DÉFENSE ANTI-INFECTIEUSE. LES IgE INTERVIENNENT DANS DES RÉACTIONS D'HYPERSENSIBILITÉ. LE RÔLE DES IgD EST INCONNU.

10.2.4 ANTICORPS MONOCLONAUX

Les anticorps monoclonaux sont des anticorps produits par un clone de plasmocytes donné et dirigés contre un déterminant antigénique unique. Ces anticorps sont donc d'une très grande pureté et d'une spécificité quasi absolue.

Les premiers anticorps monoclonaux ont été produits en 1975 après qu'on eut réussi à fusionner des lymphocytes B avec les cellules d'un myélome, c'est-à-dire des cellules provenant d'une tumeur maligne développée aux dépens de la moelle osseuse.

Sur le plan pratique, les anticorps monoclonaux peuvent être utilisés pour les dosages et les diagnostics immunologiques, le traitement d'infections virales, d'infections bactériennes qui ne peuvent être traitées par les antibiotiques et pour certaines tumeurs. Dans ce dernier cas, on peut envisager de diriger les drogues antitumorales vers la cible en les couplant à des anticorps spécifiques des tissus d'un organe particulier. Il est aussi théoriquement possible de produire des anticorps monoclonaux capables de reconnaître les cellules tumorales et de les détruire.

Enfin, on cherche à utiliser les anticorps monoclonaux dans l'immunisation passive (séroprophylaxie et sérothérapie) grâce à l'utilisation d'anticorps très purs ; cela donnerait un regain d'intérêt à cette forme de prévention et de thérapie des maladies infectieuses, d'autant plus que la production d'anticorps monoclonaux à partir de lymphocytes humains est un objectif accessible.

10.3 COMPLÉMENT

Le complément est un système biologique d'une grande importance dans les réactions immunitaires. Il exerce de nombreuses fonctions biologiques capitales.

10.3.1 DÉFINITION

On désigne sous le terme de complément un ensemble de protéines sériques formant un système biologique complexe et constitué d'au moins 11 composants appartenant aux globulines. Le complément joue un rôle déterminant dans la défense anti-infectieuse.

Les protéines du complément représentent environ 15 % des globulines. Normalement inactives, ces protéines sont des proenzymes, c'est-à-dire des enzymes dépourvues de leur pouvoir catalytique. Elles ne sont activées qu'à la suite de circonstances particulières au cours desquelles elles acquièrent leurs propriétés biologiques fonctionnelles. Par ailleurs, tout comme le système de coagulation, les protéines du complément sont activées séquentiellement, en cascade, c'est-à-dire l'une après l'autre et dans un ordre bien défini.

DÉNOMINATION DU COMPLÉMENT

Périodiquement réajustée, la nomenclature du système du complément fonctionne comme suit :

- les neuf composants natifs du complément sont identifiés par la lettre C;
- un numéro de 1 à 9, qui correspond à l'ordre dans lequel ces protéines ont été découvertes y est adjoint : C1, C2, C3, C4, C5, C6, C7, C8 et C9;
- une lettre minuscule permet, s'il y a lieu, d'identifier les sous-unités d'un composant (C1q, C1s, etc.) ou les sous-produits résultant de l'activation du composant initial (C3a, C3b, etc.);
- une barre placée au-dessus du numéro d'ordre symbolise les composants activés ($C\overline{1}s$, $C\overline{3}$, $C\overline{42}$, etc.);
- des lettres majuscules désignent certaines protéines de la voie alterne (P, properdine, facteur B, facteur D, etc.).

LE COMPLÉMENT EST UN SYSTÈME MULTIENZYMATIQUE COMPLEXE RESPONSABLE DE LA DESTRUCTION DES AGRESSEURS ET DES STRUCTURES CELLULAIRES RECONNUES COMME ÉTRANGÈRES.

10.3.2 ACTIVATION DU COMPLÉMENT

L'activation du complément est un processus complexe, mais on peut en dégager quelques principes généraux. Sur le plan opérationnel, le complément peut être divisé en trois unités :

– deux unités de reconnaissance conduisant à des activations parallèles mais distinctes, formant la voie classique et la voie alterne d'activation;
– une unité effectrice terminale commune qui assure l'attaque de la membrane cellulaire.

ACTIVATION PAR LA VOIE CLASSIQUE

La voie classique d'activation du complément est initiée par de nombreuses substances, mais les IgG et les IgM sont les plus importantes (tableau 10.1). Cette voie est aussi qualifiée de voie immunologique d'activation du complément en raison de la fixation du composant C1 sur un complexe antigène-anticorps. En effet, les IgM et la majorité des IgG possèdent, sur leur chaîne lourde, un site de fixation pour le C1. Cependant, ce site de fixation n'est accessible que lorsque l'antigène est lié à l'anticorps. La fixation de ce premier composant enclenche alors une réaction en chaîne qui entraîne l'activation séquentielle des autres composants de l'unité de reconnaissance (C1, C4, C2 et C3), puis des composants C5 à C9 formant l'unité effectrice terminale qui assure l'attaque de la membrane cellulaire (figure 10.6).

Au cours de cette réaction en chaîne, des composants du complément sont séparés en plusieurs fractions. Les unes interviennent directement dans la suite de l'activation et dans la destruction de la cible; les autres n'interviennent pas dans les étapes subséquentes, mais elles jouent cependant un rôle important dans la défense anti-infectieuse, car elles sont dotées de propriétés biologiques particulières. C'est le cas des fractions C3a et C5a qui, libérées dans le milieu, agissent comme des médiateurs très puissants de la réaction inflammatoire. En effet, ces substances provoquent la dégranulation des basophiles et des mastocytes et la libération d'histamine. Ces substances ont reçu le nom d'ANAPHYLATOXINES car, de par leurs propriétés biologiques, elles peuvent déclencher des manifestations analogues au choc anaphylactique.

ACTIVATION PAR LA VOIE ALTERNE

À côté de la voie classique existe une autre voie, appelée voie alterne, qui permet l'activation directe du composant C3 en court-circuitant les trois premiers composants de l'unité de reconnaissance (C1, C4 et C2). Cette activation directe du C3 est provoquée par des substances variées, dont les lipopolysaccharides (LPS) des endotoxines bactériennes (tableau 10.1).

Contrairement à la voie classique, l'activation de la voie alterne survient en l'absence d'anticorps; on comprend donc pourquoi un sérum dépourvu

Tableau 10.1
Activateurs des voies classique et alterne du complément.

ACTIVATEURS	VOIE CLASSIQUE	VOIE ALTERNE
Substances immunologiques	IgM, IgG	IgA, IgG, IgE
Substances non immunologiques	ADN, ARN Polysaccharides	Polysaccharides Inuline Agar Paroi de levures
	Enzymes Trypsine Plasmine	Enzymes Trypsine
	Protéine A (staphylocoques)	
	Protéine C	
	Endotoxines Membranes lymphocytaires Virus à enveloppe	Endotoxines (LPS) Venin de cobra

d'anticorps peut être bactéricide vis-à-vis de certaines bactéries Gram négatif.

Indépendante de la présence des anticorps, la voie alterne représente un moyen de défense anti-infectieux immédiat, car elle permet au complément d'intervenir avant le développement de toute immunité spécifique.

Il faut cependant signaler qu'un certain nombre de complexes antigènes-anticorps peuvent activer la voie alterne. Ces complexes sont formés par des anticorps qui, ne possédant pas de sites de fixation pour le C1 du complément, ne peuvent déclencher l'activation du complément par la voie classique. Cette activation immunologique

de la voie alterne pourrait en particulier être le fait des IgA. L'activation du complément par la voie alterne est illustrée è la figure 10.6.

LE COMPLÉMENT PEUT ÊTRE ACTIVÉ PAR LA VOIE CLASSIQUE OU PAR LA VOIE ALTERNE :

– **L'ACTIVATION PAR LA VOIE CLASSIQUE EST INITIÉE PAR LES COMPLEXES IMMUNS;**
– **L'ACTIVATION DE LA VOIE ALTERNE EST INDÉPENDANTE DE LA PRÉSENCE DES ANTICORPS.**

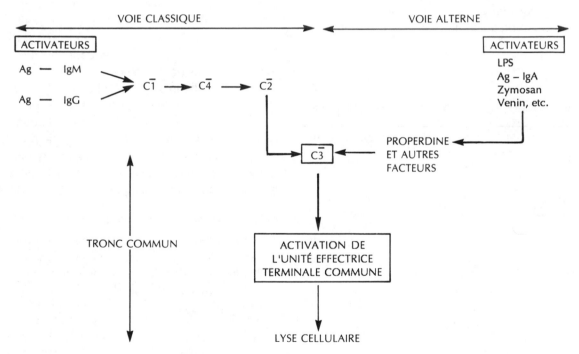

Figure 10.6
Activation du complément.

Le complément peut être activé par la voie classique (immunologique) après la formation d'un complexe antigène-anticorps par des immunoglobulines possédant un récepteur pour le C1. Il peut aussi être activé par la voie alterne, en court-circuitant les trois premiers composants de l'unité de reconnaissance.

10.3.3 FONCTIONS BIOLOGIQUES DU COMPLÉMENT

De par ses nombreuses fonctions biologiques, le complément constitue un élément essentiel de la défense humorale non spécifique anti-infectieuse. L'activation en cascade de ses constituants est à l'origine d'activités biologiques diverses. Parmi ces activités, la lyse des bactéries et des virus ainsi que la destruction des membranes cytoplasmiques des cellules reconnues comme étrangères représentent les fonctions majeures du complément.

Le complément agit aussi sur les cellules immunitaires intervenant dans la réaction inflammatoire en les attirant ou en stimulant leurs activités, sur les vaisseaux sanguins et les muscles lisses ainsi que sur la coagulation. Ces effets biologiques particuliers sont dus à l'action des anaphylatoxines.

D'une manière générale, ces activités résultent de l'intervention :

– d'un composant non modifié;
– d'un fragment particulier résultant du clivage d'un composant;
– d'un complexe multimoléculaire.

CYTOLYSE

L'activation des composants du complément entraîne la cytolyse, c'est-à-dire la destruction de la cellule par éclatement de la membrane cytoplasmique. Les bactéries Gram négatif, les cellules tumorales et les cellules normales peuvent être détruites par cytolyse. Les bactéries Gram positif ne sont pas détruites sous l'action du complément. Cependant, certains fragments du complément peuvent se fixer à la surface de ces cellules et faciliter leur phagocytose par les neutrophiles et les macrophages.

NEUTRALISATION DES VIRUS

Le complément possède un pouvoir neutralisant à l'égard de certains virus. Cette neutralisation n'implique que les composants C1 et C4. On pense que ces composants empêchent les virus de se fixer à la surface cellulaire.

On a remarqué aussi que le complément peut intervenir dans la neutralisation des virus oncogènes et dans la lyse des cellules infectées par ces virus. La neutralisation s'effectue après l'activation du complément par la voie classique.

ACTION DU COMPLÉMENT SUR LA VASOPERMÉABILITÉ ET LES FIBRES MUSCULAIRES LISSES

L'action du complément sur la vasoperméabilité et les fibres musculaires lisses est le résultat de la présence des anaphylatoxines C3a, C5a et C4a. De ces trois fragments, c'est le C5a qui possède le pouvoir anaphylatoxique le plus puissant. Réagissant avec les basophiles et les mastocytes, les anaphylatoxines stimulent la dégranulation et la libération d'histamine, de sérotonine et d'héparine par ces cellules. Les substances rejetées sont de puissants médiateurs de la réaction inflammatoire et provoquent notamment une augmentation de la perméabilité des capillaires et un renforcement de la contraction des muscles lisses.

De par la présence de ces anaphylatoxines, le complément joue indirectement un rôle important dans la lutte anti-infectieuse puisque les modifications vasculaires favorisent l'exsudation des protéines plasmatiques (et notamment les anticorps) au niveau du foyer infectieux.

Par ailleurs, ces anaphylatoxines peuvent aussi être mises en jeu, par cette activité sur la vasoperméabilité et sur la contraction des muscles lisses, dans les réactions d'hypersensibilité : il s'agit principalement des réactions d'hypersensibilité causées par les complexes immuns et des réactions d'hypersensibilité connues sous le nom de phénomène d'Arthus[1].

---

1. Ce phénomène est décrit brièvement au chapitre 22 (voir *Hypersensibilité).*

ACTION SUR LES CELLULES IMMUNITAIRES

De nombreuses cellules impliquées dans l'immunité sont activées par certains composants du complément pour lesquels elles possèdent des récepteurs spécifiques. C'est notamment le cas des monocytes, des macrophages, des granulocytes neutrophiles, des lymphocytes B et des plaquettes.

Les effets biologiques du complément sur les cellules immunitaires sont nombreux. On note une activité chimiotactique due aux anaphylatoxines, une stimulation des activités métaboliques des cellules phagocytaires, un renforcement de la phagocytose par opsonisation et par immuno-adhérence et, enfin, le transport des complexes immuns.

La présence des anaphylatoxines au niveau du foyer inflammatoire stimule l'agrégation et la diapédèse des granulocytes circulants. Ces facteurs chimiotactiques ont pour effet de mobiliser les globules blancs en réserve dans la moelle osseuse. Ces mêmes facteurs sont aussi responsables de l'immobilisation sur place des cellules phagocytaires, notamment des macrophages.

Par son action opsonisante, le complément renforce la phagocytose. Le processus d'opsonisation, qui facilite l'adhésion des complexes immuns à la membrane cytoplasmique, renforce considérablement le pouvoir phagocytaire des globules blancs.

On assiste aussi au transport des complexes immuns par les lymphocytes B vers les organes lymphoïdes mis en jeu dans la réponse immunitaire tels que les ganglions lymphatiques ou la rate.

Le tableau 10.2 rappelle les principales fonctions biologiques du complément. Il est à noter qu'à l'exception de la cytolyse, les activités biologiques du complément ne requièrent pas l'activation et l'intervention de tous les composants.

Tableau 10.2
Activités biologiques du complément.

ACTIVITÉS	REMARQUES
Cytolyse	L'activation du complément par les voies classique et alterne entraîne l'éclatement des membranes cellulaires.
Neutralisation des virus	Le complément, activé par la voie classique, empêcherait les virus de se fixer à leurs cellules cibles.
Vasoperméabilité	Le complément agit indirectement sur la vasoperméabilité par l'intermédiaire des anaphylatoxines.
Contraction des muscles lisses	Le complément augmente la contraction des muscles lisses par l'intermédiaire des anaphylatoxines.
Action sur les cellules immunitaires	Le complément exerce des effets chimiotactiques sur les cellules phagocytaires. Il intervient aussi dans la mobilisation des granulocytes de la moelle osseuse, dans la stimulation des activités métaboliques des cellules phagocytaires, dans l'inhibition de la migration des macrophages, dans l'opsonisation et l'immunoadhérence ainsi que dans la stimulation des lymphocytes B.
Action sur les complexes immuns	Le complément favorise l'agrégation et la solubilisation des complexes immuns.

> **LE COMPLÉMENT JOUE UN RÔLE ESSENTIEL DANS LA DÉFENSE ANTI-INFECTIEUSE PAR SUITE DE NOMBREUSES ACTIVITÉS BIOLOGIQUES.**
> **LES PLUS IMPORTANTES SONT LA CYTOLYSE, L'AUGMENTATION DE LA VASOPERMÉABILITÉ, LA CONTRACTION DES MUSCLES LISSES, L'ACTION SUR LES CELLULES IMMUNITAIRES ET SUR LES COMPLEXES IMMUNS.**

10.3.4 RELATIONS DU COMPLÉMENT AVEC D'AUTRES SYSTÈMES BIOLOGIQUES

Il existe une relation entre le complément et certains systèmes biologiques, notamment ceux qui sont responsables de l'hémostase : coagulation et fibrinolyse.

On constate, d'une part, que les anaphylatoxines C3a et C5a entraînent l'agrégation plaquettaire et que, d'autre part, certains éléments du complément activé, qui peuvent se fixer à la surface des plaquettes, stimulent la libération de facteurs plaquettaires responsables de la coagulation. Par ailleurs, on a observé que la plasmine et la thrombine activent certains fragments du complément.

Les relations entre ces différents systèmes biologiques montrent le rôle fondamental du complément dans le maintien de l'intégrité de l'organisme. D'ailleurs, une plus grande susceptibilité à l'infection microbienne ou à certaines affections (maladies auto-immunes) peut être mise en relation avec un déficit héréditaire de certains composés du complément (tableau 10.3). Ainsi, le lupus érythémateux disséminé est en relation avec un déficit en C1, C4, C2, C5 et C8, le

Tableau 10.3
Relations entre le déficit en certains éléments du complément et l'apparition de certaines affections ou une plus grande sensibilité aux infections.

COMPOSANTS DÉFICIENTS	MANIFESTATIONS CLINIQUES
C1	Lupus érythémateux disséminé Glomérulonéphrite
C4	Lupus érythémateux disséminé
C2	Lupus érythémateux disséminé Infections microbiennes récurrentes
C3	Infections pyogènes récurrentes
C5	Susceptibilité aux infections Gonococcie disséminée récidivante Lupus érythémateux disséminé
C6	Septicémies à gonocoques et méningococcémies récidivantes ou isolées Syndrome de Raynaud
C7	Polyarthrite, pyélonéphrite Infections microbiennes récidivantes Syndrome de Raynaud
C8	Lupus érythémateux disséminé *Xeroderma pigmentosum* Infections à méningocoques et à gonocoques Endocardites staphylococciques

syndrome de Raynaud[1] avec un déficit en C6 et C8, certaines infections à méningocoques et à gonocoques avec un déficit en C5 ou en C8, etc.

10.4 RÉSUMÉ

Anticorps et complément sont les deux éléments de la réponse immunitaire à médiation humorale.

---

1. Le syndrome de Raynaud est caractérisé par des troubles circulatoires consistant en une ischémie, une cyanose et une asphyxie locale pouvant évoluer en une gangrène sèche.

Les anticorps sont des protéines plasmatiques synthétisées par les plasmocytes en réponse à un antigène et qui ont pour fonction de se combiner à cette substance de manière à éliminer son pouvoir antigénique. Outre ces fonctions de reconnaissance, les anticorps ont des fonctions effectrices : fixation du complément, fixation à certaines cellules, passage transplacentaire et réaction d'hypersensibilité.

Les protéines plasmatiques à fonction anticorps sont des gammaglobulines. Elles sont aussi appelées immunoglobulines. Ces immunoglobulines présentent la même organisation fondamentale : elles sont formées par quatre chaînes polypeptidiques identiques deux à deux, reliées par des ponts disulfures et formant deux sites anticorps identiques.

On distingue cinq groupes d'immunoglobulines : les IgG, les IgM, les IgA, les IgE et les IgD. Ces classes sont différentes les unes des autres par des propriétés physico-chimiques et biologiques. Sur le plan biologique, les IgG sont caractérisées par leur présence dans les liquides extravasculaires, par leur pouvoir neutralisant des exotoxines et par l'opsonisation. De plus, les IgG assurent un certain nombre de fonctions effectrices : passage transplacentaire, activation du complément et cytophilie. Les IgM sont surtout présentes dans le sang; elles sont caractérisées par leur pouvoir agglutinant et cytolytique; elles interviennent principalement dans les infections bactériennes et virales. Les IgM fixent activement le complément. Les IgA se trouvent principalement dans les différents liquides biologiques; elles participent à la première ligne de défense. Les IgE interviennent dans les réactions d'hypersensibilité immédiate. Quant au rôle des IgD, il reste encore hypothétique.

Deuxième élément de la réponse humorale, le complément est un ensemble de protéines sériques formant un système biologique complexe et intervenant de façon prépondérante dans la défense anti-infectieuse. Ce système est constitué d'au moins 11 composants activés en cascade. L'activation peut survenir par la voie classique ou par la voie alterne. L'activation par la voie classique est initiée principalement par les complexes immuns. Au cours de cette réaction, la fixation du premier composant du complément aux IgG ou aux IgM ayant déjà réagi avec leur antigène enclenche une réaction en chaîne qui entraîne l'activation séquentielle des autres composants de l'unité de reconnaissance, puis de l'unité effectrice terminale responsable de l'attaque de la membrane cellulaire. Quant à l'activation par la voie alterne, elle survient en l'absence d'anticorps, court-circuitant l'unité de reconnaissance. Cette voie représente un moyen de défense immédiat, car elle permet au complément d'intervenir avant le développement de toute immunité spécifique.

LECTURES SUGGÉRÉES

BACH, J.-F. *Immunologie*. Paris, Flammarion, Médecine-science, 1981, 942 p.

DEGOS, L. et A. KAHN. « Lexique. Immunologie ». *Médecine sciences*, vol. 5, supplément au n° 1 (janvier 1989), 40 p.

DELACROIX, D. et J.-P. VAERMAN. « L'immuglobuline A ». *Médecine sciences*, vol. 1, n° 7 (novembre 1985), p. 348-349.

KLEIN, J. *Immunology. The Science of Self-nonself Discrimination*. New York, Wiley and Sons, 1982, 687 p.

LEDER, P. « L'origine génétique de la diversité des anticorps ». *Pour la science*, n° 79 (mai 1983), p. 81-91.

LIPINSKI, M. et L. HERZENBERG. « Les hybridomes et leurs applications ». *La recherche*, vol. 10, n° 125 (septembre 1979), p. 952-961.

MAYER, M. M. « The complement system ». *Scientific American*, vol. 229, n° 5 (novembre 1973), p. 54-69.

MILSTEIN, C. « Les anticorps monoclonaux ». *Pour la science*, n° 38 (décembre 1980), p. 46-55.

REGNAULT, J.-P. *Immunologie générale*. Montréal, Décarie, 1988, 469 p.

ROITT, Y., BROSTOFF, J. et D. MALE. *Immunologie fondamentale et appliquée*. Medsi, Paris, 1987, 352 p.

STITES, D. P., STOBO, I. D. et H. H. FUDENBERG. *Basic and Clinical Immunology*. 5ᵉ éd., Los Altos, Lange Medical Publications, 1984, 803 p.

TONEGAWA, S. « Les molécules du système immunitaire ». *Pour la science*, n° 98 (novembre 1985), p. 106-118.

WILLIAMS, A. F. « La superfamille des immunoglobulines ». *La recherche*, vol. 22, n° 233 (juin 1991), p. 740-748.

chapitre **11**

barrières naturelles

11.1 INTRODUCTION

Les microorganismes exogènes, qui proviennent de l'environnement, entrent constamment en contact avec la peau et les muqueuses des êtres humains. Mais il est rare que ces microorganismes réussissent à se multipier en grand nombre sur ces tissus protecteurs ou à les franchir pour causer des infections.

En effet, les microorganismes exogènes sont arrêtés par une première ligne de défense formée d'une série de barrières naturelles (figure 11.1). Ils ne pourront se propager dans l'organisme et atteindre les tissus ou les organes profonds qu'après avoir déjoué cette ligne de défense. Ils se heurteront d'abord à la peau et aux muqueuses, aux sécrétions qu'elles produisent et aux flores commensales qu'elles abritent. Ils seront aussi la cible des cellules immunitaires disséminées dans les tissus superficiels.

S'ils réussissent à franchir ces premiers remparts, ils risquent d'être retenus par le système lymphatique. Ils se heurteront aussi à la barrière formée par les vaisseaux sanguins.

Quoique important, le rôle de ces barrières est limité : elles peuvent être rompues à la suite d'une blessure ou d'une irritation. Elles ne réussissent généralement pas à s'opposer aux microorganismes les plus virulents, que l'organisme devra combattre par des moyens plus efficaces et spécifiquement adaptés à la nature de l'agresseur. Mais il ne faut pas pour autant en sous-estimer l'importance. Des recherches récentes en immunologie et en physiologie montrent que ces barrières participent constamment et activement au maintien de l'équilibre de l'organisme. C'est pourquoi nous leur consacrerons entièrement ce chapitre. Après avoir décrit les grands types de barrières naturelles, nous présenterons dans une approche intégrée, les aspects anatomiques, physiologiques, microbiens et immunitaires des principaux mécanismes qui interviennent aux portes d'entrée de l'organisme pour prévenir l'agression.

11.2 TYPES DE BARRIÈRES

On distingue généralement deux types de barrières naturelles : les barrières mécaniques et les barrières physiologiques.

11.2.1 BARRIÈRE MÉCANIQUES

Les barrières mécaniques sont des structures anatomiques qui forment un obstacle continu à la pénétration des microorganismes. Elles jouent un rôle passif : elles n'assurent pas l'élimination des miccrooganismes; elles les empêchent plutôt de pénétrer dans les tissus profonds et dans certains organes. Font partie de ce type de barrières les structures suivantes :

– la peau;
– les muqueuses;
– les vaisseaux sanguins;
– les vaisseaux lymphatiques;
– le placenta.

Notons que le rôle protecteur de ces barrières est renforcé localement par l'action de plusieurs autres facteurs de nature différente :

– composés chimiques élaborés par les glandes de la peau et des muqueuses;
– substances bactéricides circulant dans le sang;
– cellules immunitaires intervenant dans l'élimination des microorganismes agresseurs.

De ce fait, on doit considérer ces barrières comme des éléments importants de la défense immunitaire proprement dite.

11.2.2 BARRIÈRES PHYSIOLOGIQUES

Les barrières physiologiques constituent un second type de barrières naturelles. Elles résultent de la sécrétion de divers produits antibactériens par l'organisme et de l'effet de barrière assuré par

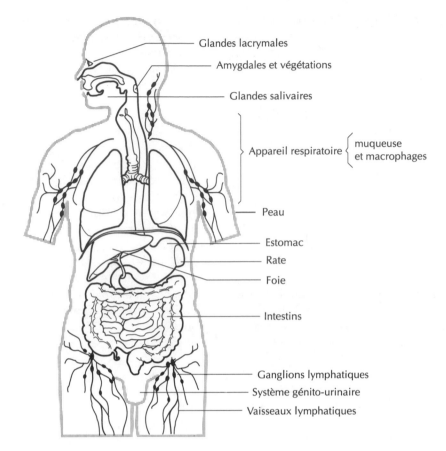

Figure 11.1
Principales barrières à l'agression.

Situées aux portes d'entrée de l'organisme, les barrières naturelles constituent une première ligne de défense efficace contre d'éventuels agresseurs. La peau et les muqueuses tapissant les cavités naturelles empêchent les microorganismes de s'introduire dans les tissus profonds. Par ailleurs, le système lymphatique contribue à éliminer ceux qui auraient pu franchir ces lignes de défense à la suite de leur rupture accidentelle.

les microorganismes des flores commensales. Dans cette section, nous ne présenterons que l'effet de barrière, dont il est possible de dégager des caractéristiques générales. Nous reporterons l'étude des barrières physiologiques faisant appel à des sécrétions antimicrobiennes dans les sections suivantes qui traitent en détail de la peau et des muqueuses des voies respiratoire, digestive et génito-urinaire.

EFFET DE BARRIÈRE

L'effet de barrière constitue le premier rempart dressé contre les microorganismes exogènes. Il se définit comme l'effet par lequel des bactéries commensales résidantes empêchent ou ralentissent l'implantation ou la prolifération trop abondante de microorganismes exogènes indésirables sur la peau ou les muqueuses.

On doit cet effet de barrière à la remarquable stabilité de la flore commensale : une fois qu'elle est implantée, elle varie très peu. Par exemple, pour un être humain en bonne santé, le fait de consommer un fruit non pelé ou des crudités mal lavées, de manger un yogourt ou de la choucroute, de cacheter une enveloppe en la léchant, ne modifie pas la flore microbienne intestinale et ne cause pas d'infection[1].

Il existe plusieurs effets de barrière. On distingue généralement :

- l'effet draconien, qui élimine rapidement une souche exogène;
- l'effet permissif, qui laisse la souche exogène s'installer tout en en limitant la prolifération.

Notons que l'effet permissif est moins efficace que l'effet draconien, car il laisse aux microorganismes exogènes la chance de s'installer et de se multiplier. C'est ce qui se passe probablement chez certains patients atteints d'entérocolite pseudo-membraneuse, une affection grave, parfois mortelle, consécutive à un traitement à la clindamycine[2]. L'entérocolite pseudo-membraneuse est causée par des souches de *Clostridium difficile* toxinogènes et résistantes à cet antibiotique. Or, ce *Clostridium* est normalement éliminé de la flore d'un tube digestif humain en bonne santé ou est maintenu à un niveau de population trop faible pour que la toxine produite n'exerce ses effets nocifs.

Les mécanismes de ces effets de barrière sont encore hypothétiques. On invoque souvent des phénomènes comme l'antagonisme, la compétition et la synergie entre les différentes espèces commensales et pathogènes. On a aussi découvert la sécrétion par les commensaux d'antibiotiques naturels qui pourraient empêcher les espèces pathogènes de s'implanter sur certaines muqueuses.

Malgré les difficultés qu'ils rencontrent dans l'étude des effets de barrière, les microbiologistes s'intéressent fortement aux applications thérapeutiques de ces interactions naturelles. Ils prévoient pouvoir empêcher le développement de certaines bactéries potentiellement pathogènes dans l'intestin en y implantant, à la naissance, des souches microbiennes choisies en fonction des effets de barrière qu'elles exercent. Les premières tentatives de manipulation de la flore microbienne intestinale ont été réalisées, il y a quelques années, chez l'animal et chez l'Homme. Chez ce dernier, on a réussi à empêcher l'implantation de souches d'*Escherichia coli* entéropathogènes, causes de diarrhées chez les nouveau-nés et, surtout, porteurs de plasmides de résistance à certains antibiotiques. Dès la naissance, on a implanté des souches d'*Escherichia coli* dépourvues de plasmides. Par la suite, les souches entéropathogènes et résistantes n'ont pu se développer.

> LES DIFFÉRENTES BARRIÈRES ANATOMIQUES ET PHYSIOLOGIQUES CONSTITUENT UNE PREMIÈRE LIGNE DE DÉFENSE QUI PARTICIPE ACTIVEMENT À LA RÉSISTANCE ANTI-INFECTIEUSE DE L'ORGANISME.

11.3 PEAU

La peau est une barrière essentielle, qu'elle soit considérée comme un élément de défense passive ou active. On se rend compte de cette importance chez les grands brûlés, chez lesquels les

---

1. Attention, l'effet de barrière n'est pas absolu. Certains microorganismes particulièrement agressifs peuvent se développer dans l'organisme et causer des maladies.

2. La clindamycine est un antibiotique utilisé dans le traitement de certaines infections causées par des bactéries Gram positif.

infections microbiennes par voie cutanée sont toujours à craindre[1].

Formant la partie supérieure du derme, l'épithélium pluristratifié empêche les microorganismes de pénétrer dans les tissus sous-jacents. La kératine qui imprègne les cellules de la couche cornée de l'épiderme contribue à la protection : c'est une substance que peu d'espèces microbiennes peuvent hydrolyser. La desquamation continue de la couche cornée assure l'élimination partielle des microorganismes résidants habituels. Les glandes sudoripares et sébacées constituent des abris naturels pour les microorganismes, mais ces derniers sont repoussés vers l'extérieur des glandes en même temps que sont expulsés les produits de sécrétion, sueur et sébum. Ces sécrétions ont un pH acide, qui ralentit le développement microbien, et elles contiennent des sécrétions acides et des acides gras qui ont un effet antimicrobien.

Aujourd'hui, on ne considère plus la peau comme une barrière passive mais plutôt comme une structure essentielle du système immunitaire humain en raison des différentes catégories de cellules immunitaires qu'elle abrite en grand nombre. On trouve dans ce tissu une importante population de lymphocytes T, des kératinocytes et des cellules de Langerhans (figure 11.2). Il semble que ces deux dernières catégories de cellules jouent un rôle essentiel dans les réactions immunitaires cutanées. Elles présentent les antigènes aux lymphocytes T et elles sécrètent de l'interleukine 1. Ce facteur intervient de façon prépondérante dans l'activation des lymphocytes T.

11.4 SYSTÈME LYMPHATIQUE

Le système lymphatique constitue une barrière naturelle qui participe activement à la protection

---

1. C'est pourquoi les grands hôpitaux sont dotés d'unités de soins stériles pour traiter ces patients.

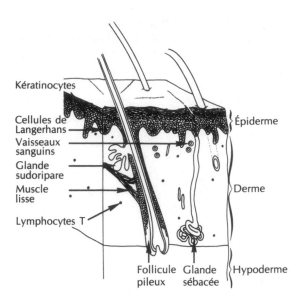

Figure 11.2
Coupe transversale schématique de la peau.
L'épiderme est constitué de plusieurs couches de kératinocytes qui se modifient progressivement de la couche basale vers la couche cornée. Cette dernière couche est formée de cellules mortes chargées de kératine. Près de la couche basale, à la jonction du derme et de l'épiderme, se trouvent des cellules de Langerhans qui jouent un rôle important dans le traitement des antigènes introduits par voie cutanée. Les lymphocytes T sont disséminés dans l'épiderme et dans la partie supérieure du derme.

de l'organisme en détruisant les bactéries et les particules étrangères.

Grâce à sa constitution, aux cellules qu'il abrite et à sa position dans l'organisme, ce système draine les microorganismes qui ont pénétré dans les tissus sous-cutanés et sous-muqueux. Transportés avec la lymphe, ils sont éliminés au moment de leur passage dans les ganglions lymphatiques. Le système lymphatique réussit à arrêter et à détruire de nombreuses espèces microbiennes, notamment les streptocoques et les staphylocoques pyogènes.

Les capillaires lymphatiques assurent le retour vers le système circulatoire du liquide interstitiel. Très perméables, ces capillaires laissent entrer du liquide interstitiel, ou lymphe, les protéines circulantes et d'éventuels microorganismes présents dans les tissus drainés. Ces capillaires se réunissent pour former des vaisseaux lymphatiques qui débouchent dans les ganglions lymphatiques.

Les ganglions lymphatiques représentent l'un des moyens de défense les plus sûrs contre de nombreuses infections bactériennes locales. Ils contiennent en effet toutes les catégories de cellules immunitaires qui interviennent dans la lutte anti-infectieuse. Cette barrière est donc presque infranchissable par les bactéries pyogènes telles que les streptocoques et les staphylocoques ainsi que de nombreuses autres espèces qui sont rapidement détruites.

La figure 11.3 nous montre la localisation particulière des ganglions lymphatiques : situés à l'aisselle, à l'aine, au cou, au thorax ainsi qu'au niveau du mésentère, ils ont pour fonction d'empêcher qu'une infection locale n'atteigne les organes essentiels en arrêtant les microorganismes drainés par les voies lymphatiques.

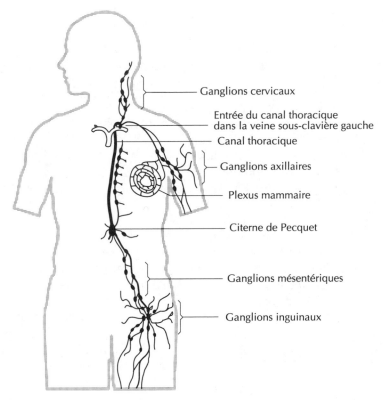

Ganglions cervicaux

Entrée du canal thoracique
dans la veine sous-clavière gauche

Canal thoracique

Ganglions axillaires

Plexus mammaire

Citerne de Pecquet

Ganglions mésentériques

Ganglions inguinaux

Figure 11.3
Schéma d'ensemble du système lymphatique.

La plupart des ganglions lymphatiques se présentent en groupes aux endroits stratégiques de l'organisme : le cou, l'aine, l'aisselle, le mésentère, l'appareil respiratoire. En éliminant les agresseurs, ils ont pour fonction d'éviter qu'une infection n'atteigne les organes vitaux.

Aux endroits où les microorganismes sont susceptibles de franchir la barrière cutanéo-muqueuse, on rencontre aussi des formations lymphoïdes.

11.5 SYSTÈME CIRCULATOIRE

De par sa structure, le système circulatoire s'oppose naturellement à la pénétration des microorganismes. Mais une invasion microbienne est toujours possible par suite d'un traumatisme vasculaire provoqué par une blessure cutanéo-muqueuse.

Dans ce cas, les microorganismes qui réussissent à s'introduire dans le sang se heurtent à plusieurs mécanismes chargés de les éliminer. Parmi ces mécanismes, il faut retenir :

– L'action des cellules du système réticulo-endothélial qui tapissent l'endothélium vasculaire ainsi que celle des globules blancs, notamment les granulocytes neutrophiles, qui participent activement à la destruction des bactéries présentes dans le sang.

– La participation de substances plasmatiques telles que les opsonines et le complément. Les opsonines sont des anticorps qui favorisent l'adhésion des bactéries aux macrophages et aux granulocytes neutrophiles dotés de pouvoir phagocytaire; quant au complément, il intervient notamment par son pouvoir cytolytique.

11.6 VOIES RESPIRATOIRES

Plusieurs mécanismes ont pour fonction d'arrêter la progression des poussières, des aérosols et des microorganismes dans les voies respiratoires. L'appareil muco-ciliaire, les macrophages et les formations lymphoïdes pulmonaires sont les trois éléments fondamentaux de ce système d'épuration.

APPAREIL MUCO-CILIAIRE

Tapissant tout l'appareil respiratoire, du nez jusqu'aux alvéoles pulmonaires, l'appareil muco-

ciliaire constitue l'appareil d'épuration mécanique (figure 11.4). La muqueuse qui tapisse les voies respiratoires porte à sa surface un épithélium spécialisé et composé de deux types de cellules. Les premières sont des cellules ciliées. Le battement perpétuel de leurs cils produit un effet de vague qui crée un mouvement de reflux vers l'extérieur. Les secondes cellules de cet épithélium sont des cellules qui sécrètent un mucus qui s'étale en une mince pellicule continue sur toute la surface de l'épithélium. Le rôle de ce mucus est d'emprisonner les particules étrangères. Cet appareil d'épuration permet l'élimination d'environ 50 millions de particules quotidiennement inspirées.

On évalue qu'à son arrivée dans les alvéoles pulmonaires, l'air est débarrassé de toutes les particules dont le diamètre est supérieur à 0,5 µm. Les particules dont le diamètre est inférieur à 0,5 µm sont rejetées à l'expiration suivante. Celles dont le diamètre est compris entre 0,5 et 0,3 µm sont prises en charge et détruites par les macrophages. La figure 11.5 présente l'ensemble des processus assurant l'épuration de l'air dans l'appareil pulmonaire. De plus, comme l'explique l'encadré 11.1, certaines substances peuvent perturber ces fonctions d'épuration.

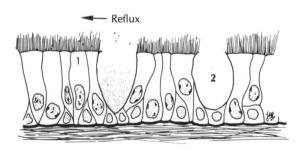

Figure 11.4
Appareil muco-ciliaire.

L'appareil muco-ciliaire est constitué par l'épithélium tapissant les voies respiratoires. Cet épithélium spécialisé est formé de deux types de cellules : les cellules ciliées (1) et les cellules à mucus (2). Le battement perpétuel des cils assure l'élimination des particules emprisonnées dans le mucus.

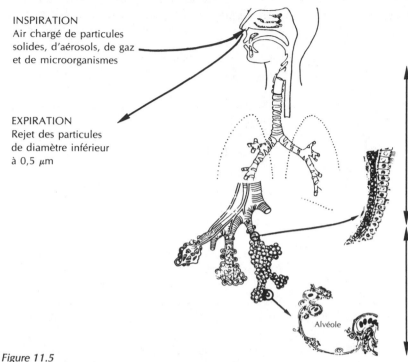

INSPIRATION
Air chargé de particules
solides, d'aérosols, de gaz
et de microorganismes

EXPIRATION
Rejet des particules
de diamètre inférieur
à 0,5 μm

Rétention des particules
de diamètre < 5-10 μm
• Filtration

Dépôt et rétention
des particules de diamètre
compris entre 2-5 μm

• Enrobage (mucus)
• Reflux ciliaire
• Toux

Dépôt et rétention
des particules de diamètre
compris entre 0,5 et 3 μm

• Enrobage
• Reflux ciliaire
• Prise en charge par
les macrophages
alvéolaires

Alvéole

Figure 11.5
Épuration de l'air dans les voies respiratoires.

À mesure qu'il progresse dans les voies respiratoires, l'air est progressivement débarrassé des particules qu'il contient. L'appareil muco-ciliaire permet l'élimination des particules de diamètre supérieur à 3 μm. Dans les alvéoles pulmonaires, les macrophages phagocytent les particules de diamètre inférieur à 3 μm.

MACROPHAGES

Les macrophages alvéolaires, aussi appelés cellules à poussières, sont des cellules capables d'ingérer et de détruire les corps étrangers qui ont atteint les alvéoles pulmonaires. On situe entre 1,5 et 2 milliards le nombre de macrophages alvéolaires; on en compte environ cinq par alvéole. Les macrophages alvéolaires jouent un rôle important dans les premières étapes de la présentation des antigènes aux lymphocytes T.

Quand les particules étrangères sont très nombreuses, un certain nombre d'entre elles traversent la muqueuse et passent dans le tissu interstitiel. De là, elles sont emportées par le système lymphatique avant d'être éliminées dans les ganglions lymphatiques.

FORMATIONS LYMPHOÏDES PULMONAIRES

La présence de nombreuses formations lymphoïdes dans la région pulmonaire témoigne de l'importance de sa participation dans l'élimination des plus petites particules. En contact avec l'épithélium pulmonaire, ces masses lymphoïdes sont placées stratégiquement de manière à éliminer les particules inhalées. En plus de la phagocytose, il ne faut pas sous-estimer l'importance des réactions immunitaires locales assurées par

Le tabac, la poussière, l'alcool ? Non, merci...

La respiration est un acte vital. Il faut environ 300 l d'air par jour à un individu pour assurer les activités métaboliques cellulaires. Nous respirons, la plupart du temps, un air chargé de poussières, de particules solides, d'aérosols, de gaz toxiques et de divers microorganismes.

Comme on l'a vu précédemment, un certain nombre de mécanismes contribuent à l'élimination des corps étrangers qui pénètrent dans nos voies respiratoires. Cependant, des recherches ont permis d'établir que de nombreux facteurs peuvent diminuer l'efficacité de ces mécanismes de défense. Parmi les substances reconnues pour affecter nos défenses naturelles, il faut citer notamment l'alcool, la fumée du tabac, l'ozone, le dioxyde de carbone, le dioxyde de soufre et les poussières inorganiques.

Le tabagisme, tout particulièrement, est reconnu pour perturber et diminuer de façon importante le fonctionnement du système d'épuration de l'appareil respiratoire. En effet, la fumée du tabac est un aérosol chargé de plusieurs millions de particules. Cet apport supplémentaire entraîne un surcroît de travail pour le système muco-ciliaire, alors que certains composants inhalés provoquent des modifications histologiques. Chez les fumeurs invétérés, par exemple, on observe des transformations cellulaires (métaplasies) au niveau de l'épithélium. Ces cellules deviennent pavimenteuses et perdent leurs cils vibratiles. On note aussi des perturbations de l'activité des cellules à mucus. Elles ont tendance à s'hypertrophier et accroissent leur sécrétion de mucus. Ce mucus finit par encombrer la région broncho-alvéolaire et provoque les expectorations de la bronchite chronique.

La présence de particules irritantes en suspension dans l'atmosphère, notamment les particules inorganiques inertes comme la silice, constitue un problème grave car elles ne sont pas éliminées.

La silicose est une maladie professionnelle causée par l'inhalation répétée de ces poussières dans des locaux de travail insuffisamment ventilés. Ces particules entraînent une augmentation du nombre de macrophages alvéolaires et stimulent l'activité des lysosomes contenus dans ces macrophages. Libérées dans le milieu, ces enzymes lysosomiales sont à l'origine d'une chaîne de réactions entraînant finalement la fibrose du tissu pulmonaire.

L'alcool, quant à lui, entraîne une diminution de l'activité ciliaire et affaiblit le pouvoir bactéricide des macrophages, favorisant ainsi le développement des infections respiratoires.

des lymphocytes T et B. Dans ces formations lymphoïdes, les lymphocytes T sont présents en grand nombre. Responsables des réactions immunitaires à médiation cellulaire, ils interviennent de façon prépondérante dans la défense contre l'agent de la tuberculose, *Mycobacterium tuberculosis*, contre certains parasites et contre certains mycètes.

Les lymphocytes B sont aussi particulièrement actifs. Les lymphocytes situés dans les régions supérieures de l'appareil respiratoire sécrètent principalement des immunoglobulines de type IgA. Ces immunoglobulines assurent la neutralisation des virus, préviennent l'adhérence des bactéries à la surface des cellules épithéliales et favorisent l'agglutination des bactéries. Dans les voies respiratoires inférieures, ce sont surtout des IgG et des IgM qui assurent la réponse immunitaire. Ces deux types d'immunoglobulines interviennent dans la neutralisation des toxines et des virus et dans l'activation du complément. Outre les IgG et les IgM, on rencontre dans la région broncho-alvéolaire des substances intervenant dans l'immunité non spécifique, notamment l'interféron, le lysozyme et le complément.

11.7 APPAREIL DIGESTIF

L'appareil digestif fait aussi l'objet d'une protection qui limite efficacement la prolifération des
microorganismes pathogènes. Cette protection,
dont la force et la nature varient selon les endroits
considérés du tube digestif, n'est cependant pas
absolue. En effet, certaines bactéries (*Salmonella
typhi* et *Vibrio choleræ*), certains virus (poliomyélite, gastro-entérites, etc.) ou certains parasites
(*Giardia lamblia*) sont capables de contourner ces
défenses, de se multiplier et de provoquer des
infections plus ou moins graves.

Il est probable qu'une partie des antigènes qui
pénètrent dans le tube digestif sont hydrolysés par
les enzymes digestives et peuvent, de ce fait,
perdre totalement ou partiellement leur pouvoir
immunogène. Les antigènes qui ont résisté à l'action des sucs digestifs ou qui ont conservé leur
pouvoir immunogène déclenchent une réaction
immunitaire locale.

Enfin, on accorde de plus en plus d'importance
aux effets de compétition de la flore microbienne
commensale très dense présente dans le côlon.

Les mécanismes les plus efficaces sont surtout
localisés dans l'intestin. Cependant, la partie supérieure du tube digestif n'est pas exempte de
toute protection. Dans la bouche, par exemple,
la salive a un effet de chasse : les microbes introduits dans la bouche avec les aliments ou simplement présents sur la muqueuse de la cavité
buccale sont déglutis. Par ailleurs, on a découvert dans la salive des immunoglobulines (IgA) et
d'autres substances qui inhibent le développement des bactéries cariogènes. Cependant, dans
un cas comme dans l'autre, on manque encore
de preuves pour confirmer l'efficacité de leur
action.

Dans l'estomac, l'acide chlorhydrique sécrété par
la muqueuse gastrique possède un fort pouvoir
bactéricide. Il contribue à abaisser de façon significative la population microbienne, sans toutefois jamais la détruire totalement, comme en
témoigne la présence d'une riche flore microbienne commensale et d'autres espèces responsables d'éventuelles infections virales, bactériennes ou parasitaires.

Dans l'intestin, la protection à l'égard des agresseurs repose sur deux éléments : la présence d'une
importante flore commensale responsable d'effets de barrière et d'une réaction immunitaire
locale, à médiation humorale principalement. À
la suite des recherches entreprises ces dernières
années, on a émis l'hypothèse de l'existence
d'étroites relations entre la flore microbienne intestinale et un système immunitaire local efficace.
On note enfin que les sels biliaires ont un effet
bactéricide sur plusieurs microorganismes.

11.8 APPAREIL GÉNITO-URINAIRE

Le système génito-urinaire est lui aussi protégé
de l'agression, car l'épithélium qui recouvre les
muqueuses constitue une barrière mécanique. Il

est également protégé par des sécrétions acides qui créent des conditions défavorables au développement microbien. Il existe aussi au niveau de la muqueuse vaginale un effet de barrière qui contribue à limiter la prolifération de microorganismes indésirables. Cet effet est causé par *Lactobacillus* qui, métabolisant le glycogène contenu dans les sécrétions vaginales, produit de l'acide lactique. Le pH se trouve abaissé, ce qui inhibe le développement des microorganismes exogènes.

De plus, les muqueuses génito-urinaires sont aussi le lieu de réactions immunitaires identiques à celles que l'on vient de décrire dans le tube digestif. La présence d'IgA sécrétoires peut d'ailleurs être décelée dans les sécrétions vaginales et dans le sperme.

Dans les voies génitales de la femme, la prolifération des microorganismes indésirables est donc ralentie par différents mécanismes :

– la flore microbienne commensale du vagin exerce un effet de barrière non négligeable;
– les sécrétions vaginales contiennent du lysozyme et des immunoglobulines;
– les nombreux macrophages présents dans l'utérus éliminent les microorganismes qui franchissent le canal cervical.

En revanche, chez l'homme, il n'existe pas de tels moyens de défense. L'urètre, qui sert aussi à acheminer les cellules sexuelles, est relativement protégé mais les glandes annexes de l'appareil sexuel masculin, la prostate et les vésicules séminales, ne disposent d'aucun moyen particulier de protection. C'est pourquoi il est difficile d'éliminer les microorganismes qui atteignent ces glandes.

11.9 YEUX

Les yeux, qui constituent une porte d'entrée pour les microorganismes, sont principalement protégés par les sécrétions produites par les glandes lacrymales. En plus de lubrifier les yeux chaque seconde, les larmes exercent un effet de chasse par lequel elles éliminent les agresseurs. L'effet mécanique du battement des yeux et des larmes est renforcé par l'action du lysozyme, une enzyme hydrolytique à l'égard de laquelle bien peu d'espèces bactériennes arrivent à résister[1].

11.10 SYSTÈME NERVEUX CENTRAL

Le système nerveux central bénéficie d'un système de protection d'une grande efficacité à l'égard des chocs et des agresseurs microbiens. Les os du crâne et les vertèbres protègent respectivement le cerveau et la moelle épinière. À cette première barrière anatomique s'ajoute celle que constituent les méninges et le liquide cérébro-spinal. De plus, le système nerveux central est entouré par la barrière hémato-méningée. En effet, les capillaires sanguins qui irriguent le cerveau et les méninges présentent une paroi plus épaisse que celle que l'on trouve dans les autres capillaires, ce qui contribue encore à empêcher d'éventuels microorganismes pathogènes de pénétrer dans le tissus nerveux.

11.11 PLACENTA

Outre ses fonctions d'organe d'échange fœto-maternel, le placenta doit aussi être considéré comme une barrière naturelle qui protège le fœtus d'un certain nombre d'agresseurs passés dans le sang maternel[2].

---

1. En fait, *Chlamydia trachomatis*, responsable du trachome, est une des rares espèces bactériennes à se développer dans la conjonctive.
2. Le placenta est aussi le siège de réactions qui bloquent les réactions immunitaires maternelles destinées à éliminer le fœtus identifié au non-soi.

Le placenta agit d'abord comme barrière mécanique puisque le sang fœtal n'est pas en contact avec le sang maternel pendant la grossesse. Mais les macrophages et les anticorps maternels agissent aussi localement et peuvent assurer l'élimination d'un certain nombre d'agresseurs. Toutefois, le placenta ne les retient pas tous. Les virus de la rubéole, de l'herpès, les cytomégalovirus, les parasites de la toxoplasmose et du paludisme, les bactéries de la syphilis et celles des listérioses, entre autres, peuvent être la cause d'infections fœtales d'origine transplacentaire.

11.12 RÉSUMÉ

Les barrières naturelles constituent la première ligne de défense de l'organisme à l'égard des agresseurs. La peau, les muqueuses des voies respiratoires, digestives, génito-urinaires et les flores commensales qu'elles abritent comptent parmi les barrières les plus importantes.

La peau fut un temps considérée comme un élément de défense passive. Aujourd'hui, elle est considérée comme une structure essentielle du système immunitaire humain.

L'appareil muco-ciliaire, les macrophages alvéolaires et les formations lymphoïdes pulmonaires sont les trois éléments majeurs du système de défense de l'appareil respiratoire. L'appareil muco-ciliaire élimine les plus grosses particules, les autres étant captées et phagocytées par les macrophages ou prises en charge par le système lymphatique. Des réactions immunitaires cellulaires et humorales locales complètent les mécanismes de défense locale.

Le système digestif fait aussi l'objet d'une protection qui limite efficacement la prolifération des microorganismes pathogènes. Les mécanismes les plus efficaces sont surtout localisés au niveau de l'intestin. D'une part, une riche flore commensale détermine des effets de barrière empêchant la colonisation des pathogènes. D'autre part, cette flore commensale stimule les défenses immunitaires locales de l'hôte. Essentiellement de nature humorale, ces réactions immunitaires locales reposent sur la production d'IgA sécrétoires.

Les autres muqueuses, notamment celles qui tapissent les voies génito-urinaires, sont également pourvues de mécanismes de défense mécaniques, chimiques, microbiens et immunitaires identiques à ceux décrits pour les systèmes respiratoire et digestif.

Le système lymphatique joue aussi un rôle capital dans la défense de l'organisme. Les ganglions lymphatiques assurent une lutte efficace contre de nombreuses infections microbiennes locales, car ils contiennent toutes les cellules immunitaires qui interviennent dans la lutte anti-infectieuse.

Plusieurs mécanismes empêchent les bactéries de survivre dans le sang et de s'y multiplier. Il en est de même des yeux et du système nerveux central.

LECTURES SUGGÉRÉES

BAGOT, M. et L. DUBERTRET. « La peau : un organe lymphoïde périphérique ». *Médecine sciences*, vol. 4, n° 5 (mai 1988), p. 311-316.

BEACONSFIELD, P., BIRDWOOB, P. et R. BEACONSFIELD. « Le placenta ». *Pour la science*, n° 36 (octobre 1980), p. 26-36.

BERNIER, P. et C. FLORENT. « Les défenses de l'estomac ». *La recherche*, vol. 17, n° 177 (mai 1986), p. 614-621.

DELAVAL, P. et L. REY. « Un traitement des infections respiratoires ». *Pour la science*, n° 197 (septembre 1986), p. 32-39.

EDELSON, R. et J. FINK. « Le rôle immunitaire de la peau ». *Pour la science*, n° 94 (août 1985), p. 59-67.

JUNOD, A. « Les fonctions non respiratoires du poumon ». *La recherche,* vol. 9, n° 95 (décembre 1978), p. 1073-1081.

LAMBLIN, G., LHERMITTE, M., KLEIN, A., PERINI, J.-M. et P. ROUSSEL. « Diversité des chaînes glycaniques des mucines bronchiques humaines et défenses antimicrobiennes de la muqueuse bronchique ». *Médecine sciences,* vol. 7, n° 10 (décembre 1991), p. 1031-1040.

LETHUILLIER, A. « Quand la peau de crapaud protège des microbes ». *La recherche,* vol. 19, n° 195 (janvier 1988), p. 108-109.

RAIBEAU, P. et R. DUCLUZEAU. « La flore du tube digestif ». *La recherche,* vol. 15, n° 151 (janvier 1984), p. 12-21.

RAMBAUD, J.-C., HALPHEN, M. et M. LEMAIRE. « L'immunité humorale intestinale ». *Médecine sciences,* vol. 1, n° 7 (novembre 1983), p. 350-357.

REGNAULT, J.-P. *Immunologie générale.* Montréal, Décarie, 1988, 469 p.

SCHMIDTT, B., DEZUTTER-DAMBUYRANT, C., STACQUET M. J. et J. THIVOLET. « La cellule de Langerhans ». *Médecine sciences,* vol. 5, n° 2 (février 1989), p. 103-111.

THIVOLET, J. et D. SCHMIDTT. « La transmission des virus VIH-1 par les muqueuses orogénitales ». *Médecine sciences,* vol. 8, n° 4 (avril 1992), p. 352-358.

chapitre **12**

réactions immunitaires

12.1 INTRODUCTION

Aussi efficaces soient-elles, les premières lignes de défense ne peuvent contenir tous les agresseurs. Certains agresseurs microbiens profitent de la rupture des revêtements cutanés et muqueux. D'autres agresseurs sont introduits dans l'organisme avec l'air, l'eau ou les aliments et trouvent à la surface des muqueuses des conditions favorables à leur multiplication. Ils peuvent rester là et perturber des activités physiologiques importantes, comme c'est le cas dans les infections gastro-intestinales; ils peuvent aussi traverser les barrières muqueuses, pénétrer dans les tissus plus profonds et s'y installer ou passer dans le sang et gagner des organes éloignés de leur porte d'entrée. Mais, dans un cas comme dans l'autre, ces agresseurs vont se heurter à une deuxième ligne de défense dont les réactions immunitaires constituent l'élément principal.

Ce chapitre décrit les aspects dynamiques des réactions immunitaires. En faisant appel aux notions abordées précédemment, nous expliquerons comment un organisme réagit à l'agression microbienne. Nous décrirons d'abord les réactions non spécifiques, en mettant l'emphase sur la réaction inflammatoire. Ensuite, nous exposerons les réactions spécifiques à médiation cellulaire et à médiation humorale. Enfin, nous présenterons les différentes modalités d'acquisition de la résistance anti-infectieuse.

Avant d'entrer dans le détail des réactions immunitaires, il est important de présenter un schéma d'ensemble de la réponse à un agresseur (figure 12.1) et de rappeler que les réactions immunitaires reposent sur des mécanismes de défense spécifiques et non spécifiques. Rappelons aussi que l'on qualifie de non spécifiques les réponses mises en œuvre indépendamment de la nature de l'agresseur et de spécifiques celles qui sont dirigées contre un agresseur particulier. L'une et l'autre reposent sur des moyens humoraux et cellulaires.

12.2 RÉPONSE NON SPÉCIFIQUE

La réponse non spécifique repose sur des facteurs cellulaires (intervention des cellules effectrices de l'immunité) et sur des facteurs humoraux (substances habituellement présentes dans le plasma). Elle s'inscrit essentiellement dans un processus que l'on a qualifié de réaction inflammatoire. Les autres éléments importants de la réaction non spécifique sont la phagocytose, le complément, l'interféron et la fièvre.

12.2.1 RÉACTION INFLAMMATOIRE

Toute personne connaît les symptômes de la réaction inflammatoire pour s'être brûlée, coupée ou blessée d'une façon ou d'une autre. La blessure est douloureuse, les tissus alentours deviennent chauds et rouges, enflent et laissent exsuder un liquide plus ou moins clair. Ces réactions complexes, stéréotypées et interdépendantes sont enclenchées, développées et renforcées par des substances chimiques qui agissent comme médiateurs de l'inflammation.

MISE EN ROUTE DE LA RÉACTION INFLAMMATOIRE

La réaction inflammatoire débute au moment où les cellules subissent l'agression, entraînant notamment la libération de deux médiateurs chimiques, l'histamine et la sérotonine qui, à leur tour, provoquent d'importantes modifications vasculaires. L'altération de tout vaisseau sanguin entraîne immédiatement l'adhésion et l'agrégation des plaquettes sur les cellules endothéliales endommagées et l'adhésion des globules blancs dans les capillaires proches des cellules agressées. Avec l'agrégation plaquettaire commence la première étape de la coagulation, qui est intimement liée à la réaction inflammatoire car

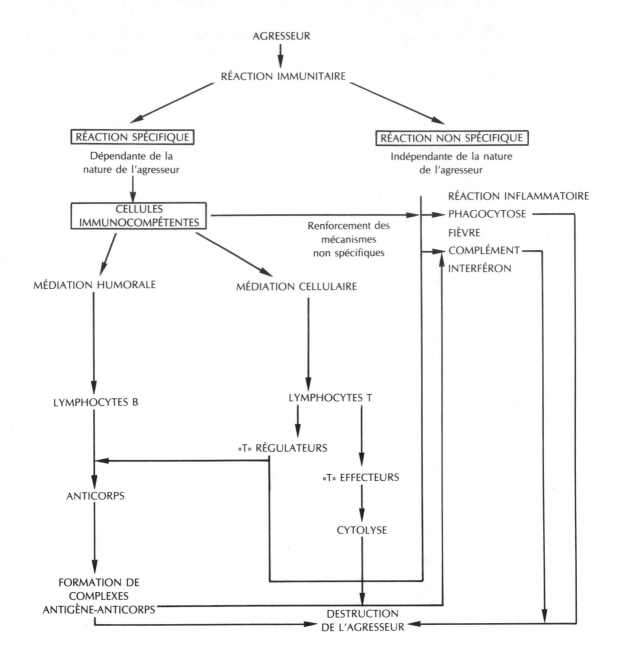

Figure 12.1
Schéma général de la réponse immunitaire à un agresseur.

Le terme agresseur est pris au sens large. Il peut s'agir d'un virus, d'une bactérie, d'un traumatisme, d'une substance chimique, etc. L'agresseur déclenche une réaction non spécifique ou une réaction spécifique adaptée, ou les deux. Il faut noter que ces réactions non spécifique et spécifique sont interreliées (coopération cellulaire et présence de médiateurs) et que l'intervention du complément s'effectue en bonne partie après la formation des complexes antigène-anticorps.

un certain nombre de médiateurs participent aux deux processus (figure 12.2).

Les principaux facteurs ou produits de la coagulation qui agissent aussi comme médiateurs de la réaction inflammatoire sont les suivants :

– le facteur de Hageman (facteur XII), activé lors de l'agrégation plaquettaire; il intervient dans l'activation du système producteur des kinines et favorise l'adhésion des globules blancs aux vaisseaux sanguins lésés;
– la thrombine, une enzyme qui catalyse la transformation du fibrinogène en fibrine et qui favorise la libération de la sérotonine contenue dans les plaquettes;
– la fibrine, qui possède un puissant effet chimiotactique sur les globules blancs.

L'agrégation des plaquettes constitue un puissant signal de libération de la sérotonine qu'elles contiennent. Elle est à l'origine de modifications vasculaires observées dans les instants qui suivent l'agression. À partir de ce moment, le processus inflammatoire ne fait que s'amplifier et se renforcer de lui-même. C'est une rétroaction positive qui augmente les modifications vasculaires, attire les cellules immunitaires au foyer inflammatoire, renforce l'activité de ces cellules, accroît la libération de médiateurs ainsi que le pouvoir phagocytaire des granulocytes neutrophiles et des macrophages attirés sur place.

> **LA RÉACTION INFLAMMATOIRE CONSTITUE L'ÉLÉMENT CENTRAL DE LA RÉPONSE IMMUNITAIRE NON SPÉCIFIQUE. ELLE EST CAUSÉE PAR DES MÉDIATEURS CHIMIQUES SÉCRÉTÉS À LA SUITE DE L'AGRESSION.**

DÉVELOPPEMENT DE LA RÉACTION INFLAMMATOIRE

Le développement de la réaction inflammatoire est assuré par différents médiateurs sécrétés par les cellules immunitaires et les plaquettes. La plupart de ces médiateurs agissent localement, mais certains peuvent agir à distance : l'action pyrogène, responsable de la fièvre, et la stimulation de la multiplication des granulocytes et des monocytes dans la moelle osseuse en sont deux exemples.

Si l'on regroupe l'ensemble des effets produits par ces médiateurs, on observe qu'ils :

– provoquent la vasodilatation des capillaires;
– augmentent la perméabilité vasculaire, ce qui accroît l'exsudation plasmatique;
– assurent la chimiotaxie;
– provoquent la dégranulation des basophiles et des mastocytes;
– stimulent les récepteurs sensoriels de la douleur;
– stimulent la production de différents produits bactéricides par les granulocytes neutrophiles;
– provoquent la fièvre;
– activent les macrophages;
– modulent les réactions immunitaires.

Plusieurs catégories de substances sécrétées par les cellules immunitaires et les plaquettes interviennent à titre de médiateurs de la réaction inflammatoire. Le tableau 12.1 établit la liste des principaux médiateurs de l'inflammation, indique leur origine et précise leurs principaux effets. On remarque que la plupart du temps un même médiateur possède plusieurs effets.

MODIFICATIONS VASCULAIRES : ROUGEUR, CHALEUR, ŒDÈME

Les modifications vasculaires apparaissent immédiatement après l'agression. Elles sont induites sous l'influence des médiateurs chimiques libérés par les plaquettes et les mastocytes. Le débit sanguin local augmente, par dilatation artériolaire, et les capillaires deviennent très perméables aux protéines. La vasodilatation et l'hyperperméabilité entraînent à leur tour l'exsudation

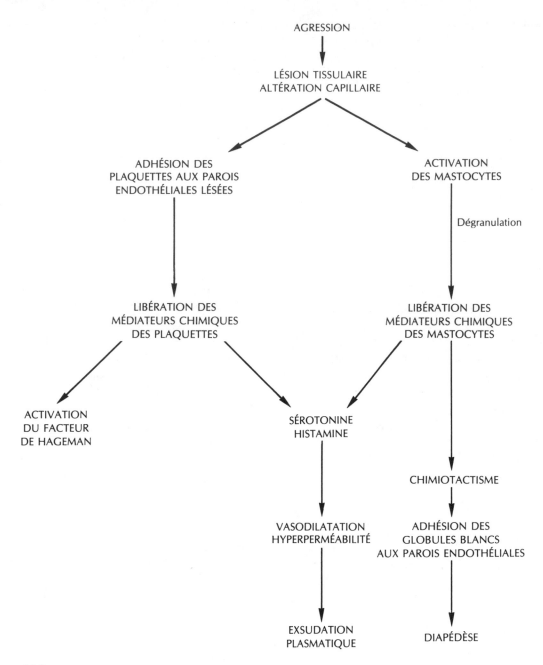

Figure 12.2
Mise en route de la réaction inflammatoire.

Dans un premier temps, les lésions tissulaires et vasculaires entraînent la libération de médiateurs chimiques (sérotonine et histamine principalement) de la part des plaquettes et des mastocytes. Ces médiateurs ont pour effet de provoquer la vasodilatation et l'hyperperméabilité, d'attirer les globules blancs et de les faire adhérer aux parois des vaisseaux sanguins.

MÉDIATEURS	ORIGINES	EFFETS
Facteurs de coagulation		
Facteur de Hageman	Présent dans le plasma, activé lors de l'adhésion plaquettaire	Assure la première étape de la coagulation, intervient dans l'activation du système producteur de kinines et favorise l'adhésion des globules blancs.
Thrombine	Présente dans le plasma, activée par la prothrombine	Catalyse la transformation du fibrinogène en fibrine et favorise la libération de la sérotonine des plaquettes.
Fibrine	Issue de la transformation du fibrinogène	Exerce un effet chimiotactique sur les globules blancs.
Amines vasoactives		
Histamine	Granulocytes Basophiles Mastocytes Plaquettes	Accroît la perméabilité vasculaire.
Sérotonine	Plaquettes Mastocytes	Accroît la perméabilité vasculaire et stimule la contraction des muscles lisses.
Protéases		
Kallicréine	Présente dans le plasma	Transforme et active le système kinine.
Plasmine	Présente dans le plasma	Intervient dans la formation des anaphylatoxines en clivant le composant C3 du complément.
Polypeptides		
Bradykinine	Présente dans le plasma sous forme de kininogène	Accroît la vasodilatation, la perméabilité vasculaire et stimule la contraction des muscles lisses.
Kallidine	Présente dans le plasma	Stimule les récepteurs sensoriels de la douleur, la production des prostaglandines, la division des lymphocytes et la vasodilatation capillaire.
Complément		
C3a	Fraction C3 du complément inactif	Provoque la dégranulation des mastocytes.
C5a	Fraction C5 du complément inactif	Provoque la dégranulation des mastocytes, exerce un effet chimiotactique sur les cellules phagocytaires, stimule la sécrétion des neutrophiles et la contraction des muscles lisses.
Interleukine 1	Macrophages	A un effet pyrogène et stimule la production des prostaglandines.
Prostaglandines	Métabolisme de l'acide arachidonique	Provoquent la vasodilatation. Renforcent l'action de l'histamine, de la bradykinine et des leucotriènes.
Leucotriènes	Métabolisme de l'acide arachidonique	Attirent les neutrophiles, stimulent la contraction des muscles lisses et la vasodilatation.
Facteurs d'activation plaquettaire (PAF)	Neutrophiles et basophiles Macrophages	Provoquent la libération des médiateurs contenus dans les plaquettes, stimulent l'agrégation et la sécrétion des neutrophiles, la vasodilatation et la production de composés bactéricides par les neutrophiles.

plasmatique, elle-même favorisée par l'écartement des cellules endothéliales des capillaires. Il se forme des sortes de pores par lesquels s'effectue la fuite plasmatique et par lesquels passent les globules blancs lors de la diapédèse.

La fuite plasmatique a pour effet de modifier localement les gradients de concentration et entraîne l'accumulation de liquides et de diverses substances. La présence de substances telles que le complément entretient l'inflammation. D'autres, excrétées par les cellules phagocytaires ou apportées par l'exsudation plasmatique, agissent sur le système lymphatique. Celui-ci transporte les substances qui vont stimuler les organes lymphoïdes périphériques dans lesquels se trouvent les lymphocytes B et T. Il n'y a pas ou peu de lymphocytes au siège de la réaction inflammatoire.

Les principaux médiateurs de ces modifications vasculaires sont l'histamine, la sérotonine et les kinines. Les deux premières substances sont présentes dans les plaquettes sanguines et les mastocytes. En plus de leur action sur le système vasculaire, pour laquelle on les a qualifiées d'amines vasoactives, ces médiateurs exercent de puissants effets sur le muscle lisse non vasculaire et jouent un rôle important au cours de la bronchoconstriction. Les kinines, un groupe de trois polypeptides, interviennent de la même façon que l'histamine et la sérotonine : ce sont des vasodilatateurs efficaces, activés dès le début de la réaction inflammatoire par le facteur de Hageman; ces médiateurs exercent aussi un pouvoir chimiotactique à l'égard des granulocytes neutrophiles.

Les modifications vasculaires sont la plupart du temps bénéfiques, car l'augmentation du débit sanguin favorise l'arrivée des cellules phagocytaires au lieu de l'inflammation et la sortie d'anticorps, de composants du complément, de substances bactéricides et de facteurs de coagulation.

DOULEUR

Les sensations douloureuses qui accompagnent généralement la réaction inflammatoire sont causées par des kinines, des médiateurs qui stimulent les récepteurs sensoriels situés aux alentours de la région lésée. Parmi ces médiateurs, il faut mentionner la bradykinine, qui stimule les terminaisons des neurones afférents. La douleur est en soi un phénomène complexe. Elle est liée au fait que la bradykinine entraîne une augmentation de l'intensité du signal nerveux ainsi qu'une augmentation de la rapidité avec laquelle il est transmis. De plus, la zone douloureuse s'étend par réflexes d'axones au niveau des ramifications de chaque nerf sensitif couvrant la zone lésée.

ATTRACTION DES CELLULES PHAGOCYTAIRES ET DIAPÉDÈSE

L'attraction des cellules phagocytaires et la diapédèse constituent une autre étape importante de la réaction inflammatoire (figure 12.3). Elle se déroule peu après l'agrégation des plaquettes et elle est terminée de 30 à 60 minutes après le début de la réaction inflammatoire.

Les cellules phagocytaires sont attirées par des facteurs chimiotactiques. Une fois sur place, les granulocytes excrètent des substances qui provoquent la dégranulation des mastocytes. Stimulés aussi par les anaphylatoxines formées par suite de l'activation des composants C3 et C5, les mastocytes libèrent les médiateurs qu'ils contiennent. Ces médiateurs renforcent à leur tour la vasodilatation et le pouvoir phagocytaire des neutrophiles.

Les événements vasculaires au cours desquels sont libérées un certain nombre de substances favorisent l'adhésion des globules blancs à la paroi endothéliale des capillaires au niveau de la zone lésée. Ces cellules traversent alors la paroi des vaisseaux en se glissant entre les cellules endothéliales. Une fois dans l'espace extravasculaire, granulocytes et monocytes se déplacent

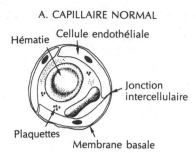

A. CAPILLAIRE NORMAL

Hématie
Cellule endothéliale
Jonction intercellulaire
Plaquettes
Membrane basale

Figure 12.3
Attraction et diapédèse des globules blancs.

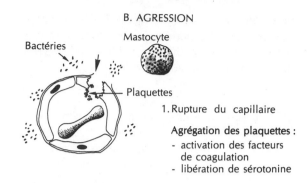

B. AGRESSION

Bactéries
Mastocyte
Plaquettes

1. Rupture du capillaire

Agrégation des plaquettes :
- activation des facteurs de coagulation
- libération de sérotonine

vers les substances et les microorganismes responsables de l'agression. Dès qu'ils sont sur place, les globules blancs commencent à détruire les débris cellulaires et les complexes antigène-anticorps qui se sont formés. Dotées d'un métabolisme très actif, ces cellules vont aussi rejeter dans le milieu des métabolites, des médiateurs qui renforcent l'attraction des globules blancs et des substances PYROGÈNES.

PHAGOCYTOSE

La phagocytose, comme on l'a vu au chapitre 8, consiste en la captation et la digestion des agents agresseurs. Elle est principalement réalisée par les granulocytes neutrophiles et les macrophages. Une fois sur place, les monocytes se transforment en macrophages. Toutes ces cellules phagocytaires dégradent et extraient les antigènes. Présentés par les macrophages, ces antigènes stimulent la participation des lymphocytes T qui interviennent dans les réactions immunitaires spécifiques.

Habituellement, la phagocytose conduit à l'élimination de l'agent agresseur mais cela n'est pas toujours le cas. En effet, il arrive que des bactéries survivent ou même s'y multiplient, ce qui risque de transformer les macrophages en agents de contamination involontaires ou de retarder l'évolution normale de l'infection vers la régression

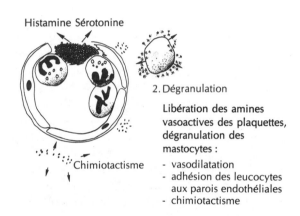

Histamine Sérotonine

Chimiotactisme

2. Dégranulation

Libération des amines vasoactives des plaquettes, dégranulation des mastocytes :
- vasodilatation
- adhésion des leucocytes aux parois endothéliales
- chimiotactisme

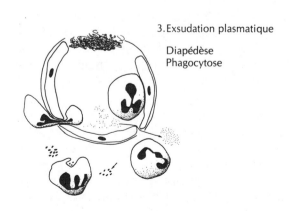

3. Exsudation plasmatique

Diapédèse
Phagocytose

puis vers la réparation tissulaire. De façon générale, on considère susceptible de contrecarrer le déroulement normal de la réaction inflammatoire et de la phagocytose :

- les bactéries Gram négatif dont les endotoxines inhibent la diapédèse;
- les bactéries pyogènes qui, par les leucocidines qu'elles sécrètent, tuent les neutrophiles (formation de pus);
- les bactéries capsulées dont les constituants capsulaires empêchent les phénomènes d'adhérence préliminaires à la phagocytose;
- les bactéries qui se développent dans les macrophages.

ÉVOLUTION DE LA RÉACTION INFLAMMATOIRE

Il est à remarquer que, chronologiquement, ce ne sont pas les mêmes catégories de globules blancs que l'on trouve au niveau du foyer inflammatoire. Au début de l'inflammation, ce sont les neutrophiles qui prédominent car ce sont eux qui migrent en premier. Mais dépourvus de pouvoir de multiplication et moins résistants que les macrophages, les neutrophiles disparaissent en quelques jours. Ils sont remplacés par les macrophages issus des monocytes circulants. C'est pourquoi la présence en grand nombre de macrophages est plus révélatrice d'une infection chronique que d'une inflammation aiguë.

Normalement, en quelques jours, l'infection est jugulée, l'inflammation régresse et laisse place à la réparation tissulaire. Ce processus est particulièrement visible sur les plaies cutanées, où l'on peut observer la cicatrisation qui correspond à la réparation des tissus lésés lors de l'agression microbienne ou du traumatisme. On observe notamment une intense activité des fibroblastes du tissu conjonctif. Ces cellules sécrètent de très grandes quantités de collagène qui permettront une réparation complète. Le revêtement cutané porte souvent des cicatrices : à ce niveau, la peau apparaît plus dure, plus épaisse, moins élastique.

Cela s'explique par le fait que les fibres élastiques du tissu conjonctif – qui confèrent à la peau sa souplesse – ne se renouvellent pas. Il arrive aussi qu'un abcès se forme, surtout à la suite d'infections graves. Dans ce cas, la réparation tissulaire n'est pas complète. Au cours de la régénération tissulaire, les fibroblastes forment une poche de collagène contenant du pus, lequel est constitué d'un mélange de neutrophiles morts et de microorganismes. Cet abcès ne disparaît pas spontanément : il doit être ouvert et drainé.

LA RÉACTION INFLAMMATOIRE EST PRINCIPALEMENT CARACTÉRISÉE PAR DES MODIFICATIONS VASCULAIRES QUI AUGMENTENT LES ÉCHANGES LIQUIDIENS AU NIVEAU DES TISSUS LÉSÉS ET QUI FACILITENT LE PASSAGE DES CELLULES PHAGOCYTAIRES ATTIRÉES SUR PLACE.
CES CELLULES PHAGOCYTAIRES ÉLIMINENT ALORS LES SUBSTANCES TOXIQUES, LES MICROORGANISMES, LES DÉBRIS CELLULAIRES ET LES COMPLEXES IMMUNS. L'INFLAMMATION RÉGRESSE ET LAISSE PLACE À LA RÉPARATION TISSULAIRE.

PROCESSUS PATHOLOGIQUE DE LA RÉACTION INFLAMMATOIRE

On a présenté jusqu'ici les aspects positifs de la réaction inflammatoire, c'est-à-dire comme ils surviennent la plupart du temps à la suite d'une infection légère, d'une blessure, d'une brûlure ou d'un simple coup de soleil. Mais il arrive parfois que l'agent agresseur ne puisse être éliminé : il persiste dans les tissus. C'est le cas des particules minérales (silice, carbone, etc.) et des cristaux d'urates responsables des crises de goutte dont la présence attire les globules blancs qui les phagocytent. Mais de tels cristaux résistent à l'action des enzymes lysosomiales. Incapables de s'en débarrasser, les globules blancs rejettent ces cristaux et leurs enzymes dans les tissus alentours. La persistance de l'agent agressant entretient l'état inflammatoire qui devient chronique. La présence de cristaux et de particules minérales attire continuellement de nouveaux globules blancs, en même temps que les enzymes lysosomiales rejetées attaquent les cellules saines. Ces tissus lésés, apparentés au non-soi, déclenchent alors une réaction immunitaire.

On verra au chapitre 13 que les réactions d'hypersensibilité immédiate ou retardée, locales ou générales, sont en fait des réactions inflammatoires de type immunologique. Pour ne citer qu'un exemple, voyons ce qui se passe lorsqu'une personne a le rhume des foins. La présence de l'allergène chez un sujet sensibilisé déclenche la dégranulation des mastocytes et des granulocytes basophiles qui portent les IgE spécifiques de cet allergène. Les médiateurs chimiques de ces cellules (histamine et sérotonine, etc.), une fois rejetés, agissent localement et entraînent une vasodilatation capillaire et une exsudation plasmatique à l'origine des symptômes classiques du rhume des foins : congestion, écoulement nasal, rougeur, sensations de picotement, etc.

12.2.2 ÉLÉMENTS HUMORAUX

Le sérum contient, en dehors de tout état infectieux, un certain nombre de substances qui participent de diverses façons aux réactions immunitaires non spécifiques. Parmi celles-ci, on trouve principalement le complément, l'interféron et le lysozyme.

COMPLÉMENT

Normalement présent dans le sang à l'état inactif, le complément est activé soit par la présence d'un complexe antigène-anticorps (voie classique d'activation), soit par celle de substances non immunologiques, comme les polysaccharides, les endotoxines (voie alterne d'activation), etc. Le complément constitue l'agent humoral le plus important de la réaction inflammatoire.

Le complément agit de manière non spécifique à de nombreux niveaux. Rappelons ses deux activités biologiques les plus importantes :

- la dégranulation de l'histamine contenue dans les mastocytes et les basophiles;
- la stimulation des lymphocytes B, des monocytes, des macrophages, des neutrophiles et des plaquettes.

Le complément agit comme un système hydrolytique déterminant des lésions au niveau de la membrane cytoplasmique. Il provoque l'éclatement de cette membrane, causant la destruction de la cellule. Le complément agit aussi à l'égard des virus et des hématies dont il provoque l'hémolyse. Il est à noter, toutefois, que l'activité lytique du complément ne se produit que lorsque les structures cellulaires ou virales sont recouvertes d'anticorps.

INTERFÉRON

L'interféron est une substance protéique produite notamment par les cellules infectées par des virus. Il est produit par la cellule infectée, libéré dans le milieu et peut induire la résistance à l'infection dans d'autres cellules (figure 12.4). Il faut noter que c'est seulement la synthèse des protéines virales qui se trouve bloquée par l'interféron : la cellule ne meurt pas et maintient ses propres activités métaboliques.

L'induction de la synthèse de l'interféron et le mécanisme d'action de ce composé antiviral restent encore hypothétiques. On croit que c'est la présence d'acide nucléique viral dans la cellule infectée qui déclencherait la production d'interféron. Toutefois, le signal de mise en route de la synthèse et les étapes de la synthèse ne sont pas encore connues avec précision. Le mécanisme d'action n'est que partiellement établi. L'interféron inhiberait la synthèse des constituants viraux en bloquant l'activité de l'ARN messager viral.

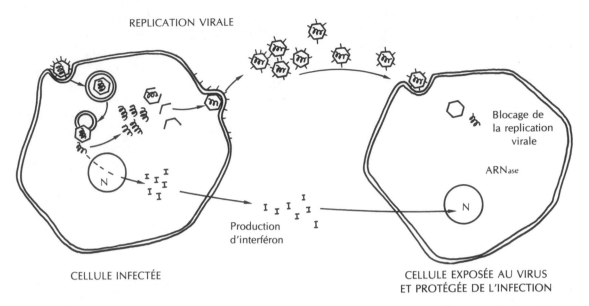

REPLICATION VIRALE

Blocage de
la replication
virale

ARNase

N

CELLULE INFECTÉE

CELLULE EXPOSÉE AU VIRUS
ET PROTÉGÉE DE L'INFECTION

Production
d'interféron

Figure 12.4
Mécanismes d'induction et d'action de l'interféron.
La seule présence d'un virus dans une cellule entraîne la production d'interféron. Cette substance diffuse et pénètre dans les cellules saines. Sous l'influence de l'interféron, les cellules saines pourront synthétiser une ribonucléase (RNAse) qui bloque la reproduction virale sans affecter le métabolisme cellulaire.

L'interféron est produit rapidement par la cellule parasitée, parfois dès l'entrée du virus. De ce fait, il constitue un élément de défense précoce contre l'envahisseur, car il intervient bien avant les anticorps, qui n'apparaissent que quelques jours après l'introduction de l'agresseur (figure 12.5).

Aujourd'hui, on connaît trois grandes catégories d'interférons : les interférons α (alpha), les interférons β (bêta) et l'interféron γ (gamma). La fonction des interférons α et β est principalement antivirale. L'interféron γ agit surtout comme immunorégulateur.

La production d'interféron est stimulée par la présence de virus mais aussi par celle de certains protozoaires (*Toxoplasma*) et de certaines bactéries, en particulier les Rickettsies et les *Chlamydia*,

à développement intracellulaire. Outre ses activités antivirales, l'interféron intervient dans la défense immunitaire non spécifique de multiples façons. Entre autres, il est responsable de :

– La stimulation des macrophages; l'interféron agit comme un facteur d'activation des macrophages. Il stimule la phagocytose et la production d'enzymes qui participent à la destruction de la particule phagocytée.

– La production de médiateurs intervenant dans la synthèse de l'interleukine 1.

– La modulation de la réponse immunitaire, en particulier au niveau des lymphocytes T. De plus, l'interféron amplifierait la réceptivité des lymphocytes B à l'égard des substances produites par les lymphocytes T activés.

211

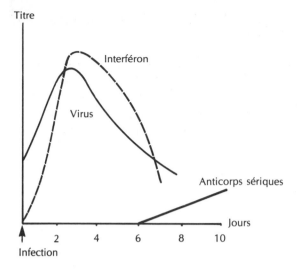

Figure 12.5
Rôle de l'interféron dans la défense antivirale.

On constate que l'infection virale est d'abord ralentie par la sécrétion d'interféron. La production d'anticorps, plus tardive, met fin à l'infection.

– La stimulation des cellules NK, qui ont une large activité cytotoxique à l'égard de nombreuses cellules cibles sans sensibilisation préalable.

– Le ralentissement de la croissance des cellules tumorales.

Ces propriétés, selon bien des chercheurs, justifieraient l'utilisation de l'interféron dans le traitement des maladies virales et cancéreuses humaines. Malheureusement, son utilisation thérapeutique pose de sérieux problèmes à cause des difficultés rencontrées jusqu'ici pour le produire en grande quantité. La culture de cellules humaines infectées par des virus constituait jusqu'à présent la principale voie de production mais ne permettait pas d'accéder à des quantités suffisantes pour entreprendre des traitements. La possibilité de produire l'interféron par des bactéries recombinées (c'est-à-dire chez lesquelles on a greffé les gènes commandant sa production) semble prometteuse. Les premières tentatives réalisées dernièrement ont été couronnées de succès.

LYSOZYME

Sécrété par les macrophages, le lysozyme assure l'hydrolyse de diverses catégories de composés chimiques, notamment le mucopeptide. Cette substance entre dans la composition de la paroi des bactéries Gram positif. On trouve du lysozyme dans les lysosomes des cellules phagocytaires, dans le plasma, dans les sécrétions glandulaires déversées dans les voies respiratoires, digestives, génito-urinaires et dans les sécrétions lacrymales.

> **LE COMPLÉMENT ET L'INTERFÉRON SONT DEUX ÉLÉMENTS IMPORTANTS DE LA RÉACTION HUMORALE NON SPÉCIFIQUE.**
> **OUTRE SON POUVOIR CYTOLYTIQUE, LE COMPLÉMENT ACTIVÉ A POUR PRINCIPAUX EFFETS DE PROVOQUER LA VASODILATATION, LA PERMÉABILITÉ CAPILLAIRE ET DE STIMULER L'ACTIVITÉ DES GLOBULES BLANCS.**
> **L'INTERFÉRON INTERVIENT PRINCIPALEMENT DANS LA DÉFENSE ANTIVIRALE.**

12.2.3 FIÈVRE

La fièvre constitue un autre élément de la défense immunitaire non spécifique, en particulier à l'égard des bactéries et des virus. On a remarqué, en effet, que les bactéries – et surtout les virus – exercent un pouvoir pyrogène par lequel le centre hypothalamique de la régulation de la température interne, habituellement maintenu à 37 °C, élève la température de quelques degrés. L'origine de ce changement est un peu mieux connu depuis quelques années. On sait qu'il est lié, d'une part, à l'action de substances pyrétiques comme les endotoxines des bactéries Gram négatif, et, d'autre part, plus généralement à l'activité même des cellules phagocytaires.

On s'est longtemps interrogé sur l'utilité de la fièvre. Même si l'on ne comprend pas encore toutes les implications de ce phénomène, on se rend compte que la fièvre n'est pas la conséquence inutile de l'infection et la source d'un inconfort pour l'individu qui la subit. La fièvre est un moyen de défense efficace permettant de lutter contre les envahisseurs en attendant l'élaboration de mécanismes spécifiques mais plus lents à apparaître.

La fièvre intervient de multiples façons en compromettant l'activité des virus, des bactéries et en stimulant celle des globules blancs (figure 12.6). On remarque qu'une élévation de la température de deux ou trois degrés rend les virus inactifs; elle

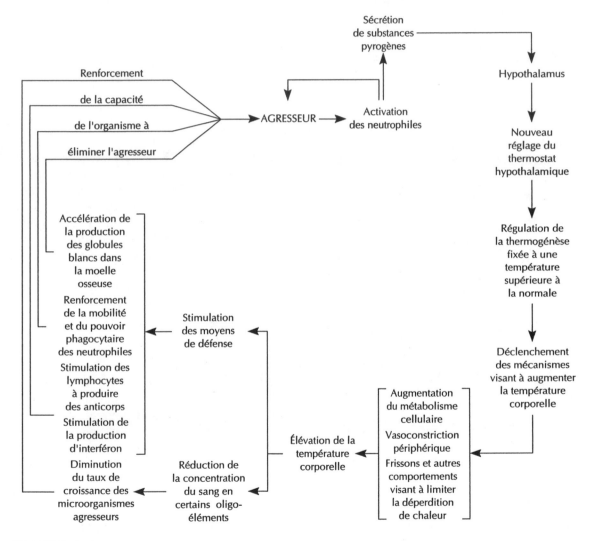

Figure 12.6
Rôle de la fièvre dans la réponse immunitaire.

213

ralentit considérablement le taux de croissance et l'élaboration de substances toxiques par les bactéries[1]. En revanche, bien que cela reste hypothétique, on croit que la modification de la concentration plasmatique de certains oligo-éléments (fer, zinc, cuivre, etc.), que l'on observe à la suite d'états fébriles, serait à l'origine du ralentissement de la croissance bactérienne.

Par ailleurs, la température stimule l'activité des globules blancs. Une fièvre modérée, située aux alentours de 38,5 °C a pour effet :

- d'accélérer le processus de production des globules blancs dans la moelle osseuse;
- d'amplifier la mobilité et le pouvoir phagocytaire des globules blancs;
- de stimuler la multiplication des cellules immunocompétentes, les lymphocytes B et T, responsables des réactions immunitaires spécifiques;
- de stimuler la production d'interféron.

Pour ces raisons, il est souhaitable de ne pas utiliser systématiquement des médicaments antipyrétiques qui font baisser la fièvre de façon artificielle et en même temps replacent l'agresseur dans des conditions optimales de développement. Cependant, la fièvre est une arme à double tranchant : si la température dépasse 40 °C, il est nécessaire d'intervenir car des complications peuvent survenir au niveau du système nerveux, causant des délires, des convulsions ou des méningites.

12.3 RÉPONSE SPÉCIFIQUE

Conjointement avec la réponse non spécifique, l'organisme peut mettre en œuvre une réponse spécifique. Par définition, cette réponse est adaptée spécialement à la nature de l'agresseur qui l'initie.

La réponse spécifique peut être de nature humorale, cellulaire ou mixte, c'est-à-dire faire appel simultanément à ces deux types de réponse. Elle repose sur l'intervention de deux lignées lymphocytaires : les lymphocytes B et les lymphocytes T. Les premiers sont responsables de l'immunité humorale, par la production d'anticorps circulants. Les seconds, les lymphocytes T, sont responsables de l'immunité cellulaire caractérisée par les phénomènes de cytotoxicité et participent aussi à la régulation des réactions immunitaires.

Assurées par des cellules effectrices distinctes, ces réactions spécifiques humorale et cellulaire se caractérisent aussi par la nature des cibles vers lesquelles elles sont dirigées et par la nature de leur transmissibilité. Les réactions humorales apparaissent surtout à l'égard d'agresseurs microbiens à développement extracellulaire, alors que les réactions cellulaires sont principalement mises en œuvre dans la destruction des cellules présentant des marqueurs apparentés au non-soi : elles interviennent donc dans la lutte antivirale, l'immunité antitumorale, le rejet des allogreffes, la réaction du greffon contre l'hôte et les réactions d'hypersensibilité retardée (tableau 12.2).

Le déclenchement de la réaction spécifique s'effectue au moment de la pénétration de l'antigène dans l'organisme. Il n'est pas apparent immédiatement, car il exige la mobilisation des cellules effectrices, la différenciation et la multiplication de ces cellules avant que leur intervention ne puisse être détectée.

Par ailleurs, le déroulement de la réponse immunitaire spécifique dépend d'un certain nombre de facteurs relatifs à l'antigène. On distingue généralement :

---

1. Des mesures montrent que le taux de croissance du virus de la poliomyélite est 250 fois plus élevé à 37 ° qu'à 40 °C. Par ailleurs, le tréponème syphilitique meurt à 41 °C.

Tableau 12.2
Caractéristiques distinctives de l'immunité humorale et de l'immunité à médiation cellulaire.

CARACTÉRISTIQUES	IMMUNITÉ HUMORALE	IMMUNITÉ CELLULAIRE
Médiation	Anticorps spécifiques de l'antigène	Médiateurs non spécifiques de l'antigène Cellules cytotoxiques
Intervention	Antigènes solubles et particulaires (notamment les parasites à développement extracellulaire)	Lutte antivirale Lutte antitumorale Rejet des allogreffes Réaction du greffon contre l'hôte Réaction d'hypersensibilité retardée
Transmissibilité	Passivement par le sérum	Non transmissible passivement : il faut injecter les cellules pour transférer l'immunité

- la voie d'introduction de l'antigène;
- sa nature chimique;
- son état physique (antigène soluble ou particulaire);
- son caractère thymodépendant ou thymoindépendant;
- sa concentration;
- la présence d'adjuvants.

La voie d'introduction a une influence directe sur :

- Le type de réaction déclenchée. En effet, si l'introduction est intraveineuse, l'antigène est transporté à la rate et provoque une réaction essentiellement humorale. Si l'antigène est introduit par voie sous-cutanée ou intramusculaire, il est transporté vers le ganglion lymphatique tributaire du territoire et induit une réponse cellulaire, humorale ou mixte. La réponse mixte est la plus fréquente.
- La nature des anticorps produits. Si l'introduction de l'antigène est intraveineuse ou intradermique, les anticorps sont des IgG. Le même antigène introduit au niveau d'une muqueuse induit la production d'IgA.
- Les modifications histologiques des organes lymphoïdes. À la suite de l'injection intraveineuse de l'antigène, c'est la rate qui présente les principales transformations histologiques (production de cellules immunocompétentes). En revanche, si l'introduction de l'antigène a lieu par voie sous-cutanée ou intramusculaire, c'est le ganglion lymphatique tributaire du territoire qui est le siège de modifications histologiques. Très rapidement, soit en moins de 24 heures, on observe une augmentation de volume, causée par le retour de nombreux lymphocytes circulants. Par la suite, on observe une prolifération rapide et une différenciation des lymphocytes et des plasmocytes. Enfin, l'introduction de l'antigène par voie digestive entraîne des modifications histologiques au niveau des formations lymphoïdes intestinales (plaques de Peyer). Ces structures sont le siège de la différenciation des lymphocytes et des plasmocytes.

> **LA RÉPONSE IMMUNITAIRE SPÉCIFIQUE EST DE NATURE HUMORALE, CELLULAIRE OU MIXTE.**
> **LES RÉACTIONS HUMORALES SPÉCIFIQUES, ASSURÉES PAR LES LYMPHOCYTES B, SONT CARACTÉRISÉES PAR LA PRODUCTION D'ANTICORPS.**
> **LES RÉACTIONS CELLULAIRES REPOSENT PRINCIPALEMENT SUR LE POUVOIR CYTOTOXIQUE DES LYMPHOCYTES T.**

12.3.1 RÉACTION HUMORALE

Après avoir décrit les aspects dynamiques de la réaction humorale spécifique, nous l'envisagerons sous ses aspects quantitatifs et qualitatifs afin de mieux en cerner les caractéristiques.

ASPECTS DYNAMIQUES

La réaction humorale spécifique repose sur la production d'anticorps par les lymphocytes B, mais la seule présence de l'antigène ne peut déclencher la production d'anticorps. Ces lymphocytes B sont activés au terme d'un processus complexe qui met en jeu les macrophages et les lymphocytes T.

RÔLE DES MACROPHAGES

Dans un ganglion lymphatique, l'antigène est trouvé dans les macrophages. Cette intervention est capitale : les macrophages interviennent dans les processus de reconnaissance de l'antigène, qui constituent l'étape préliminaire des réactions humorales et cellulaires.

En premier lieu, le rôle des macrophages est de présenter l'antigène aux lymphocytes T. Pour ce faire, les macrophages phagocytent et digèrent l'antigène capté. Par la suite, une partie importante des antigènes traités se retrouvent à la surface des macrophages. Ils peuvent alors être présentés aux lymphocytes T en conjonction avec les antigènes d'histocompatibilité de classe II.

Outre ces fonctions de cellules accessoires, les macrophages interviennent de différentes façons dans le développement de la réaction spécifique, notamment :

- par la présence de récepteurs de surface pour les immunoglobulines, ce qui leur permet soit de capter et de phagocyter les complexes immuns, soit de les présenter aux lymphocytes;
- par la sécrétion de médiateurs, en particulier l'interleukine 1, qui participent à l'activation des lymphocytes T.

RÔLE DES LYMPHOCYTES T

Les lymphocytes T semblent jouer un rôle déterminant dans l'activation des lymphocytes B, mais on sait encore peu de chose sur les mécanismes de la coopération cellulaire entre les lymphocytes B et les lymphocytes T. On sait seulement que, parmi les lymphocytes T régulateurs, ce sont les lymphocytes T4 qui stimulent le développement et la prolifération des cellules productrices d'anticorps; ils ont un rôle amplificateur.

Notons aussi que la stimulation des lymphocytes B peut aussi s'effectuer sans l'intervention des lymphocytes T, notamment à l'égard de certains antigènes (lipopolysaccharides de la paroi des bactéries Gram négatif, polysaccharides des pneumocoques, etc.). On remarque cependant que la réponse dirigée contre de tels antigènes est principalement le fait des IgM. En revanche, on note que la production d'IgG, d'IgA et d'IgE requiert la participation des lymphocytes T.

CELLULES MÉMOIRES

Tous les lymphocytes B stimulés ne se différencient pas en plasmocytes. Un certain nombre reste à l'état de repos. Ces lymphocytes constituent des cellules mémoires spécifiques d'un antigène donné, prêtes à se différencier en plasmocytes sécréteurs programmés pour produire l'anticorps spécifique de cet antigène. Ces cellules interviendront si l'organisme entre en contact de nouveau avec l'antigène.

LYMPHOCYTES T SUPPRESSEURS

Certains lymphocytes T jouent un rôle suppresseur, assurant la régulation des lymphocytes B et d'autres groupes de lymphocytes T. Les lymphocytes T8 remplissent cette fonction. On sait, par ailleurs, que les lymphocytes T ne sont pas les seules cellules à fonction suppressive. Les macrophages et certaines protéines sériques assurent aussi une telle fonction sur les activités immunitaires.

LE DÉVELOPPEMENT DE LA RÉPONSE HUMORALE NÉCESSITE GÉNÉRALEMENT L'INTERVENTION DES MACROPHAGES ET DES LYMPHOCYTES T. CE N'EST QU'À LA SUITE DE CETTE COOPÉRATION CELLULAIRE QUE LES LYMPHOCYTES B SE TRANSFORMENT EN PLASMOCYTES SÉCRÉTEURS D'ANTICORPS.

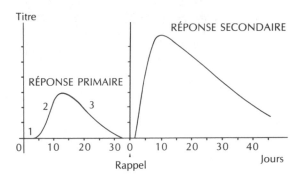

Figure 12.7

Aspects quantitatifs des réponses primaire et secondaire.

La réponse primaire est lente à s'établir. Elle est caractérisée par un titre d'anticorps relativement faible. À la suite d'une injection de rappel apparaît une réponse secondaire caractérisée par sa précocité (le temps de latence est très court), son intensité et sa durée.

1) phase de latence; 2) phase de croissance; 3) phase de décroissance.

ASPECTS QUANTITATIFS

La réponse humorale se traduit par la synthèse et la sécrétion, par les plasmocytes, d'immunoglobulines spécifiques des antigènes qui ont déclenché la réaction immunitaire.

La mesure qualitative et quantitative des anticorps formés permet de faire la distinction entre la réponse primaire et la réponse secondaire, selon qu'il s'agit d'un premier contact avec l'antigène ou d'un rappel, c'est-à-dire de tout contact subséquent.

RÉPONSE PRIMAIRE

Trois phases caractéristiques peuvent être décrites (figure 12.7) pour la réponse primaire : phases de latence, de croissance et de décroissance.

La mesure quantitative montre qu'il existe un temps de latence avant que les anticorps n'apparaissent. Plusieurs facteurs influent sur la durée de cette période : nature de l'antigène, développement du système immunitaire, voie de pénétration de l'antigène, dose d'antigène, etc. Il semble que ce temps de latence dépende aussi de la technique de mesure utilisée. On a pu montrer que l'utilisation de méthodes très sensibles permet de mettre en évidence l'apparition des premiers anticorps quelques heures après le contact avec l'antigène.

Au cours de la phase de croissance, la quantité d'anticorps croît exponentiellement avant d'atteindre un pic ou un plateau correspondant à une concentration maximale.

La phase de décroissance est caractérisée par la diminution plus ou moins rapide de la classe d'immunoglobulines et de la concentration totale d'immunoglobulines de la même classe.

RÉPONSE SECONDAIRE

Une seconde injection du même antigène, aussi appelée rappel, avant la disparition des anticorps entraîne une réponse secondaire caractérisée par sa précocité, son intensité et sa durée. Le temps de latence est habituellement deux fois plus court; la phase de croissance est exponentielle, mais la concentration maximale est plus forte et est atteinte plus rapidement qu'au cours de la réponse primaire. De plus, la concentration des anticorps décroît beaucoup plus lentement.

Par ailleurs, l'existence d'une réponse secondaire illustre le concept de mémoire immunologique. Un organisme est capable de répondre à un antigène une fois qu'il y a été sensibilisé. La mémoire est telle qu'elle peut persister plusieurs années chez l'Homme, voire le restant de sa vie, c'est-à-dire longtemps après que les anticorps sont encore en concentrations suffisantes ou alors qu'ils ont totalement disparu. C'est ce principe qui est à l'origine des injections de rappel dans les vaccinations anti-infectieuses.

ASPECTS QUALITATIFS

On note généralement une variation qualitative des anticorps produits au cours des réponses primaire et secondaire. Ces variations concernent notamment la classe des anticorps produits.

Au début de la réponse primaire, les anticorps produits sont des IgM (figure 12.8). Ils sont progressivement remplacés par des IgG. Dans la réponse secondaire, ce sont presque exclusivement des IgG qui sont produites.

Il est acquis aussi qu'un plasmocyte ne produit des anticorps que d'une seule spécificité. On ne peut préciser cependant si ce sont les mêmes plasmocytes qui produisent séquentiellement les IgM et les IgG ou s'il s'agit de deux clones cellulaires différents.

AU PREMIER CONTACT AVEC L'ANTIGÈNE, L'ORGANISME DÉVELOPPE UNE RÉPONSE PRIMAIRE FAIBLE, LENTE À APPARAÎTRE ET CARACTÉRISÉE PAR LA PRODUCTION SUCCESSIVE D'IgM ET D'IgG.
LES CONTACTS SUBSÉQUENTS DÉCLENCHENT RAPIDEMENT UNE RÉPONSE SECONDAIRE CARACTÉRISÉE PAR SA PRÉCOCITÉ, SON INTENSITÉ, SA DURÉE ET PAR LA PRODUCTION D'IgG.

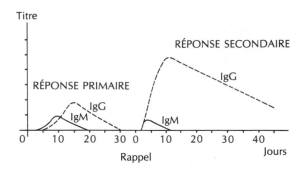

Figure 12.8
Aspects qualitatifs des réponses primaire et secondaire.

On observe une variation de la classe des immunoglobulines produites au cours des réponses primaire et secondaire. On note que les IgM apparaissent d'abord et sont progressivement remplacées par les IgG. En revanche, au cours de la réponse secondaire, la quasi-totalité des immunoglobulines produites sont des IgG.

12.3.2 RÉPONSE CELLULAIRE

La réponse spécifique à médiation cellulaire est réalisée principalement par les lymphocytes T. Cette réponse cellulaire est essentiellement dirigée vers le non-soi, c'est-à-dire vers les cellules parasitées par des virus, les allogreffes et les cellules tumorales, qui partagent la caractéristique de présenter des antigènes de surface reconnus comme étrangers. Il faut cependant se rappeler que le rôle des lymphocytes T dépasse largement le cadre des réponses à médiation cellulaire. Les lymphocytes T sont, en effet, au centre de toutes les réactions immunitaires (figure 12.9) : les uns, par leurs activités amplificatrices et suppressives, contrôlent le déroulement des réactions à médiation humorale et cellulaire; les autres, par leurs activités effectrices, interviennent directement dans la réaction cellulaire.

ASPECTS DYNAMIQUES

Deux étapes peuvent être observées au cours des réactions immunitaires à médiation cellulaire :

une étape de sensibilisation et une étape de prolifération et de différenciation.

L'étape de sensibilisation est l'étape au cours de laquelle il y a contact avec l'antigène. Cette stimulation entraîne l'activation des lymphocytes T et des autres groupes cellulaires intervenant dans les réactions cellulaires.

L'étape de prolifération et de différenciation coïncide avec l'apparition des cellules effectrices :

– À pouvoir cytotoxique à l'égard de cellules cibles porteuses de déterminants antigéniques immunisants (non-soi). Ce pouvoir cytotoxique, qui conduit à la lyse de la cellule cible, est assuré par les lymphocytes T8 ainsi que par d'autres catégories de cellules moins bien connues.

– À pouvoir sécréteur qui élaborent des médiateurs chimiques intervenant dans les réactions cellulaires de l'immunité spécifique et non spécifique. Ces médiateurs sont les lymphokines. Les lymphokines agissent de multiples façons sur les différents groupes de cellules immunitaires.

Le pouvoir cytotoxique de certains groupes cellulaires constitue l'élément fondamental de la réaction cellulaire. Ils assurent la destruction des cellules cibles contre lesquelles ils sont dirigés par cytolyse en provoquant des lésions irréversibles.

Plusieurs groupes de cellules immunitaires sont dotés de pouvoir cytotoxique. Ce sont les lymphocytes T identifiables par le marqueur T8, les cellules K, les cellules NK et les macrophages.

Les lymphocytes T sont habituellement inactifs. Ils n'apparaissent que de manière transitoire à partir du moment où ils sont stimulés par la reconnaissance de déterminants antigéniques immunisants. Ils détruisent alors les cellules qui les portent par cytolyse.

L'activation des cellules cytotoxiques nécessite deux signaux distincts :

– l'apparition de l'antigène cellulaire étranger;
– l'intervention des lymphocytes T amplificateurs qui entraînent la différenciation et la prolifération des cellules effectrices à pouvoir cytolytique.

Cette étape de maturation est lente : il s'écoule plusieurs jours avant que n'apparaissent les premiers lymphocytes dotés de pouvoir cytotoxique.

> **LES LYMPHOCYTES, LES CELLULES K, NK ET LES MACROPHAGES INTERVIENNENT DANS LA RÉPONSE EN DÉTRUISANT LES CELLULES CIBLES QU'ELLES ONT RECONNUES.**

12.4 MODALITÉS D'ACQUISITION DE LA RÉSISTANCE

Quand l'organisme réussit à résister à l'agresseur, l'infection conduit généralement à l'acquisition d'une immunité, c'est-à-dire d'un état réfractaire à la maladie.

Il existe plusieurs modalités d'acquisition de la résistance immunitaire à l'égard d'un agent infectieux. De plus, la résistance est aussi influencée par divers facteurs dépendant de l'hôte lui-même : facteurs génétiques, âge, état physiologique, état de développement du système immunitaire, etc.

On sait depuis longtemps que de nombreux individus guérissent naturellement d'une maladie infectieuse et présentent ensuite une résistance acquise spécifique à l'égard de l'agent infectieux. L'observation scientifique a aussi révélé qu'il existe plusieurs modes d'acquisition de la résistance (figure 12.10). Les modalités sont regroupées en deux

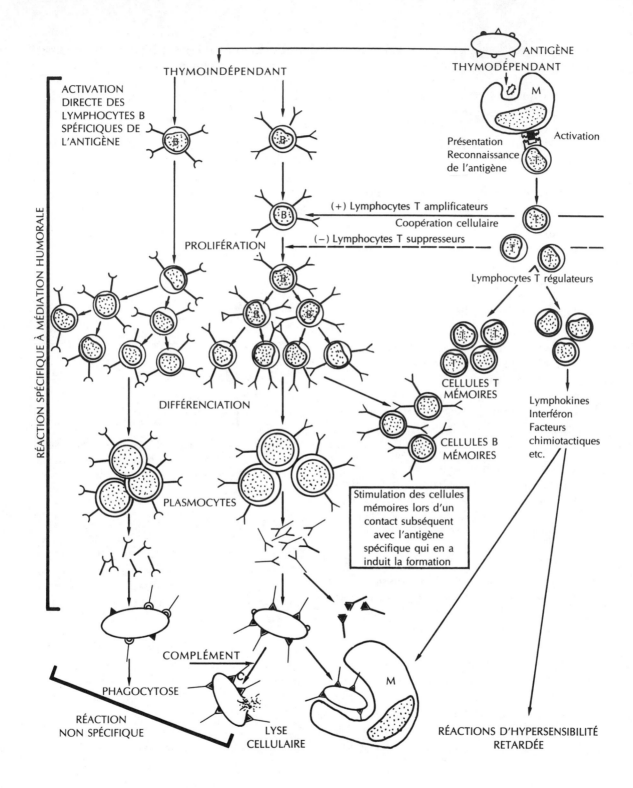

ANTIGÈNE
THYMODÉPENDANT

THYMOINDÉPENDANT

ACTIVATION
DIRECTE DES
LYMPHOCYTES B
SPÉFICIQUES DE
L'ANTIGÈNE

M

Activation

Présentation
Reconnaissance
de l'antigène

(+) Lymphocytes T amplificateurs

Coopération cellulaire

(−) Lymphocytes T suppresseurs

PROLIFÉRATION

Lymphocytes T régulateurs

CELLULES T
MÉMOIRES

DIFFÉRENCIATION

CELLULES B
MÉMOIRES

Lymphokines
Interféron
Facteurs
chimiotactiques
etc.

PLASMOCYTES

Stimulation des cellules
mémoires lors d'un
contact subséquent
avec l'antigène
spécifique qui en a
induit la formation

COMPLÉMENT

M

PHAGOCYTOSE

RÉACTION
NON SPÉCIFIQUE

LYSE
CELLULAIRE

RÉACTIONS D'HYPERSENSIBILITÉ
RETARDÉE

RÉACTION SPÉCIFIQUE À MÉDIATION HUMORALE

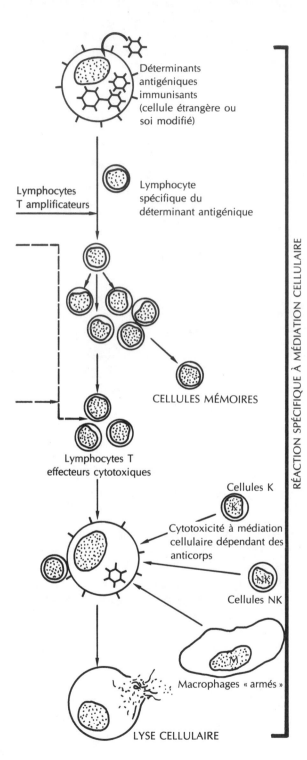

Déterminants antigéniques immunisants (cellule étrangère ou soi modifié)

Lymphocytes T amplificateurs

Lymphocyte spécifique du déterminant antigénique

CELLULES MÉMOIRES

Lymphocytes T effecteurs cytotoxiques

Cellules K

Cytotoxicité à médiation cellulaire dépendant des anticorps

Cellules NK

Macrophages « armés »

LYSE CELLULAIRE

RÉACTION SPÉCIFIQUE À MÉDIATION CELLULAIRE

types : l'IMMUNITÉ NATURELLE (ou innée) caractéristique de certaines espèces, races ou individus à l'égard d'agents infectieux donnés, et l'IMMUNITÉ ACQUISE apparaissant après le contact infectieux.

12.4.1 IMMUNITÉ NATURELLE

L'immunité naturelle, aussi qualifiée d'innée, traduit un état d'insensibilité à l'égard d'un agent infectieux donné. En d'autres termes, un groupe d'animaux, une espèce ou une race peuvent être d'emblée (spontanément) réfractaires à un agent pathogène. De ce fait, ce type d'immunité ne retiendra pas notre attention.

12.4.2 IMMUNITÉ ACQUISE

L'immunité acquise se distingue de l'immunité naturelle par deux caractéristiques fondamentales :

– Elle est spécifique de l'agent infectieux qui a provoqué la maladie et la réaction immunitaire qui l'a suivie. Elle est spécifique de ce seul agent infectieux. L'immunité acquise à l'égard du virus de la grippe ou du rhume témoigne de l'étroitesse de cette spécificité qui protège uniquement contre le type spécifique de virus responsable de l'infection.

– Elle est acquise dans le courant de la vie. Les différentes circonstances dans lesquelles peut être acquise cette immunité font distinguer

Figure 12.9
Schéma d'ensemble de la réaction immunitaire spécifique.

Par l'existence de groupes à fonctions régulatrices, effectrices et cytotoxiques, les lymphocytes T jouent un rôle fondamental dans la réaction spécifique. La plupart du temps, la réponse spécifique est mixte et, hormis quelques exceptions, les lymphocytes T interviennent dans l'activation des lymphocytes B. Avec les cellules K, NK et les macrophages « armés » (cytotoxiques), ils participent à la destruction des cellules portant des déterminants antigéniques immunisants. À noter aussi la présence de cellules mémoires qui permet une réponse secondaire rapide et intense.

221

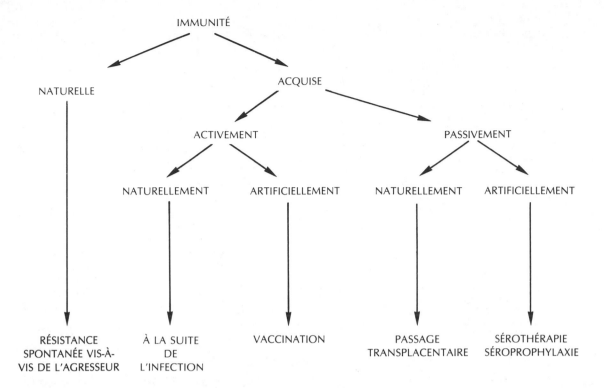

Figure 12.10
Modalités d'acquisition de la résistance anti-infectieuse.

l'immunité acquise activement et l'immunité acquise passivement.

L'immunité acquise activement peut être consécutive à une infection naturelle ou produite par l'inoculation artificielle du microorganisme ou des produits qu'il sécrète.

L'immunité acquise passivement est transmise naturellement par le passage transplacentaire des immunoglobulines maternelles au cours de la grossesse ou, artificiellement, par injection d'un sérum provenant d'un sujet préalablement immunisé.

Le tableau 12.3 résume les principales caractéristiques de l'immunité acquise activement et passivement.

L'acquisition de la résistance anti-infectieuse apparaît progressivement au cours de la vie fœtale. Deux étapes peuvent être distinguées :

– la première, qui commence entre la huitième et la douzième semaine, correspond au début de la différenciation des lymphocytes B et T;

– la seconde, à partir de la vingtième semaine, est caractérisée par la production d'immunoglobulines IgM à la suite d'une éventuelle stimulation antigénique par des agents infectieux susceptibles de traverser la barrière placentaire (rubéole, toxoplasmose, *cytomegalovirus*).

Les granulocytes neutrophiles acquièrent progressivement leur pouvoir phagocytaire et sont sensibles au chimiotactisme. Cependant, leur pouvoir bactéricide est limité.

Tableau 12.3
Caractéristiques de l'immunité acquise activement et passivement.

IMMUNITÉ ACQUISE ACTIVEMENT	IMMUNITÉ ACQUISE PASSIVEMENT
État de résistance développée à la suite d'un contact avec l'agent infectieux ou à la suite d'une vaccination.	État de résistance développée à la suite d'un transfert d'anticorps ou de cellules immunitaires provenant d'un sujet immunisé à un autre qui ne l'est pas.
Le système immunitaire de l'hôte participe activement à l'établissement de la résistance.	Le système immunitaire de l'hôte n'intervient pas dans le développement de la résistance.
Résistance lente à apparaître.	Résistance immédiate.
Résistance durable.	Résistance temporaire.

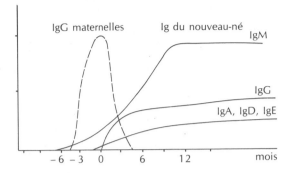

Figure 12.11
Évolution de la production d'immunoglobulines fœtales au cours de la grossesse et après la naissance.

Au cours de la grossesse, les IgG maternelles protègent le fœtus. Après la naissance, le système immunitaire du nouveau-né prend le relais. Cependant, les immunoglobulines ne sont produites que très progressivement. Les premières à atteindre une quantité équivalente à celle de l'adulte (90 %) sont les IgM. Les autres seront produites à la suite de contacts répétés avec les agents infectieux.

Au cours de la grossesse, le fœtus est protégé par les immunoglobulines maternelles qui traversent le placenta mais, aussitôt après la naissance, le nouveau-né se trouve exposé à de nombreux agents infectieux et son système immunitaire ne produit que très progressivement ses propres immunoglobulines (figure 12.11). C'est une période critique au cours de laquelle les nourrissons sont particulièrement sensibles aux infections staphylococciques et aux infections provoquées par des bactéries Gram négatif.

On constate aussi une diminution de l'immunité anti-infectieuse au cours du vieillissement. Ce phénomène, d'intérêt récent, est encore mal connu. On observe une régression du thymus et des organes lymphoïdes. On ne note pas une baisse significative du nombre de lymphocytes B et T, mais on se demande si certaines sous-populations lymphocytaires ne diminuent pas. En effet, on peut mettre en évidence une diminution de la production des lymphocytes T cytotoxiques et des réactions d'hypersensibilité re-

tardée. Comme la production d'anticorps est relativement peu affectée et que le nombre et les fonctions des cellules phagocytaires sont normaux, les hypothèses se tournent vers le rôle central que jouerait le thymus dans le déficit immunitaire du vieillissement. On sait que le volume du thymus diminue avec l'âge de même que la production d'hormone thymique, ce qui ralentit considérablement la maturation des souches de lymphocytes T qui interviennent dans la régulation des réactions immunitaires.

IMMUNITÉ ACQUISE ACTIVEMENT

L'immunité acquise activement représente un état de résistance développé à la suite d'un contact avec l'agent infectieux. Elle implique donc l'intervention du système immunitaire de l'hôte qui répond à l'agresseur par une réaction spécifique à médiation humorale, cellulaire ou mixte. La plupart du temps, il se forme des cellules mémoires qui conservent la trace du passage de l'agent pathogène. De ce fait, l'immunité acquise activement est généralement durable.

223

Elle est, en revanche, lente à s'établir. Il faut habituellement quelques jours ou quelques semaines avant que ne se développe la réaction spécifique.

L'immunité acquise activement peut être naturelle ou artificielle. On dit qu'elle est naturelle si elle survient à la suite d'une infection clinique ou inapparente. L'organisme infecté s'est défendu : par exemple, il a sécrété des anticorps et les divers éléments de la réponse immunitaire non spécifique et spécifique ont éliminé l'agresseur. Les cellules mémoires conservent le souvenir de son passage et seront à l'origine d'une réponse rapide et efficace s'il se présente une seconde fois. Cette immunité est durable. Elle peut être permanente comme à la suite de la rougeole, de la varicelle ou de la diphtérie. Elle peut aussi être temporaire, comme dans le cas du tétanos. On connaît aussi des cas où l'agent infectieux n'entraîne pas d'état réfractaire : la blennorragie et la syphilis, par exemple, peuvent être contractées à plusieurs reprises par le même individu.

L'immunité acquise activement est dite artificielle si elle résulte d'une VACCINATION. Par ce procédé, on inocule des microorganismes vivants ou morts chez un sujet qui n'a jamais été au contact de ces microorganismes. La vaccination a pour but de prévenir la maladie en stimulant les défenses immunitaires. Le vaccin peut être constitué d'une suspension de microorganismes vivants, dont la virulence a été atténuée, des microorganismes morts ou des anatoxines dépourvues de pouvoir toxinique tout en conservant leur pouvoir antigénique. Nous traiterons des vaccins et de leur intérêt préventif au chapitre 22.

IMMUNITÉ ACQUISE PASSIVEMENT

L'immunité acquise passivement à l'égard d'un agent pathogène résulte du transfert d'anticorps ou de cellules lymphoïdes d'un sujet immunisé à un autre qui ne l'est pas. L'état de résistance qui est conféré est généralement temporaire. Il est

toutefois immédiat. Il n'y a pas de temps de latence, car le système immunitaire de l'individu n'intervient pas. De ce fait, l'état de résistance est limité à la durée de vie des anticorps introduits dans le sérum; il dépasse rarement six semaines. Cette période de protection est cependant suffisante pour permettre à l'organisme de produire sa propre réaction spécifique.

Le transfert de ces facteurs de résistance spécifique peut s'effectuer naturellement ou artificiellement. Il survient naturellement quand, à la suite du transfert de l'immunité de la mère au fœtus qu'elle abrite, la protection fœtale se fait par le passage transplacentaire des IgG maternelles. Il survient au début de la grossesse, mais il n'atteint son maximum que dans la seconde moitié de la grossesse. À la naissance, les concentrations d'IgG de part et d'autre du placenta sont égales. La demi-vie des IgG maternelles est de 20 à 30 jours. De ce fait, la protection maternelle est relativement brève. Il est possible que le placenta permette aussi le passage des lymphocytes sensibilisés à certains antigènes. On ne sait pas, cependant, si ces cellules jouent un rôle physiologique chez le fœtus.

Aussitôt après la naissance, une immunité passive est apportée par le lait maternel et surtout par le colostrum, qui contient des IgA. Cette immunité est temporaire. Elle ne dépasse pas quatre à six mois, mais elle contribue à protéger les voies digestives du nourrisson.

Le transfert de résistance spécifique est réalisé artificiellement par l'injection d'anticorps à des fins préventives ou curatives. La sérothérapie fait appel à des sérums d'animaux hyperimmunisés, à des sérums d'individus convalescents ou à des immunoglobulines concentrées. On utilise ces sérums dans les maladies graves déjà déclarées qui peuvent être mortelles chez les sujets non immunisés (tétanos, botulisme). On peut aussi faire appel à la sérothérapie préventive chez les personnes souffrant de déficits immunitaires et chez celles qui suivent un traitement immuno-suppresseur.

> **L'IMMUNITÉ ACQUISE SURVIENT DANS LE COURANT DE LA VIE. ELLE PEUT ÊTRE ACQUISE ACTIVEMENT OU PASSIVE-MENT, NATURELLEMENT OU ARTIFICIEL-LEMENT.**
> **L'IMMUNITÉ ACQUISE ACTIVEMENT IMPLIQUE L'INTERVENTION DU SYS-TÈME IMMUNITAIRE; ELLE EST LENTE À APPARAÎTRE MAIS ELLE EST DURABLE.**
> **L'IMMUNITÉ ACQUISE PASSIVEMENT N'IMPLIQUE PAS L'INTERVENTION DU SYSTÈME IMMUNITAIRE; ELLE EST IM-MÉDIATE MAIS TEMPORAIRE.**

12.5 RÉSUMÉ

La pénétration d'un agresseur à l'intérieur de l'organisme entraîne une réponse immunitaire destinée à éliminer cet agresseur. Cette réponse immunitaire repose sur l'intervention de facteurs humoraux et cellulaires et met en œuvre des mécanismes spécifiques et non spécifiques.

La réaction inflammatoire constitue l'élément central de la réponse immunitaire non spécifique. Elle débute au moment où les cellules subissent l'agression, entraînant la libération de médiateurs chimiques, l'histamine et la sérotonine qui, à leur tour, provoquent d'importantes modifications vasculaires. Ces manifestations vasculaires, qui se traduisent par la rougeur, la chaleur, l'œdème de la zone agressée, sont cau-sées par la dilatation artériolaire et l'hyperper-méabilité des parois capillaires.

L'attraction des cellules phagocytaires et la dia-pédèse constituent une autre étape importante de la réaction inflammatoire. Les globules blancs attirés par les médiateurs chimiotactiques libérés dans les tissus lésés traversent les parois capillai-res et se dirigent vers les substances ou les micro-organismes responsables de l'agression.

La phagocytose fait normalement suite à la réac-tion inflammatoire. Par ce processus, réalisé par les granulocytes neutrophiles (et éosinophiles dans certains cas) et par les macrophages, sont éliminés les substances toxiques, les microor-ganismes, les débris cellulaires et les complexes immuns formés.

Le complément et l'interféron constituent deux éléments humoraux de la réponse immunitaire non spécifique. L'activation du complément est déclenchée par la présence de complexes immuns ou par des substances non immunologiques. Ce système protéique joue un rôle important dans le développement et le renforcement de la réaction inflammatoire. L'interféron agit principalement en induisant la résistance des cellules saines à l'infection virale. Accessoirement, il stimule les macrophages, les cellules NK, il module la ré-ponse immunitaire et ralentit la croissance des cellules tumorales.

La fièvre représente un autre élément de la dé-fense non spécifique à l'égard des bactéries et des virus. Elle est provoquée par le dérèglement du centre hypothalamique de contrôle de la tempé-rature corporelle sous l'influence de substances pyrogènes sécrétées par les globules blancs. La fièvre ralentit la multiplication des microor-ganismes, principalement des virus, stimule l'ac-tivité des globules blancs, la multiplication des cellules immunocompétentes, la production d'an-ticorps et d'interféron.

La réponse spécifique dépend de la nature de l'agresseur. Elle repose sur l'intervention des lym-phocytes B et des lymphocytes T. Les premiers assurent les réactions à médiation humorale en produisant les anticorps; les seconds sont respon-sables de l'immunité cellulaire caractérisée par les phénomènes de cytotoxicité et par la production de médiateurs.

La réponse humorale fait intervenir trois types de cellules : les macrophages, les lymphocytes T et les lymphocytes B. Généralement, les macrophages interviennent dans la reconnaissance et la présentation des antigènes aux lymphocytes T, lesquels stimulent les lymphocytes B. Après cette stimulation, les lymphocytes B spécifiques de l'antigène prolifèrent et se différencient en plasmocytes sécréteurs d'anticorps. D'autres se transforment en cellules mémoires. Au premier contact avec l'antigène, l'organisme enclenche une réponse dite primaire : la production d'anticorps est lente à s'établir et reste relativement faible; les IgM sont les premières à apparaître et elles sont progressivement remplacées par les IgG. Une seconde injection du même antigène entraîne une réponse dite secondaire : elle est rapide, intense et durable. La production d'IgM est très faible, les anticorps produits étant presque exclusivement des IgG.

La réponse spécifique à médiation cellulaire est réalisée principalement par les lymphocytes T. Cette réponse cellulaire est essentiellement dirigée vers le rejet du non-soi cellulaire : cellules parasitées par des virus, allogreffes, cellules tumorales. Par suite du contact avec ces cellules qui possèdent des marqueurs différents, les lymphocytes T sensibilisés se différencient en cellules effectrices : les unes sont dotées de pouvoir cytotoxique qui les rend capables de lyser les cellules cibles. Les autres, à pouvoir sécréteur, élaborent des médiateurs chimiques qui interviennent dans les réactions cellulaires spécifiques et non spécifiques. D'autres groupes cellulaires interviennent aussi dans les réactions cellulaires. Ces cellules dotées d'activité cytotoxique sont les cellules K, les cellules NK et les macrophages.

Quand l'organisme réussit à résister à l'agresseur, l'infection conduit généralement à l'acquisition d'une immunité, c'est-à-dire d'un état réfractaire à la maladie.

Il existe plusieurs modes d'acquisition de la résistance immunitaire à l'égard d'un agent infectieux. L'immunité naturelle, qui traduit un état réfractaire spontané envers un agent infectieux, s'oppose à l'immunité acquise qui apparaît après le contact infectieux : elle est spécifique de l'agent infectieux et elle est acquise dans le courant de la vie. Cette immunité peut être acquise activement à la suite d'une infection naturelle ou par l'inoculation artificielle du microorganisme. Elle peut aussi être acquise passivement de façon naturelle par transfert placentaire ou de façon artificielle par sérothérapie.

L'immunité active se distingue de l'immunité passive par le fait qu'elle est lente à apparaître, car elle exige un temps de latence, et par le fait qu'elle est durable. Au contraire, l'immunité passive est immédiate mais temporaire.

LECTURES SUGGÉRÉES

BLOOM, B. R. « L'immunité à médiation cellulaire ». *La recherche*, vol. 6, n° 55 (avril 1975), p. 336-343.

BOREL, J.-P. et M. MACQUARD. « La cicatrisation des blessures ». *La recherche*, vol. 22, n° 236 (octobre 1991), p. 1174-1181.

DODET, B. « Lymphokines et cytokines : les supermédicaments de demain ». *Biofutur* (juillet-août 1986), p. 27-41.

FRADELIZI, D. « Les messagers de l'immunité ». *La recherche*, vol. 17, n° 177 (mai 1986), 668-679.

GREY, H., SETTE, A. et S. BUUS. « Comment les lymphocytes T reconnaissent les antigènes ». *Pour la science*, n° 147 (janvier 1990), p. 52-62.

GUALDE, N. « La réaction inflammatoire : une défense agressive ». *La recherche*, vol. 17, n° 177 (mai 1986), p. 622-635.

KLEIN, J. *Immunology. The Science of Self-nonself Discrimination*. New York, Wiley and Sons, 1982, 687 p.

KLUGER, M. J. « La fièvre ». *La recherche*, vol. 12, n° 123 (juin 1981), p. 688-696.

LAFAIX, C. « La rougeole : un modèle d'immunodépression acquise ». *Médecine sciences*, vol. 6, n° 7 (août 1990), p. 12-18.

MULLER, A. et C. BONNE. « Mécanismes d'action des leucotriènes ». *Médecine sciences*, vol. 5, n° 1 (janvier 1989), p. 42-47.

REGNAULT, J.-P. *Immunologie générale*. Montréal, Décarie, 1988, 469 p.

ROCH-ARVEILLER, M. et J. FONTAGNE. « Modification des défenses de l'organisme au cours de la brûlure ». *Médecine sciences*, vol. 6, n° 7 (août 1990), p. 64-68.

TRUFFAT-BACCHI, P. « Comment les cellules coopèrent pour défendre l'organisme ». *La recherche*, vol. 17, n° 177 (mai 1986), 702-719.

WILLOUGHBY, D. A. « L'inflammation ». *La recherche*, vol. 9, n° 85 (janvier 1978), p. 28-36.

chapitre **13**

hypersensibilités

SOMMAIRE

13.1 INTRODUCTION

Les réactions d'hypersensibilité, plus connues sous le nom d'allergies, sont des réactions immunitaires défavorables et qui sont causées par l'apparition, dans des conditions particulières, d'un état d'hypersensibilité à l'égard d'une substance donnée. Ces phénomèmes allergiques peuvent se manifester sous différents aspects et être induits par des mécanismes différents. Le choc anaphylactique constitue la forme la plus grave de la réaction d'hypersensibilité, mais il existe aussi de nombreux états d'hypersensibilité aigus ou chroniques et de nombreuses manifestations localisées.

13.2 CLASSIFICATION DES RÉACTIONS D'HYPERSENSIBILITÉ

La classification de Gell et Coombs définit quatre grands types de réactions d'hypersensibilité. Le tableau 13.1 présente les caractéristiques des différentes réactions d'hypersensibilité et donne quelques exemples de manifestations allergiques de chaque type. De son côté, le tableau 13.2 fait ressortir les caractéristiques différentielles des réactions d'hypersensibilité, qui fondent aussi l'organisation du présent chapitre.

Tableau 13.1
Classification des réactions d'hypersensibilité selon Gell et Coombs.

HYPERSENSIBILITÉS	CARACTÉRISTIQUES	EXEMPLES
De type I	Réaction immédiate apparaissant brutalement quelques minutes après le contact avec l'allergène chez un sujet préalablement sensibilisé. La réaction de l'allergène avec les IgE fixées à la surface des mastocytes et des granulocytes basophiles provoque la libération, par ces cellules, de médiateurs chimiques responsables de la vasodilatation, de l'augmentation de la perméabilité vasculaire et de la chute de la pression sanguine.	Choc anaphylactique Hypersensibilités immédiates localisées (atopies) Urticaire Asthme
De type II	Réaction immédiate de cytotoxicité provoquée par des anticorps (IgG le plus souvent) en présence du complément. Les anticorps sont dirigés contre des antigènes présents sur les membranes cellulaires. L'action directe de l'anticorps et du complément entraîne la lyse de la cellule.	Maladie hémolytique du nouveau-né Allergies médicamenteuses
De type III	Réaction immédiate causée par des complexes immuns formés par des IgG ou des IgM qui se déposent dans certains organes, activant le complément, stimulant les granulocytes neutrophiles et entraînant une réaction inflammatoire locale (phénomène d'Arthus) apparaissant quelques heures après l'introduction de l'antigène.	Maladie sérique Glomérulonéphrites aiguës Lupus érythémateux disséminé
De type IV	Réaction retardée à médiation cellulaire induite par des lymphocytes T sensibilisés. Ces lymphocytes agissent soit par cytotoxicité directe, soit par l'intermédiaire de médiateurs chimiques (lymphokines) qu'ils produisent. Ces lymphokines activent notamment les macrophages et les immobilisent au point d'injection de l'antigène.	Hypersensibilité tuberculinique Dermatites de contact Allergies médicamenteuses Rejet des greffes

Tableau 13.2
Principales caractéristiques différentielles des réactions d'hypersensibilité selon Gell et Coombs.

HYPERSENSIBILITÉS	TYPE I	TYPE II	TYPE III	TYPE 1V
Apparition des symptômes	Immédiate	Immédiate	Immédiate	Retardée
Médiation	Humorale (IgE) ↓	Humorale (IgG, IgM + Complément)	Humorale (IgG, IgM + Complément) ↓	Cellulaire ↓
Déroulement de la réaction	Dégranulation des basophiles et des mastocytes ↓		Précipitation des complexes immuns ↓	Activation des lymphocytes T sensibilisés ↓
	Libération d'amines vasoactives et autres médiateurs ↓	↓	Activation du complément suivie de l'attraction des neutrophiles ↓	Production de lymphokines ↓
Manifestations	Modifications vasculaires, hypotension, contraction des muscles lisses, choc anaphylactique	Cytolyse	Lésions tissulaires causées par les enzymes lysosomiales	Attraction et immobilisation des macrophages

13.3 HYPERSENSIBILITÉS DE TYPE I

Les hypersensibilités de type I sont des hypersensibilités immédiates. Elles sont causées par des IgE produites en réponse à un contact répété de l'organisme avec un allergène particulier.

Un allergène est un antigène capable de provoquer une hypersensibilité immédiate (type I). Il faut noter que tous les antigènes ne sont pas allergènes et que leur pouvoir allergène varie selon les individus. Ces allergènes déclenchent des crises allergiques chez certains sujets alors qu'ils sont inoffensifs chez d'autres. On connaît mal les raisons de ces différences de comporte-

ment. Nous présenterons plus loin les principaux groupes de substances allergènes.

13.3.1 MÉCANISMES

Le déroulement de la réaction immunitaire conduisant aux réactions d'hypersensibilité de type I peut être divisé en deux étapes : la sensibilisation et la crise allergique proprement dite.

SENSIBILISATION

L'étape de sensibilisation est l'étape préliminaire au cours de laquelle l'allergène entre en contact pour la première fois avec l'organisme (figure 13.1). À cette première introduction, l'organisme réagit en produisant des anticorps spécifiques

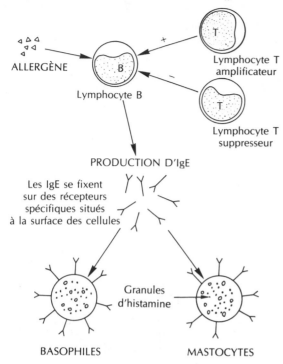

SENSIBILISATION: Premier contact avec l'allergène

ALLERGÈNE

Lymphocyte B

Lymphocyte T amplificateur

Lymphocyte T suppresseur

PRODUCTION D'IgE

Les IgE se fixent sur des récepteurs spécifiques situés à la surface des cellules

Granules d'histamine

BASOPHILES

MASTOCYTES

Figure 13.1
Réaction d'hypersensibilité de type I : sensibilisation.

Chez la personne allergique, on croit que les lymphocytes T suppresseurs des IgE ne fonctionnent pas. Il y aurait donc surproduction de ces immunoglobulines. Par ailleurs, ces IgE se fixent sur des récepteurs spécifiques disposés à la surface des granulocytes basophiles et des mastocytes contenant des granules d'histamine et d'autres médiateurs chimiques de la réaction inflammatoire.

réagissant avec l'allergène. Cette première étape est silencieuse : elle n'est accompagnée d'aucun symptôme apparent. C'est au cours de cette période que sont produites les IgE à l'origine de la crise. Contrairement aux personnes non allergiques chez qui l'allergène est neutralisé par les IgG, chez les sujets allergiques la production des IgG est bloquée ou les IgG sont inactivées en même temps qu'un excès d'IgE est produit. Ce processus n'est pas encore complètement élu-

cidé, mais on soupçonne une déficience ou un blocage des lymphocytes T suppresseurs qui contrôlent la synthèse des IgE par certains lymphocytes B.

Par ailleurs, ces IgE ont une grande affinité pour deux types de cellules particulières, les granulocytes basophiles et les mastocytes présents dans les tissus, et elles se fixent aux récepteurs de ces cellules. Or il se trouve que ces cellules sont très riches en médiateurs chimiques divers, notamment l'histamine et la sérotonine dont on connaît l'effet vasoactif[1].

CRISE ALLERGIQUE

Il s'écoule toujours une période d'au moins 15 jours entre la sensibilisation et le début de la crise allergique. Ce temps de latence correspond à la période au cours de laquelle l'organisme synthétise une quantité suffisante d'IgE pour que se déclenche la crise allergique. Lorsque l'allergène pénètre de nouveau dans l'organisme, il est neutralisé par les IgE. Mais l'interaction allergène-IgE fixées sur les basophiles et les mastocytes constitue pour ces cellules un puissant signal : elles se mettent à libérer les médiateurs chimiques qu'elles contiennent. Cette étape porte le nom de dégranulation.

Cette dégranulation constitue la clé de la réaction allergique. En effet , car les médiateurs chimiques contenus dans les granules excrétés sont la cause des manifestations observées au cours des réactions d'hypersensibilité de type I caractérisées par :

– des modifications vasculaires : dilatation des vaisseaux sanguins, augmentation de la perméabilité capillaire, exsudation plasmatique;

– l'hypotension, plus ou moins marquée selon l'aspect localisé ou généralisé de la réaction,

---

1. Cet effet a déjà été mentionné au cours de l'étude de la réaction inflammatoire.

résultant des modifications vasculaires mentionnées ci-dessus;
– l'œdème causé par l'amplification de l'exsudation plasmatique;
– la contraction des muscles lisses, dans certaines conditions, sous l'influence de médiateurs spécifiques;

– la constriction des bronchioles, ou bronchoconstriction.

Un des caractères spécifiques de ce type de réaction est d'apparaître immédiatement après ce second contact. La figure 13.2 résume le déroulement de l'étape de crise allergique.

CRISE ALLERGIQUE :

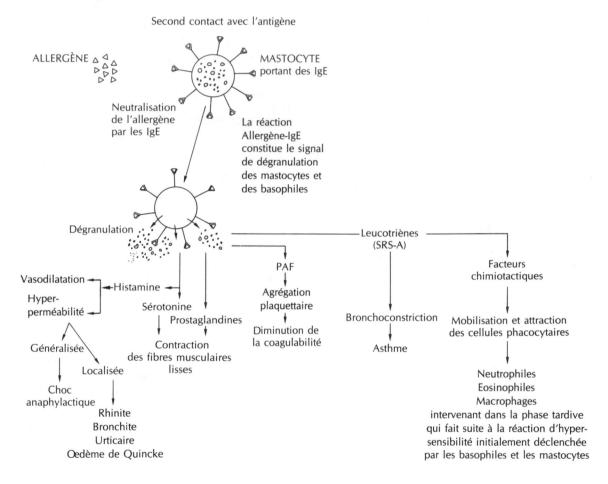

Figure 13.2
Réaction d'hypersensibilité de type I : crise allergique.

La réaction allergique est provoquée par la libération des médiateurs chimiques qui agissent localement ou dans tout l'organisme pour créer éventuellement un choc anaphylactique, manifestation grave et parfois mortelle de l'hypersensibilité de type I.

Par ailleurs, cette réaction d'hypersensibilité peut être soit localisée, soit généralisée. L'hypersensibilité localisée est à l'origine des rhinites allergiques qui surviennent fréquemment par l'inhalation de pollens ou de poussières de maison; l'asthme, la bronchite spasmodique et les réactions allergiques gastro-intestinales sont aussi à associer aux hypersensibilités localisées. Quand elle est généralisée, l'hypersensibilité de type I conduit au choc anaphylactique qui, dans ses formes graves, peut entraîner la mort.

LA RÉACTION D'HYPERSENSIBILITÉ DE TYPE I SE DÉROULE EN DEUX ÉTAPES.

LA PREMIÈRE ÉTAPE, DITE DE SENSIBILISATION, QUI SURVIENT APRÈS UN PREMIER CONTACT AVEC L'ALLERGÈNE, EST MARQUÉE PAR LA SÉCRÉTION D'IgE ET PAR LA FIXATION DE CES IMMUNOGLOBULINES SUR LES BASOPHILES ET LES MASTOCYTES.

LA SECONDE ÉTAPE SE DÉROULE AU COURS D'UN CONTACT SUBSÉQUENT. L'ALLERGÈNE RÉAGIT AVEC LES IgE PRODUITES AU COURS DE L'ÉTAPE DE SENSIBILISATION. L'INTERACTION ALLERGÈNE-IgE ENTRAÎNE L'EXPULSION DES MÉDIATEURS CHIMIQUES CONTENUS DANS LES BASOPHILES ET LES MASTOCYTES.

LA PREMIÈRE ÉTAPE EST SILENCIEUSE. LA SECONDE EST MARQUÉE DE DIFFÉRENTS SYMPTÔMES CAUSÉS PAR L'ACTION DES MÉDIATEURS DE L'HYPERSENSIBILITÉ.

MÉDIATEURS CHIMIQUES DES RÉACTIONS D'HYPERSENSIBILITÉ DE TYPE I

Les manifestations des réactions d'hypersensibilité de type I sont causées par divers médiateurs chimiques. Les mieux connus sont l'histamine, la sérotonine, le PAF (*Platelet Activating Factor*), l'ECF-A (*Eosinophil Chemotactic Factor of Anaphylaxis*) et les métabolites de l'acide arachidonique (tableau 13.3). Nous décrirons l'action de l'histamine, de la sérotonine, du PAF et de l'ECF-A en raison de leur importance dans cette forme d'hypersensibilité. Le mode d'action des métabolites de l'acide arachidonique est abordé brièvement au tableau 13.3.

HISTAMINE

L'histamine est considérée comme le plus important des médiateurs de l'hypersensibilité de type I. Elle est emmagasinée dans les granules des basophiles et des mastocytes. Elle se diffuse très rapidement en dehors de ces cellules après l'union de l'allergène et de l'IgE.

L'histamine agit en :

– augmentant la vasodilatation périphérique, qui entraîne une chute de la pression sanguine;
– provoquant la contraction des bronchioles, ce qui entraîne une résistance des voies aériennes au passage de l'air au cours de la crise d'asthme, d'où la sensation d'étouffement;
– stimulant les glandes muqueuses nasales et bronchiques. Cette action se manifeste notamment au cours du rhume des foins ou de l'urticaire.

SÉROTONINE

La sérotonine contenue dans les mastocytes possède des propriétés identiques à l'histamine. La sérotonine est un médiateur important de l'anaphylaxie chez l'animal, mais il n'est pas sûr que ce médiateur intervienne dans les réactions anaphylactiques chez l'Homme.

La sérotonine est aussi trouvée en quantité importante dans les plaquettes. Rappelons à ce propos le rôle de ce médiateur vasoactif dans la réaction inflammatoire avec laquelle les réactions d'hypersensibilité de type I présentent bien des ressemblances.

Tableau 13.3
Médiateurs des réactions d'hypersensibilité de type I.

MÉDIATEURS	ORIGINE	PROPRIÉTÉS
HISTAMINE	Basophiles Mastocytes	Vasodilatation Vasoperméabilité Contraction des muscles lisses Bronchodilatation
SÉROTONINE	Mastocytes Plaquettes	Vasodilatation Vasoperméabilité Contraction des muscles lisses Bronchodilatation
PAF (*Platelet Activating Factor*)	Basophiles Macrophages alvéolaires	Agrégation des plaquettes
ECF-A (*Eosinophil Chemotactic* *Factor of Anaphylaxis*)	Mastocytes	Attraction des éosinophiles sur les lieux de la réaction d'hypersensibilité
MÉTABOLITES DE L'ACIDE **ARACHIDONIQUE**		
Prostaglandines		
$PGF_{2\alpha}$	Neutrophiles et macrophages	Bronchoconstriction
PGD_2	Mastocytes	Vasodilatation
PGE_1	Neutrophiles et macrophages	Bronchodilatation et vasodilatation
PGE_2	Neutrophiles et macrophages	Bronchodilatation et vasodilatation
Thromboxane	Neutrophiles et macrophages	Agrégation plaquettaire
Leucotriènes LTC_4, LTD_4, LTE_4	Neutrophiles, basophiles et macrophages	Responsable de l'activité SRS-A (*Slow Reacting Substance of Anaphylaxis*) Contraction des muscles lisses Bronchoconstriction Effet chimiotactique

PAF

Le PAF est présent dans les granulocytes basophiles. Il est libéré avec les autres médiateurs au début de la crise allergique. Il agit essentiellement en provoquant l'agrégation des plaquettes qui, à leur tour, libèrent la sérotonine qu'elles contiennent.

Le PAF intervient aussi dans d'autres réactions d'hypersensibilité, en particulier dans le dépôt des complexes immuns, dans le phénomène d'Arthus et dans le lupus érythémateux disséminé (hypersensibilités de type III). Ces réactions sont traitées plus loin dans le chapitre.

Chez l'Homme, le PAF est aussi présent dans les macrophages alvéolaires. Il joue un puissant rôle broncho-constricteur et pourrait être à l'origine de certaines formes d'asthme.

ECF-A

L'ECF-A est contenu dans les mastocytes. Il est libéré avec l'histamine et la sérotonine au moment de la dégranulation. Il a pour effet d'attirer les granulocytes éosinophiles sur les lieux de la réaction d'hypersensibilité. Outre cette fonction essentielle, l'ECF-A pourrait jouer un rôle modulateur de la réaction inflammatoire.

En effet, les éosinophiles qu'il attire produiraient une enzyme inhibant l'action de la SRS-A (*Slow Reacting Substance of Anaphylaxis*) exercée par les leucotriènes et freineraient la libération d'histamine par les mastocytes.

> **L'HISTAMINE, LA SÉROTONINE, LE PAF, L'ECF-A SONT LES PRINCIPAUX MÉDIATEURS CHIMIQUES LIBÉRÉS PAR SUITE DU CONTACT ALLERGÈNE-IgE.**
>
> **CES MÉDIATEURS CHIMIQUES SONT RESPONSABLES DES MANIFESTATIONS APPARENTES DE L'HYPERSENSIBILITÉ DE TYPE I : ROUGEUR, ŒDÈME, CONTRACTION DES MUSCLES LISSES ET BRONCHOCONSTRICTION.**

13.3.2 PRINCIPAUX ALLERGÈNES

Les allergènes sont à l'origine d'un certain nombre d'affections caractérisées par une production anormale d'IgE. Ces IgE provoquent à leur tour des manifestations cliniques caractéristiques. Les allergènes les plus fréquemment rencontrés sont les pollens des plantes herbacées, les poussières de maison, les allergènes alimentaires et les médicaments.

POLLENS

Les pollens des plantes herbacées, parmi lesquelles l'herbe aux poux, les graminées (l'orge surtout) et le plantain occupent une place prépondérante. Ces grains de pollens qui ont une taille de l'ordre de 10 à 100 µm sont transportés par le vent : inhalés, ils se déposent sur les muqueuses des voies respiratoires supérieures. Les pollens des arbres sont plus rarement la cause des réactions allergiques.

POUSSIÈRES DE MAISON

Les poussières de maison contiennent un grand nombre de constituants divers à pouvoir allergène : débris végétaux, fragments d'épidermes humains, moisissures, bactéries et surtout fragments d'acariens[1]. Ces allergènes sont souvent à l'origine de rhinites et d'asthme. Les acariens les plus fréquemment incriminés dans les réactions allergiques appartiennent au genre *Dermatophogoïdes*, de la classe des arachnides. Ces *Dermatophogoïdes* se nourrissent des produits de la desquamation de la peau humaine. De ce fait, la literie, et les matelas en particulier, constitue le lieu de prédilection de ces acariens microscopiques qui mesurent environ 300 µm de longueur.

Les poils d'animaux domestiques de compagnie – chien, chat (surtout), cobaye, lapin – peuvent aussi être à l'origine de rhinites ou de crises d'asthme.

Parmi les mycètes présents dans les poussières de maison, mentionnons *Candida, Trichophyton, Dermatophyton, Alternaria, Aspergillus, Penicillium, Mucor* et *Neurospora*.

ALLERGÈNES ALIMENTAIRES

Les allergènes alimentaires d'origine animale ou végétale forment un très vaste groupe. Les aliments les plus fréquemment incriminés sont le lait de vache, l'œuf de poule, les poissons, les crustacés (crevettes, crabe, homard, etc.) et les

---

1. Les acariens sont des petits arachnides parasites.

mollusques (escargots). De nombreux végétaux contiennent aussi des allergènes; on en trouve pratiquement dans toutes les catégories de végétaux, fruits et légumes consommés régulièrement, sans oublier les contaminants (pesticides, médicaments, etc.) et les additifs alimentaires qu'ils contiennent (colorants, agents de conservation et de texture, releveurs de goût, etc.).

Certains médicaments sont susceptibles de déclencher des réactions allergiques graves, voire mortelles. Parmi ceux qui sont le plus souvent cités, on trouve les antibiotiques, en particulier la pénicilline[1], le chloramphénicol et la streptomycine, et d'autres substances comme les sulfamides et l'aspirine.

13.3.3 PRINCIPALES MALADIES RELIÉES AUX HYPERSENSIBILITÉS DE TYPE I

Il existe plusieurs maladies reliées aux hypersensibilités de type I. Ces maladies sont aiguës ou chroniques, générales ou locales. Elles sont toutes liées à la production anormale d'IgE. La plus grave d'entre elles, à cause de son caractère généralisé, est le choc anaphylactique. La plupart des autres réactions allergiques sont qualifiées d'atopies. Sous ce terme, on regroupe diverses manifestations allergiques comme les rhinites allergiques, l'asthme bronchique, les urticaires atopiques et les allergies alimentaires.

CHOC ANAPHYLACTIQUE

Le choc anaphylactique est une forme grave de réaction allergique immédiate. Accompagnée d'une sensation de malaise, ses principaux symptômes sont l'hypotension, l'œdème, les nausées et les vomissements, l'urticaire et le prurit (démangeaisons). L'évolution du choc peut être rapidement fatale : la mort peut survenir en quelques minutes. En effet, le choc anaphylactique peut entraîner la suffocation (étouffement par œdème de la glotte) ou le collapsus (arrêt cardiaque par suite d'un effondrement rapide de la pression sanguine), ou les deux à la fois.

Le choc anaphylactique peut survenir par suite :

– d'une injection de sérum hétérologue (antitétanique, antilymphocytaire), c'est-à-dire d'un sérum provenant d'une autre espèce;

– de piqûres d'insectes (guêpes, abeilles);

– de traitement de désensibilisation allergique;

– d'injection d'antibiotiques (pénicillines, céphalosporines) ou de médicaments comme la streptokinase[2];

– de l'utilisation de produits de contraste (iode, baryum);

– d'injection d'anesthésiques locaux.

Les corticostéroïdes et l'adrénaline sont les médicaments de choix pour le traitement du choc anaphylactique.

RHINITES

Les rhinites résultent de l'inhalation d'allergènes tels que les poussières de maison et les pollens des plantes herbacées, à l'origine du rhume des foins. Elles sont donc saisonnières et liées à la période de floraison de l'espèce responsable.

Ces rhinites se manifestent par des éternuements, un écoulement séreux et clair appelé rhinorrhée, et une obstruction nasale. Ces symptômes peuvent être accompagnés d'une réaction analogue au niveau des yeux , causant rougeur et larmoiement.

Ces manifestations allergiques sont essentiellement causées par l'histamine. De ce fait, les

---

1. Aux États-Unis, plus de 300 personnes meurent chaque année des suites d'un choc anaphylactique causé par cet antibiotique.

2. La streptokinase est une enzyme produite par *Streptococcus pyogenes* et que l'on utilise depuis peu pour dissoudre les caillots sanguins à l'origine des thromboses coronariennes responsables des infarctus.

antihistaminiques sont efficaces dans le traitement des rhinites allergiques. Dans les cas rebelles, outre la soustraction de l'antigène quand celle-ci est possible (allergies aux poussières de maison), une désensibilisation peut être entreprise. L'encadré 13.1 et la figure 13.3 expliquent le principe du diagnostic et du traitement des atopies.

ASTHME ATOPIQUE

L'asthme atopique résulte de la constriction des bronchioles et des bronches. Cette constriction est accompagnée d'hypersécrétion de mucus et d'insuffisance respiratoire (sensation d'essoufflement, de manque d'air). Les symptômes de l'asthme sont provoqués par l'histamine, mais l'inefficacité des médicaments anti-histaminiques dans le traitement de l'asthme suggère l'intervention d'autres médiateurs chimiques comme les leucotriènes et certaines prostaglandines, dont le pouvoir bronchoconstricteur est reconnu. La bronchoconstriction pourrait aussi, selon certains auteurs, être indirectement provoquée par le PAF (*Platelet Activating Factor*); en entraînant

ENCADRÉ 13.1

Diagnostic et traitement des atopies.

Nombreux sont les enfants et les adultes qui souffrent de maladies atopiques comme la rhinite allergique, l'asthme bronchique, l'eczéma ou l'urticaire.

Ces maladies atopiques, dont seraient atteints 20 % de la population, sont à l'origine de troubles et d'inconfort que l'allergologue cherche à soulager.

Il faut tout d'abord identifier l'allergène responsable avant de pouvoir entreprendre un traitement efficace soit en éliminant l'allergène, soit en entreprenant une désensibilisation.

Identification de l'allergène

L'origine atopique des symptômes observés peut être établie à l'aide de l'interrogatoire du malade, mais l'allergène responsable ne peut être identifié que par des tests cutanés, des tests de provocation ou par l'identification des IgE sériques spécifiques.

Tests cutanés

Les tests cutanés constituent un moyen simple et efficace d'identifier les substances responsables des allergies respiratoires causées par des pollens ou des poussières de maison. Au cours de ces tests, on injecte dans la peau différentes concentrations d'allergènes. Comme l'indique la figure 13.3, les tests cutanés peuvent être réalisés selon plusieurs méthodes. On peut déposer les allergènes sur la peau après avoir effectué des scarifications; on peut aussi les introduire par injection intradermique ou en appliquant directement sur la peau des morceaux de papier ou de tissu imprégnés d'allergènes. Si l'individu est sensibilisé à l'un de ces allergènes, on note l'apparition, au point d'injection ou de contact, d'une réaction inflammatoire d'intensité variable. Comme les doses d'allergènes utilisées sont très faibles, les risques de choc anaphylactique sont minimes. Cependant, ces tests doivent toujours être effectués en présence d'un médecin afin d'éviter tout risque d'accident.

Tests de provocation

Il est nécessaire, dans certains cas, de faire appel à des tests de provocation au cours desquels les sujets font une véritable crise allergique. Plus délicats à réaliser, désagréables pour les patients qui les subissent, ces tests ne sont utilisés que lorsqu'on observe des réactions cutanées positives à plusieurs allergènes ou des réactions positives inexpliquées. Dans le cas d'allergies respiratoires, on recourt alors à des tests d'inhalation ou à des tests muqueux (dans lesquels l'allergène est introduit dans l'œil ou dans le nez). Dans les cas d'allergies alimentaires, on ajoute l'allergène soupçonné à un aliment qui en a été préalablement débarrassé.

---

l'agrégation des plaquettes, ce médiateur provoquerait la dégranulation par les plaquettes de médiateurs à pouvoir bronchoconstricteur.

Le traitement de l'asthme atopique peut se faire par la désensibilisation et l'élimination de l'allergène ou faire appel à des substances comme le cromoglycate ou le kétotifen qui bloque la dégranulation des mastocytes, empêchant de ce fait la libération des amines vasoactives.

ALLERGIES ALIMENTAIRES

Les allergies alimentaires sont provoquées par une très grande variété d'aliments. Les symptômes varient chez l'enfant et l'adulte. Chez l'enfant, les allergies alimentaires caractéristiques sont la maladie cœliaque causée par l'intolérance au gluten[1] et l'intolérance aux protéines du lait de vache. La maladie cœliaque entraîne une diarrhée chronique, elle-même responsable de l'altération de l'état général (anémie ferriprive, hypovitaminose, hypoprotéinémie, etc.). L'intolérance aux protéines du lait de vache se manifeste de différentes façons : urticaire, eczéma, œdème de Quincke, asthme, etc.

---

1. Composé protéique de la farine des céréales.

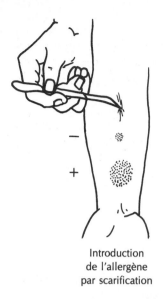 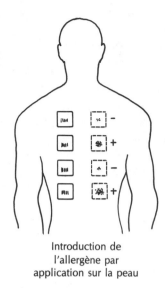 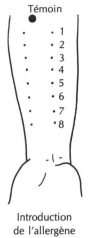

| Introduction de l'allergène par scarification | Introduction de l'allergène par application sur la peau | Introduction de l'allergène par voie sous-cutanée |

Figure 13.3
Recherche des allergènes responsables des crises allergiques par des tests cutanés.
Source : J. Klein. *Immunology. The Science of Self-nonself Discrimination.* John Wiley and Sons, 1982.

Chez l'adulte, les manifestations des allergies alimentaires sont le plus souvent extradigestives : l'adulte présente des symptômes cutanés (urticaire, eczéma) et respiratoires (asthme).

Le traitement de telles allergies repose sur la recherche et l'élimination temporaire ou définitive des allergènes. Dans le cas de crises allergiques aiguës qui nécessitent un traitement immédiat, on fait appel :

– à l'adrénaline ou aux corticostéroïdes pour traiter le choc anaphylactique;

– aux antihistaminiques injectables ou aux corticostéroïdes pour traiter l'urticaire ou l'œdème de Quincke;

– aux antiémétiques et aux antispasmodiques pour traiter les manifestations digestives.

13.4 HYPERSENSIBILITÉS DE TYPE II

Les réactions d'hypersensibilité de type II entraînent des manifestations immédiates. Elles impliquent la participation d'anticorps, les IgG (le plus souvent) et les IgM, qui induisent des réactions de cytotoxicité en présence du complément. Ces anticorps sont dirigés contre les antigènes portés à la surface des cellules nucléées et des globules rouges. La figure 13.4 illustre le principe de la réaction d'hypersensibilité de type II.

LES RÉACTIONS D'HYPERSENSIBILITÉ DE TYPE II SONT PROVOQUÉES PAR DES IgG ET DES IgM QUI INDUISENT DES RÉACTIONS DE CYTOTOXICITÉ EN PRÉSENCE DU COMPLÉMENT.

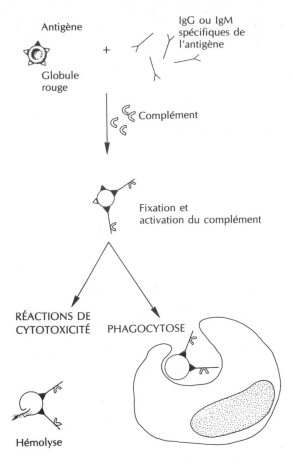

Antigène

+

IgG ou IgM spécifiques de l'antigène

Globule rouge

Complément

Fixation et activation du complément

RÉACTIONS DE CYTOTOXICITÉ   PHAGOCYTOSE

Hémolyse

Figure 13.4
Réactions d'hypersensibilité de type II.

Les anticorps se fixent sur des antigènes portés par certaines cellules (ici par un globule rouge). Les anticorps mis en jeu sont des IgG, des IgM, ou les deux. La formation de complexes antigènes-anticorps active le complément et entraîne la cytolyse (l'hémolyse dans le cas des globules rouges). Le complexe formé peut aussi être phagocyté.

13.4.1 PRINCIPALES MALADIES ALLERGIQUES RATTACHÉES AUX HYPERSENSIBILITÉS DE TYPE II

Les maladies allergiques rattachées aux réactions d'hypersensibilité de type II surviennent à la suite d'allo-immunisations et sont caractéristiques de certaines allergies médicamenteuses.

ALLO-IMMUNISATIONS

Les allo-immunisations résultent de l'introduction dans l'organisme d'allo-antigènes, c'est-à-dire que l'on rencontre chez des individus de la même espèce.

Parmi ces allo-antigènes, on trouve les antigènes des groupes sanguins ABO et Rh, les antigènes d'histocompatibilité et les antigènes de différenciation des lymphocytes. Les antigènes sériques font aussi partie de cette catégorie.

Ces allo-immunisations surviennent principalement :

– au cours de la maladie hémolytique du nouveau-né par allo-immunisation fœto-maternelle;

– à la suite de transfusions sanguines incompatibles;

– à la suite de greffes de peau ou d'organes.

MALADIE HÉMOLYTIQUE DU NOUVEAU-NÉ

La maladie hémolytique du nouveau-né résulte d'une incompatibilité érythrocytaire fœto-maternelle. La plupart du temps, il s'agit d'une réaction à l'égard de l'antigène D du système Rhésus. La maladie survient quand la mère est Rh négatif et le fœtus Rh positif.

La stimulation primaire survient à la fin de la première grossesse et surtout au cours de l'accouchement, quand des hématies fœtales D positif passent dans le sang maternel dont les hématies sont D négatif. Ce contact déclenche une réponse immunitaire au cours de laquelle la mère produit des anticorps anti-D positif. Cette réponse primaire est lente à se développer. C'est ce qui explique qu'un éventuel passage transplacentaire d'hématies fœtales vers la fin de la première grossesse ne provoque pas la maladie ou ne cause que des symptômes de moindre gravité (pas d'anémie).

Mais, au cours d'une seconde grossesse, le passage transplacentaire d'hématies fœtales, même en très petite quantité, déclenche une réponse secondaire intense et rapide au cours de laquelle est produite une grande quantité d'anticorps anti-D. Or les anticorps produisent des IgG et traversent le placenta. Ce passage est lent, mais il pénètre suffisamment d'anticorps dans la circulation fœtale pour provoquer la destruction des hématies, pour augmenter le taux de bilirubine, substance qui peut atteindre les noyaux centraux et provoquer des séquelles neurologiques.

ALLERGIES MÉDICAMENTEUSES

Les allergies médicamenteuses peuvent résulter de réactions cytotoxiques appartenant aux réactions d'hypersensibilité de type II. Ce sont des anémies hémolytiques qui surviennent lorsque les médicaments se fixent sur les globules rouges. Comme ils se comportent comme des haptènes, les médicaments fixés sur les globules rouges induisent la formation d'anticorps spécifiques agglutinants. Ces anticorps sont des IgG.

LA MALADIE HÉMOLYTIQUE DU NOUVEAU-NÉ ET CERTAINES ANÉMIES HÉMOLYTIQUES D'ORIGINE MÉDICAMENTEUSE SONT LES PRINCIPALES MANIFESTATIONS CLINIQUES DES RÉACTIONS D'HYPERSENSIBILITÉ DE TYPE II. LA MALADIE HÉMOLYTIQUE RÉSULTE D'UNE INCOMPATIBILITÉ FŒTO-MATERNELLE À L'ÉGARD DES ANTIGÈNES DU SYSTÈME RHÉSUS.

13.5 HYPERSENSIBILITÉS DE TYPE III

Les réactions d'hypersensibilité de type III sont des réactions induites par des complexes immuns. Comme ces réactions surviennent généralement dans les quelques heures qui suivent le contact avec l'antigène, elles sont considérées comme des réactions d'hypersensibilité immédiate.

13.5.1 MÉCANISME

Les réactions d'hypersensibilité de type III font intervenir des IgG, des IgM, le complément et les granulocytes neutrophiles (figure 13.5). Ces cellules jouent un rôle déterminant dans le développement des réactions de ce type. Après l'introduction de certains antigènes, des anticorps précipitants (IgG et IgM) sont produits et participent à la formation de complexes immuns. Ces complexes précipitent et se déposent dans les tissus ou les vaisseaux capillaires d'organes comme les reins ou le myocarde.

La formation de complexes immuns entraîne l'activation du complément. Les fragments activés exercent un effet chimiotactique sur les granulocytes neutrophiles, stimulent la vasodilatation et augmentent la perméabilité capillaire. Les anaphylatoxines formées à partir des produits de dégradation des composants C3 et C5 du complément provoquent la libération d'histamine. Cependant, ce médiateur ne paraît pas jouer un rôle majeur dans les réactions d'hypersensibilité de type III.

Les granulocytes attirés vers les complexes immuns s'accumulent autour de ces dépôts. Les complexes sont phagocytés, mais les granulocytes rejettent dans le milieu les enzymes lysosomiales qui attaquent les cellules saines environnantes. Le rôle fondamental des granulocytes neutrophiles dans ces réactions d'hypersensibilité doit donc être souligné.

LES RÉACTIONS D'HYPERSENSIBILITÉ DE TYPE III ENTRAÎNENT DES MANIFESTATIONS IMMÉDIATES ET SONT INDUITES PAR DES IgG ET DES IgM EN PRÉSENCE DU COMPLÉMENT ET DES GRANULOCYTES NEUTROPHILES.

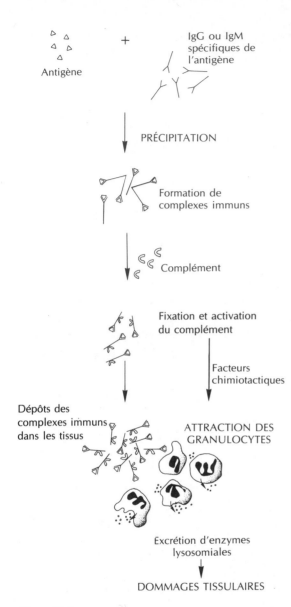

Antigène + IgG ou IgM spécifiques de l'antigène

PRÉCIPITATION

Formation de complexes immuns

Complément

Fixation et activation du complément

Facteurs chimiotactiques

Dépôts des complexes immuns dans les tissus

ATTRACTION DES GRANULOCYTES

Excrétion d'enzymes lysosomiales

DOMMAGES TISSULAIRES

Figure 13.5
Mécanisme des réactions d'hypersensibilité de type III.

Les réactions d'hypersensibilité de type III surviennent après l'apparition d'anticorps précipitants activant le complément, qui exerce un effet chimiotactique sur les granulocytes. Ceux-ci, attirés sur place, phagocytent les complexes immuns mais, en même temps, rejettent des enzymes lysosomiales qui provoquent des dommages tissulaires risquant d'altérer le fonctionnement normal des organes dans lesquels ces complexes sont déposés.

13.5.2 PRINCIPALES MANIFESTATIONS CLINIQUES DE L'HYPERSENSIBILITÉ DE TYPE III

Les principales manifestations cliniques de ce type de réaction d'hypersensibilité sont la maladie du sérum, le phénomène d'Arthus, certaines glomérulonéphrites et vasculites, le lupus érythémateux disséminé et la maladie du poumon de fermier. Nous présenterons ici un exemple de réaction d'hypersensibilité systémique, la maladie du sérum, et un exemple de réaction locale, le phénomène d'Arthus.

MALADIE DU SÉRUM

La maladie du sérum (ou maladie sérique) est une affection causée par la présence de complexes immuns. Quoique d'apparition tardive – les manifestations cliniques apparaissent au bout de 7 à 12 jours – cette affection est considérée comme une réaction d'hypersensibilité de type III en raison de son mécanisme. C'est une maladie aiguë et systémique qui survient par suite de l'administration de sérums xénogéniques, c'est-à-dire de sérums provenant d'espèces étrangères[1].

Les principaux symptômes sont la fièvre, l'urticaire, l'arthrite, des douleurs dans les muscles et les articulations. S'ajoutent à ce tableau clinique des atteintes d'ordre neurologique, glomérulaire et vasculaire. Les lésions vasculaires touchent le cœur, le foie, le pancréas, les muscles et la peau. L'atteinte rénale, qui se traduit par une glomérulonéphrite, peut être fatale. Elle est causée par le dépôt de complexes immuns. La présence de ces complexes active le complément qui, par son pouvoir chimiotactique, attire les neutrophiles. Les cellules phagocytaires détruisent les complexes immuns en même temps que les enzymes lysoso-

---

1. C'est pourquoi, au cours de séroprophylaxies, il est toujours préférable d'employer des sérums humains.

miales qu'ils excrètent dégradent la membrane basale du glomérule. La rupture de la basale entraîne à son tour une protéinurie et une hématurie.

Il faut aussi signaler qu'une injection subséquente d'un même sérum peut entraîner chez une personne sensibilisée une réaction de type anaphylactique accompagnée d'hypotension, d'urticaire, d'œdème de Quincke et de suffocation. Cette réaction anaphylactique dépend d'anticorps IgE dirigés contre les protéines sériques hétérologues injectées.

PHÉNOMÈNE D'ARTHUS

Le phénomène d'Arthus est un exemple de réaction localisée d'hypersensibilité de type III. Le délai d'apparition des premiers symptômes varie de 30 minutes à 6 heures. Cette réaction d'hypersensibilité est liée à la présence de complexes immuns, du complément et des granulocytes neutrophiles. Les complexes immuns sont formés en réaction à l'injection cutanée intradermique répétée induisant la formation d'anticorps précipitants. Ces complexes activent rapidement le complément. Les neutrophiles, attirés par les fragments chimiotactiques C3a et C5a, phagocytent les complexes immuns et libèrent des enzymes lysosomiales. Au point d'injection, il se forme une lésion indurée et nécrotique : des globules blancs se sont accumulés sur les parois des capillaires. Les plaquettes agrégées forment des thrombus. Des hémorragies locales peuvent survenir et on peut observer des pétéchies. Au bout de quelques heures, le phénomène régresse et disparaît spontanément.

Un phénomène analogue au phénomène d'Arthus a été découvert dans certaines pneumonies allergiques provoquées par l'inhalation de poussières organiques très fines (maladie du poumon de fermier et maladie des éleveurs d'oiseaux). Dans la maladie du poumon de fermier, l'inhalation répétée de spores d'actynomycètes contenues dans le fumier qui pénètrent dans les alvéoles pulmonaires stimule la production d'anticorps précipitants.

Les premières manifestations apparaissent de 6 à 10 heures après le contact avec les poussières organiques : fièvre, toux, suffocation. La radiographie pulmonaire révèle des infiltrations.

13.6 HYPERSENSIBILITÉS DE TYPE IV

Les réactions d'hypersensibilité de type IV sont des réactions à médiation cellulaire induites par des lymphocytes T sensibilisés. Ces lymphocytes agissent soit par cytotoxicité directe, soit par l'intermédiaire de médiateurs chimiques sécrétés par les lymphocytes T : les lymphokines.

13.6.1 CARACTÉRISTIQUES GÉNÉRALES

Contrairement aux autres réactions d'hypersensibilité, l'hypersensibilité de type IV ne fait pas intervenir d'anticorps. Elle apparaît après l'injection de certains antigènes et se manifeste par une réaction inflammatoire localisée au point d'inoculation de l'antigène. On peut aussi observer une nécrose locale, une légère fièvre et une sensation de malaise général.

L'hypersensibilité de type IV est aussi qualifiée d'hypersensibilité retardée car elle survient tardivement, soit de 24 à 48 heures après l'injection de l'antigène. L'illustration la plus typique du phénomène d'hypersensibilité retardée est la réaction à la tuberculine. Induite par une tuberculose ou par une vaccination par le BCG, la réaction d'hypersensibilité est déclenchée par l'injection intradermique de tuberculine. Elle se manifeste par l'apparition, de 24 à 48 heures après l'injection, d'une induration au point d'injection qui paraît érythémateuse et infiltrée. On note la présence de nombreuses mononucléées (lymphocytes et macrophages).

Cette réaction est spécifique : elle ne peut être déclenchée que par un antigène vis-à-vis duquel un organisme a été préalablement sensibilisé. Les principales substances antigéniques susceptibles de provoquer une hypersensibilité de type IV sont :

– Les composants de certains microorganismes, dont le plus connu est *Mycobacterium tuberculosis*. Mais d'autres bactéries, comme *Brucella*, *Mycobacterium lepræ*, *Salmonella typhi*; les virus (oreillons, rougeole), les parasites (*Schistosoma*) et les mycètes (*Candida*, *Histoplasma*) peuvent aussi induire des réactions d'hypersensibilité retardée.

– Des protéines d'origine non bactérienne en présence d'adjuvants[1] (adjuvant de Freund constitué d'une suspension huileuse de bacilles tuberculeux tués).

– De nombreux produits chimiques d'origines diverses qui peuvent provoquer des réactions d'hypersensibilité : les dermites de contact en sont des manifestations fréquemment rencontrées. Parmi ces produits chimiques, on trouve des substances naturelles, des produits cosmétiques, des métaux, des préparations commerciales de différents produits d'usage courant.

13.6.2 MÉCANISME

Le mécanisme des réactions d'hypersensibilité de type IV repose principalement sur l'intervention des lymphocytes T.

---

1. Un adjuvant est une substance qui amplifie la réaction immunitaire lorsqu'elle est administrée en même temps et au même point que l'antigène.

Au cours d'un premier contact avec l'antigène spécifique, des lymphocytes T ont été sensibilisés. Une seconde injection de ce même antigène déclenche la réaction d'hypersensibilité. L'antigène est capté par les cellules accessoires, les macrophages et les monocytes, qui le présentent en conjonction avec les antigènes d'histocompatibilité aux lymphocytes T spécifiques de cet antigène (figure 13.6).

Cette interaction entre les cellules accessoires et les lymphocytes T constitue une étape clé de la réaction d'hypersensibilité de type IV : si l'on élimine les cellules accessoires, la transformation lymphoblastique des lymphocytes T mis en jeu dans la réaction ne peut être observée.

En conséquence de cette interaction et du contact avec l'antigène, les lymphocytes T subissent la transformation lymphoblastique et se multiplient de manière à produire un clone cellulaire spécifique de l'antigène. Les lymphocytes T activés se mettent alors à produire des lymphokines qui agissent sur différents types de cellules : macrophages, granulocytes et lymphocytes.

D'une manière générale, ces lymphokines ont la propriété d'amplifier la réponse cellulaire initiale en stimulant la multiplication des lymphocytes T et B (qui n'interviennent pas directement), et d'attirer les macrophages vers le lieu d'introduction de l'antigène puis de les immobiliser.

Les lymphokines sont donc, en quelque sorte, les facteurs humoraux de l'hypersensibilité retardée. Elles exercent des effets biologiques variés. De ces facteurs, il faut souligner le rôle essentiel que joue le facteur d'inhibition des macrophages, le MIF (*Macrophage Inhibition Factor*). Une fois sur place, les macrophages sont stimulés par d'autres facteurs, en particulier par le facteur d'activation des macrophages, le MAF, qui a pour effet d'amplifier le pouvoir bactéricide et cytotoxique des macrophages activés.

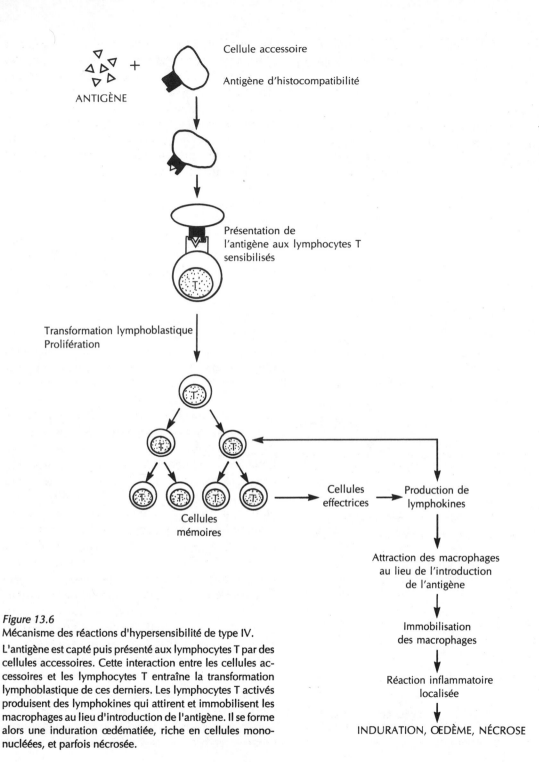

ANTIGÈNE

Cellule accessoire

Antigène d'histocompatibilité

Présentation de
l'antigène aux lymphocytes T
sensibilisés

Transformation lymphoblastique
Prolifération

Cellules
mémoires

Cellules
effectrices

Production de
lymphokines

Attraction des macrophages
au lieu de l'introduction
de l'antigène

Immobilisation
des macrophages

Réaction inflammatoire
localisée

INDURATION, ŒDÈME, NÉCROSE

Figure 13.6
Mécanisme des réactions d'hypersensibilité de type IV.

L'antigène est capté puis présenté aux lymphocytes T par des
cellules accessoires. Cette interaction entre les cellules accessoires et les lymphocytes T entraîne la transformation
lymphoblastique de ces derniers. Les lymphocytes T activés
produisent des lymphokines qui attirent et immobilisent les
macrophages au lieu d'introduction de l'antigène. Il se forme
alors une induration œdématiée, riche en cellules mononucléées, et parfois nécrosée.

LES RÉACTIONS D'HYPERSENSIBILITÉ DE TYPE IV ENTRAÎNENT DES MANIFESTATIONS TARDIVES APPARAISSANT DE 24 À 48 HEURES APRÈS L'INJECTION DE L'ANTIGÈNE.

CES RÉACTIONS DE TYPE IV SONT INDUITES PAR DES LYMPHOCYTES T SENSIBILISÉS.

13.6.3 PRINCIPALES MANIFESTATIONS CLINIQUES DE L'HYPERSENSIBILITÉ DE TYPE IV

De toutes les réactions d'hypersensibilité de type IV, la plus connue est la réaction à la tuberculine. Les dermatites de contact, les réactions de rejet des greffes et certaines hypersensibilités médicamenteuses sont d'autres manifestations de cette forme d'hypersensibilité.

HYPERSENSIBILITÉ TUBERCULINIQUE

L'hypersensibilité tuberculinique constitue le meilleur modèle expérimental de l'hypersensibilité de type IV. Elle a été décrite pour la première fois en 1890 par R. Koch. Elle peut être induite par une tuberculose ou par une vaccination par le BCG.

La réaction d'hypersensibilité survient après une exposition à la tuberculine chez un sujet sensibilisé par la maladie ou par la vaccination. La tuberculine appliquée sur la peau scarifiée ou injectée dans le derme entraîne, en moins de 10 heures, une réaction cellulaire visible au point de contact. Après cette phase de latence apparaissent une induration et un érythème qui augmente dans les 24 à 48 heures, pour ensuite régresser et disparaître. L'intensité de manifestations dépend de l'état de sensibilisation du sujet et de la dose de tuberculine injectée.

Sur le plan histologique, on note au niveau de l'induration une infiltration des tissus par des lymphocytes et des macrophages. Ces cellules s'accumulent autour des capillaires du derme. L'infiltration cellulaire augmente pendant les deux premiers jours : elle est causée par l'arrivée de nouvelles cellules provenant du sang ainsi que par la multiplication des lymphocytes attirés. En cas de réaction très forte, une nécrose locale des tissus peut être observée.

DERMATITES DE CONTACT

Les dermatites de contact sont aussi des réactions d'hypersensibilité retardée; elles se manifestent par un eczéma cutané après un contact de la peau avec des substances de nature très variée (tableau 13.4).

La réaction aiguë se traduit par l'apparition de rougeurs, d'œdème et de vésicules, de sensations de brûlures et de démangeaisons. Ces lésions se forment d'abord aux points d'exposition de la peau avec l'allergène. On emploie souvent les termes d'eczéma de contact allergique et d'allergène pour désigner les substances responsables de ces réactions.

La phase de sensibilisation est plus ou moins longue : elle peut s'étendre sur plusieurs années. Une fois le sujet sensibilisé, la réaction d'hypersensibilité apparaît quatre ou cinq jours après le contact subséquent. Lente à s'établir, l'allergie de contact est aussi très durable; elle peut se prolonger plusieurs années, et des rechutes se produisent à chaque nouveau contact.

Au cours de la sensibilisation, l'allergène pénètre dans la peau. Le passage peut être facilité par la substance elle-même ou par la présence de blessure superficielle. Par la suite, l'allergène, qui est très souvent une petite molécule, se fixe à une molécule protéique porteuse : l'ensemble forme l'antigène complet capable de stimuler le système immunitaire. Cet antigène est alors reconnu

Tableau 13.4
Principales catégories d'allergènes responsables d'eczéma de contact allergique .
(D'après F. Perrin. *Allergologie pratique*. Paris, Masson, 1984.)

ALLERGÈNES	EXEMPLES
Chrome	Ciments, peintures, détergents
Nickel	Bijoux de fantaisie, boucles et boutons métalliques
Cobalt	Peintures et colorants, détergents, résines, polyesters, huiles de graissage
Amines aromatiques	Teintures capillaires, sulfamides, anesthésiques locaux, colorants azoïques, écrans solaires
Résines d'époxy	Appareils électriques, prothèses orthopédiques, colles et adhésifs, vernis
Caoutchouc	Pneus, accessoires d'automobile, gants, bottes, chaussures, adhésifs
Térébenthine	Solvants de peintures, vernis, produits d'entretien
Colophane	Pansements adhésifs et sparadraps, colle de néoprène, vernis, cosmétiques
Parfums	Essences de citronelle, de lavande, de thym, etc.
Formol	Cosmétiques (déodorants, vernis à ongles), bactéricides, insecticides et fongicides, textiles synthétiques
Lanoline	Excipients médicamenteux pour pommade, crèmes et émulsions pour cosmétiques, crème à raser, produits antisolaires
Allergènes végétaux	Herbe à puces

par les cellules spécialisées de la peau, les cellules de Langerhans, qui les présentent ensuite aux lymphocytes T. Ces lymphocytes T sensibilisés se multiplient et forment deux groupes de cellules : des lymphocytes T effecteurs et des cellules mémoires. Les cellules effectrices sont à l'origine d'une véritable réaction en chaîne, attirant de plus en plus de macrophages, de nouveaux lymphocytes, et les immobilisant sur place. Il se forme alors des lésions cutanées plus ou moins étendues, caractérisées par l'érythème, par l'exsudation d'œdème et par la formation de papules.

RÉACTIONS DE REJET DES GREFFES

Les réactions de rejet des greffes relèvent aussi de l'hypersensibilité retardée. La transplantation d'allogreffes entre individus de la même espèce entraîne généralement la nécrose et le rejet du greffon dans les 8 à 10 jours suivant l'implantation du greffon. Le rejet est provoqué par l'incompatibilité antigénique des tissus greffés vis-à-vis le soi de l'organisme qui subit la transplantation. Au cours du rejet, la greffe est infiltrée par des lymphocytes et des macrophages. On note aussi la production d'anticorps au cours du rejet, mais ces derniers ne semblent pas jouer un rôle majeur.

HYPERSENSIBILITÉS MÉDICAMENTEUSES

Certains médicaments utilisés en application locale, souvent manipulés par le personnel infirmier ainsi que par celui des industries pharmaceutiques, peuvent provoquer des réactions d'hypersensibilité qui se présentent sous forme de dermatites de contact. La streptomycine est un exemple de médicament qui peut être responsable de réaction d'hypersensibilité de type IV.

13.7 RÉSUMÉ

La principale classification des réactions d'hypersensibilité est celle de Gell et Coombs. Cette classification repose sur les caractéristiques distinctives des mécanismes humoraux et cellulaires mis en jeu ainsi que sur un certain nombre d'observations pathologiques. Elle fait ressortir quatre réactions d'hypersensibilité. Les types I, II et III, à médiation humorale, correspondent à des réactions d'hypersensibilité immédiate. Le type IV correspond à l'hypersensibilité retardée, à médiation cellulaire.

Les hypersensibilités de type I sont causées par une classe particulière d'immunoglobulines, les IgE, qui entraînent la libération d'amines vasoactives par les granulocytes basophiles et les mastocytes à la suite du contact répété de l'organisme avec un allergène particulier. L'allergène constitue l'élément responsable de la crise allergique.

La sensibilisation de l'organisme à l'allergène constitue l'étape préliminaire. Après ce premier contact, des IgE sont produites. Ces immunoglobulines ont une grande affinité pour les basophiles et les mastocytes et se fixent à la surface de ces cellules dont le contenu est très riche en médiateurs chimiques vasoactifs. Un second contact entraîne la crise allergique. En effet, l'interaction allergène-IgE cause la dégranulation immédiate des basophiles et des mastocytes. Les amines vasoactives et d'autres médiateurs chimiques sont responsables des manifestations observées au cours de cette réaction d'hypersensibilité : modifications vasculaires (vasodilatation, exsudation plasmatique), hypotension, œdème et contraction des muscles lisses. Outre l'histamine et la sérotonine, les principaux médiateurs chimiques des réactions d'hypersensibilité de type I sont le PAF, l'ECF-A et les métabolites de l'acide arachidonique que constituent les prostaglandines, les leucotriènes et la thromboplastine.

La réaction d'hypersensibilité de type I peut être localisée, comme c'est le cas dans les rhinites allergiques, l'asthme ou les réactions allergiques gastro-intestinales. Elle peut aussi, mais plus rarement, être généralisée. On lui donne alors le nom de choc anaphylactique. Ce choc peut être fatal.

Les hypersensibilités de type II entraînent des manifestations immédiates. Elles impliquent la participation d'anticorps, les IgG et les IgM, qui produisent des réactions de cytotoxicité en présence du complément. Ces réactions sont dirigées contre des antigènes portés à la surface des cellules nucléées et des globules rouges. Elles surviennent à la suite d'allo-immunisations qui résultent de l'introduction dans l'organisme d'allo-antigènes parmi lesquels : les antigènes des groupes sanguins ABO et Rhésus, les antigènes d'histocompatibilité et les antigènes de différenciation des lymphocytes. La maladie hémolytique du nouveau-né par allo-immunisation fœto-maternelle est un exemple d'hypersensibilité de type II.

Les réactions d'hypersensibilité de type III sont induites par des complexes immuns. Bien qu'apparaissant quelques heures après l'exposition à l'antigène, ces réactions font partie des hypersensibilités immédiates. Par suite de la pénétration de certains antigènes, des anticorps précipitants (IgM et IgG) sont produits par l'organisme. La réaction de précipitation conduit à la formation de complexes immuns qui se déposent dans les tissus ou les vaisseaux capillaires. La formation de ces complexes immuns entraîne l'activation du complément qui, à son tour, attire les granulocytes neutrophiles. Ces derniers s'accumulent et rejettent des enzymes lysosomiales provoquant une réaction inflammatoire localisée. Les principales manifestations cliniques de ce type de réaction d'hypersensibilité sont la maladie du sérum, le phénomène d'Arthus, certaines glomérulonéphrites, le lupus érythémateux disséminé et la pneumonie interstitielle du poumon de fermier.

Les réactions d'hypersensibilité de type IV sont des réactions à médiation cellulaire induites par des lymphocytes T sensibilisés. Contrairement aux autres réactions d'hypersensibilité, l'hypersensibilité de type IV ne fait pas intervenir d'anticorps. Elle est aussi qualifiée d'hypersensibilité retardée, car elle survient tardivement, de 24 à 48 heures après l'injection de l'antigène.

Les lymphocytes T sensibilisés produisent des lymphokines qui agissent sur les granulocytes et les macrophages et qui amplifient la réponse cellulaire initiale, attirant d'autres macrophages et les immobilisant autour de l'antigène.

Les principales manifestations de l'hypersensibilité de type IV sont l'hypersensibilité tuberculinique, les dermatites de contact, les réactions de rejet des allogreffes et les hypersensibilités médicamenteuses.

LECTURES SUGGÉRÉES

BACH, J.-F. *Immunologie générale*. Paris, Flammarion, Médecine-Science, 1981, 942 p.

BENEZRA, C. et G. DUPUIS. « L'allergie de contact ». *La recherche*, vol. 14, n° 147 (septembre 1983), p. 1062-1072.

BENVENISTE, J. « L'asthme ». *La recherche*, vol. 11, n° 115 (octobre 1980), p. 1106-1112).

BUISSERET, P. « L'allergie ». *Pour la science*, n° 60 (octobre 1982), p. 26-36.

DAËRON, M. « Allergie et immunité ». *La recherche*, supplément au n° 237 (novembre 1991), p. 32-35.

NURSE'S CLINICAL LIBRARY. *Immunes Disorders*. Nursing 1985 Books. Springhouse, Springhouse Corporation, 1985, 192 p.

PERRIN, L. F. *Allergologie pratique*. Paris, Masson, 1984, 203 p.

REGNAULT, J.P. *Immunologie générale*. Montréal, Décarie, 1988, 469 p.

ROITT, Y., BROSTOFF, J. et D. MALE. *Immunologie fondamentale et appliquée*. Medsi, Paris, 1987, 352 p.

chapitre **14**

processus
infectieux

SOMMAIRE

14.1 INTRODUCTION

Nous vivons dans un environnement où pullulent les microorganismes : l'air que nous respirons, les aliments que nous mangeons, les animaux ou les gens que nous côtoyons et les objets que nous touchons. Malgré tout, sur l'étendue d'une vie humaine, et même sans faire intervenir la médecine, notre santé est rarement compromise par cette omniprésence microbienne.

Il arrive pourtant que l'Homme soit affecté par la présence de certains microorganismes. S'il en est ainsi, c'est que les moyens de défense ne sont pas incontournables ou ne fonctionnent pas toujours efficacement et que plusieurs microorganismes disposent de puissants moyens d'agression. Une rupture de la relation humain-microorganismes entraîne une infection.

On appelle infection le processus au cours duquel un agent pathogène pénètre chez un hôte, s'installe dans ses tissus et s'y multiplie. Généralement, la présence de l'agent infectieux perturbe les activités physiologiques normales et se manifeste par divers signes cliniques, puis entraîne l'immunité de la personne infectée.

Dans ce chapitre, nous montrerons d'abord comment les microorganismes agressent l'Homme et provoquent des troubles morbides. Nous examinerons, d'une part, les différents facteurs d'agression des agents infectieux et, d'autre part, les facteurs de susceptibilité relatifs à l'hôte agressé. Cette étude permettra de comprendre qu'une infection est un processus dynamique et qu'elle résulte d'un déséquilibre de la relation humain-microbe. Ensuite, nous préciserons les origines possibles des infections, nous décrirons le cycle infectieux proprement dit, c'est-à-dire l'ensemble des étapes de l'infection, et nous définirons les différents types d'infection. Enfin, ce chapitre s'achèvera par une description des manifestations cliniques générales qui accompagnent le syndrome infectieux.

14.2 VIRULENCE

La VIRULENCE désigne le degré de pathogénicité d'un microorganisme, c'est-à-dire son aptitude à se développer dans un organisme hôte et à y provoquer des troubles morbides.

On a souvent tendance à confondre virulence et pouvoir pathogène, mais ces deux notions ne sont pas synonymes. D'une part, la virulence se différencie du pouvoir pathogène par son aspect quantitatif et mesurable; d'autre part, elle tient compte autant du potentiel d'agression du microorganisme agresseur que de la sensibilité et des moyens de défense de l'hôte. La notion de pouvoir pathogène ne se réfère qu'aux moyens d'agression du parasite et est strictement qualitative.

> LA VIRULENCE DÉSIGNE L'APTITUDE D'UN PARASITE À SE DÉVELOPPER DANS UN ORGANISME HÔTE ET À PROVOQUER UNE INFECTION.

14.2.1 VARIATION DE LA VIRULENCE

Pour un microorganisme pathogène, la virulence n'est pas une propriété permanente et stable : elle s'accroît ou diminue sous l'influence de plusieurs facteurs.

EXALTATION

L'exaltation désigne l'accroissement de la virulence ou, en d'autres termes, l'augmentation progressive du potentiel d'agression d'un microorganisme pathogène.

Le phénomène d'exaltation, dont le mécanisme est encore mal connu, peut être obtenu expérimentalement en effectuant des transferts successifs d'un microorganisme pathogène sur une série d'hôtes sensibles. Mais l'exaltation se produit aussi naturellement. En effet, lors d'épidémies, les microorganismes sont plus virulents q'en temps normal.

ATTÉNUATION

Inversement, dans des conditions particulières de culture, un microorganisme pathogène peut perdre progressivement sa virulence. Ce phénomène porte le nom d'atténuation. Il peut être causé par des conditions plus favorables aux microorganismes peu virulents ou par la perte de l'information génétique contrôlant l'expression de la pathogénicité. Expérimentalement, l'atténuation peut être obtenue par différents procédés physico-chimiques tels que le vieillissement des cultures, l'action de la lumière, de la température ou de certains composés chimiques. On l'obtient aussi en effectuant des passages successifs sur un milieu de culture particulier. Le maintien de la virulence est un problème fréquent dans la conservation des souches pathogènes au laboratoire.

L'atténuation est une propriété importante que l'on met à profit dans la préparation d'un certain nombre de vaccins, notamment du vaccin antituberculeux, le bacille de Calmette et Guérin (BCG)[1], ou des vaccins antivarioleux, antipoliomyélitique (Sabin) et antirougeoleux. Préparés à partir de microorganismes dont le pouvoir pathogène a été atténué, ces vaccins sont surtout intéressants pour leur pouvoir immunogène, toujours plus élevé que celui des vaccins constitués d'organismes morts.

> **DIFFÉRENTS FACTEURS FONT VARIER LA VIRULENCE D'UN MICROORGANISME DONNÉ.**
> **ON APPELLE EXALTATION L'ACCROISSEMENT DE LA VIRULENCE, ET ATTÉNUATION LA BAISSE DE VIRULENCE.**

---

1. Les souches de ce bacille tuberculeux inoffensif mais immunogène ont été obtenues par repiquages successifs des cultures virulentes.

14.3 POTENTIEL D'AGRESSION DES MICROORGANISMES

Le potentiel d'agression des microorganismes relève de facteurs anatomiques, biochimiques et antigéniques.

14.3.1 FACTEURS ANATOMIQUES

La virulence dépend d'un certain nombre de constituants particuliers qui varient selon les microorganismes. Chez les bactéries, la paroi, la capsule, les endospores et les pili sont les principales structures anatomiques sur lesquelles reposent le pouvoir d'agression. Par exemple, les endospores permettent de résister à la chaleur, à la dessication, aux variations de pH ou à l'action des agents antimicrobiens qui seraient mortelles pour les cellules végétatives. La capsule est une autre structure anatomique qui permet de résister aux défenses de l'hôte. C'est ce que l'on observe chez *Streptococcus pneumoniæ*, *Neisseria meningitidis* ou *Hæmophilus influenzæ*, dont les composés capsulaires entravent la phagocytose.

Des études récentes sur la virulence ont révélé l'importance de l'adhésion ou de la fixation des parasites à certains récepteurs de la membrane cytoplasmique des cellules de l'hôte. On sait que l'infection d'un tissu particulier par un virus donné est directement liée à la présence de récepteurs spécifiques de la membrane cytoplasmique. Chez les parasites extracellulaires, l'adhérence augmente la virulence, car elle permet aux parasites de ne pas être chassés lors de la déglutition, de la miction ou de la digestion. De plus, elle renforce la pathogénicité des microorganismes dont les toxines se fixent aux récepteurs cellulaires et entrent rapidement dans les cellules au lieu d'être hydrolysées ou neutralisées.

Par ailleurs, ces études ont montré que la fixation de certaines bactéries s'effectuait par l'intermédiaire des lectines. Les lectines sont des protéines bactériennes qui ont la propriété de se combiner à certains constituants de la membrane cytoplasmique ou à des récepteurs cellulaires. Ces lectines sont portées par la paroi bactérienne (*Streptococcus mutans, Neisseria gonorrheæ*) ou par les pili (*Escherichia coli*).

Parmi les microorganismes connus pour la capacité d'attachement sélectif, mentionnons :

– les streptocoques pyogènes, qui adhèrent surtout à la muqueuse rhyno-pharyngée;
– *Vibrio choleræ, Salmonella typhi* et *Escherichia coli*, qui s'attachent aux cellules épithéliales de l'intestin grêle;
– certaines souches d'*Escherichia coli*, qui se fixent sur les cellules épithéliales des voies urinaires;
– certaines souches de *Candida albicans*, qui colonisent électivement l'épithélium de la muqueuse buccale, alors que d'autres se fixent exclusivement aux cellules de la muqueuse vaginale.

14.3.2 FACTEURS BIOCHIMIQUES ET MÉTABOLIQUES

Les facteurs biochimiques et métaboliques de virulence sont très importants chez les bactéries et les virus. Ils sont moins bien connus chez les mycètes et les protozoaires. Les bactéries produisent et excrètent de nombreuses substances toxiques qui détruisent les tissus ou altèrent certaines activités physiologiques fondamentales; de plus, elles élaborent des enzymes qui favorisent la dissémination microbienne au sein de l'organisme ou qui les protègent des moyens naturels de défense de l'hôte. Par ailleurs, certaines enzymes permettent aux bactéries pathogènes d'inactiver les antibiotiques.

En raison de leur importance dans la pathogénicité bactérienne, les facteurs biochimiques et métaboliques seront décrits en détail au chapitre 16, qui traite des infections bactériennes. Quant aux

virus, ils mobilisent la machinerie cellulaire à leur profit et perturbent gravement les activités cellulaires. Nous reviendrons sur cette question au chapitre 17.

14.3.3 FACTEURS ANTIGÉNIQUES

Il existe un rapport étroit entre la présence de structures ou de composés antigéniques et la virulence d'un parasite donné. À titre d'exemple, mentionnons l'antigène de virulence, ou antigène Vi, produit par *Salmonella typhi*, et la capsule des pneumocoques.

De plus, les variations antigéniques jouent un rôle très important dans l'expression de la virulence. Ces variations, qui peuvent être provoquées expérimentalement, surviennent spontanément dans la nature. Pour illustrer cette notion, rappelons la variabilité antigénique des virus de la grippe ou du SIDA, chez qui des mutations entraînent la production de protéines virales différentes contre lesquelles les anticorps antérieurement produits sont inefficaces. Mentionnons aussi le cas de *Plasmodium*, agent du paludisme, qui fait varier régulièrement la composition chimique de ses antigènes et qui se trouve à affaiblir le système immunitaire de l'hôte en l'obligeant à produire constamment de nouveaux anticorps.

LA VIRULENCE DE L'AGRESSEUR DÉPEND :

– **DE STRUCTURES ANATOMIQUES, PERMETTANT DE SE FIXER AUX CELLULES DE L'HÔTE OU DE RÉSISTER AUX RÉACTIONS DE DÉFENSE DE L'HÔTE;**
– **DE FACTEURS BIOCHIMIQUES ET MÉTABOLIQUES, PERTURBANT LES ACTIVITÉS PHYSIOLOGIQUES DE L'HÔTE;**
– **DE FACTEURS ANTIGÉNIQUES, RELEVANT DE CERTAINS COMPOSÉS CHIMIQUES.**

14.4 SUSCEPTIBILITÉ DE L'HÔTE

À la virulence de l'agresseur s'ajoute un certain nombre de facteurs relatifs à l'individu agressé. L'âge et l'état physiologique de l'hôte, divers facteurs génétiques et environnementaux ainsi que des circonstances favorisant l'entrée et la prolifération des microorganismes dans les tissus sont autant de facteurs qui déterminent le degré de susceptibilité de l'hôte.

14.4.1 ÂGE

La sensibilité de l'organisme à l'égard des agents infectieux varie avec l'âge. En général, les jeunes enfants et les personnes âgées sont les deux groupes les plus sensibles. Chez les jeunes enfants, cette plus grande sensibilité est due à l'immaturité du système immunitaire.

Durant la grossesse, le fœtus est protégé par les anticorps maternels et par le placenta qui fait office de barrière, ce qui réduit les risques de contamination. Cependant, la barrière placentaire n'offre pas une protection absolue : un certain nombre d'agents infectieux peuvent la franchir, contaminer l'embryon et provoquer des troubles graves. Certains perturbent l'embryogénèse et causent des malformations irréversibles de plusieurs systèmes. C'est le cas de la rubéole, de la syphilis, de la toxoplasmose, des infections à *Cytomegalovirus* et du SIDA.

Les mois suivant la naissance constituent une période critique. En effet, les nourrissons sont exposés à de nombreux agents infectieux, alors que leur système immunitaire commence seulement à produire des anticorps. Durant cette période, les nouveau-nés présentent une plus grande sensibilité aux infections staphylococciques et aux infections causées par les bactéries Gram négatif.

Comme les anticorps sont produits à la suite de contacts répétés avec les agents infectieux, c'est au cours des premières années que surviennent des infections telles que la rougeole, la varicelle, la coqueluche, la scarlatine, les méningites et les oreillons. Dans les pays industrialisés, on tend à oublier l'importance et la gravité de ces infections, car le développement de l'hygiène et – surtout – les programmes de vaccination systématique ont réduit la mortalité infantile d'origine infectieuse. Mais la situation diffère dans les pays d'Afrique, d'Amérique latine et d'Asie, car les statistiques y révèlent une surmortalité infantile préoccupante.

La plus grande sensibilité aux maladies infectieuses des personnes âgées est probablement causée par une moindre efficacité du système immunitaire au cours du vieillissement. Toutefois, on connaît encore peu de choses à ce sujet.

14.4.2 ÉTAT PHYSIOLOGIQUE

L'état physiologique et l'état hormonal influent sur le fonctionnement du système immunitaire, et donc sur la résistance anti-infectieuse. Les hormones corticoïdes, les glycocorticoïdes notamment, produisent un effet négatif sur diverses activités du système immunitaire (production d'anticorps, réaction inflammatoire, phagocytose). Certains lymphocytes sont stimulés par l'insuline, ce qui expliquerait pourquoi les diabétiques sont plus exposés à certains types d'infections (cutanées et génito-urinaires). Par ailleurs, les personnes souffrant de troubles surrénaliens présentent une sensibilité supérieure à la moyenne. En revanche, les œstrogènes agissent sur le système réticulo-histiocytaire, ce qui confère aux femmes une résistance un peu plus grande aux infections microbiennes.

La résistance anti-infectieuse est aussi influencée par d'autres maladies. Il est notoire que les personnes souffrant de troubles hépatiques comme la cirrhose ou de maladies non infectieuses comme les cancers sont plus exposées aux infections.

14.4.3 FACTEURS IMMUNITAIRES

La virulence est également tributaire de la capacité de défense de l'organisme agressé. En effet, la pénétration d'un agresseur déclenche une réaction immunitaire qui permet à l'organisme agressé de reconnaître et d'éliminer l'agresseur.

La défense anti-infectieuse repose sur des barrières naturelles et sur l'intervention du système immunitaire. La peau et les muqueuses des voies respiratoire, digestive et génito-urinaire forment autant de barrières contre la pénétration des microorganismes dans les tissus profonds. La flore commensale joue aussi un rôle non négligeable dans le contrôle de la prolifération des microorganismes pathogènes. Le système lymphatique, formé de vaisseaux et de ganglions, filtre la lymphe et la débarrasse des microorganismes qui ont pu y pénétrer par suite d'une effraction des barrières naturelles. D'autres mécanismes empêchent les bactéries de survivre dans le sang ou de se propager dans les tissus. Enfin, les cellules du système immunitaire proprement dit reconnaissent les agents infectieux et les détruisent soit par contact direct, soit par l'intermédiaire de différentes substances, dont les anticorps constituent une catégorie importante.

14.4.4 FACTEURS GÉNÉTIQUES

Au sein d'une espèce donnée, des facteurs génétiques interviennent probablement dans la résistance, ce qui expliquerait la moindre susceptibilité d'un individu donné à l'égard d'un microorganisme pathogène particulier.

Chez l'Homme, certains groupes ethniques sont plus sensibles à certaines infections et plus résistants à d'autres. Ainsi, il est notoire que les Amérindiens et les Noirs sont plus sensibles à la tuberculose que les Européens; cependant, les Européens sont plus sensibles à la fièvre jaune que les autres groupes ethniques. Autre fait intéressant, les Noirs africains porteurs du gène responsable de l'anémie falciforme sont plus résistants au paludisme que leurs congénères dépourvus de ce gène.

On s'explique encore mal les raisons de ces différences de susceptibilité ou de résistance. Il est probable qu'elles relèvent de différences physiologiques génétiquement dépendantes. Il est possible aussi que les différences de sensibilité observées entre les individus soient causées par des variations affectant les gènes contrôlant l'intensité de la réponse immunitaire, comme cela a été démontré chez l'animal. Par ailleurs, des maladies génétiques, comme celles qui affectent la production d'anticorps (agammaglobulinémie), constituent une preuve supplémentaire de l'influence des facteurs génétiques sur la sensibilité et la résistance des individus à l'égard des maladies infectieuses.

14.4.5 ÉTAT NUTRITIONNEL

L'état nutritionnel est un autre facteur qui influe largement sur le degré de résistance des individus aux agents infectieux. Il est reconnu depuis longtemps que les personnes bénéficiant d'un régime alimentaire riche en protéines et en vitamines sont moins affectées par les maladies infectieuses que celles qui souffrent de malnutrition. L'apport protéique permet à l'organisme de maintenir ses tissus en bon état et de fabriquer les différentes catégories de composés chimiques qui interviennent dans la défense immunitaire. En outre, un apport suffisant en vitamines B et C est indispensable au maintien de l'intégrité de la peau et des muqueuses. C'est ce que l'on observe chez les personnes atteintes de scorbut dont la peau et les muqueuses fendillées et ulcérées laissent passer plus facilement les microorganismes. Il en est de même des personnes présentant un déficit en riboflavine chez qui l'on observe une plus grande susceptibilité aux infections oculaires par suite de modifications de la cornée et de la conjonctive. Par ailleurs, certains auteurs affirment que des doses importantes de vitamine C contribuent à nous protéger contre le rhume, mais les études entreprises n'ont pas donné de résultats concluants.

14.4.6   FACTEURS ENVIRONNEMENTAUX

Bien que leurs effets ne soient pas toujours déterminants, les conditions environnementales constituent des facteurs importants de l'expression de la virulence. Les principaux facteurs environnementaux qui relèvent de l'environnement personnel, social, géographique et climatique sont :

– la salubrité de l'habitat;
– la surpopulation;
– les conditions économiques;
– le niveau d'hygiène générale de la population;
– les conditions climatiques ambiantes;
– la présence d'animaux particuliers.

À titre d'exemple, l'encadré 14.1 montre que la tuberculose est une maladie dont le développement et la régression furent largement influencés par les facteurs environnementaux et sociaux.

La plupart de ces facteurs environnementaux jouent un rôle important dans la transmission de nombreuses maladies infectieuses. Nous y reviendrons donc au chapitre suivant, qui traite de l'épidémiologie.

Les conditions géographiques et climatiques constituent des facteurs non négligeables d'infection, puisqu'elles favorisent ou freinent la prolifération de certains microorganismes et leur transmission à l'Homme par des agents vecteurs.

Certaines maladies sont plus fréquentes dans plusieurs régions du monde, voire exclusives à ces régions. Un des exemples les plus caractéristiques est la trypanosomiase africaine, ou maladie du sommeil, causée par *Trypanosoma gambiense*. Cette maladie ne se manifeste qu'entre le 15° de latitude N. et le 15° de latitude S., car son vecteur qu'est la mouche tsé-tsé, *Glossina palpalis*, ne peut vivre sous d'autres latitudes.

L'augmentation de la circulation entre les différentes régions du globe et la rapidité des moyens de transport sont aussi la cause de maladies tropicales que l'on trouve de plus en plus fréquemment parmi les malades vivant sous nos latitudes.

14.4.7   FACTEURS ÉMOTIONNELS

Lorsque apparaît une maladie infectieuse, on doit considérer les facteurs émotionnels comme le stress, la fatigue ou le surmenage, puisque des recherches ont déjà démontré qu'il y avait une relation entre le système nerveux et le système immunitaire.

LA SUSCEPTIBILITÉ D'UN HÔTE À L'ÉGARD D'UN MICROORGANISME EST INFLUENCÉE PAR :

– L'ÂGE;

– L'ÉTAT PHYSIOLOGIQUE;

– L'ÉTAT HORMONAL;

– DES FACTEURS GÉNÉTIQUES;

– SA CAPACITÉ IMMUNITAIRE AU MOMENT DE L'AGRESSION;

– DES FACTEURS ENVIRONNEMENTAUX;

– DES FACTEURS PSYCHIQUES.

La victoire sur la tuberculose.

La tuberculose est un exemple de maladie infectieuse soumise à l'influence de facteurs environnementaux. L'action sociale est un élément important de la victoire sur cette maladie. En effet, même si le bacille tuberculeux a fait son apparition bien avant le siècle dernier, la tuberculose reste une maladie récente dans l'histoire de l'humanité. Elle fut l'envers de la médaille de la révolution industrielle que connut l'Europe à la fin du XVIIIe siècle. Avec le développement de l'industrie et de la production de masse, les hommes, les femmes et les enfants émigrèrent vers les villes. Astreints à de longues heures d'un travail épuisant, mal payés, mal nourris, minés par la fatigue, entassés dans des taudis insalubres, ils devinrent des proies faciles pour un bacille peu virulent en lui-même mais capable de proliférer dans un terrain propice.

On croit généralement que la tuberculose a été vaincue grâce à la vaccination et aux antibiotiques, mais c'est une erreur. En fait, la maladie a commencé à régresser au début du XXe siècle, bien avant que Calmette et Guérin n'aient inventé leur vaccin (en 1921) et bien avant la découverte du premier antibiotique actif contre *Mycobacterium tuberculosis*. Quoique ces moyens préventifs et thérapeutiques efficaces aient largement contribué à l'éradication presque complète de la maladie, le premier recul significatif dépend directement de l'amélioration progressive des conditions de travail, de la salubrité générale, de l'alimentation et de l'habitat.

14.4.8 CIRCONSTANCE FAVORISANTE

Aussi agressant soit-il, un microorganisme n'est pas automatiquement pathogène. Pour que s'exprime la virulence, il faut le concours d'une circonstance favorisante, c'est-à-dire un événement particulier permettant au microorganisme de s'introduire dans l'organisme et de s'y multiplier. La nature de la circonstance est variable, mais elle se traduit la plupart du temps par une rupture des barrières naturelles ou par un affaiblissement de l'hôte. Le plus souvent, il s'agit soit d'un traumatisme accidentel (brûlures, blessures) ou chirurgical (points de suture, cathéters, sondes, prothèses), soit d'une baisse d'efficacité du système immunitaire. Les facteurs physiologiques et environnementaux énumérés plus haut constituent autant de circonstances permettant aux microorganismes de proliférer et d'exprimer leur potentiel pathogène.

En résumé, la virulence est la capacité, variable dans le temps, pour un microorganisme donné, profitant de circonstances particulières, de produire un état pathologique donné.

> POUR DÉBUTER, TOUTE INFECTION REQUIERT UNE CIRCONSTANCE FAVORISANTE, C'EST-À-DIRE UN ÉVÉNEMENT PERMETTANT À L'AGRESSEUR DE S'INTRODUIRE ET DE SE MULTIPLIER DANS L'ORGANISME.

14.5 ORIGINES DE L'INFECTION

De façon générale, l'infection peut avoir une origine exogène ou une origine endogène.

14.5.1 ORIGINE EXOGÈNE

L'origine est dite exogène quand les agents infectieux proviennent de l'extérieur de l'organisme, c'est-à-dire de l'environnement. C'est sur ce mode que s'effectue la contamination par les agents dotés d'un véritable pouvoir d'agression et que se transmettent la plupart des maladies contagieuses, comme la grippe, la rougeole, la scarlatine, etc.

La contamination s'effectue par l'intermédiaire d'autres êtres humains infectés, d'animaux malades ou de l'environnement, qui constituent les réservoirs des agents responsables d'un certain nombre de maladies infectieuses.

La transmission de ces infections d'origine exogène s'effectue soit directement, comme dans le cas des maladies transmissibles sexuellement, soit indirectement, par l'intermédiaire de sécrétions contaminées en suspension dans l'air, par l'intermédiaire d'eau ou d'aliments contaminés ou souillés par les personnes malades qui les ont manipulés.

Selon le cas, ces agents infectieux pénètrent dans l'organisme par voies transcutanée ou transmuqueuse, digestive, respiratoire, génito-urinaire ou parentérale.

Les infections exogènes mettent en jeu ce que l'on appelle une chaîne épidémiologique, dont les réservoirs d'agents infectieux, la transmission et l'introduction chez l'individu sain constituent trois maillons essentiels. Nous y reviendrons en détail au chapitre 15, consacré à la transmission des maladies infectieuses, et au chapitre 22, qui traite de la prophylaxie, c'est-à-dire de la prévention des infections.

14.5.2 ORIGINE ENDOGÈNE

Une infection est qualifiée d'endogène lorsque les agents infectieux proviennent de l'intérieur de l'organisme. Il peut s'agir de pathogènes opportunistes ou de microorganismes commensaux qui profitent d'une rupture de l'équilibre de l'écosystème humain-microbe. Le déséquilibre peut avoir plusieurs causes. Il peut provenir :

– d'un affaiblissement passager des défenses immunitaires, comme cela survient à la suite d'un traitement immunosuppresseur, de cer-

taines maladies infectieuses comme la rougeole ou le SIDA;

– de la rupture accidentelle d'une barrière naturelle (peau et muqueuses);

– de l'infection d'une plaie;

– de l'introduction de microorganismes dans des endroits habituellement exempts de microorganismes, comme cela survient dans le cas d'une infection urinaire consécutive à l'installation d'une sonde ou d'une chirurgie colique.

De nos jours, les infections d'origine endogène et les infections causées par des microorganismes commensaux constituent une part importante de la morbidité infectieuse. Nous consacrerons le chapitre 20 aux infections opportunistes.

**LES INFECTIONS PEUVENT ÊTRE D'ORIGINE EXOGÈNE OU ENDOGÈNE SELON QU'ELLES SONT CAUSÉES PAR DES AGENTS INFECTIEUX QUI PROVIENNENT DE L'EXTÉRIEUR OU DE L'INTÉRIEUR DE L'ORGANISME.
LES PREMIÈRES SONT CAUSÉES PAR DES MICROORGANISMES PATHOGÈNES, LES SECONDES PAR DES MICROORGANISMES OPPORTUNISTES OU COMMENSAUX QUI PROFITENT D'UN AFFAIBLISSEMENT PASSAGER DE L'HÔTE.**

14.6 CYCLE INFECTIEUX

Les infections ont une évolution cyclique. Généralement, le cycle infectieux se découpe en quatre phases : l'incubation, l'invasion, la période d'état et la guérison. À ces phases normales s'ajoutent éventuellement des complications infectieuses ou des séquelles.

14.6.1 INCUBATION

L'INCUBATION correspond à la période comprise entre l'entrée de l'agent infectieux dans l'organisme et l'apparition des premiers symptômes. La durée de la période d'incubation varie selon les infections. Elle est de quatre jours pour la scarlatine, de 15 jours pour la varicelle et de 21 jours pour les oreillons. Elle n'est pas toujours fixe (de 7 à 21 jours pour le tétanos) et peut s'étendre sur plusieurs mois (tuberculose, rage, etc.) ou sur plusieurs années (SIDA). La période d'incubation n'est marquée d'aucun symptôme; on dit qu'elle est silencieuse. De ce fait, un individu ne sait pas qu'il abrite un agent pathogène. C'est un porteur sain pouvant transmettre involontairement son infection.

14.6.2 INVASION

L'invasion, généralement courte, est marquée par l'apparition des premiers symptômes : fièvre, courbatures, syndrome pseudo-grippal. Mais ces manifestations non spécifiques ne permettent pas encore de diagnostiquer l'infection. C'est pourquoi on qualifie souvent cette phase d'anonyme.

14.6.3 PÉRIODE D'ÉTAT

La PÉRIODE D'ÉTAT voit apparaître les signes cliniques spécifiques à chaque infection. On en trouvera des exemples dans les chapitres 16, 17, 18 et 19, qui sont consacrés à l'étude des maladies infectieuses causées par les bactéries, les virus, les mycètes et les parasites.

14.6.4 GUÉRISON

L'évolution de la maladie s'achève le plus souvent par la guérison du malade. Celui-ci se rétablit progressivement et recouvre la santé au cours d'une étape transitoire appelée convalescence. La convalescence est principalement marquée par le rétablissement des fonctions normales de l'organisme et par la réparation des dégâts tissulaires éventuellement causés par l'agent infectieux.

La guérison survient soit par la seule intervention des mécanismes naturels de défense, soit grâce à l'intervention de la médecine, notamment par l'antibiothérapie. Le malade peut être immunisé ou non. Dans le premier cas, il devient réfractaire à cet agent infectieux; dans le second, il y a risque de rechute (avant la guérison complète) ou de récidive (après la guérison complète). Il arrive aussi que l'infection entraîne des complications ou laisse des séquelles.

14.6.5 COMPLICATIONS ET SÉQUELLES

Les complications traduisent une aggravation de l'infection. Celles-ci se manifestent par l'apparition de symptômes nouveaux qui affaiblissent le malade. Le rhumatisme articulaire aigu, les pyélonéphrites, les endocardites infectieuses sont des exemples de complications consécutives aux angines. La rougeole est un exemple probant de complications. Au cours de cette virose, un état d'immunodépression passagère favorise l'apparition de complications neurologiques (méningo-encéphalite) et de surinfections broncho-pulmonaires par *Hæmophilus influenzæ*, une bactérie qui vit habituellement dans le rhino-pharynx sans causer de problèmes infectieux. Il en est de même des infections opportunistes qui emportent un bon nombre de personnes atteintes du SIDA.

Les séquelles sont des lésions définitives causées par le passage d'un agent infectieux. Les risques de séquelles ont considérablement diminué avec l'avènement des thérapeutiques anti-infectieuses, mais on en observe encore. La rubéole et la toxoplasmose contractées au cours de la grossesse peuvent laisser des séquelles neurologiques.

14.6.6 CYCLE INFECTIEUX ET CONTAGIOSITÉ

La contagiosité d'une infection varie au cours des étapes du cycle infectieux. Le degré de contagiosité varie aussi selon les agents infectieux.

La plupart du temps, la contagiosité est maximale au cours de la période d'état, mais, dans certains cas, le risque maximal de transmission se situe à la fin de la période d'incubation ou au moment de l'invasion. Dans certaines maladies, il arrive même que la contagion puisse s'effectuer au cours de la convalescence, voire après la guérison clinique complète. Parfois à leur insu, les sujets continuent d'abriter les agents pathogènes pendant un temps plus ou moins prolongé, de façon continue ou intermittente.

LE CYCLE INFECTIEUX SE DÉROULE EN QUATRE PHASES :

– **L'INCUBATION, QUI CORRESPOND À L'ENTRÉE DE L'AGENT INFECTIEUX DANS L'ORGANISME;**

– **L'INVASION, MARQUÉE PAR L'APPARITION DES PREMIERS SYMPTÔMES TRADUISANT UN ÉTAT INFECTIEUX;**

– **LA PÉRIODE D'ÉTAT, ACCOMPAGNÉE DES SIGNES CLINIQUES SPÉCIFIQUES DE L'INFECTION;**

– **LA GUÉRISON, QUI TRADUIT LE RÉTABLISSEMENT DES FONCTIONS NORMALES DE L'ORGANISME, À MOINS QUE NE SURVIENNENT DES COMPLICATIONS OU DES SÉQUELLES.**

14.7 FORMES CLINIQUES D'INFECTION

On distingue plusieurs formes cliniques d'infection selon l'étendue des territoires infectés, la nature et l'intensité des symptômes observés ou la rapidité de l'évolution de l'infection.

Cependant, on connaît des cas où l'infection est inapparente. On dit alors qu'elle est asymptômatique ou infraclinique.

Par ailleurs, on distingue plusieurs types d'infections selon que l'on considère, d'une part, l'étendue du territoire et, d'autre part, la rapidité avec laquelle se développe et évolue la maladie.

14.7.1 FORMES SELON LA LOCALISATION

Selon la localisation, les infections peuvent être subdivisées en infections locales, loco-régionales et générales.

INFECTIONS LOCALES

Les infections locales sont celles qui affectent un territoire réduit. Elles peuvent être superficielles ou profondes. Elles sont superficielles lorsque l'agent infectieux demeure au point de pénétration cutanéo-muqueux ou dans son voisinage immédiat. Elles sont profondes lorsque l'agent n'attaque qu'un organe ou un tissu particulier situé à l'intérieur de l'organisme.

Ce second type d'infection localisée exige habituellement un transit par les vaisseaux lymphatiques ou par les vaisseaux sanguins. On désigne par les termes de bactériémie et de virémie la présence temporaire de bactéries et de virus dans le sang. Le terme de bactériémie ne doit pas être confondu avec celui de septicémie, qui désigne une infection au niveau du système circulatoire.

Les organes atteints, qui dépendent de l'affinité des agents pathogènes pour les tissus, sont alors qualifiés d'organes cibles. Par exemple, les staphylocoques sont responsables d'infections secondaires du poumon, du foie ou de la moelle osseuse. De leur côté, les streptocoques sont une cause de rhumatisme articulaire, de pyélonéphrite et d'endocardite.

Les tableaux 14.1 et 14.2 donnent quelques exemples de localisation d'infections bactériennes et virales.

Dans les infections virales localisées, les virus passent d'une cellule à l'autre soit par diffusion dans l'espace extracellulaire (à la suite de la lyse cellulaire), soit en empruntant les passages intercellulaires. Par exemple, lors de la grippe, le virus se développe dans les cellules superficielles de la muqueuse qui tapisse l'appareil respiratoire, du nez jusqu'aux bronchioles. Les manifestations cliniques observées lors de la grippe – écoulement nasal puis congestion, fièvre et toux – traduisent la destruction cellulaire.

Enfin, certains mycètes et certains parasites sont aussi responsables d'infections localisées. Parmi les infections causées par les mycètes, mentionnons les candidoses qui affectent les muqueuses buccale et pharyngée (muguet) ou la muqueuse vaginale. Parmi les infections localisées causées par les parasites, on peut citer la pneumocystose, une pneumonie causée par *Pneumocystis carinii*, la giardiase, une entérite, et la trichomonase, une

Tableau 14.1
Infections bactériennes localisées.

LOCALISATION	EXEMPLES
Peau	Suppurations cutanées résultant de coupures ou de brûlures infectées Furoncles (infections des follicules pilo-sébacés par les staphylocoques) Impétigo (infection cutanée suppurée causée par des streptocoques pyogènes et caractérisée par la formation de pustules à croûtes jaunâtres)
Tissus sous-cutanés	Panaris (inflammation aiguë des tissus sous-cutanés des doigts ou des orteils principalement marquée par la formation d'un abcès)
Gorge	Angines
Oreilles	Otites
Sinus	Sinusites
Système respiratoire	Pneumonies Broncho-pneumonies
Système nerveux	Méningites Méningo-encéphalites Encéphalites
Organes profonds	Abcès hépatiques, cérébraux, rénaux, etc.
Système digestif	Gastro-entérites Salmonelloses Choléra
Système génito-urinaire	Cystites (inflammation de la vessie) Néphrites Urétrites Maladies transmissibles sexuellement (blennorragie, herpès, infections à chlamydia)

Tableau 14.2
Organes cibles et affinité tissulaire des virus.

ORGANES CIBLES	AFFINITÉ	EXEMPLES
Peau et muqueuses	Dermotrope	Rougeole Varicelle Zona Rubéole Herpès
Système respiratoire	Pneumotrope	Rhume Grippe Pneumonies virales
Système digestif	Entérotrope	Echovirus Virus Coxsackie
Système nerveux	Neurotrope	Poliomyélite Encéphalites Rage SIDA
Organes internes	Viscérotrope	Hépatites
Système immunitaire	Lymphotrope	SIDA

parasitose transmissible sexuellement. Par ailleurs, les parasitoses causées par plusieurs espèces d'helminthes intestinaux entrent aussi dans la catégorie des infections localisées.

INFECTIONS LOCO-RÉGIONALES

Les infections loco-régionales surviennent lorsque les agents infectieux atteignent les ganglions lymphatiques, qui constituent une première barrière immunitaire à la progression de l'infection. Les infections loco-régionales sont généralement des complications d'infections cutanées non traitées. Elles se traduisent principalement par des lymphangites et des adénites satellites.

INFECTIONS GÉNÉRALES

Lors d'infections générales ou systémiques, comme la rougeole ou la poliomyélite, par exemple, l'agent pathogène envahit tout l'organisme. Sa progression est généralement lente : elle prend parfois plusieurs semaines. Cette période d'incubation est marquée par l'absence quasi complète de signes cliniques[1]. Il faut insister sur les infections inapparentes, car elles risquent d'avoir des conséquences fâcheuses :

– elles peuvent contribuer à la dissémination d'une maladie contagieuse dans l'entourage du malade;

– elles peuvent être à l'origine d'infections congénitales chez les femmes enceintes;

– elles peuvent entraîner des complications.

La généralisation de l'infection découle de la dissémination des agents infectieux par suite de leur passage dans les vaisseaux sanguins ou lymphatiques. Les infections systémiques sont surtout le fait des virus et des mycètes. La rubéole, la varicelle, les oreillons et la mononucléose infectieuse sont d'autres exemples d'infections virales systémiques. Les infections systémiques causées par les mycètes sont plus rares et surviennent principalement chez les personnes souffrant de troubles immunitaires graves. L'aspergillose et la candidose en sont deux exemples.

ÉVOLUTION D'UNE INFECTION GÉNÉRALE

L'exemple de la poliomyélite permet d'illustrer l'évolution d'une maladie générale.

Au cours de la période silencieuse qui sépare le début de l'infection de l'apparition des symptômes neurologiques, la poliomyélite traverse plusieurs étapes (figure 14.1) :

– la multiplication primaire qui survient au site d'infection, c'est-à-dire dans la muqueuse du tube digestif, du pharynx à l'intestin;

– la colonisation virale des formations lymphoïdes associées à l'appareil digestif : amygdales, plaques de Peyer et ganglions mésentériques;

– le passage des virus dans le sang qui détermine une virémie à l'issue de laquelle les virus atteignent le système réticulo-endothélial;

– la multiplication secondaire qui s'effectue dans les cellules du système réticulo-endothélial et qui entretient la virémie;

– l'envahissement des cellules du système nerveux central.

Cette dernière étape marque la fin de la période silencieuse de la maladie. La présence des virus dans les neurones est à l'origine des paralysies caractéristiques de la poliomyélite.

14.7.2 FORMES SELON L'INTENSITÉ

Une classification des formes d'infections selon l'intensité permet de distinguer des infections aiguës, persistantes et lentes.

---

1. On observe parfois de la fièvre mais elle ne dure pas et ne peut être reliée à aucun autre symptôme. Cet épisode de fièvre correspond à la multiplication des virus dans le système réticulo-endothélial.

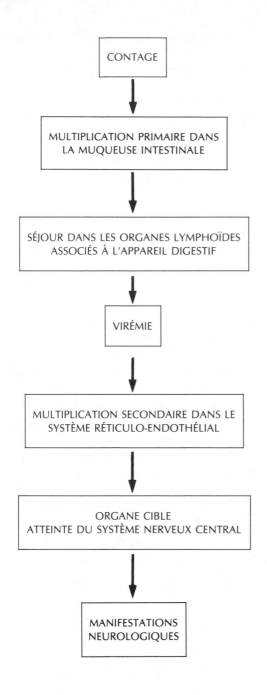

Figure 14.1
Étapes d'une infection généralisée.
Exemple de la poliomyélite.

INFECTIONS AIGUËS

Les infections aiguës se caractérisent par l'intensité des symptômes observés. Dans ce groupe, on distingue les infections typiques et les infections inapparentes. Les premières sont accompagnées de symptômes cliniques spécifiques, c'est-à-dire propres aux agents infectieux qui les causent. Les secondes ne se manifestent que par des signes biologiques qui traduisent l'état infectieux. En l'absence de signes cliniques évidents, il n'est pas possible de diagnostiquer la maladie[1].

INFECTIONS PERSISTANTES

Lors d'infections persistantes, les agents pathogènes séjournent longuement, voire définitivement, dans l'organisme. On distingue les infections persistantes épisodiques (ou récurrentes) et les infections persistantes chroniques. Les premières sont caractérisées par la latence et la récurrence de l'agent infectieux, c'est-à-dire par sa présence silencieuse dans l'organisme en dehors des épisodes infectieux et par sa réactivation dans des circonstances particulières.

Le paludisme, qui évolue par accès intermittents et rythmiques, les infections par les virus herpès 1 (herpès labial) et herpès 2 (herpès génital) constituent des exemples classiques d'infections latentes et épisodiques.

Les infections persistantes chroniques sont caractérisées par l'apparition rapide des symptômes mais par une évolution lente et constante de la maladie. L'hépatite B est un exemple d'infection persistante chronique. Elle est causée, la plupart du temps, par la consommation d'eau contaminée ou par la baignade dans des eaux polluées par les matières fécales d'individus infectés, plus rarement lors de transfusions sanguines ou par voie sexuelle. Dans ses débuts, la maladie est difficile à diagnostiquer. Elle ne se manifeste que par une fièvre légère et des érup-

---

1. Sauf à l'aide de tests sérologiques.

tions cutanées. Plus tard apparaît la phase ictérique caractéristique[1], accompagnée de l'augmentation des paramètres biochimiques (élévation des taux de transaminases et de bilirubine). La maladie est rarement mortelle et régresse spontanément. Cependant, 10 à 15 % des personnes atteintes deviennent des porteurs chroniques[2] et jouent le rôle de réservoir permanent. Par la suite, un certain nombre de ces porteurs chroniques sont atteints de lésions du foie qui dégénèrent en cirrhose ou en cancer primitif du foie. Le lien entre la présence du virus de l'hépatite B et le cancer du foie a été clairement établi. Heureusement, le développement des techniques du génie génétique a permis la production d'un vaccin efficace. Cependant, cette maladie représente un problème de santé grave dans le monde.

INFECTIONS LENTES

Dans les infections lentes et progressives, les symptômes reliés à la présence des agents pathogènes apparaissent plusieurs années après le contage infectieux.

Les trypanosomiases africaines et américaines, la tuberculose et la lèpre peuvent être considérées comme des exemples d'infection à évolution lente.

La syphilis est une autre maladie infectieuse à évolution lente, puisqu'elle peut s'étendre sur plusieurs dizaines d'années. Elle peut être divisée en trois phases :

– la phase primaire, débutant environ trois semaines après le contact infectieux et princi-

palement marquée par l'apparition d'un chancre induré contenant de nombreux tréponèmes;

– la phase secondaire, survenant plusieurs mois après le début de l'infection et caractérisée par des symptômes cutanéo-muqueux, notamment une éruption maculo-papuleuse que l'on peut observer sous forme de plaques rosées sur le torse pendant plusieurs semaines;

– la phase tertiaire, apparaissant plusieurs années après le début de l'infection et dont les principales manifestations sont des lésions neurologiques et des complications cardio-vasculaires (anévrisme de l'aorte).

On classe aussi le SIDA dans ce groupe d'infection en raison du délai de quatre à cinq ans entre le contage et l'apparition des premières attaques du système immunitaire. D'ailleurs, le virus de l'immunodéficience humaine fait partie des lentivirus, un groupe dont certains représentants ont pour unique cible le système nerveux central. Le kuru, la maladie de Creutzfeldt-Jakob (qui peut survenir à la suite de la transplantation de la cornée) sont d'autres maladies de ce type.

> ON CLASSE LES INFECTIONS SELON L'ÉTENDUE DU TERRITOIRE, L'INTENSITÉ ET L'ÉVOLUTION DES SYMPTÔMES. ON DISTINGUE LES INFECTIONS LOCALES, LOCO-RÉGIONALES ET GÉNÉRALES, LES INFECTIONS AIGUËS TYPIQUES ET INAPPARENTES, LES INFECTIONS PERSISTANTES ET LES INFECTIONS LENTES.

14.8 MANIFESTATIONS CLINIQUES DU SYNDROME INFECTIEUX

Plusieurs manifestations cliniques accompagnent les infections microbiennes. Les unes sont universelles, d'autres sont fréquentes ou simplement

---

1. Cette phase est notamment caractérisée par l'émission d'urines foncées, de selles décolorées et par le jaunissement du blanc de l'œil et de la peau.

2. Toute personne dont le sang contient encore des antigènes HBsAg (antigènes de surface du virus de l'hépatite B) six mois après l'infection est définie comme porteur chronique.

occasionnelles. Elles dépendent aussi de la localisation et du degré d'extension de l'infection. Nous ne décrirons pas les signes objectifs (observés par le médecin) ou les signes fonctionnels (ressentis par le malade), car ils varient selon les agents infectieux en cause. Nous ne traiterons ici que des manifestations générales, c'est-à-dire celles qui sont le dénominateur commun à de nombreuses infections.

14.8.1 RÉACTION INFLAMMATOIRE

La manifestation la plus générale d'une infection bactérienne locale ou régionale est la réaction inflammatoire. La désinence *ite* que l'on trouve dans la plupart des termes désignant les différentes infections montre bien l'universalité de cette réaction que l'on observe à différents niveaux de l'appareil respiratoire (pharyngite, laryngite, bronchite, etc.), de l'appareil digestif (gastro-entérite), de l'appareil génito-urinaire (urétrite, cystite, néphrite, salpingite, épididymite, etc.), de l'œil (conjonctivite) ou de l'oreille (otite), etc.

Que l'infection soit localisée ou étendue, la rougeur, la chaleur et l'œdème de la région infectée traduisent la présence de l'agresseur bactérien. Toutefois, elles ne sont apparentes que si l'infection affecte les revêtements cutanéo-muqueux, car on peut observer les tissus tuméfiés ou œdématiés. De plus, une douleur vive ou diffuse, selon les régions anatomiques affectées, constitue une autre manifestation fréquente.

Dans les cas d'infections des organes profonds comme celles qui affectent le foie, les reins, les poumons ou le cœur, la réaction inflammatoire ne se manifeste que par la fièvre et par une douleur diffuse. Si les organes affectés affleurent la peau ou une muqueuse, il est toujours possible d'apprécier la tuméfaction par la palpation de la région présumément touchée.

Un certain nombre d'infections sont dites purulentes, car elles sont marquées par la production de pus. Souvent qualifiées de pyogènes, ces infections sont notamment causées par des streptocoques et des staphylocoques. Le pus est formé des bactéries mortes ou vivantes et des globules blancs morts. Si l'infection est superficielle, le pus formé s'écoule spontanément à l'extérieur. Mais, si l'infection a lieu dans les tissus profonds, le pus reste emprisonné et forme un abcès. Si la pression dans l'abcès est élevée, le pus peut s'échapper par une fistule, c'est-à-dire par un canal qui relie le lieu de l'infection à la peau ou à la muqueuse la plus proche. Le pus peut aussi s'échapper vers les bronches (collection vomique), vers la cavité abdominale, etc. Très infectieux à cause des agents pathogènes qu'il contient, le pus collecté peut être à l'origine de surinfections. C'est ce que l'on observe, par exemple, dans le cas d'une péritonite consécutive à une appendicite. Dans certains cas, le pus peut être drainé par le système lymphatique et infecter les vaisseaux lymphatiques (lymphangite) ou les ganglions lymphatiques (adénite).

14.8.2 FIÈVRE

La fièvre n'est pas exclusivement d'origine infectieuse, mais elle est le dénominateur commun à la plupart des infections. Comme on l'a vu au chapitre 12, la fièvre est une élévation anormale de la température au-dessus de 37 °C par suite d'un dérèglement du centre de contrôle hypothalamique sous l'influence des substances pyrogènes produites par les cellules immunitaires.

Sur le plan clinique, on définit la fièvre par une température rectale supérieure à 38,4 °C ou par une température buccale supérieure à 37,8 °C. La température observée généralement au cours d'une infection se situe entre 40 et 41 °C, sauf dans le cas d'infections touchant le système nerveux central où la fièvre est plus élevée.

L'allure de la fièvre varie selon les infections. Elle peut être régulière ou irrégulière. Dans ce cas, on distingue notamment :

- la fièvre rémittente, caractérisée par une alternance d'élévations et de chutes brutales de la température de l'ordre de 2 à 3 degrés, mais sans retour à la température normale;
- la fièvre intermittente, caractérisée par une élévation de la température le soir et la nuit, et par un retour à la normale durant la journée;
- la fièvre ondulante, qui s'élève puis décroît par ondulation progressive;
- la fièvre en plateau, caractérisée par des variations faibles et régulières.

14.8.3 AUTRES SIGNES BIOLOGIQUES

Habituellement, l'état infectieux s'accompagne aussi d'autres signes biologiques. Parmi ceux-ci, nous retiendrons :

- la modification du pouls. En général, le pouls s'accélère proportionnellement à la fièvre, mais il arrive qu'il soit abaissé (pouls dissocié);
- les transpirations, la pâleur et les sensations de fatigue;
- une accélération de la vitesse de sédimentation globulaire;
- une augmentation du nombre de globules blancs.

Les infections bactériennes sont caractérisées par une augmentation des granulocytes neutrophiles, les infections virales par une augmentation des lymphocytes et une diminution des granulocytes, tandis que les parasitoses s'accompagnent généralement d'une éosinophilie, c'est-à-dire d'une augmentation du nombre des granulocytes éosinophiles.

> **TOUTE INFECTION SE MANIFESTE PAR PLUSIEURS SIGNES GÉNÉRAUX. LES PLUS IMPORTANTS SONT LA RÉACTION INFLAMMATOIRE, LA FIÈVRE, L'ACCÉLÉRATION DU POULS, L'AUGMENTATION DE LA VITESSE DE SÉDIMENTATION ET DIVERSES VARIATIONS DE L'HÉMOGRAMME.**

14.9 RÉSUMÉ

On appelle infection le processus au cours duquel un agent pathogène pénètre chez un hôte, s'installe dans ses tissus et cause des troubles morbides.

Les infections sont causées par des agents pathogènes qui profitent d'une rupture de l'équilibre en faveur de l'agresseur. La rupture de cet équilibre peut être causée par une augmentation du pouvoir d'agression de l'agent infectieux ou par une diminution de la capacité de défense de l'organisme attaqué.

La virulence désigne le degré de pathogénicité d'un microorganisme donné. Variable dans le temps, la virulence est influencée par le potentiel d'agression du microorganisme et par des facteurs propres à l'hôte. Le potentiel d'agression des microorganismes repose sur des structures anatomiques qui facilitent l'adhésion aux cellules ou permettent de résister aux moyens de défense de l'hôte. Interviennent aussi des facteurs biochimiques et antigéniques. La sensibilité de l'hôte à l'égard d'un agent pathogène varie selon l'âge, l'état physiologique et hormonal et l'efficacité du système immunitaire. Des facteurs génétiques et environnementaux influent aussi sur la susceptibilité. Enfin, pour que s'exprime la virulence, il faut aussi une circonstance favorisante, c'est-à-dire un événement qui permet à l'agresseur de s'introduire et de se multiplier dans l'organisme.

L'origine de l'infection peut être exogène lorsque l'agent infectieux provient de l'extérieur de l'organisme, c'est-à-dire d'autres êtres humains, d'animaux ou de l'environnement. Ce mode infectieux est celui de la plupart des maladies contagieuses. L'origine de l'infection peut aussi être endogène. Dans ce cas, l'infection résulte d'une introduction accidentelle de l'agent infectieux dans des tissus normalement stériles ou d'une rupture de l'équilibre au sein de la flore microbienne.

Une infection se déroule en plusieurs phases. Elle commence par l'incubation; elle se poursuit par l'invasion et par la période d'état. Elle s'achève par la guérison du malade, mais elle peut être accompagnée de complications ou de séquelles. Selon le territoire affecté, les infections peuvent être locales, loco-régionales ou générales. Selon l'intensité, elles peuvent être aiguës, persistantes ou lentes.

La réaction inflammatoire et la fièvre sont les plus fréquentes manifestations cliniques du syndrome infectieux. L'infection est aussi caractérisée par la modification des signes vitaux – dont l'accélération du pouls –, par l'accélération de la vitesse de sédimentation globulaire et par l'augmentation du nombre de globules blancs.

LECTURES SUGGÉRÉES

HOEPRICH, P. D. *Infectious Diseases*. 4e éd., Philadelphia, Lippincott, 1989, 1527 p.

JAWETZ, E., MELNICK, J. L., ADELBERG, E. A., BROOKS, G. F., BUTEL, J. S. et L. N. ORNSTON. *Medical Microbiology*. 18e éd., Norwalk, Appleton/Lange, 1989, 592 p.

LABOUZE, E. « Cerveau et immunité : La relation se confirme ». *La recherche*, vol. 19, n° 197 (mars 1988), p. 404-405.

PECHÈRE, J.-C., *et all. Reconnaître, comprendre, traiter les infections*. 2e éd., Paris, St-Hyacinthe, Maloine, 1983, 819 p.

REGNAULT, J.-P. *Microbiologie générale*. Montréal, Décarie, 1990, 859 p.

YOUMANS, G. P., *et all. The Biological and Clinical Basis of Infectious Diseases*. 3e éd., Philadelphie, W. B. Saunders, 1985, 843 p.

chapitre 15
épidémiologie

15.1 INTRODUCTION

L'épidémiologie décrit les phénomènes quantitatifs et statistiques des maladies transmissibles et non transmissibles ainsi que les facteurs qui favorisent leur apparition ou leur propagation au sein des populations. Elle permet aussi de reconnaître les facteurs de risque d'apparition de ces maladies et de mettre en lumière les moyens de lutte ou de prévention.

Dans ce chapitre, nous n'aborderons pas les aspects statistiques de l'épidémiologie. Nous nous limiterons à l'étude des mécanismes de transmission des maladies infectieuses. Nous y décrirons les différents facteurs qui contribuent directement ou indirectement à l'apparition et au développement des maladies transmissibles afin de mieux comprendre la question de la prophylaxie, c'est-à-dire de la prévention, abordée dans le chapitre 22.

Nous commencerons par définir le concept de chaîne épidémiologique qui guide l'organisation des sections suivantes. Nous étudierons donc successivement les différents types de réservoirs d'agents infectieux, les modes de transmission, les portes d'entrée et les circonstances favorisantes. Enfin, nous décrirons les principaux modes de propagation des maladies transmissibles au sein des populations.

15.2 INFECTION ET CONTAGION

Les maladies infectieuses sont généralement contagieuses ou, en d'autres termes, transmissibles[1]. On appelle contagieuses les infections qui se propagent au sein des populations humaines ou animales. La CONTAGION est la transmission d'une maladie d'une personne à une autre, et le CONTAGE la matière ou substance vivante par laquelle se fait la contagion (particules, sécrétions, produits). La contagiosité varie d'une maladie à l'autre et dépend d'un certain nombre de facteurs : les uns relèvent de l'agent pathogène lui-même, de son mode de transmission ou de l'exaltation de sa virulence; les autres dépendent de l'environnement.

Signalons que les maladies infectieuses surviennent avec une prévalence et une incidence variable. On définit la prévalence d'une maladie comme le pourcentage de la population atteinte à un moment donné, alors que l'incidence correspond au nombre de nouveaux cas dans un endroit et pour un temps donné. Par exemple, la prévalence du SIDA parmi les Canadiens est de l'ordre de 11/100 000 habitants et, pour l'année 1988, son incidence était de 449 cas. En d'autres termes, pour chaque tranche de 100 000 habitants, 11 en moyenne souffrent du SIDA et, pour l'année 1988, le nombre de malades est passé de 1751 à 2200.

15.2.1 CHAÎNE DE CONTAGION

La transmission d'une infection suppose un ensemble d'éléments particuliers intervenant dans un ordre déterminé. Cet ensemble forme une chaîne de contagion, ou chaîne épidémiologique, dans laquelle on distingue six maillons (figure 15.1) :

- l'agent infectieux;
- le réservoir de cet agent;
- la porte de sortie du réservoir;
- le mode de transmission;
- la porte d'entrée;
- l'hôte réceptif.

À ces six éléments s'ajoutent des événements fortuits, appelés causes favorisantes, qui concer-

---

1. De nos jours, on tend à abandonner le terme de contagion au profit de celui de transmission, apparemment plus neutre.

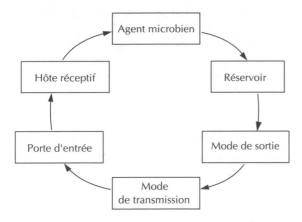

Figure 15.1
Chaîne de contagion.

Une chaîne de contagion comprend six maillons : l'agent microbien, le réservoir, la porte de sortie, le mode de transmission, la porte d'entrée et l'hôte réceptif.

nent le réservoir, le mode de transmission et l'hôte réceptif.

15.3 AGENT INFECTIEUX

L'agent infectieux constitue l'élément fondamental de la chaîne épidémiologique, car c'est sur lui que repose toute possibilité d'infection.

Plusieurs chapitres étant consacrés aux agents infectieux et aux maladies dont ils sont responsables, nous ne mentionnerons que deux points d'importance pour bien comprendre l'épidémiologie des maladies transmissibles. Le premier concerne la virulence, le second la persistance de l'agent infectieux.

Toute maladie infectieuse met en jeu un agent pathogène virulent, c'est-à-dire capable de causer des troubles morbides chez un individu donné. La virulence dépend :

– du pouvoir d'agression de l'agent pathogène, lié à des facteurs anatomiques, physio-

logiques ou antigéniques. En plus de l'aider à contourner les défenses de l'hôte, ce pouvoir pathogène est responsable de la destruction des tissus de l'hôte ou de l'altération de certaines activités physiologiques;

– de la susceptibilité de l'hôte, dépendante de facteurs affectant sa capacité de résistance à l'agresseur et des activités physiologiques perturbées.

Quant à la persistance de l'agent infectieux, elle dépend principalement de son degré de résistance dans le milieu extérieur. On sait, par exemple, que certains microorganismes résistent facilement à la dessiccation ou à une élévation modérée de la température, alors que d'autres meurent dans de telles conditions. La persistance des agents infectieux dépend aussi de leur résistance aux produits antimicrobiens.

D'une façon générale, la résistance d'un agent pathogène aux facteurs environnementaux conditionne largement son mode de transmission. En général, les agents bactériens et viraux en suspension dans l'air ou vivant dans le sol et dans l'eau sont plus résistants que ceux qui se transmettent directement d'un individu à un autre, sans jamais séjourner dans le milieu extérieur. Il en est de même de certains protozoaires qui survivent plusieurs mois dans le sol sous forme de kystes tout en résistant à des conditions très défavorables. Pour ce qui est des virus, nous avons vu au chapitre 5 que la présence ou l'absence d'une enveloppe influe sur le mode de transmission. Quant aux mycètes, ils produisent des spores dotées d'un bon pouvoir de résistance.

15.4 RÉSERVOIRS DE MICRO-ORGANISMES

Un RÉSERVOIR peut être défini comme le lieu dans lequel les microorganismes pathogènes survivent ou se multiplient entre les infections et à partir duquel s'effectuent la dispersion et la contamination.

L'existence des réservoirs animaux et humains explique la pérennité et la permanence des maladies infectieuses à travers les âges. En d'autres termes, il y a toujours dans le monde un nombre variable d'humains ou d'animaux malades ou porteurs sains qui transmettent leurs agents infectieux à des congénères sensibles. À leur tour, les personnes malades prennent place dans la chaîne de contagion par laquelle les maladies se transmettent perpétuellement.

On distingue deux types de réservoirs : l'environnement physique et les êtres vivants.

15.4.1 ENVIRONNEMENT PHYSIQUE

L'environnement physique, surtout le sol et l'eau, contient des microorganismes saprophytes susceptibles de contaminer accidentellement les humains. À proprement parler, l'air ne peut être considéré comme un réservoir au même titre que les autres milieux. En effet, les conditions environnementales qui y règnent, notamment les écarts importants de température et d'humidité ainsi que l'absence d'éléments nutritifs, en font plutôt un véhicule passif qu'un véritable lieu de multiplication.

Le tétanos, l'histoplasmose ou la cryptococcose sont des exemples de maladies infectieuses dont les agents responsables ont le sol pour habitat. Pour ces agents infectieux, le passage à l'état parasite, chez l'Homme ou l'animal, ne constitue pas une phase importante : ils vivent naturellement dans le sol et ce n'est qu'accidentellement qu'ils les colonisent.

Le sol abrite aussi les œufs, les larves ou les kystes de certains protozoaires et de certains helminthes, parasites de l'Homme. À titre d'exemple, citons les kystes de *Giardia lamblia* ou d'*Amœba histolytica*, les œufs des ténias ou les larves des ankylostomes.

Les eaux douces constituent un autre réservoir d'importance. En effet, les microorganismes pathogènes trouvent dans ce milieu des conditions favorables à leur survie, voire à leur multiplication, ce qui augmente le risque de contamination des individus sensibles. Il est fréquent de trouver dans l'eau de grandes quantités de microorganismes résidants de l'intestin de l'Homme et des animaux homéothermes. Ils y ont été introduits avec l'eau de ruissellement ou avec les eaux d'égouts. Parmi ces microorganismes, il y a des bactéries pathogènes responsables de la typhoïde, du choléra et des gastro-entérites bactériennes, des virus responsables de gastro-entérites et de la poliomyélite ainsi que des protozoaires (*Giardia*, *Amœba*, etc.).

15.4.2 RÉSERVOIRS HUMAINS

Un certain nombre d'agents pathogènes n'affectent que l'Homme. L'Homme en est donc le seul réservoir. La transmission effectuée d'un individu à un autre à l'exclusion de tout autre intermédiaire vivant est qualifiée de transmission interhumaine. Par exemple, les humains sont les seuls et uniques réservoirs de la plupart des infections respiratoires bactériennes et virales ainsi que des maladies transmissibles sexuellement. Il en est de même de la rougeole, de la diphtérie ou des infections causées par les staphylocoques ou les streptocoques, toutes spécifiques à l'Homme.

La plupart du temps, les humains qui font office de réservoirs d'agents infectieux sont eux-mêmes malades mais quelques-uns restent apparemment sains. On les qualifie souvent de PORTEURS SAINS, car ils ne présentent aucun symptôme apparent de la présence du microbe. Par exemple, 25 % des individus abritent *Staphylococcus aureus* à leur insu dans leurs voies respiratoires sans en être incommodés. Une fraction non négligeable de la population abrite aussi *Neisseria meningitidis*. Ces porteurs constituent le point de départ des poussées de méningite que l'on observe occasionnellement. Parmi les porteurs sains, on trouve aussi des personnes qui ont déjà contracté l'infection et qui sont immunisées. Mais cela ne les empêche pas de porter ces microorganismes et de les transmettre à leur insu. Les porteurs sains comptent aussi des personnes convalescentes qui ne présentent plus de symptômes de la maladie mais qui en abritent encore les agents infectieux. C'est le cas des malades relevant de la typhoïde, de salmonelloses, de la tuberculose ou de l'hépatite B. C'est aussi celui des personnes contaminées par le virus de l'immunodéficience humaine qui peuvent vivre plusieurs années sans symptômes.

Porteurs sains et malades inapparents constituent un certain danger pour leur entourage, voire de véritables bombes à retardement. Les personnes porteuses de staphylocoques, de shigelles, de salmonelles, du virus de l'hépatite B, du VIH, de parasites ou d'helminthes intestinaux sont tout aussi dangereuses pour leur entourage que les porteurs de chlamydia ou de gonocoques. À moins de passer des tests de dépistage, la plupart de ces personnes ignorent leur état. Dans la vie de tous les jours, rares sont ceux et celles qui songent à modifier spontanément leurs comportements pour se protéger ou pour protéger leur entourage. Pour la majorité, c'est à l'occasion des premiers symptômes ou d'un test de dépistage fortuit qu'ils apprennent leur état et qu'ils prennent conscience de leur rôle dans la propagation des infections dans leur milieu.

Il arrive parfois qu'un humain constitue son propre réservoir. Dans ce cas, il y auto-infection. Par exemple, à la suite d'une augmentation de l'agressivité du microbe ou de la diminution des défenses de l'hôte, l'agent infectieux trouve des conditions favorables à sa multiplication et cause la maladie. Généralement, les personnes infectées une première fois par les virus de l'herpès, de la varicelle (pour le zona) ou par le bacille tuberculeux, deviennent leur propre réservoir. L'auto-infection, au sens strict du terme, est le fait de microorganismes pathogènes ; on doit cependant mentionner l'existence d'auto-infection par des microorganismes des flores commensales, quand ceux-ci sont introduits dans des tissus normalement exempts de microorganismes. C'est le cas des infections urinaires causées par *Escherichia coli* ou de certaines pneumonies provoquées par des organismes résidants des voies respiratoires supérieures.

15.4.3 RÉSERVOIRS ANIMAUX

Les animaux constituent aussi des réservoirs d'agents infectieux. On distingue deux types de réservoirs selon que les agents pathogènes abrités par les animaux s'attaquent indistinctement aux animaux et à l'Homme ou qu'ils sont exclusivement pathogènes pour l'Homme tout en étant véhiculés par les animaux.

Les animaux qui transmettent des maladies infectieuses à l'Homme sont nombreux : les chiens, les chats, les renards, les mouffettes, les bovins, les ovins, les caprins. Les insectes constituent le réservoir le plus important : araignées, tiques, puces, moustiques, maringouins et mouches. Certaines maladies ont plusieurs animaux pour réservoir et d'autres sont spécifiques d'une espèce animale donnée. Parmi les maladies qu'ils transmettent les uns et les autres, mentionnons la rage, la brucellose, la peste, le typhus, la fièvre jaune, la malaria, la trypanosomiase, la dengue et la maladie de Lyme.

> UN RÉSERVOIR EST UN LIEU OÙ LES MICROORGANISMES SURVIVENT OU SE MULTIPLIENT ENTRE LES DIFFÉRENTES INFECTIONS ET À PARTIR DUQUEL S'EFFECTUE LA CONTAMINATION.
> LES ÊTRES VIVANTS FAISANT OFFICE DE RÉSERVOIRS SONT DES HUMAINS OU DES ANIMAUX. LES HUMAINS SONT MALADES OU PORTEURS SAINS ; LES ANIMAUX SONT MALADES OU DE SIMPLES RÉSERVOIRS.

15.5 PORTES DE SORTIE

Le troisième élément à considérer dans une chaîne de contagion est la voie qu'emprunte l'agent pathogène quand il quitte le réservoir. C'est la porte de sortie. Ce concept est essentiel dans la mesure où il permet de comprendre comment se protéger d'une infection ou éviter qu'un agent infectieux ne se propage dans l'environnement.

La voie de sortie qu'emprunte l'agent pathogène dépend du réservoir dans lequel il se trouve. Il faut considérer deux cas distincts selon que le réservoir de l'agent infectieux est le milieu environnant ou un être vivant.

– L'agent infectieux dont le réservoir est le sol ou l'eau peut être emporté par des poussières ou des aérosols mis en suspension dans l'air (figures 15.2 et 15.3). Il peut l'être aussi par l'intermédiaire des objets ou des aliments qui ont été en contact avec cet agent. C'est ce qui se produit dans le tétanos, une maladie causée par *Clostridium botulinum*, une bactérie résidante du sol, dans les parasitoses à helminthes dont les kystes ou les œufs proviennent du sol; c'est aussi le cas de certaines affections gastro-intestinales causées par des bactéries ou des virus que l'on trouve fréquemment dans l'eau.

– L'agent infectieux peut quitter l'être humain ou l'animal qu'il parasite par des chemins qui dépendent du site de l'infection (figure 15.4). Les voies de sortie peuvent être respiratoire, digestive, génito-urinaire, circulatoire, cutanée. Généralement, ces agents quittent le corps avec les sécrétions rhyno-pharyngées et bronchiques, les sécrétions génitales, les squames cutanés et muqueux, l'urine, les matières fécales, le sang, les exsudats comme le pus, etc.

Le tableau 15.1 donne quelques exemples de voies de sortie de bactéries, de virus et de parasites responsables d'infections.

> **LES PORTES DE SORTIE SONT LES VOIES QU'EMPRUNTENT LES AGENTS INFECTIEUX POUR QUITTER LEUR RÉSERVOIR ET AVANT DE GAGNER UN NOUVEL HÔTE RÉCEPTIF.**
> **ILS QUITTENT L'ENVIRONNEMENT PHYSIQUE PAR L'INTERMÉDIAIRE DE POUSSIÈRES, D'AÉROSOLS, DE L'EAU, DES ALIMENTS OU DES OBJETS AVEC LESQUELS ILS ONT ÉTÉ EN CONTACT.**
> **ILS QUITTENT LES HÔTES QU'ILS ONT INFECTÉS PAR LES VOIES CUTANÉE, MUQUEUSE, RESPIRATOIRE, DIGESTIVE, URINAIRE, GÉNITALE ET SANGUINE.**

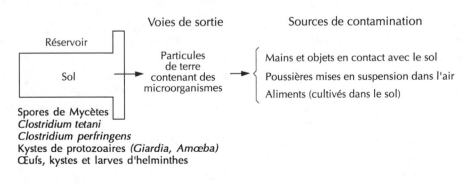

Figure 15.2
Voies de sortie des agents infectieux séjournant dans le sol.

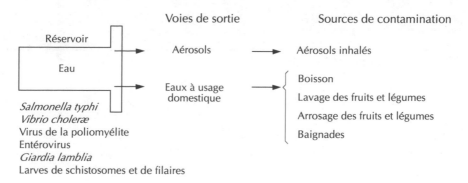

Figure 15.3
Voies de sortie des agents infectieux séjournant dans l'eau.

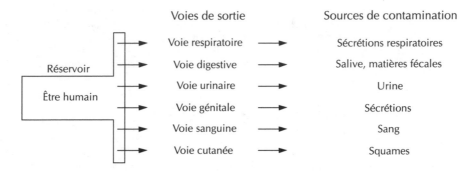

Figure 15.4
Voies de sortie des agents infectieux séjournant chez un être humain.

Tableau 15.1
Voies de sortie des agents pathogènes de l'Homme.

VOIES DE SORTIE	AGENTS PATHOGÈNES	EXEMPLES
Voies respiratoires	**Bactéries**	*Streptococcus pneumoniæ* (pneumonie); *Streptococcus pyogenes* (angines, scarlatine); *Bordetella pertussis* (coqueluche); *Mycobacterium tuberculosis* (tuberculose); *Corynebacterium diphteriæ* (dipthérie)
	Virus	Virus du rhume, de la grippe et des pneumopathies; oreillons; rougeole; varicelle; rage
	Mycètes	*Blastomyces dermatidis; Coccidioides immitis*
	Parasites	*Pneumocystis carinii*

(Suite page suivante.)

275

Tableau 15.1
Voies de sortie des agents pathogènes de l'Homme. (*Suite.*)

VOIES DE SORTIE	AGENTS PATHOGÈNES	EXEMPLES
Voies digestives	**Bactéries**	*Salmonella typhi* (typhoïde); *Salmonella enteritidis* (salmonelloses); *Vibrio choleræ* (choléra); *Shigella dysenteriæ* (shigellose); *Clostridium botulinum*; staphylocoques entéropathogènes
	Virus	Virus des gastro-entérites (Echovirus, virus Coxsackie); virus de la polio-myélite
	Helminthes	Œufs et kystes des helminthes responsables des helminthiases intestinales (ankylostomes, ténias, trichines, douves, etc.); *Schistosoma mansoni* et *Schistosoma japonicum*
	Protozoaires	*Entamœba histolytica* (dysenterie amibienne); *Giardia lamblia* (giardiase)
Voies génito-urinaires	**Bactéries**	*Neisseria gonorrheæ* (blennorragie); *Treponema pallidum* (syphilis); *Chlamydia trachomatis* (infection à chlamydia); *Hæmophilus ducrei*; *Leptospira* (dans l'urine)
	Virus	Virus de l'herpès; virus de l'immunodéficience humaine
	Mycètes	*Candida albicans*
	Protozoaires	*Trichomonas vaginalis*
Système circulatoire	**Bactéries**	*Yersinia pestis; Francisella tularensis;* bactéries responsables des septicémies et des bactériémies (*Brucella, Streptococcus, Staphylococcus, Neisseria, Pasteurella, Leptospira, Treponema*); rickettsies (fièvre pourprée des montagnes Rocheuses, typhus exanthématique); *Borrelia* (maladie de Lyme)
	Virus	Virus de l'hépatite B; virus de l'immunodéficience humaine
	Protozoaires	*Plasmodium; Trypanosoma; Leishmania*

15.6 MODES DE TRANSMISSION DES INFECTIONS

C'est par suite de leur transmission que les maladies infectieuses sont contagieuses. La transmission représente l'étape au cours de laquelle l'agent infectieux sort d'un hôte malade pour gagner un hôte réceptif et l'infecter.

La transmission peut être directe ou indirecte selon qu'elle s'effectue avec ou sans intermédiaire. Elle peut aussi être verticale ou horizontale (figure 15.5). Une maladie se transmet de façon horizontale quand elle s'étend au sein d'un groupe de personne à personne et sans lien de parenté. C'est le cas de la grippe, des méningites, etc. Une maladie se transmet de façon verticale lorsqu'elle passe d'une génération à une autre, par exemple entre parents et enfants. C'est ce qui

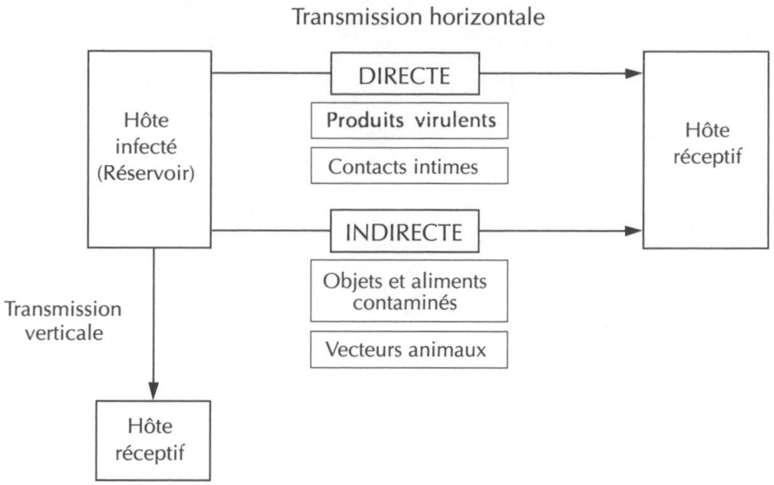

Figure 15.5
Modes de transmission des infections.

se produit, par exemple, lorsqu'un fœtus contracte le SIDA, la rubéole, la toxoplasmose par voie transplacentaire au cours de la grossesse, ou l'herpès au cours de l'accouchement. Notons toutefois que cette distinction n'est pas toujours très nette. On connaît des cas de maladies qui peuvent se transmettre horizontalement et verticalement. L'hépatite B et le syndrome de l'immunodéficience humaine causée par le VIH en sont deux exemples.

15.6.1 TRANSMISSION DIRECTE

La contagion peut être directe ou indirecte selon que les agents infectieux sont transmis directement ou indirectement d'un individu à un autre. Sont considérées comme directement transmises les maladies infectieuses qui passent d'un humain à un autre ou de l'animal à l'Homme. Les autres infections sont transmises indirectement par des objets contaminés par des vecteurs animaux.

TRANSMISSION INTERHUMAINE

Dans la transmission interhumaine, un individu en contamine un autre soit par l'intermédiaire de produits virulents, qui diffèrent selon les maladies, soit par contact direct (figure 15.6). Le tableau 15.2 dresse la liste des principaux produits virulents responsables de la transmission des maladies infectieuses.

La plupart des maladies qui affectent les systèmes respiratoire et digestif sont transmises sans qu'un contact étroit entre les individus soit nécessaire. L'inhalation de poussières et d'aérosols peut assurer cette transmission; les poussières sont des particules solides contenant des microorganismes, alors que les aérosols sont formés de microgouttelettes de liquide en suspension dans l'air.

Une partie des aérosols provient de la toux ou des éternuements de personnes malades ou de porteurs sains. Les aérosols sont aussi produits par les chasses d'eau des toilettes, par les humidificateurs, par les climatiseurs et par les tours de refroidissement. Enfin, ils sont aussi formés au point de déversement des égouts dans les rivières ou au bord de la mer. Il suffit que ces poussières ou ces aérosols soient inhalés par une personne saine et la voilà peut-être contaminée par le virus du

277

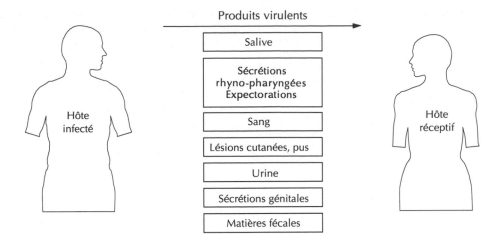

Figure 15.6
Transmission interhumaine par l'intermédiaire des produits virulents.

Tableau 15.2
Produits virulents responsables de la contamination par contact direct.

PRODUITS	INFECTIONS
Salive	Oreillons
	Rage
Sécrétions rhyno-pharyngées	Rougeole
	Rubéole
	Coqueluche
	Scarlatine
	Rhume
	Grippe
Expectorations	Tuberculose
	Peste
Sang	SIDA
	Hépatite B
Urines	Leptospirose
Lésions cutanées	Varicelle
	Variole
	Impétigo
	Furonculose
Sécrétions génito-urétrales	Chlamydia
	blennorragie
	Herpès génital
Lésions cutanéo-muqueuses	Syphilis

rhume ou par un germe moins banal. La voie aérienne constitue un mode de transmission très efficace, car elle ne requiert pas de contact direct ou intime entre deux individus.

En revanche, dans d'autres maladies, comme les infections transmissibles sexuellement, les micro-organismes sont trop fragiles, trop sensibles à la dessiccation pour survivre en dehors de l'organisme. Dans ce cas particulier, la transmission de la maladie requiert un contact intime entre les individus.

TRANSMISSION ANIMAL-HOMME

On sait déjà que des animaux transmettent directement des maladies à l'Homme. On appelle ZOONOSES ou anthropozoonoses les maladies infectieuses animales occasionnellement transmises à l'Homme. Cette transmission s'effectue soit par exposition à des produits virulents, comme la salive dans le cas de la rage et le sang dans le cas de la tularémie. La transmission peut aussi s'effectuer par l'intermédiaire du lait, comme dans le cas de la brucellose et de la tuberculose, ou par la viande, comme dans le cas des téniases, de la trichine et d'autres helminthiases intestinales.

278

15.6.2 TRANSMISSION INDIRECTE

On distingue deux cas de transmission indirecte : la transmission fécale-orale, la transmission par des objets ou des animaux vecteurs.

TRANSMISSION FÉCALE-ORALE

Les aliments, l'eau et divers objets de la vie courante peuvent transporter les agents infectieux de certaines maladies.

La transmission fécale-orale joue un rôle important dans l'apparition de certaines maladies gastro-intestinales. En effet, des bactéries, des virus, des protozoaires et des vers atteignent l'appareil digestif par suite de consommation d'eau ou d'aliments contaminés.

D'une part, comme une bonne partie des eaux usées d'origine domestique ou industrielle ne sont pas traitées avant d'être rejetées, elles contiennent des populations microbiennes importantes capables d'y survivre longtemps. L'origine de ces microorganismes est avant tout fécale. On y trouve des bactéries et des virus résidants du tube digestif : *Escherichia coli* et *Streptococccus fæcalis*, dont l'omniprésence en fait d'excellents indicateurs de pollution fécale; *Proteus, Enterobacter, Clostridium* et *Bacteroides*, parmi les bactéries inoffensives; *Salmonella typhi, Vibrio choleræ*, les virus de la poliomyléite et les entérovirus, parmi les microorganismes pathogènes.

Il n'est pas rare de trouver de fortes concentrations virales dans les rivières, en aval des grands centres urbains. On isole régulièrement de ces eaux le virus de la poliomyélite, des Echovirus et des virus Coxsackie responsables de gastro-entérites. Par ailleurs, même si les usines de traitement d'eau sont dotées d'installations qui assurent l'élimination des bactéries, elles n'éliminent généralement pas tous les virus. Il est donc assez fréquent d'en retrouver en petite quantité dans les eaux considérées potables selon les normes en vigueur.

L'eau n'est pas le réservoir primaire puisque les agents infectieux qui s'y trouvent proviennent soit d'excréments des humains ou des animaux, soit de produits étrangers à l'eau et contaminés par des microorganismes. Toutefois, deux exceptions doivent être signalées : pour *Pseudomonas aeruginosa* et *Flavobacterium meningosepticum*, l'eau constitue le milieu naturel.

Généralement, l'infection résulte de la consommation d'aliments contaminés au cours de la culture, de la récolte ou de la préparation et, dans ce dernier cas, surtout quand l'eau de lavage est contaminée par des microorganismes provenant de selles. C'est le cas le plus courant, car il est rare que l'infection soit provoquée par l'aliment lui-même. Le choléra, l'amibiase, la dysenterie amibienne sont des maladies transmises par la voie fécale-orale. Parmi les infections virales actuellement transmises de cette façon, les plus importantes sont les entéroviroses causées par des virus présents dans l'eau. Citons aussi l'hépatite A dont le virus s'introduit dans l'organisme durant la consommation d'aliments contaminés, notamment des fruits de mer, surtout des huîtres et des moules.

TRANSMISSION PAR DES OBJETS

Plusieurs infections se transmettent par l'intermédiaire d'une multitude d'objets contaminés et transportés par des personnes infectées. C'est de cette façon que se transmet la giardiase, une parasitose courante dans les garderies, soit parce qu'on ne lave pas correctement les jouets que les jeunes enfants portent spontanément à leur bouche, soit parce que le personnel ne se lave pas les mains après avoir changé la couche d'un enfant contaminé.

Eu égard à ce mode de transmission, il faut souligner le risque, toujours accru en milieu hospitalier, que se transmettent des infections par l'intermédiaire d'objets souillés tels que récipients, ustensiles, instruments, pansements, aiguilles hypodermiques, literie et appareils entourant les malades.

TRANSMISSION PAR DES VECTEURS ANIMAUX

Parallèlement à ces modes de transmission très fréquents dans nos régions, un certain nombre d'infections sont transmises à l'Homme par l'intermédiaire de vecteurs (tableau 15.3). On appelle VECTEURS des hôtes animaux, intermédiaires ou non, qui transmettent aux humains des agents infectieux mais sans en être eux-mêmes affectés. En fait, il faut distinguer deux catégories de vecteurs : ceux qui n'agissent que comme agents de transport et ceux qui constituent une étape indispensable à la réalisation du cycle vital du parasite. Le premier cas peut être illustré par les mouches; elles transportent des microbes et les déposent sur les muqueuses, les objets ou les aliments. Le second peut l'être par l'anophèle, un moustique au cycle vital complexe qui abrite l'agent du paludisme, dont le passage de l'animal à l'Homme constitue une étape obligatoire du cycle évolutif.

Soulignons le rôle particulier des vecteurs dits hématophages[1] comme les moustiques. Si le moustique pique un individu infecté, le parasite passe chez l'insecte. Il s'y multiplie et gagne les glandes salivaires où il réalise une partie de son cycle vital. Lorsque l'insecte pique une autre victime, le parasite est transféré à ce nouvel individu. C'est de cette façon que le paludisme est transmis d'un individu à un autre. Dans ce cas, le vecteur joue un rôle actif puisque l'agent pathogène y réalise une partie de son cycle vital. En revanche, dans d'autres cas, le vecteur est passif : il n'intervient pas dans le déroulement du cycle vital du parasite. Il ne fait que le répandre dans la nature en le communiquant aux individus sensibles. Ce mode de transmission de l'infection est celui que l'on connaît chez les arbovirus (fièvre jaune, encéphalites, etc.).

---

1. Littéralement : « qui se nourrissent de sang ».

> LA TRANSMISSION DES MALADIES INFECTIEUSES PEUT ÊTRE DIRECTE OU INDIRECTE.
> QUAND ELLE EST DIRECTE, LA TRANSMISSION PEUT ÊTRE INTERHUMAINE OU S'EFFECTUER ENTRE UN ANIMAL ET L'HOMME.
> DANS LE MODE INTERHUMAIN, LA TRANSMISSION EST EFFECTUÉE PAR DES PRODUITS VIRULENTS OU PAR CONTACT INTIME.
> LA TRANSMISSION INDIRECTE EST ASSURÉE PAR L'INTERMÉDIAIRE D'UN VECTEUR INERTE OU VIVANT. ELLE EST GÉNÉRALEMENT DE NATURE FÉCALE-ORALE OU SE FAIT PAR LES MAINS SALES. ELLE PEUT AUSSI ÊTRE ASSURÉE PAR DES ANIMAUX.

La figure 15.7 résume les différents modes de transmission des agents infectieux.

15.7 PORTES D'ENTRÉE

Quels que soient le microorganisme responsable et le mécanisme par lequel il provoque l'infection, le processus infectieux suppose une étape au cours de laquelle les microorganismes pénètrent dans les tissus.

On appelle PORTE D'ENTRÉE le point de l'organisme par lequel des microorganismes s'introduisent dans les tissus. On distingue généralement les portes d'entrée cutanéo-muqueuse, respiratoire, digestive, génito-urinaire et parentérale (figure 15.8).

Il est à noter que certains agents d'agression ne peuvent exercer leur pouvoir pathogène que s'ils entrent dans l'organisme par une porte d'entrée déterminée. On dit de ces microorganismes qu'ils possèdent une porte d'entrée obligatoire. C'est le

Tableau 15.3
Maladies transmises à l'Homme par des vecteurs animaux.

MALADIES	VECTEURS	MICROORGANISMES
Trypanosomiase africaine (maladie du sommeil)	*Glossina palpalis* (mouche tsé-tsé)	*Trypanosoma gambiense*
Trypanosomiase américaine (maladie de Chagas)	*Panstrogylus triatoma* (insecte hématophage ailé)	*Trypanosoma cruzi*
Paludisme	*Anopheles maculipennis* (moustique)	*Plasmodium vivax* *Plasmodium falciparum* *Plasmodium ovale*
Fièvre pourprée des montagnes Rocheuses	*Dermacentor andersoni* (tique)	*Rickettsia rickettsii*
Fièvre Q	*Dermacentor andersoni*	*Coxiella burnetii*
Typhus exanthématique	*Pediculus* (pou du corps)	*Rickettsia prowasekii*
Peste	*Xenopsylla* (puce du rat)	*Yersinia pestis*
Dengue	*Ædes ægypti* (moustique)	Arbovirus (flavivirus)
Fièvre jaune	*Ædes ægypti* *Ædes africanus* (moustique)	Arbovirus (flavivirus)

cas des bacilles tétaniques qui ne causeront le tétanos que s'ils pénètrent dans l'organisme par voie cutanée ou des vibrions cholériques qui ne causeront le choléra que s'ils s'installent dans les voies digestives.

15.7.1 PORTE D'ENTRÉE CUTANÉO-MUQUEUSE

La peau et les muqueuses peuvent être franchies à la suite de divers traumatismes provoquant la rupture des barrières cutanées et muqueuses tels que les coupures, les brûlures, etc. N'oublions pas que toutes les lésions cutanées et muqueuses ne sont pas nécessairement apparentes. Il peut exister des lésions microscopiques, donc invisi-

bles. On soupçonne même l'agent de la syphilis, *Treponema pallidum*, de traverser la peau ou les muqueuses saines. On signale également quelques très rares cas de contamination cutanée causée par le virus de l'immunodéficience humaine chez des travailleurs sanitaires souffrant de gerçures, d'acné et de dermatoses. Certains auteurs affirment même que le virus du SIDA traverserait les muqueuses saines et gagnerait les lymphocytes T par l'intermédiaire des cellules de Langerhans. On se souviendra que ces cellules jouent un rôle essentiel dans la présentation aux lymphocytes T des antigènes introduits par voie cutanée.

Les bactéries responsables du tétanos, *Clostridium tetani*, de la gangrène, *Clostridium perfringens*, et

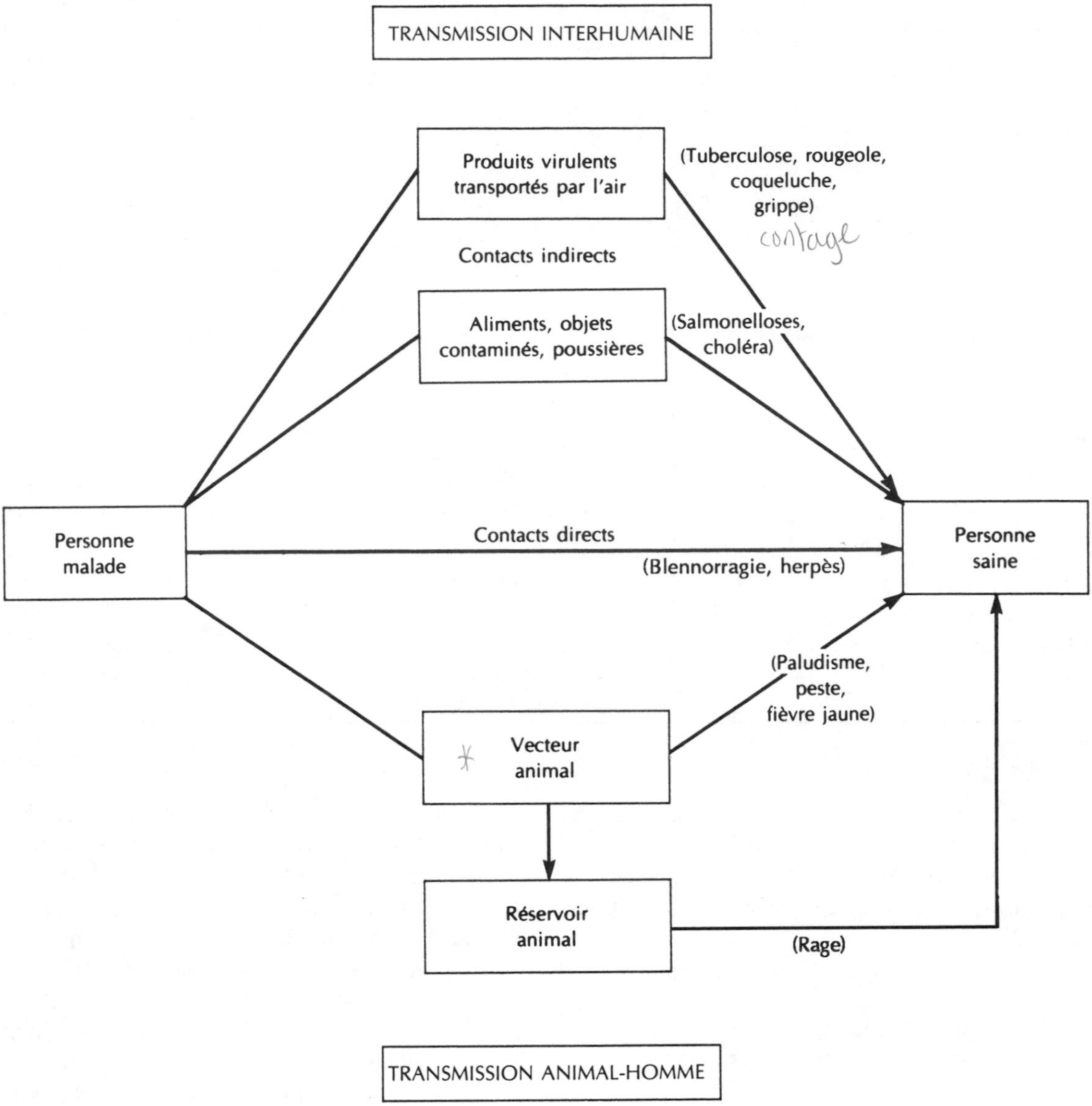

Figure 15.7
Modes de transmission des agents infectieux.

Au sein de la population humaine, les maladies infectieuses sont transmises directement ou indirectement. La transmission est interhumaine ou repose sur la participation de vecteurs animaux. La transmission interhumaine s'effectue par l'intermédiaire de produits virulents ou par contact direct. La transmission indirecte est fécale-orale, elle s'effectue par les mains sales ou elle est assurée par des vecteurs animaux.

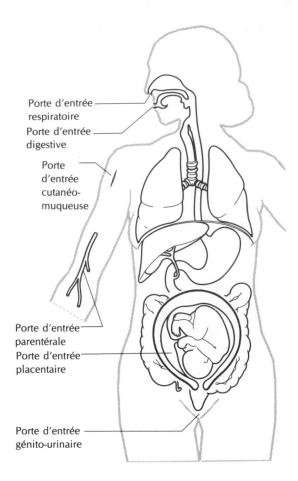

Porte d'entrée respiratoire

Porte d'entrée digestive

Porte d'entrée cutanéo-muqueuse

Porte d'entrée parentérale

Porte d'entrée placentaire

Porte d'entrée génito-urinaire

Figure 15.8
Portes d'entrée des microorganismes infectieux.
Les microorganismes utilisent diverses portes d'entrée pour s'introduire dans les tissus profonds : ils profitent d'une rupture de la barrière cutanéo-muqueuse ou de la paroi des vaisseaux sanguins. Ils peuvent aussi pénétrer directement dans les voies respiratoire, digestive et génito-urinaire.

et se multiplient en se protégeant des moyens de défense de l'hôte. Par exemple, les streptocoques prolifèrent parfois à la surface des valvules artificielles introduites dans le cœur. D'autres interventions peuvent entraîner l'introduction de certaines bactéries à l'intérieur des tissus profonds et causer des infections à staphylocoques (*Staphylococcus aureus*), à streptocoques (*Streptococcus fæcalis, Streptococcus viridans, Streptococcus pneumoniæ*), à *Pseudomonas* ou à diverses entérobactéries (*Escherichia coli, Proteus mirabilis, Serratia marcescens, Enterobacter aerogenes, Klebsiella pneumoniæ*).

15.7.2 PORTE D'ENTRÉE RESPIRATOIRE

Les voies respiratoires représentent une importante porte d'entrée pour les microorganismes pathogènes. Rappelons que c'est par les poussières et surtout les aérosols que les microorganismes y pénètrent. Comme les aérosols restent longtemps en suspension dans l'air et que la plupart des bactéries et des virus qu'ils peuvent contenir résistent assez bien à la dessiccation, la contamination peut survenir plusieurs heures, voire plusieurs jours, après que les agents infectieux ont été rejetés dans l'air[1].

C'est par cette voie que pénètrent les bactéries responsables de la scarlatine (*Streptococcus pyogenes*), de la coqueluche (*Bordetella pertussis*), des méningites causées par *Neisseria meningitidis* et par *Hæmophilus influenzæ*. C'est aussi de cette manière que se propageaient la diphtérie

---

des furoncles, *Staphylococcus aureus*, profitent d'une blessure à la peau pour s'installer dans les tissus profonds. D'autres microorganismes bénéficient de circonstances accidentelles : ils sont introduits dans l'organisme lors d'investigations instrumentales ou d'interventions chirurgicales

1. S'il est interdit aux utilisateurs des transports en commun de cracher par terre, ce n'est pas seulement par souci des convenances. Ces règlements datent de l'époque où la tuberculose était une maladie fréquente dont la transmission s'effectuait notamment par les crachats desséchés et réduits en poussières dans lesquels *Mycobacterium tuberculosis* pouvait survivre assez longtemps.

(*Corynebacterium diphteriæ*), la tuberculose (*Mycobacterium tuberculosis*) ou la peste[1].

De nombreux virus pénètrent par les voies aériennes : c'est ainsi que se propagent les virus du rhume, de diverses pneumopathies, mais aussi ceux de maladies non respiratoires comme la grippe, les oreillons, la rougeole, la varicelle, la rubéole, etc. Un certain nombre d'entre eux gagnent d'autres régions de l'organisme ou d'autres organes après s'être multipliés sur les muqueuses de l'appareil respiratoire. C'est surtout par ce mode que se propagent les microorganismes responsables d'épidémies saisonnières. Enfin, c'est généralement par voie aérienne que s'introduisent les agents responsables des mycoses systémiques. Des mycètes comme *Histoplasma, Cryptococcus*, etc., causent d'abord des affections respiratoires. Ces mycoses respiratoires peuvent se généraliser chez les personnes atteintes de troubles immunitaires.

15.7.3 PORTE D'ENTRÉE DIGESTIVE

Des microorganismes pathogènes peuvent entrer dans l'organisme par les voies digestives en même temps que l'eau et les aliments consommés. La plupart du temps, la multiplication des microorganismes ingérés dans le tube digestif est à l'origine de l'infection. Cependant, la maladie peut aussi être causée par une toxine sécrétée par les microorganismes et accumulée dans les aliments avant leur consommation. Mentionnons l'entérotoxine produite par certaines souches de *Staphylococcus aureus* et la saxitoxine sécrétée par *Gonyaulax*. Dans ce type d'infection, on

parle plutôt d'intoxication alimentaire. Même si des maladies graves, comme le choléra ou la typhoïde, ont pratiquement disparu de nos régions, l'appareil digestif est toujours une cible importante pour les microorganismes, en particulier pour les virus entéropathogènes, pour le virus de la poliomyélite et pour certaines parasitoses transmises par l'intermédiaire des aliments.

15.7.4 PORTE D'ENTRÉE GÉNITO-URINAIRE

Les muqueuses génitales et urinaires de l'homme et de la femme sont aussi la cible de certains microorganismes transmis par voie sexuelle[2]. Parmi les agents pathogènes les plus communs , retenons le nom de *Neisseria gonorrheæ* (blennorragie), *Treponema pallidum* (syphilis), *Chlamydia trachomatis, Trichomonas vaginalis*, les virus herpès (type 2) et celui de l'immunodéficience humaine.

PASSAGE TRANSPLACENTAIRE

Quelques microorganismes pathogènes présents dans l'organisme maternel peuvent traverser la barrière placentaire, contaminer l'embryon ou le fœtus et causer des dommages importants, parfois irrémédiables. Parmi ces microorganismes, on peut mentionner *Listeria monocytogenes, Treponema pallidum, Toxoplasma gondii* ainsi que les virus de la rubéole et de l'immunodéficience humaine acquise.

15.7.5 PORTE D'ENTRÉE PARENTÉRALE

Les microorganismes peuvent aussi être introduits directement dans la circulation sanguine par suite de piqûres d'insectes (paludisme, trypanosomiase, fièvre jaune, etc.) ou par l'intermé-

---

1. La peste peut se transmettre de plusieurs façons et conduit à plusieurs syndromes distincts. Elle peut être transmise par des rats, des puces ou d'autres insectes hématophages; elle peut l'être aussi par voie respiratoire et par l'inhalation de sécrétions virulentes. De cette manière, la maladie se propage de façon foudroyante, ce qui explique qu'un grand nombre de personnes, voire la totalité d'une communauté, peut être décimée par la maladie en l'espace de quelques jours.

---

2. Les microorganismes des MTS peuvent aussi se multiplier en d'autres lieux. La pharyngite à *Neisseria gonorrheæ* n'est pas rare et on doit toujours penser à identifier ce microorganisme dans les prélèvements pharyngés.

diaire de seringues ou d'aiguilles contaminées. Même s'ils sont essentiellement transmissibles par voie sexuelle, les virus de l'hépatite B et du syndrome d'immunodéficience acquise sont également susceptibles de s'introduire dans l'organisme par voie parentérale.

UNE PORTE D'ENTRÉE EST LE LIEU PAR LEQUEL UN MICROORGANISME PATHOGÈNE S'INTRODUIT DANS LES TISSUS. IL PEUT Y PÉNÉTRER PAR :
- **LA PEAU ET LES MUQUEUSES;**
- **LES VOIES RESPIRATOIRES;**
- **LES VOIES DIGESTIVES;**
- **LES VOIES GÉNITO-URINAIRES;**
- **LA VOIE TRANSPLACENTAIRE;**
- **LA VOIE PARENTÉRALE.**

15.8 HÔTE RÉCEPTIF

La réceptivité de l'hôte, en d'autres termes sa susceptibilité, constitue un autre élément dans la transmission d'une infection. On a vu au chapitre 14 que la susceptibilité dépend de plusieurs facteurs dont les plus importants relèvent de l'état de ses défenses immunitaires et d'états pathologiques non infectieux.

Cet élément de la chaîne épidémiologique est d'autant plus préoccupant que l'hôte réceptif est rarement en bonne santé au moment de son hospitalisation. Il est donc toujours plus exposé qu'un autre à un risque élevé de contamination et, de surcroît, à des microorganismes plus virulents et résistants aux antibiotiques.

15.9 CIRCONSTANCES FAVORISANTES

Les circonstances favorisantes sont des facteurs de renforcement du risque infectieux. Ces circonstances relèvent du réservoir, du mode de transmission et de l'individu.

15.9.1 CIRCONSTANCES RELATIVES AU RÉSERVOIR

Parmi les circonstances relatives au réservoir, il faut considérer toutes sortes de bouleversements écologiques, physiques et climatiques qui favorisent la prolifération des agents infectieux. C'est ce qui se produit, par exemple, quand des populations de rongeurs connaissent une explosion démographique, comme cela survenait au début des épidémies de peste ou de typhus murin. Il en est de même quand des installations sanitaires insalubres polluent le puits d'une exploitation agricole. Les catastrophes naturelles, tremblements de terre, inondations, etc., sont d'autres circonstances favorisantes des maladies infectieuses par suite du bouleversement du tissu social, de la destruction des systèmes d'approvisionnement d'eau et de la consommation d'eau polluée, de la malnutrition ou de la famine et de la pullulation des microorganismes décomposant les cadavres non enfouis.

15.9.2 CIRCONSTANCES RELATIVES À L'ENVIRONNEMENT

Des circonstances relatives à l'environnement favorisent la transmission des infections. Parmi celles-ci, on peut mentionner les conditions climatiques particulières, les déplacements et les rassemblements humains, certaines activités sociales et touristiques.

FACTEURS CLIMATIQUES

Dans les régions tempérées, la recrudescence hivernale des infections à porte d'entrée respiratoire comme le rhume, la grippe, les méningites, la varicelle est un phénomène notoire. Ce phénomène est à mettre en relation avec la diminution de l'aération des locaux. L'incidence de la poliomyélite, des gastro-entérites et des intoxications alimentaires, notamment celle des salmonelloses, connaît aussi d'importantes variations saisonnières. Elles augmentent pendant la belle saison. Cette hausse s'explique par le fait que la température ambiante convient mieux à la multiplication des bactéries et que les conditions de préparation ou de conservation des aliments pour les pique-niques ou les banquets laissent parfois à désirer. Dans les régions tropicales, la saison des pluies favorise la pullulation des arthropodes vecteurs de certaines maladies parasitaires, ce qui explique l'augmentation importante de maladies comme le paludisme à certains moments de l'année.

FACTEURS SOCIAUX

La transmission des infections est aussi influencée par des facteurs sociaux. Parmi ces derniers, on peut retenir les bouleversements dus aux exodes des populations civiles lors de conflits, des pèlerinages d'où affluent des personnes des quatre coins de la planète ou, plus simplement, des grands rassemblements à l'occasion de spectacles ou de compétitions sportives.

Les activités professionnelles et les loisirs sont aussi des facteurs qui augmentent le risque d'exposition à certaines maladies transmissibles. Dans les pays de riziculture et de pêche, les bilharzioses, ou schistosomiases, sont presque inévitables à cause de la présence des larves de ce nématode dans les escargots vivant en eau douce.

Les voyages en avion, le développement du tourisme ont contribué à l'importation de maladies autrefois inconnues dans nos régions tempérées. On est certain qu'au moins une des dernières épidémies de variole enregistrées dans les pays européens à la fin des années cinquante a été importée des Indes par des personnes voyageant en avion. Plus près de nous, au début de l'année quatre-vingt-douze, des voyageurs atteints du choléra ont importé cette maladie aux États-Unis, déclenchant une véritable chasse à

l'homme pour identifier les malades et les personnes qui les avaient côtoyés. Chaque année, plusieurs dizaines de touristes ou de gens d'affaires contractent le paludisme, des trypanosomiases, des amibiases ou des schistosomiases. Ces cas importés ainsi que l'immigration grandissante en provenance des régions tropicales ont entraîné la création d'unités de soins appropriées dans les grands centres hospitaliers.

15.9.3 CIRCONSTANCES RELATIVES À L'HÔTE RÉCEPTIF

Enfin, il faut mentionner plusieurs circonstances relatives à l'hôte qui favorisent l'apparition des infections. Parmi celles-ci, rappelons que la réceptivité d'une personne est fortement influencée par sa capacité de défense anti-infectieuse. Or celle-ci dépend en grande partie de l'état nutritionnel, de son mode de vie, de son état de santé générale ou des maladies non infectieuses dont il peut souffrir.

HOSPITALISME INFECTIEUX

Les personnes qui contractent des infections au cours de leur hospitalisation constituent un cas particulier qui doit être souligné, car les hôpitaux sont des lieux à haut risque sur le plan infectieux. En effet, l'hôpital constitue un réservoir de micro-organismes toujours plus résistants que ceux que l'on trouve ailleurs. En plus de causer des souffrances supplémentaires et d'augmenter les coûts des services de santé en prolongeant le séjour des malades hospitalisés, les infections hospitalières ou nosocomiales sont généralement plus graves pour deux raisons :

– elles sont causées par des microorganismes dont il est difficile de se débarrasser à cause de leur résistance aux antibiotiques;
– elles surviennent chez des malades anormalement réceptifs en raison même de leur hospitalisation : la gravité de leur état, le stress de la maladie, les examens subis, les traite-

ments appliqués, les contacts avec le personnel soignant, les voisins de chambre, les objets venant de l'extérieur sont autant de facteurs favorisant l'infection.

Les microorganismes responsables des infections nosocomiales proviennent de trois principaux réservoirs :

– le malade qui abrite toujours d'abondantes flores commensales cutanée, respiratoire et intestinale – à moins que la plupart n'aient été éliminées par une antibiothérapie préventive. Mais, dans un cas comme dans l'autre, la porte est ouverte à l'invasion des tissus stériles en temps normal ou à la prolifération incontrôlée des microorganismes par suite d'un déséquilibre de l'écosystème microbien;

– le personnel soignant et l'entourage du malade, que l'on peut considérer comme des porteurs sains potentiels et dont les flores commensales s'avèrent tout aussi redoutables que celles du malade;

– les locaux dans lesquels est hospitalisé le malade, recélant les microorganismes des malades précédents, les microorganismes mis en suspension par les appareils de climatisation, par les humidificateurs ou au moment du ménage[1].

Des études épidémiologiques ont révélé que les différents services hébergeaient des espèces microbiennes particulières. Ainsi, les services d'orthopédie sont généralement aux prises avec des infections à *Staphylococcus aureus*, les pouponnières avec des infections à *Hæmophilus*, les services de réanimation avec des infections à *Pseudomonas*, la chirurgie intestinale est aux prises avec des infections à entérobactéries, etc.

En milieu hospitalier, les modes de transmission sont identiques à ceux que l'on trouve ailleurs et,

la plupart du temps, les microorganismes s'introduisent par les portes d'entrée habituelles. La contamination peut donc être cutanéo-muqueuse, respiratoire, digestive, urinaire ou parentérale. En revanche, la source de la contamination diffère passablement.

CONTAMINATION CUTANÉO-MUQUEUSE

La contamination cutanéo-muqueuse peut survenir à l'occasion du changement d'un pansement, d'une injection intra-musculaire, de l'installation d'un soluté, d'un drain, etc. Chez les personnes grabataires, les plaies de lit sont une source supplémentaire de contamination.

CONTAMINATION RESPIRATOIRE

Dans les cas de contamination respiratoire, les microorganismes proviennent de l'air ambiant, par suite d'une aération insuffisante, d'une mauvaise ventilation, de systèmes de climatisation défectueux ou d'humidificateurs mal nettoyés[2]. Ils proviennent aussi des sondes d'intubation, des tubes d'aspiration, des appareils de ventilation assistée, des masques à oxygène, etc.

CONTAMINATION DIGESTIVE

La contamination par les voies digestives survient principalement par suite de la déglutition des sécrétions rejetées par les voies respiratoires.

CONTAMINATION URINAIRE

La contamination urinaire peut avoir des causes naturelles. Elle dépend souvent de la flore microbienne naturelle, toujours importante au niveau du périnée. Elle peut aussi résulter de l'installation septique d'une sonde urinaire, d'un mauvais entretien de cette sonde ou de soins inappropriés des régions génito-urinaire et

---

1. En principe, l'emploi de balai, de chiffons ou d'aspirateur à poussière est interdit.

---

2. Depuis quelques années, la contamination des systèmes de climatisation, de chauffage, des chauffe-eau, des humidificateurs et des bains tourbillon par *Legionella pneumophila* est en passe de devenir un véritable casse-tête.

périnéale. Les personnes dont les fonctions urinaires sont altérées courent plus de risques d'infection.

CONTAMINATION PARENTÉRALE

L'installation de cathéters pour la perfusion constitue la principale source de contamination parentérale par suite de l'introduction dans la plaie des staphylocoques de la peau.

> **LES CIRCONSTANCES FAVORISANTES SONT DES FACTEURS QUI RENFORCENT LE RISQUE INFECTIEUX. ON CLASSE PARMI CES FACTEURS :**
> - **LES BOULEVERSEMENTS ÉCOLOGIQUES ET PHYSIQUES DE L'ENVIRONNEMENT;**
> - **LES CHANGEMENTS CLIMATIQUES SAISONNIERS;**
> - **LES MOUVEMENTS DE POPULATION;**
> - **LES BOULEVERSEMENTS SOCIAUX;**
> - **L'HOSPITALISATION.**

15.10 FORMES D'INFECTIONS

Les maladies infectieuses peuvent survenir sous forme de cas sporadiques, endémiques ou épidémiques.

15.10.1 CAS SPORADIQUES

Les cas sporadiques correspondent à un petit nombre de cas d'infection, isolés dans le temps, dans l'espace et dont on ne peut prévoir l'apparition ou l'évolution. Dans la plupart des pays développés, la typhoïde est une maladie rare mais on en observe toujours un petit nombre de cas. Il y a déjà eu plusieurs foyers mais, d'un foyer à un autre, les personnes atteintes n'étaient pas en contact : c'était des cas isolés.

15.10.2 ENDÉMIES

On entend par ENDÉMIE la persistance faible mais constante du nombre de cas d'une maladie donnée dans une région particulière. Dans une endémie, les cas sont disséminés, relativement constants ou surviennent à des périodes déterminées. Par exemple, on peut dire que le paludisme ou les maladies transmissibles sexuellement sont des maladies endémiques.

15.10.3 ÉPIDÉMIES

L'ÉPIDÉMIE se définit par l'apparition, dans une région donnée, à un moment donné, d'un nombre élevé et simultané de cas d'une maladie infectieuse, puis par le retour à la normale (figure 15.9). Au cours de l'histoire, la peste, le choléra et la variole ont été des maladies épidémiques qui ont ravagé les pays européens; la poliomyélite, les maladies éruptives (rougeole, rubéole, varicelle) et la grippe sont les principales maladies épidémiques actuelles.

La plupart des épidémies connaissent des variations saisonnières. Par exemple, on constate que les épidémies de grippe, de rhume, de varicelle ou de méningite surviennent surtout l'hiver, alors que les affections gastro-intestinales surviennent plutôt l'été. Ces variations tiennent à divers facteurs parmi lesquels le climat (froid, humidité) et les rapports sociaux jouent un rôle important. On comprendra que l'incidence des intoxications alimentaires soit plus élevée l'été que l'hiver. En effet, bien des gens profitent des beaux jours pour tenir des réunions de famille, des pique-niques, des banquets, sans prendre garde aux micro-organismes qui profitent aussi de la chaleur pour se multiplier dans des aliments mal conservés ou préparés trop longtemps à l'avance.

L'épidémie affecte un territoire limité, un pays ou un continent. Quand la maladie se propage sur toute la planète, on parle de pandémie; ce phénomène se produit occasionnellement avec la

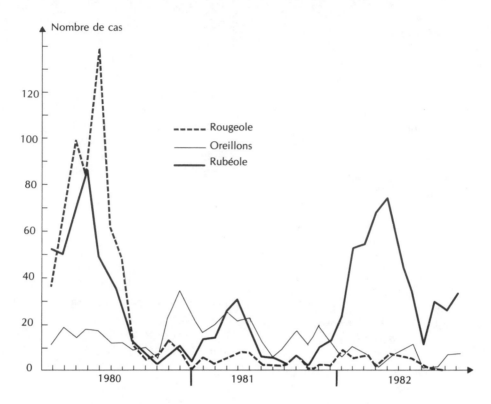

Figure 15.9
Évolution de la rougeole, des oreillons et de la rubéole au Canada, de 1980 à 1982.
On constate la variation saisonnière et l'apparition soudaine d'un nombre élevé de cas simultanés.
Source : Rapport hebdomadaire des maladies au Canada, vol. 9-34, (20 août 1983).

grippe (grippe espagnole, grippe asiatique). Mais la plupart des maladies infectieuses surviennent à l'état endémo-épidémique : il existe toujours quelques cas disséminés d'infection puis on assiste à l'apparition brutale d'un nombre élevé de malades dans une région donnée; la grippe et la rougeole suivent ce profil de développement.

En règle générale, une épidémie s'arrête d'elle-même quand environ 75 % de la population est immunisée par la maladie ou par la vaccination.

Il n'y a plus alors assez de sujets réceptifs pour maintenir la chaîne épidémiologique.

L'ENDÉMIE EST LA PERSISTANCE, DANS UNE RÉGION DONNÉE, D'UN NOMBRE FAIBLE MAIS CONSTANT DE CAS D'UNE INFECTION PARTICULIÈRE.
L'ÉPIDÉMIE EST DÉTERMINÉE PAR L'APPARITION SOUDAINE D'UN GRAND NOMBRE DE CAS D'UNE INFECTION SUIVIE D'UN RETOUR À LA NORMALE.

15.11 RÉSUMÉ

Les maladies infectieuses sont généralement contagieuses, c'est-à-dire qu'elles se propagent au sein des populations humaines ou animales. La contagiosité varie d'une infection à une autre et dépend d'un certain nombre de facteurs : les uns relèvent de l'agent pathogène lui-même, de son mode de transmission ou de l'exaltation de sa virulence; les autres dépendent de l'individu et de l'environnement.

La transmission d'une infection suppose un ensemble d'éléments particuliers intervenant dans un ordre déterminé. Cet ensemble forme une chaîne de contagion, ou chaîne épidémiologique, dans laquelle on distingue six maillons : l'agent infectieux, le réservoir de cet agent, la porte de sortie du réservoir, le mode de transmission, la porte d'entrée et l'hôte réceptif.

Élément fondamental de tout processus infectieux, l'agent pathogène vit et se multiplie dans un réservoir. Les réservoirs sont constitués par l'environnement physique, le sol et l'eau, par l'Homme et les animaux. Les réservoirs vivants sont soit les malades eux-mêmes, soit les porteurs sains. Certains animaux sont des vecteurs : ils transmettent les agents d'une maladie à laquelle ils sont réfractaires.

Une fois sortis de leurs réservoirs, les agents infectieux sont transmis à des hôtes réceptifs. La transmission peut être directe ou indirecte. La transmission directe est interhumaine ou repose sur la participation de vecteurs animaux. La transmission interhumaine s'effectue par l'intermédiaire de produits virulents ou par contact direct. La transmission indirecte se fait par voie fécale-orale, par les mains sales ou par l'intermédiaire des vecteurs animaux.

Les microorganismes pénètrent dans l'organisme par les différentes portes d'entrée que constituent la peau, les muqueuses, les voies respiratoire, digestive, génito-urinaire et parentérale. L'infection proprement dite dépend de la susceptibilité de l'hôte, c'est-à-dire de sa disposition à contracter l'infection. Outre l'état des défenses immunitaires, l'état de santé de l'hôte et la virulence de l'agresseur, le risque infectieux est plus ou moins renforcé par des circonstances favorisantes qui relèvent du réservoir, de l'environnement et de l'individu, surtout si ce dernier est hospitalisé.

Les maladies peuvent survenir sous forme de cas sporadiques, d'endémies ou d'épidémies. Les cas sporadiques correspondent à un petit nombre de cas d'infection sans rapport entre eux. L'endémie est définie comme la persistance, dans une région donnée, d'un nombre faible mais constant de cas d'une infection particulière; elle s'oppose à l'épidémie qui correspond à l'apparition brutale d'un grand nombre de cas suivie d'un retour à la normale.

LECTURES SUGGÉRÉES

Fineberg, H. « Les dimensions sociales du SIDA ». *Pour la science*, n° 134 (décembre 1988), p. 114-119.

Heyward, W. et J. Curran. « L'épidémiologie du SIDA aux États-Unis ». *Pour la science*, n° 134 (décembre 1988), p. 48-54.

Kaplan, M. et R. Webster. « L'épidémiologie de la grippe ». *Pour la science*, n° 4 (février 1978), p. 26-39.

Landon, J. F. et H. T. Sider. *Communicable diseases*. 9e éd., Philadelphie, Davis Corp., 1969, 559 p.

Lilienfeld, A. M. *Foundations of Epidemiology*. 2e éd., New York, Oxford University Press, 1980, 375 p.

Mann, J., Chin, J., Piot, P. et T. Quinn. « Le SIDA dans le monde ». *Pour la science*, n° 134 (décembre 1988), p. 56-65.

MAUSNER, J. S. et S. KRAMER. *Epidemiology, an Introductory Text*. 2ᵉ éd., Philadelphie, W. B. Saunders, 1985, 361 p.

NICOLI, R. M. et A. PENAUD. *50 cycles épidémiologiques. Interrelations des êtres vivants*. Paris, Éditions Medsi, 1983, 85 p.

THIOLLAIS, S. ET D. SCHMITT. « La transmission des virus VIH-1 par les muqueuses oro-génitales ». *Médecine sciences*, vol. 8, nᵒ 4 (avril 1992), p. 352-358.

VILAIN, R. « Écologie microbienne et hygiène hospitalière ». *Pour la science*, nᵒ 55 (mai 1982), p. 105-115.

chapitre 16
bactérioses

16.1 INTRODUCTION

Les bactéries forment un groupe important et varié de microorganismes pathogènes. Mais nous ne mentionnerons, dans ce chapitre, que le nom des agents responsables des grandes maladies infectieuses qui ont ravagé le monde. Aujourd'hui, ces maladies ont été presque éliminées par l'application systématique des mesures de salubrité publique, d'immunisation préventive en bas âge et d'antibiothérapie. Toutefois, ici comme ailleurs, les agents pathogènes sont toujours présents dans l'environnement, donc toujours susceptibles de réapparaître. C'est pourquoi les catastrophes naturelles ou les guerres, qui bouleversent profondément le tissu social et le fonctionnement des services de santé, coïncident presque toujours avec des explosions épidémiques.

En milieu hospitalier on a probablement peu d'occasions de soigner des infections causées par des microorganismes comme *Yersinia pestis*, *Mycobacterium tuberculosis*, *Vibrio choleræ*, *Clostridium tetani*, *Clostridium botulinum*, *Corynebacterium diphteriæ*, *Salmonella typhi*, *Neisseria gonorrheæ*, *Neiseria meningitidis*, *Bordetella pertussis*, *Legionella pneumophila* ou *Treponema pallidum*. En revanche, on aura plus souvent l'occasion de soigner des infections causées par des streptocoques du groupe A, des staphylocoques, par *Pseudomonas*, *Hæmophilus*, *Klebsiella*, *Escherichia coli*, *Proteus*, *Enterobacter*, *Bacteroides*, *Candida* ou par *Trichomonas*. De plus, l'étude des chapitres traitant des infections virales, parasitaires, fongiques et des infections opportunistes permettra de constater que les bactéries dites pathogènes (au sens étroit du terme) occupent désormais une place mineure en pathologie infectieuse.

Après avoir montré comment les bactéries agressent l'Homme et provoquent des troubles morbides, nous présenterons, sous forme de tableaux, les principales espèces bactériennes pathogènes et les maladies qu'elles causent.

16.2 POUVOIR PATHOGÈNE DES BACTÉRIES

La virulence de nombreuses bactéries pathogènes repose sur leurs nombreux moyens d'agression et sur leur capacité de résister aux défenses de l'hôte. Nous n'aborderons ici que la production des toxines, car elles représentent le facteur d'agression le plus important.

Par le terme de TOXINE, on désigne divers métabolites et constituants cellulaires toxiques. Ces produits agissent à très faible dose et, de par leur pouvoir antigénique, provoquent la formation d'anticorps.

Les toxines provoquent des lésions tissulaires, détruisent les tissus, altèrent des activités physiologiques fondamentales ou favorisent la dissémination des bactéries dans l'organisme. Elles sont responsables de la plupart des symptômes que l'on observe dans les maladies infectieuses.

Bien qu'elles aient été découvertes il y a près de 100 ans, les toxines sont encore mal connues; on sait peu de choses, notamment en ce qui concerne leur mécanisme d'action, la signification de leur production dans le métabolisme microbien et les conditions physiologiques qui en induisent la production.

La capacité d'élaborer ces substances toxiques est génétiquement contrôlée. De plus, elle peut être acquise ou perdue par mutation ou lors d'échanges d'information génétique.

16.2.1 EXOTOXINES

On distingue deux groupes de toxines : les EXOTOXINES, qui diffusent à l'extérieur de la bactérie, et les ENDOTOXINES, qui sont retenues dans la cellule bactérienne et ne sont libérées qu'à la mort de la bactérie, au moment où la cellule est lysée. Exotoxines et endotoxines diffèrent par plusieurs propriétés (tableau 16.1).

Les exotoxines sont des composés de nature protéique, diffusant à l'extérieur de la bactérie et agissant spécifiquement sur des cellules ou des organes cibles. Ces toxines causent la nécrose des cellules ou perturbent les activités physiologiques fondamentales.

On distingue généralement :

– les exotoxines qui interfèrent avec des activités métaboliques spécifiques;
– les exotoxines qui hydrolysent des structures ou des composants cellulaires particuliers.

Les exotoxines du premier groupe peuvent être dénaturées par la chaleur, par une variation de pH ou par des agents chimiques comme le formol. À cause de leur sensibilité à la chaleur, les

Tableau 16.1
Propriétés différentielles des exotoxines et des endotoxines.

PROPRIÉTÉS	EXOTOXINES	ENDOTOXINES
Origine	Bactéries Gram positif (principalement)	Bactéries Gram négatif (principalement)
Nature chimique	Protéique Composés séparables en sous-unités	Complexe Lipopolysaccharides de la paroi
Dénaturation par la chaleur	Oui En 30 min à 60 °C (thermolabile)	Non Résistent à la température de l'autoclave (thermostables)
Formation d'anatoxines	Oui	Non
Neutralisation par les antitoxines	Oui	Non
Mode d'action	Généralement très spécifiques Cellules ou organes cibles Nécrose cellulaire Perturbations d'activités physiologiques spécifiques Agissent à très faible dose avec période de latence	Généralement peu spécifiques Effets variés Fort pouvoir pyrogène Syndrome de choc (troubles circulatoires vasomoteurs et troubles de la coagulation) Réactions d'hypersensibilité Agissent à des doses plus fortes que les exotoxines, mais sans période de latence

exotoxines sont dites thermolabiles : il suffit d'une exposition à 60 °C pendant une heure pour transformer les exotoxines en ANATOXINES. Par ce terme, on désigne des substances dont le pouvoir toxique a été atténué ou détruit mais qui n'ont pas perdu leur pouvoir antigénique. Autrement dit, les anatoxines sont inoffensives mais elles suscitent la production d'anticorps. De ce fait, les anatoxines peuvent être utilisées sous forme de vaccins pour stimuler les défenses de l'organisme et pour le prémunir contre la toxine produite lors de l'infection. C'est ainsi que sont produits les vaccins contre la diphtérie et le tétanos.

Les exotoxines agissent à très faibles doses. Ce sont des poisons extrêmement violents. Un gramme de toxine botulique peut tuer mille tonnes de matière vivante et il suffirait de 100 g de cette toxine pour anéantir toute vie humaine à la surface de la terre.

Un certain nombre d'affections causées par les bactéries qui produisent des exotoxines sont plutôt des empoisonnements que des infections proprement dites. Peu virulents, les microorganismes ne se multiplient presque pas. Les effets pathologiques sont dus essentiellement sinon exclusivement à l'action des toxines. C'est le cas de *Clostridium tetani*, l'agent du tétanos, qui, installé dans une plaie, élabore une toxine qui se diffuse dans l'organisme pour bloquer les activités neuromotrices. La multiplication du microorganisme n'intervient pratiquement pas dans la maladie, sinon en prolongeant la production de la toxine. L'exemple du botulisme est encore plus frappant : les symptômes de la maladie sont provoqués par la seule ingestion de toxine préformée dans les aliments contaminés par *Clostridium botulinum*[1] (notamment le poisson fumé).

___

1. Chez l'humain adulte, on a signalé quelques cas de botulisme après l'infection d'une plaie et, chez l'enfant, le botulisme peut survenir à la suite d'une multiplication intestinale.

Les exotoxines ont généralement une action très spécifique. Elles agissent sur des organes cibles ou sur des cellules cibles. La spécificité d'action relève d'affinités étroites de chaque toxine pour un type particulier de récepteurs cellulaires. On note toujours une période de latence entre la sécrétion des exotoxines et l'apparition de leurs premiers effets. Le tableau 16.2 résume le mode d'action des exotoxines et indique les cibles contre lesquelles elles sont dirigées. On remarquera que la plupart des bactéries qui produisent des exotoxines sont Gram positif.

LES EXOTOXINES SONT CARACTÉRISÉES PAR LES PROPRIÉTÉS SUIVANTES :
- **NATURE PROTÉIQUE;**
- **THERMOLABILITÉ;**
- **DÉNATURATION ET FORMATION D'ANATOXINES.**

ELLES AGISSENT AVEC UN TEMPS DE LATENCE, À TRÈS FAIBLE DOSE ET SUR DES CELLULES OU DES ORGANES CIBLES.

Les exotoxines à pouvoir hydrolytique augmentent le pouvoir d'invasion des microorganismes qui les élaborent. D'une façon générale, elles favorisent la dispersion des agents pathogènes dans les tissus profonds ou leur permettent d'échapper à la destruction immunitaire. Certaines d'entre elles hydrolysent le ciment intercellulaire et le tissu conjonctif. C'est le cas de la collagénase et de la hyaluronidase, qui hydrolysent respectivement le collagène et l'acide hyaluronique, deux composants fondamentaux des tissus que l'on trouve notamment dans le derme, les muqueuses et les séreuses. C'est en quelque sorte un tissu d'emballage qui protège les tissus profonds et les organes vitaux. Quand il est détruit, les microbes peuvent facilement gagner les vaisseaux sanguins ou entrer dans les

Tableau 16.2
Mode d'action et cibles de quelques exotoxines.

ESPÈCES	MALADIES	MODES D'ACTION
Corynebacterium diphteriæ	Diphtérie	La toxine a un effet nécrosique sur les cellules par suite du blocage de la synthèse des protéines. Le tissu musculaire cardiaque et le système nerveux périphérique sont les principales cibles de la toxine diphtérique.
Clostridium tetani	Tétanos	La toxine a un effet neurotoxique. Elle se concentre dans les cornes antérieures de la moelle épinière où sont situées les ramifications motrices des nerfs. Elle agit en se fixant sur certains récepteurs cellulaires synaptiques et bloque la synthèse de neurotransmetteurs. Son action se manifeste notamment par la tétanie, c'est-à-dire la contraction convulsive des muscles.
Clostridium botulinum	Botulisme	La toxine a un effet neurotoxique. Elle bloquerait l'excrétion ou l'action de l'acétylcholine, un médiateur chimique intervenant dans la transmission de l'influx nerveux à la jonction nerf-muscle. Son action se manifeste par des troubles neurologiques (vision double) et par une paralysie progressive des muscles de la bouche, de la langue, du pharynx ainsi que du diaphragme.
Clostridium perfringens Clostridium septicum	Gangrènes gazeuses	Diverses cytolysines à action nécrosique et hémolytique. Les enzymes causent la putréfaction des tissus (notamment des tissus musculaires).
Bordetella pertussis	Coqueluche	Action nécrotique par suite de l'inhibition de l'adénylate cyclase cellulaire. Perturbe notamment l'activité des cellules épithéliales ciliées de la muqueuse respiratoire. Bloque l'activité phagocytaire des globules blancs, ce qui favorise les surinfections par d'autres microorganismes.
Streptococcus pyogenes	Infections pyogènes Scarlatine	Les infections pyogènes sont causées par les streptolysines S et O qui détruisent les globules rouges, et par la streptokinase, qui provoque notamment la fibrinolyse. La scarlatine est causée par la toxine érythrogène. Cette toxine cause l'énanthème buccal et pharyngé, l'exanthème écarlate généralisé de la peau, probablement par suite d'une réaction d'hypersensibilité retardée. Elle occasionne aussi la desquamation de la peau par larges plaques. La toxine érythrogène exerce un fort pouvoir pyrogène; elle inhibe la formation d'anticorps et la phagocytose. Elle cause la nécrose du tissu musculaire cardiaque.
Staphylococcus aureus	Infections pyogènes Intoxications alimentaires[1]	Les infections pyogènes sont causées par l'action des différentes enzymes produites par les staphylocoques. Ces enzymes s'attaquent au tissu conjonctif (collagénase et hyaluronidase), détruisent les globules rouges (hémolysines), inhibent la phagocytose réalisée par les granulocytes neutrophiles (leucocidines). D'autres enzymes provoquent la coagulation (coagulase) ou la fibrinolyse (staphylokinase). Les intoxications alimentaires sont causées par des entérotoxines qui perturbent l'activité des entérocytes.

1. Uniquement chez les souches produisant l'entérotoxine.

(*Suite page suivante.*)

Tableau 16.2
Mode d'action et cibles des exotoxines. (*Suite.*)

ESPÈCES	MALADIES	MODES D'ACTION
Escherichia coli	Gastro-entérites infantiles Péritonites Cystites	Les entérotoxines perturbent les activités des entérocytes. Elles causent des diarrhées par suite de la fuite de l'eau et des chlorures corporels vers l'intestin. Elles empêchent aussi l'absorption du sodium.
Pseudomonas aeruginosa	Infections urinaires Infections systémiques	Les toxines causent des nécroses cellulaires. Les cellules meurent des perturbations de la synthèse des protéines. L'inhibition de la synthèse s'effectue selon un processus identique à celui de la toxine diphtérique.
Vibrio choleræ	Choléra	L'entérotoxine perturbe les activités des entérocytes. Elle provoque la fuite des liquides et des électrolytes vers l'intestin et cause la diarrhée et la déshydratation. Le déséquilibre électrolytique entraîne l'acidose.
Shigella dysenteriæ	Dysenterie	L'entérotoxine inhibe l'absorption des oses et des acides aminés par les entérocytes. Elle cause la diarrhée. L'entérotoxine agit aussi sur le système nerveux et provoque le coma.

organes. On retrouve ces enzymes notamment chez les *Clostridium,* responsables des gangrènes, chez les staphylocoques et les streptocoques pathogènes.

D'autres enzymes favorisent la dissémination des bactéries dans le système circulatoire ou neutralisent le pouvoir phagocytaire des globules blancs. Certaines attaquent les membranes cellulaires, notamment celle des globules rouges (figure 16.1); enfin, quelques-unes interfèrent avec les mécanismes de la coagulation et d'autres perturbent l'activité des cellules phagocytaires (tableau 16.3).

Notons que les microorganismes fortement pathogènes élaborent généralement plusieurs toxines en même temps. Ainsi, les streptocoques responsables de la scarlatine, *Streptococcus pyogenes,* produisent la toxine érythrogène, de la ß-hémolysine, de la hyaluronidase, de la fibrinolysine et des leucocidines.

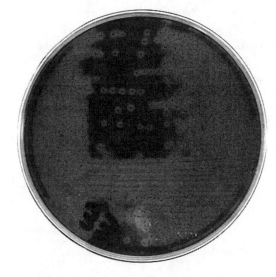

Figure 16.1
Hémolyse β.

L'hémolyse β, causée par l'action d'une hémolysine sur les globules rouges, se traduit par la formation d'une zone claire autour des colonies de *Streptococcus pyogenes* ensemencé sur une gélose au sang.

Photographie : M. Carbonneau.

ENZYMES	MICROORGANISMES	REMARQUES
Hyaluronidase **Collagénase**	*Clostridium* des gangrènes gazeuses *Staphylococcus aureus* *Streptococcus pyogenes*	Hydrolysent l'acide hyluronique et le collagène, deux composants du tissu conjonctif, et favorisent la dissémination des microorganismes dans les tissus profonds.
Lécithinases	*Clostrium perfringens*	Hydrolysent les lécithines (lipides complexes présents dans les membranes cellulaires).
Hémolysines	*Clostridium* des gangrènes gazeuses *Staphylococcus aureus* *Streptococcus pyogenes*	Détruisent la membrane cytoplasmique des globules rouges et d'autres cellules.
Coagulases	*Staphylococcus aureus*	Coagulent le sang. Ralentissent l'arrivée des cellules phagocytaires et des substances anti-infectieuses.
Leucocidines	*Streptococcus pyogenes*	Détruisent les globules blancs. Inhibent le chimiotactisme. Causent la formation du pus.

Mentionnons que la toxine érythrogène est responsable de la couleur écarlate que prennent la peau (exanthème), la langue et le pharynx (énanthème). Les streptocoques sont initialement localisés dans la gorge où ils sécrètent leur toxine, qui diffuse ensuite dans tout l'organisme. Mais grâce aux différentes enzymes qu'ils produisent, ils s'introduisent dans les tissus profonds puis dans le système circulatoire. De là, ils atteignent éventuellement le cœur ou les reins, s'y installent et provoquent endocardites ou néphrites.

Les exemples précédents démontrent la spécificité d'action des exotoxines. Cependant, cette spécificité n'est pas une règle absolue; on connaît des exotoxines qui agissent sur plus d'une cible. C'est le cas notamment des exotoxines produites par un des agents des gangrènes gazeuses, *Clostridium perfringens*. Ces toxines ont de multiples effets : hémolyse, nécrose, perturbation des activités neuromusculaires, des fonctions hépatiques, etc.

> **PLUSIEURS ENZYMES HYDROLYTIQUES AUGMENTENT LE POUVOIR D'INVASION EN FAVORISANT LA DISPERSION DES BACTÉRIES DANS LES TISSUS PROFONDS OU EN LEUR PERMETTANT D'ÉCHAPPER À LA DESTRUCTION.**

16.2.2 ENDOTOXINES

Découvertes par Pfeifer au début du siècle, les endotoxines sont des composés biochimiques complexes qui font partie intégrante des structures cellulaires. C'est pourquoi elles ne diffusent pas tant que les bactéries sont vivantes; elles sont libérées seulement lors de la lyse de la cellule bactérienne. Parmi les endotoxines, on trouve notamment les lipopolysaccharides de la paroi des bactéries Gram négatif.

PROPRIÉTÉS GÉNÉRALES

Les endotoxines ont des propriétés physiques et biologiques très différentes de celles des exotoxines. Leur composition chimique les rend thermostables; elles ne peuvent donc pas être dénaturées par la chaleur ni être transformées en anatoxines. Elles provoquent de fortes fièvres (pouvoir pyrogène). Contrairement aux exotoxines, leur activité se manifeste à des doses plus élevées et leur pouvoir toxique apparaît sans période de latence. Les endotoxines sont faiblement antigéniques. Le tableau 16.1 compare les propriétés physiques, chimiques et biologiques des exotoxines et des endotoxines.

MODE D'ACTION DES ENDOTOXINES

Le mode d'action des endotoxines, qu'illustre la figure 16.2, est très différent de celui des exotoxines. Il est d'abord beaucoup moins spécifique. À faible dose, lors d'infections légères, les endotoxines causent des symptômes peu spécifiques : maux de tête, malaises, fièvre. En revanche, lors d'infections graves, les endotoxines provoquent un syndrome particulier, le CHOC TOXIQUE, caractérisé notamment par des troubles circulatoires d'ordre vasomoteur, des perturbations de la coagulation, de la formule sanguine et de la glycémie (tableau 16.4).

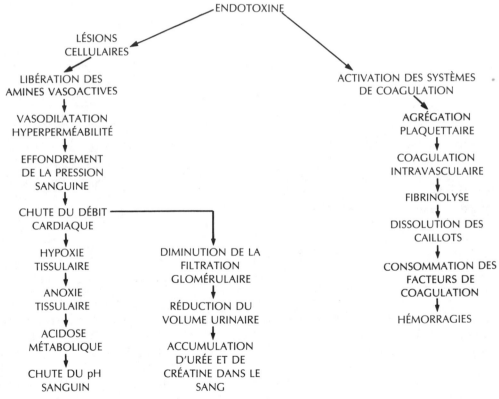

Figure 16.2
Choc toxique.

Causé surtout par les endotoxines, le choc toxique est principalement caractérisé par une chute de pression sanguine causée par la libération d'amines vasoactives. Les conséquences de la chute de pression sont multiples : diminution du débit cardiaque, acidose métabolique, anoxie et arrêt de la filtration glomérulaire. De plus, ce syndrome est accompagné de troubles de la coagulation.

Tableau 16.4
Effets des endotoxines.

EFFETS	REMARQUES
Troubles vasomoteurs	Ces troubles sont provoqués par les amines vasoactives (histamine, sérotonine, etc.) libérées par suite des lésions cellulaires causées par les endotoxines.
	Par leurs effets vasodilatateurs sur les artérioles, ces amines sont à l'origine de l'hypotension et de l'hypovolémie (résultant de l'hyperperméabilité capillaire).
	Hypotension et hypovolémie provoquent la chute du débit cardiaque. Dans leurs manifestations les plus graves, les troubles vasomoteurs causent la mort par collapsus cardiovasculaire (arrêt cardiaque).
Hypoxie Anoxie	La chute du débit cardiaque entraîne une diminution de la quantité d'oxygène distribué aux tissus par le sang (hypoxie) ou un arrêt de l'approvisionnement en oxygène (anoxie).
Acidose	Conséquence de la chute du débit cardiaque, l'acidose survient quand les cellules, privées d'oxygène, rejettent des acides organiques dans le sang, et que l'excès d'ions H^+ ne peut être absorbé par les tampons sanguins.
Oligurie Anurie	Le rein est un organe qui fonctionne sous pression. La chute du débit cardiaque entraîne la diminution ou l'arrêt de la filtration glomérulaire, ralentissant ou stoppant la production urinaire. Ces perturbations de la fonction urinaire renforcent l'acidose, car le rein intervient dans la régénération des carbonates qui font office de tampons. Elles entraînent aussi l'accumulation de substances toxiques excrétées en temps normal (urée, créatine, etc.).
Coagulation intravasculaire disséminée	Les endotoxines activent le facteur de Hageman et provoquent l'excrétion des facteurs de coagulation des plaquettes. L'activation du facteur de Hageman conduit indirectement à la formation de caillots par suite de la formation de fibrine à partir du fibrinogène.
	La coagulation intravasculaire survient principalement dans les petits vaisseaux et les capillaires; elle retient d'importants volumes de sang dans les organes richement vascularisés et réduit encore le débit cardiaque.
Fibrinolyse	Sous l'action de la fibrinolyse, les caillots formés sont dissous.
Hémorragies	Comme la coagulation se poursuit sous l'action des endotoxines, les facteurs de coagulation sont rapidement consommés. Leur disparition cause alors des hémorragies.
Activation et consommation du complément	Les endotoxines activent le fragment C3 du complément, un système multienzymatique intervenant dans la défense anti-infectieuse.
	Le complément activé détruit les membranes cellulaires.
	La concentration sérique du complément diminue par suite de son activation.
Leucopénie	Diminution du nombre de globules blancs.
Fièvre	Dérèglement du système de contrôle de la température corporelle sous l'action des facteurs pyrogènes libérés par les globules blancs.

Bien que des bactéries Gram positif soient occasionnellement responsables de ce syndrome, le choc toxique est surtout causé par des bactéries Gram négatif : *Salmonella, Serratia, Escherichia coli, Proteus, Pseudomonas* et *Bacteroides*. Ces microorganismes profitent d'un grand nombre de portes d'entrée. Ils peuvent être introduits lors de cathétérisme veineux, de l'installation de sondes endotrachéales ou urinaires. Ils peuvent aussi pénétrer dans l'organisme lors d'investigations des voies urinaires, de chirurgies abdominales, en particulier celles du côlon et de la vésicule biliaire, de chirurgies cardiovasculaires, d'avortements septiques ou d'accouchements difficiles. Le choc toxique survient fréquemment chez les diabétiques, les cancéreux et les grands brûlés.

L'évolution du choc toxique est redoutable : il est mortel dans 40 à 60 % des cas. Comme l'indique le tableau 16.4, les effets des endotoxines sont multiples mais, généralement, la mort résulte indirectement de troubles vasomoteurs provoqués par l'effondrement brutal de la pression artérielle (collapsus cardio-vasculaire), par des désordres acido-basiques et électrolytiques graves. Très souvent, ces manifestations sont accompagnées de troubles de la coagulation, de complications hémorragiques et d'insuffisance rénale.

> **LES ENDOTOXINES SONT DES CONSTITUANTS BACTÉRIENS LIBÉRÉS LORS DE LA LYSE CELLULAIRE.**
>
> **ELLES SONT CARACTÉRISÉES PAR :**
>
> – **LEUR COMPOSITION LIPOPOLYSACCHARIDIQUE;**
>
> – **LEUR THERMORÉSISTANCE;**
>
> – **LEUR FAIBLE SPÉCIFICITÉ D'ACTION;**
>
> – **L'IMPOSSIBILITÉ DE LES TRANSFORMER EN ANATOXINES.**

16.3 PORTES D'ENTRÉE

Selon les réservoirs dans lesquels elles se trouvent et selon les modes de transmission qu'elles adoptent, les bactéries pénètrent dans l'organisme par les portes d'entrée cutanéo-muqueuse, respiratoire, digestive, génito-urinaire, transplacentaire et parentérale. Le tableau 16.5 indique les portes d'entrée des bactéries pathogènes décrites dans ce chapitre.

Tableau 16.5
Portes d'entrée des bactéries pathogènes.

PORTES D'ENTRÉE	EXEMPLES
Cutanée	*Staphylococcus aureus, Streptococcus pyogenes, Clostridium tetani, Clostridium perfringens, Treponema pallidum, Pseudomonas aerugonisa,* Entérobactéries des infections opportunistes
Respiratoire	*Streptococcus pyogenes, Bordetella pertussis, Neisseria meningitidis, Hæmophilus influenzæ, Corynebacterium diphteriæ, Mycobacterium tuberculosis, Yersinia pestis*
Digestive	*Salmonella typhimurium, Salmonella enteritidis, Staphylococcus aureus* entéropathogènes, *Escherichia coli* entéropathogènes, *Vibrio choleræ, Vibrio parahæmolyticus, Clostridium botulinum, Clostridium perfringens, Listeria monocytogenes*
Génito-urinaire	*Neisseria gonorrhreæ, Treponema pallidum, Chlamydia trachomatis, Hæmophilus ducrei, Gardnerella vaginalis, Ureaplasma urealyticum*
Transplacentaire	*Treponema pallidum, Listeria monocytogenes*

16.4 PRINCIPALES INFECTIONS BACTÉRIENNES

De portée générale, cette section présentera sous forme de tableaux récapitulatifs les principales maladies infectieuses causées par les bactéries (tableau 16.6), les rickettsies, les chlamydia et les mycoplasmes (tableau 16.7).

Pour chaque maladie, on trouvera les principales manifestations, le réservoir et le mode de transmission. Les bactéries responsables des infections opportunistes sont décrites au chapitre 20.

Tableau 16.6
Principales bactéries pathogènes responsables des maladies infectieuses.

AGENTS PATHOGÈNES	REMARQUES
COCCI GRAM POSITIF ***Staphylococcus aureus*** Furoncles	Inflammation suppurante et nécrosique du follicule pilo-sébacé, commençant par un gonflement rouge, dur et enflammé. En quelques jours, le centre nécrosé se transforme en bourbillon. Réservoir : Homme. Transmission : auto-infection et foyers épidémiques.
Intoxications alimentaires	Intoxications fréquentes et bénignes causées par la consommation d'aliments contaminés par des souches particulières de *Staphylococcus aureus* produisant une entérotoxine. Les symptômes apparaissent de deux à six heures après l'ingestion des aliments contaminés. Les manifestations principales sont : douleurs, crampes abdominales, nausées, vomissements, diarrhées. Réservoir : Homme. Transmission : indirecte, par les aliments contaminés.
Ostéomyélite	Inflammation du périoste et de la cavité médullaire de la région du cartilage de croissance.
Staphylococcies pleuro-pulmonaires Staphylococcies uro-génitales Septicémies	Surinfection des pneumopathies virales. Réservoir : Homme. Transmission : par auto-infection.
Streptococcus pyogenes Streptococcies cutanées	Intertrigo (inflammation survenant dans les plis cutanés, sous-mammaires, interfessiers, etc.). Impétigo (affection cutanée, auto-inoculable, survenant surtout chez les enfants et principalement caractérisée par la formation de vésicules suintantes à contenu séro-purulent se couvrant de croûtes épaisses de couleur jaune). Érysipèle (inflammation localisée du derme, limitée par un bourrelet, siégant souvent à la face). Réservoir : Homme. Transmission : interhumaine.
Angines streptococciques	Infections streptococciques les plus fréquentes, bénignes en elles-mêmes mais graves par certaines de leurs complications (glomérulonéphrite, endocardite, rhumatisme articulaire aigu). Les principales manifestations sont : déglutition difficile, douleur pharyngée, fièvre. Chez les enfants, ces symptômes sont parfois accompagnés de douleurs abdominales, de nausées ou de vomissements. Réservoir : Homme. Transmission : interhumaine (sécrétions rhyno-pharyngées).

(Suite page suivante.)

Tableau 16.6
Principales bactéries pathogènes responsables des maladies infectieuses. (*Suite.*)

AGENTS PATHOGÈNES	REMARQUES
Scarlatine	Angine streptococcique causée par des souches de *Streptococcus pyogenes* produisant la toxine érythrogène. En plus des manifestations précédentes, la scarlatine est caractérisée par l'énanthème (muqueuse buccale, linguale et palatine de couleur rouge framboise) et l'exanthème (rougeur cutanée prédominant sur le tronc, l'abdomen et les fesses).
	Réservoir : Homme.
	Transmission : interhumaine (sécrétions rhyno-pharyngées).
Streptococcus pneumoniæ Pneumonies[1]	Inflammation aiguë du poumon caractérisée par la présence d'un exsudat dans les alvéoles pulmonaires. D'apparition brutale, la pneumonie est marquée par une sensation de gêne respiratoire, par la toux et la fièvre.
	Réservoir : Homme.
	Transmission : interhumaine et auto-infection.

COCCI GRAM NÉGATIF

Neisseria meningitidis Méningite cérébro-spinale Ménigococcémie	Infection rhino-pharyngée asymptomatique évoluant en inflammation des méninges. Apparition brutale des symptômes : fièvre élevée, raideur de la nuque et du cou, violents maux de tête, convulsion, altération de la conscience.
	Réservoir : Homme.
	Transmission : interhumaine (sécrétions rhyno-pharyngées).
Neisseria gonorrheæ Blennorragie	Les principaux symptômes sont l'urétrite aiguë chez l'homme, la vulvite ou la vulvovaginite chez la femme et l'ophtalmie purulente chez le nouveau-né. Chez l'adulte, on observe parfois des pharyngites à gonocoques.
	Réservoir : Homme.
	Transmission : interhumaine, directe (sécrétions génitales).

BACILLES GRAM POSITIF

Corynebacterium diphteriæ Diphtérie	Infection des voies respiratoires. Les premiers symptômes sont ceux d'une angine mais accompagnée de la formation de fausses membranes caractéristiques (croup). Par la suite apparaissent des symptômes généraux dus à la sécrétion des toxines : paralysie, myocardite et néphrite.
	Réservoir : Homme.
	Transmission : interhumaine (surtout par les sécrétions rhyno-pharyngées).
Clostridium tetani Tétanos	Toxi-infection caractérisée par des manifestations neurologiques causées par l'action de toxique tétanique sur le système nerveux. Le premier symptôme est le trismus ou contracture des muscles masséters qui bloquent l'ouverture de la mâchoire. Par la suite, apparaissent les contractures cervicales se propageant progressivement à la face, au tronc puis aux membres. Complications respiratoires, cardio-vasculaires, troubles digestifs, état de choc.
	Réservoir : sol et objets souillés.
	Transmission : traumatisme cutané.
Clostridium botulinum Botulisme	Toxi-infection causée par l'ingestion de la toxine botulique présente dans les aliments contaminés. Après des troubles digestifs (nausées, vomissements), les manifestations de la maladie sont surtout neurologiques : troubles oculaires (vue dédoublée, difficultés d'accommodation, pupilles fixes et dilatées), paralysie des muscles du pharynx, du diaphragme, etc.

1. *Streptococcus pneumoniæ* est l'agent principal des pneumonies mais non le seul : l'atteinte pulmonaire peut aussi être causée par *Staphylococcus aureus*, *Streptococcus pyogenes*, *Hæmophilus influenzæ* et diverses entérobactéries.

AGENTS PATHOGÈNES	REMARQUES
	Réservoir : sol.
	Transmission : par voie digestive (consommation d'aliments contaminés).
Clostridium perfringens Gangrènes gazeuses	Infections des plaies caractérisées par la tuméfaction, la cyanose et l'aspect violacé de la plaie, d'où s'écoulent des sérosités nauséabondes. Ces manifestations sont accompagnées de la production de gaz (emphysème sous-cutané) dont on entend la crépitation.
	Réservoir : sol et objets souillés.
	Transmission : traumatisme cutané.

BACILLES GRAM NÉGATIF

AGENTS PATHOGÈNES	REMARQUES
Legionella pneumophila Légionellose	Syndrome infectieux fébrile accompagné de manifestations pulmonaires, parfois de diarrhées et de vomissements.
	Réservoir : eaux croupies, humidificateurs, systèmes de climatisation, etc.
	Transmission : surtout par voie aérienne (inhalation d'aérosols).
Salmonella typhi Typhoïde	Infection de l'appareil digestif caractérisée par des troubles digestifs (anorexie, nausées, constipation suivie de diarrhée), par des troubles nerveux (stupeur et abattement extrême) et par l'apparition de taches rosées sur le corps. Ensuite surviennent la splénomégalie, des lésions du système lymphoïde intestinal (plaques de Peyer et follicules clos) et diverses complications affectant les appareils digestif (perforations intestinales, hémorragies), cardio-vasculaire (myocardite), nerveux (encéphalite), respiratoire, rénal, etc.
	Réservoir : Homme.
	Transmission : digestive (consommation d'aliments ou d'eau contaminés par les matières fécales).
Salmonella enteritidis Salmonelloses	Toxi-infections alimentaires causées par l'ingestion d'aliments contaminés par le microorganisme ou par des sérotypes voisins. Les principaux symptômes sont : fièvre, nausées, vomissements, diarrhées liquides et fétides.
	Réservoir : Homme et animaux.
	Transmission : digestive (consommation d'aliments contaminés).
Shigella dysenteriæ Dysenterie	Infection intestinale dont la principale manifestation est l'inflammation ulcéreuse du côlon accompagnée de coliques violentes aux cours desquelles sont évacuées des glaires sanglantes. La perte liquidienne, toujours importante, entraîne déshydratation, hypotension et risques de choc.
	Réservoir : Homme.
	Transmission : essentiellement par contact direct.
Bordetella pertussis Coqueluche	Infection respiratoire caractérisée par des quintes de toux spasmodiques, séparées par une inspiration longue et sifflante, au bruit caractéristique (dit du chant du coq) et parfois accompagnées de vomissements.
	Réservoir : Homme (par des individus malades; pas ou peu de porteurs sains).
	Transmission : interhumaine (inhalation de produits virulents).
Escherichia coli Gastro-entérites infantiles Infections urinaires	Diarrhées, déshydratation, douleurs. Réservoir : Homme. Transmission : interhumaine.

(*Suite page suivante.*)

Tableau 16.6
Principales bactéries pathogènes responsables des maladies infectieuses. (*Suite.*)

AGENTS PATHOGÈNES	REMARQUES
MYCOBACTÉRIES	
Mycobacterium tuberculosis Tuberculose	Infection chronique des poumons ou d'autres organes (intestin, péritoine, articulation, os, ganglions, etc.) caractérisée par la formation de tubercules constitués d'un amas de macrophages et de cellules géantes (cellules de Langerhans) disposées en couronne autour des bactéries. Le centre des tubercules nécrose et la périphérie s'entoure d'une capsule qui se calcifie. La baisse d'appétit, la fatigue générale et la fièvre en fin d'après-midi sont d'autres manifestations cliniques. En outre, les sujets présentent une allergie à la tuberculine. Réservoir : Homme et animaux (bovidés). Transmission : interhumaine (inhalation de produits virulents) ou par contact animal (consommation de produits laitiers provenant d'animaux contaminés).
AUTRES	
Treponema pallidum Syphilis	Maladie transmissible sexuellement commençant par un chancre induré (syphilis primaire) suivi par l'apparition d'éruptions cutanées et muqueuses (syphilis secondaire) et, plusieurs années après la contamination, par des lésions neurologiques, cardio-vasculaires, etc. La syphilis peut être transmise par voie placentaire (syphilis congénitale). Réservoir : Homme. Transmission : interhumaine (contact sexuel).
Vibrio choleræ Choléra	Infection intestinale aiguë, caractérisée par de nombreuses diarrhées et des vomissements, entraînant déshydratation, désordres électrolytiques, hypotension et choc. Réservoir : Homme. Transmission : interhumaine (contact direct[2]).

2. Contrairement à la croyance générale, la contamination s'effectue rarement par l'eau ou les aliments.

Tableau 16.7
Maladies infectieuses causées par les rickettsies, les chlamydia et les mycoplasmes.

AGENTS PATHOGÈNES	REMARQUES
RICKETTSIES	
Rickettsia rickettsii Fièvre pourprée des montagnes Rocheuses	Début brutal accompagné de fièvre, de maux de tête et de courbatures, d'une alternance de période de prostration et d'agitation. Les microlésions subies par les capillaires sanguins provoquent des rougeurs cutanées (exanthème) s'étendant au cou, au tronc et à la face. Réservoir principal : animaux (chiens, rongeurs, etc.). Transmission : indirecte (par les tiques des chiens et des rongeurs).

AGENTS PATHOGÈNES	REMARQUES
Rickettsia prowazekii Typhus exanthématique	Début brutal accompagné de forte fièvre, de maux de tête et de manifestations neurologiques caractérisées par un état de grande stupeur et de prostration (tuphos), parfois accompagné de délires. Réservoir principal : Homme. Transmission : indirecte (par les pous du corps).
Rickettsia typhi Typhus murin	Mêmes symptômes que le typhus exanthématique quoique moins graves. Réservoir principal : rat. Transmission : indirecte à l'Homme (par les déjections de puces de rat).
Coxiella burnetii Fièvre Q	Fièvre, maux de tête, pneumopathies. Réservoir principal : rongeurs, ovins, caprins. Transmission : par voie aérienne, cutanée ou muqueuse, avec ou sans vecteur.
CHLAMYDIA	
Chlamydia trachomatis Lymphogranulomatose vénérienne	Maladie transmissible sexuellement. Infection à prédominance ganglionnaire. Ulcération des organes génitaux évoluant vers une adénopathie inguinale devenant suppurante (adénites à fistules multiples). Réservoir : Homme. Transmission : contact sexuel.
Urétrite non gonococcique	Urétrite aiguë ou subaiguë, accompagnée ou non de dysurie ou d'un faible écoulement urétral (et plus, chez la femme, cystite, vulvovaginite ou cervicite amicrobienne). Réservoir : Homme. Transmission : directe.
Trachome	Conjonctivite évoluant progressivement vers une kérato-conjonctivite accompagnée de troubles plus ou moins marqués de la vision et pouvant aller jusqu'à la cécité. Réservoir : Homme. Transmission : interhumaine (par contact direct ou indirect).
Chlamydia psittaci Ornithose et psittacose	Infections animales pouvant affecter l'Homme. Elles se manifestent notamment par de la fièvre, une pneumonie atypique, des troubles intestinaux et des atteintes hépatiques. Des complications cardiaques, neurologiques et rénales peuvent survenir. Réservoir : oiseaux (perroquets, perruches pour la psittacose; oiseaux sauvages, volailles et pigeons pour l'ornithose). Transmission : par voie respiratoire (inhalation des poussières contaminées provenant d'excréments d'oiseaux malades).
MYCOPLASMES	
Mycoplasma pneumoniæ Pneumonie atypique primaire	Malaise général, état fébrile, maux de tête, arthralgies, frissons, toux. Réservoir : Homme. Transmission : interhumaine.
Ureaplasma urealyticum Urétrite	Inflammation de l'urètre.

16.5 RÉSUMÉ

Le pouvoir pathogène des bactéries repose principalement sur la sécrétion de toxines et d'enzymes à pouvoir hydrolytique. Les toxines nécrosent les tissus ou perturbent les activités physiologiques essentielles de l'hôte. On distingue deux catégories de toxines : les exotoxines et les endotoxines. Les premières sont des métabolites produits au cours de la vie des bactéries. Elles sont caractérisées par leur nature protéique, leur thermolabilité, leur transformation en anatoxine et leur spécificité d'action vis-à-vis de cellules ou d'organes cibles. Les exotoxines perturbent les activités cellulaires ou augmentent le pouvoir d'invasion des parasites en favorisant leur dispersion dans les tissus profonds ou en leur permettant d'échapper aux défenses de l'hôte. Les endotoxines sont des constituants cellulaires bactériens libérés à la mort des bactéries. Elles sont thermostables et ne forment pas d'anatoxines. Elles sont peu spécifiques et causent des chocs toxiques, des syndromes graves caractérisés par des troubles vasomoteurs et des troubles de la coagulation.

LECTURES SUGGÉRÉES

Bizzini, B. et A. Turpin. « Les toxines bactériennes ». *La recherche*, vol. 7, n° 67 (mai 1976), p. 444-451.

Braude, A. I. *Medical Microbiology and Infectious Diseases*. Philadelphie, W. B. Saunders Co., 1981, 1935 p.

Comiti, V. C. « Les maladies d'autrefois ». *La recherche*, vol. 11, n° 115 (octobre 1980), p. 1044-1053.

Couture, B. *Bactériologie médicale*. Montréal, Décarie, 1990, 376 p.

Duchatel. B. « La toxine de la coqueluche et du charbon ». *La recherche*, vol. 18, n° 193 (novembre 1987), p. 1403-1404.

Fleurette, J. « La maladie des légionnaires ». *La recherche*, vol. 14, n° 141, (février 1983), p. 146-155.

Habicht, G., Beck, G. et J. Benach. « La maladie de Lyme ». *Pour la science*, n° 119 (septembre 1987), p. 48-54.

Jawetz, E., Melnick, J. L., Adelberg, E. A., Brooks, G. F., Butel, J. S. et L. N. Ornston. *Medical Microbiology*. 18e éd., Norwalk, Appleton/Lange, 1989, 592 p.

Joklick, W. K., Willet, H. P. et D. B. Amos. *Zinsser Microbiology*. 18e éd., Norwalk, Appleton-Century-Crofts, 1984, 1316 p.

Lecocq, A.L. « Une enzyme responsable de la virulence bactérienne ». *La recherche*, vol. 14, n° 145 (juin 1983), p. 848-849.

Mills, J. et H. Masur. « Les infections opportunistes du SIDA ». *Pour la science*, n° 156 (octobre 90), p. 72-79.

Pechère, J.-C., *et all. Reconnaître, comprendre, traiter les infections*. 2e éd., Paris, St-Hyacinthe, Maloine, 1983, 819 p.

Revillard, J.-P. « Écologie moléculaire des interactions hôtes-agents infectieux ». *Médecine sciences*, vol. 6, supplément au n° 7 (août 1990), p. 31-39.

Sansonetti, P. « Stratégie d'infection des cellules épithéliales par les bactéries invasives, étude du modèle *Shigella. Médecine sciences*, vol. 6, supplément au n° 7 (août 1990), p. 40-46.

Sansonetti, P. « Déterminants de virulence chez les bacilles à Gram négatif ». *Médecine sciences*, vol. 3, n° 2 (février 1987), p. 68-74.

Spira, A. et A. Messiah. « Les maladies sexuellement transmissibles ». *La recherche*, vol. 20, n° 213 (septembre 1989), p. 1086-1097.

Youmans, G. P., *et all. The Biological and Clinical Basis of Infectious Diseases*. 3e éd., Philadelphie, W. B. Saunders, 1985, 843 p.

chapitre **17**

viroses

17.1 INTRODUCTION

Les virus sont des parasites intracellulaires obligatoires. Par leur présence et leurs activités dans les cellules parasitées, ils constituent des agents pathogènes redoutables. En effet, la multiplication virale entraîne, dans les cellules infectées, de graves perturbations métaboliques responsables d'effets cytopathologiques, ce qui cause parfois la mort de la cellule. Ces perturbations cellulaires peuvent à leur tour altérer des activités physiologiques essentielles, provoquer la mort de l'individu ou laisser des séquelles invalidantes permanentes.

Les virus s'attaquent à tous les êtres vivants, et les humains ne font pas exception. Selon les virus qui les provoquent, les maladies peuvent être bénignes ou graves, voire mortelles. D'ailleurs, ces infections constituent à l'heure actuelle une partie importante de la morbidité et de la mortalité infectieuse humaine. Il ne faut pas oublier que l'on peut mourir de la grippe et que, sur le continent africain, des dizaines de milliers d'enfants meurent chaque année de la rougeole ou de ses complications. En Amérique, on connaît les ravages que cause le virus de l'immunodéficience humaine depuis quelques années.

Dans ce chapitre, nous traiterons des caractéristiques propres aux infections virales. Nous commencerons par décrire brièvement les éléments du pouvoir pathogène des virus et du pouvoir cancérogène de certains d'entre eux. Lorsque nous aurons indiqué comment les virus réussissent à se propager dans l'organisme, nous dresserons une brève revue des principales maladies infectieuses causées par cette catégorie d'agents pathogènes.

17.2 POUVOIR PATHOGÈNE DES VIRUS

Le pouvoir pathogène des virus repose directement sur leur parasitisme intracellulaire : ils in-

fectent les cellules et les tuent soit en les détournant de leurs activités normales, soit en les faisant éclater. Outre ces effets cytopathiques observées au cours des infections virales proprement dites, certains virus semblent dotés d'un pouvoir cancérogène.

17.2.1 EFFETS CYTOPATHOLOGIQUES

Les principaux effets cytopathologiques des virus sont :

– le blocage de la synthèse des protéines cellulaires, ce qui rompt plus ou moins gravement l'équilibre cellulaire;

– l'action cytopathique des protéines virales sur la cellule;

– l'autolyse cellulaire, causée par la destruction des structures cellulaires sous l'action des enzymes lysosomiales rejetées dans le cytoplasme;

– les modifications de la perméabilité de la membrane cytoplasmique;

– la formation de corps d'inclusion qui résultent de l'accumulation de virions à l'intérieur de la cellule;

– la formation de cellules géantes (syncytium) par suite de la fusion des membranes cytoplasmiques des cellules avoisinantes;

– l'hémolyse causée par les hémolysines virales;

– la présence d'aberrations chromosomiques, qui se traduit par la présence de chromosomes brisés ou sectionnés.

Comme toutes les autres infections, les infections virales se caractérisent par l'installation d'une réaction inflammatoire et d'une fièvre plus ou moins marquée. La période d'état est marquée par l'apparition de symptômes cliniques spécifiques. Notons toutefois que ces signes cliniques sont souvent moins précis que ceux que l'on observe au cours des infections bactériennes. Par exemple, le syndrome hépatique observé au début d'une infection virale peut être causé par le virus de l'hépatite A, par celui de l'hépatite B, mais aussi par celui de la fièvre jaune. Il en est de même pour plusieurs infections virales qui se manifestent par des éruptions cutanées et pour celles qui se traduisent par des manifestations pulmonaires (adénovirus, myxovirus, virus respiratoire syncytial) et par une déficience des fonctions assurées habituellement par les organes lésés.

17.2.2 EFFETS CANCÉROGÈNES

En plus d'être infectieux, certains virus sont dotés de pouvoir cancérogène. Il s'agit de virus à ARN, qui ne détruisent pas les cellules hôte après leur réplication intracellulaire.

Le mécanisme par lequel ces virus interviennent dans le développement des cancers est encore très mal connu. Dans certains cancers, il existe une forte corrélation entre la présence de ces virus dans les cellules et plusieurs dérèglements des activités cellulaires, tout particulièrement le contrôle génétique. Par leur simple présence, ces virus exerceraient un pouvoir transformant : ils provoqueraient le déblocage de certains gènes normalement réprimés, c'est-à-dire muets, chez l'adulte. Ils pourraient aussi provoquer la rupture de fragments de chromosomes et des réarrangemments anormaux. De tels accidents auraient été observés dans le cas du développement du lymphome de Burkitt.

Comme on le sait, les virus ne sont pas les seuls agents cancérogènes. On trouve aussi des agents chimiques (dont font partie les goudrons) et des agents physiques comme les radiations ionisantes. Comme tous ces agents provoquaient les mêmes effets sur les cellules, on en est venu à proposer une théorie unitaire du cancer. Précisons pour le moment que, selon cette théorie, la cancérisation cellulaire serait provoquée par le déblocage de certains gènes cellulaires. Ce déblocage, que l'on appelle dérépression, causerait la désorganisation de l'activité des gènes dans les cellules saines, ce qui entraînerait des perturbations des activités métaboliques.

Depuis ces découvertes, on tend de plus en plus à associer virus et cancer, et à parler de cancérogenèse virale, même si on ne peut encore établir un lien irréfutable de cause à effet. À l'heure actuelle, cependant, on dispose de suffisamment de données pour établir un lien entre certains virus et un certain nombre de cancers humains. On peut distinguer les virus responsables de tumeurs bénignes de ceux qui sont responsables des tumeurs malignes qui dégénèrent en cancer.

Parmi les agents des tumeurs bénignes, on connaît :

– les papillomavirus, qui causent notamment l'apparition de verrues (cutanées, plantaires ou planes, de papillomes laryngés et des condylomes ano-génitaux);
– certains poxvirus, dont celui du *Molluscum contagiosum*, une maladie transmissible sexuellement[1].

Tous ces virus ont pour propriété d'être contagieux et de se transmettre par contact indirect ou direct (le rôle de l'eau des piscines dans la transmission des verrues est bien connu) ou exclusivement par contact direct (condylomes, *Molluscum*).

La liste des virus cancérogènes (oncogènes) appartenant au second groupe ne cesse de s'allonger. On y classe maintenant :

– le virus d'Epstein-Barr, responsable du lymphome de Burkitt et du cancer du naso-pharynx;
– les virus HTLV (*Human T Cell Leukemia Virus*), des rétrovirus qui sont responsables d'une forme particulière de leucémie et qui s'attaquent aux lymphocytes T;

---

1. Le *Molluscum contagiosum* est une affection cutanée qui siège surtout dans la région ano-génitale et qui se traduit par la formation de petites élevures rosées, de la taille d'une perle, dont le sommet est creusé par une petite dépression.

– le virus de l'hépatite B, qui s'intègre dans le génome humain et qui cause le cancer primitif du foie (hépatocarcinome);
– le virus herpès simplex type 2, vraisemblablement à l'origine du cancer du col de l'utérus;
– certains papillomavirus associés au développement de cancers de la peau et du col utérin;
– le cytomégalovirus et le sarcome de Kaposi, un cancer du tissu conjonctif que l'on observe principalement chez les personnes souffrant du syndrome d'immunodéficience acquise.

17.3 PORTES D'ENTRÉE DES INFECTIONS VIRALES

Les virus profitent de différentes portes d'entrée pour pénétrer dans l'organisme, mais l'appareil respiratoire et l'appareil digestif représentent les deux plus importantes. L'effraction cutanée, qui survient après un traumatisme de la peau (coupure, morsure), et la voie parentérale par suite de l'inoculation du virus dans le sang peuvent également servir de portes d'entrée. Enfin, les voies génitales sont empruntées par certains virus qui nécessitent des contacts intimes : herpès, hépatite B ou VIH. Le tableau 17.1 indique les portes d'entrée privilégiées de quelques virus.

Lorsqu'ils pénètrent par inhalation ou par ingestion, les virus se multiplient d'abord dans le pharynx. Ils gagnent le tube digestif, s'ils sont des virus nus, ou l'appareil respiratoire, s'ils sont des virus à enveloppe. Ils se multiplient à la surface des muqueuses avant de gagner le sang, puis les organes ou les tissus à l'égard desquels ils présentent de grandes affinités.

Le virus de la poliomyélite illustre bien la propagation des virus dans l'organisme. Transporté par l'eau, ce virus pénètre dans l'organisme par la voie digestive et se multiplie dans les cellules épithéliales de l'intestin. Il traverse ensuite la barrière intestinale et, transporté par le sang,

Tableau 17.1
Portes d'entrée de quelques virus.

PORTES D'ENTRÉE	EXEMPLES
Digestive	Poliovirus Cytomégalovirus Adénovirus Virus d'Epstein-Barr Herpesvirus Virus de l'hépatite B Virus de l'hépatite A Entérovirus Rotavirus Agents de type Norwalk
Respiratoire	Virus varicella-zoster Rhinovirus Virus Influenza Virus Parainfluenza Virus ourlien (oreillons) Virus de la rubéole Virus de la rougeole Entérovirus (gastro-entérites) Coronavirus
Transcutanée	Herpesvirus Papillomavirus (verrues) Virus de l'hépatite B Virus de l'hépatite non A - non B Arbovirus (fièvre jaune) Virus de la rage
Parentérale	Virus de l'hépatite B Virus de l'hépatite non A - non B Cytomégalovirus Virus de l'immunodéficience humaine
Génito-urinaire	Herpesvirus Cytomégalovirus Virus de l'hépatite B Papillomavirus Virus de l'immunodéficience humaine
Oculaire	Adénovirus Entérovirus des conjonctivites Virus de la rougeole Virus de la rage Agent de la maladie de Creutzfeldt-Jacob (consécutive à la greffe de la cornée)

gagne le système nerveux. Il s'installe alors dans les neurones de la corne antérieure de la moelle épinière, où il cause des troubles neurologiques plus ou moins graves et plus ou moins durables selon les individus et la gravité de l'atteinte virale.

17.4 PROPAGATION DES VIRUS DANS L'ORGANISME

Les virus disposent de trois principaux modes de propagation dans l'organisme (figure 17.1). Ils passent d'une cellule à une autre :

- Par propagation directe, en traversant la membrane cytoplasmique au niveau de structures particulières, les desmosomes et les jonctions serrées, ou en profitant de la fusion des membranes cytoplasmiques. Les cellules voisines forment alors des syncytiums (cellules géantes). C'est ainsi que se propagent notamment le cytomégalovirus, le virus d'Epstein-Barr, le virus Varicella-Zoster. Ces virus ne séjournent pas dans le milieu extracellulaire.
- Par propagation indirecte, en empruntant le milieu extracellulaire. Les virus passent d'une cellule à l'autre après un bref séjour dans le milieu extracellulaire où ils ont été jetés au moment de la lyse cellulaire. Les adénovirus et le virus de l'influenza se propagent de cette manière.
- Par propagation nucléaire. Les virus sont intégrés dans le génome cellulaire. Comme les autres informations génétiques, ils sont transmis aux cellules filles au cours de la mitose. C'est ainsi que se propage le virus de l'immunodéficience humaine.

17.5 PRINCIPALES INFECTIONS VIRALES

Les maladies virales occupent une place prépondérante dans la mobilité et la mortalité infec-

a) Propagation directe

Passage à travers la membrane cytoplasmique

Fusion des membranes cytoplasmiques

b) Propagation par le milieu extracellulaire

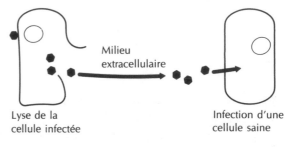
Milieu extracellulaire

Lyse de la cellule infectée

Infection d'une cellule saine

c) Propagation nucléaire

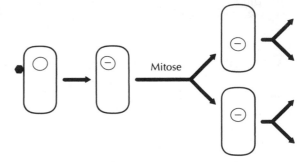
Mitose

Figure 17.1
Modes de propagation cellulaire des virus.

tieuse. Elle sont d'autant plus redoutables qu'il n'existe pas encore de médicaments antiviraux efficaces.

Par souci de simplicité et de clarté, nous avons regroupé les viroses en neuf groupes selon les syndromes qui les caractérisent :

– des viroses à manifestations respiratoires;
– des viroses à syndrome grippal;
– des viroses à manifestations intestinales;
– des viroses à syndrome hépatique;
– des viroses à manifestations neurologiques;
– des viroses éruptives;
– des viroses affectant le système immunitaire;
– des viroses responsables des fœtopathies;
– des fièvres hémorragiques.

Nous présenterons dans l'ordre les sept premiers, tout en traitant les deux autres succinctement. Nous avons réservé une place importante au SIDA.

17.5.1 VIROSES À MANIFESTATIONS RESPIRATOIRES

Les virus atteignent l'appareil respiratoire supérieur et inférieur. Dans le premier cas, ils causent des rhinites, des pharyngites et des laryngites. Ces affections virales représentent environ 90 à 95 % de toutes les infections des voies respiratoires supérieures. Dans le second, leur présence entraîne diverses pneumopathies. Dans un cas comme dans l'autre, les virus responsables d'affections respiratoires se multiplient dans les cellules épithéliales et les détruisent.

RHINITES ET PHARYNGITES

Les rhinites et les pharyngites sont causées par les rhinovirus, les virus parainfluenza et les coronavirus. Généralement bénignes, ces affections des voies respiratoires supérieures sont marquées par l'inflammation de la muqueuse tapissant le nez, le cavum et le pharynx. Il ne semble pas y avoir de destruction cellulaire importante. L'inflammation cause des éternuements, une sensation de picotements oculaires. Surviennent ensuite un écoulement abondant (rhinorrhée), puis une obstruction nasale et une toux sèche. Quant à la laryngite, elle est marquée par l'inflammation de la muqueuse du larynx, soit au

niveau de la glotte, soit au niveau de la trachée. Elle se manifeste d'abord et principalement par de la toux, ensuite par l'extinction de voix.

Le rhume est une affection de la vie moderne. Il n'a jamais été aussi fréquent que depuis que les maisons bénéficient du chauffage central. La sécheresse et le confinement de l'air sont deux facteurs importants. Le faible taux hygrométrique dessèche les muqueuses et les rend plus sensibles au virus. Quant au confinement, il en facilite la transmission. À ce propos, rappelons que le virus du rhume se transmet autant par les sécrétions rhyno-pharyngées mises en suspension dans l'air lorsque les gens malades éternuent ou se mouchent que par l'intermédiaire des mains ou des objets qu'ils ont touchés. C'est pourquoi le lavage systématique des mains est une façon très efficace de prévenir la propagation du rhume.

Les bronchites et bronchiolites virales sont causées par l'inflammation de la muqueuse recouvrant les bronches et les bronchioles. Elles se traduisent notamment par la toux.

PNEUMOPATHIES

Le terme de pneumopathies désigne l'ensemble des affections du poumon causant des broncho-alvéolites, qui se manifestent principalement par de la fièvre, des maux de tête, des douleurs thoraciques et des manifestations respiratoires discrètes, notamment une toux produisant peu d'expectorations. Notons que ces expectorations ne sont pas purulentes.

Parmi les virus responsables de ces pneumopathies, mentionnons le virus respiratoire syncytial qui cause des pneumonies graves, parfois mortelles, principalement chez les enfants de six mois à un an.

Les infections virales conduisent souvent à des surinfections secondaires par suite de la destruction de l'épithélium ciliaire tapissant les muqueuses respiratoires. Le tableau 17.2 groupe les principales infections à porte d'entrée respiratoire.

OREILLONS

À proprement parler, les oreillons ne constituent pas une maladie respiratoire. Toutefois, les manifestations les plus visibles de la maladie et la porte d'entrée respiratoire du virus justifient de son étude avec les viroses qui affectent l'appareil respiratoire supérieur.

Les oreillons sont une maladie de l'enfance causée par un paramyxovirus. La virose est généralisée, mais elle se remarque surtout par la tuméfaction des glandes salivaires, en particulier des parotides. En général, la maladie régresse d'elle-même mais, dans 2 % des cas environ, elle se complique d'une pancréatite, d'une encéphalite ou d'une atteinte des testicules et des ovaires toujours susceptible de causer la stérilité.

Le virus des oreillons se transmet par contact direct et indirect. La salive, des sécrétions rhynopharyngées ou les objets contaminés par des enfants malades sont les principaux agents de la transmission.

La guérison spontanée entraîne une immunité définitive. Il n'y a pas de médicaments pour traiter les oreillons mais, depuis quelques années, il existe un vaccin efficace[1].

17.5.2 VIROSES À SYNDROME GRIPPAL

La grippe est la principale virose à syndrome grippal dont nous traiterons dans cette section. Cependant, on peut aussi classer dans ce groupe les affections causées par les adénovirus, les coronavirus, les virus Coxsackie, les Echovirus et les virus parainfluenza.

---

1. Voir le chapitre 22, qui traite de la prophylaxie des maladies infectieuses.

Tableau 17.2
Principales infections respiratoires virales.

VIRUS	AFFECTIONS
APPAREIL RESPIRATOIRE SUPÉRIEUR	
Rhinovirus	Principale cause des rhumes de cerveau
Coronavirus	Rhinopharyngite chez l'adulte et l'enfant
Paramyxovirus	Oreillons
Adénovirus humains	Laryngites accompagnées d'état fébrile et d'adénopathies
Virus Parainfluenza	Laryngites
Virus Coxsackie	Herpangine
Virus Epstein-Barr	Angine de la mononucléose infectieuse
APPAREIL RESPIRATOIRE INFÉRIEUR	
Virus Influenza	Grippe
Virus respiratoire syncytial	Bronchiolites aiguës du nourrisson
Morbillivirus	Rougeole (maladie à symptômes cutanés ou muqueux, mais aussi marquée par de la toux)
Cytomégalovirus	Pneumopathies chez les personnes immunodéprimées
Virus de la varicelle	Pneumopathies chez les personnes immunodéprimées, les nouveau-nés et les adultes malades

La grippe est causée par des virus du groupe des myxovirus. Il en existe trois types : A, B et C. Les virus de type A sont les plus virulents et sont responsables des grippes les plus graves et de grandes épidémies, voire des pandémies, que l'on observe régulièrement. Les épidémies causées par les virus du groupe B sont moins étendues et moins graves, et celles du groupe C n'entraînent que des cas sporadiques.

Les virus de la grippe présentent une grande variabilité antigénique, ce qui explique que l'on n'est jamais protégé contre les nouvelles souches virales qui apparaissent régulièrement.

D'apparition brutale, le début du syndrome grippal est marqué par une fièvre élevée, des maux de tête, des courbatures et un abattement général. Surviennent ensuite des manifestations respiratoires, notamment la congestion broncho-pulmonaire.

Les personnes en bonne santé guérissent en quelques jours, mais, pour les personnes fragiles, la grippe est une maladie redoutable, voire mortelle, par les complications qu'elle entraîne. Ces complications se présentent notamment chez les personnes âgées, chez les personnes qui souffrent de problèmes respiratoires, de problèmes cardiaques et de malnutrition. Au risque de surinfections bactériennes, en particulier les pneumonies causées par *Streptococcus pneumoniæ* ou *Hæmophilus influenzæ*, s'ajoute le syndrome de Reye.

Affectant principalement les enfants et les jeunes adolescents, ce syndrome est peu fréquent mais très grave. On évalue à près de 90 % le nombre de personnes atteintes de la forme fatale du syndrome. Celui-ci survient sous forme d'une encéphalopathie caractérisée par son apparition brutale, par des crises convulsives, par des troubles de la conscience, par un état comateux, par des vomissements, etc. On note aussi une atteinte hépatique. Encore très mal connu, le syndrome de Reye est causé par plusieurs virus dont le virus B de la grippe, le virus de la varicelle, de la rougeole, le virus parainfluenza, les entérovirus et les adénovirus. Il n'est pas impossible que l'apparition de ce syndrome soit reliée à la prise de médicaments antipyrétiques (acide acétylsalicylique, acétaminophen, etc.) utilisés pour faire tomber la fièvre.

La grippe est une maladie hautement contagieuse. Elle se transmet par l'intermédiaire des sécrétions rhyno-pharingées. Son incubation ne dépasse pas deux à trois jours, ce qui explique la rapidité quasi explosive avec laquelle apparaissent les épidémies. L'Homme est le principal réservoir des virus. On trouve aussi les virus chez certains animaux homéothermes, notamment le porc et le canard, mais le rôle de ces animaux dans l'épidémiologie de la grippe n'est pas encore très clair. Certains auteurs considèrent que ces animaux jouent surtout le rôle de foyers de recombinaison d'où sortent des virus recombinés très différents.

Cette maladie présente un effet social saisonnier notoire en immobilisant parfois jusqu'à 30 ou 40 % de la population. Chaque année, aux États-Unis, la grippe cause l'hospitalisation de 30 millions de personnes et cause la mort d'environ 70 000 d'entre elles.

Depuis quelques années, on dispose d'un médicament et d'un vaccin pour lutter contre cette maladie. Ce médicament est l'amantadine. Ce produit ne bénéficie pas encore d'une large distribution, car il ne guérit pas la grippe et n'élimine pas les virus, à proprement parler : il agit en bloquant la réplication virale et ne fait que réduire la gravité de l'infection s'il est consommé au moment de l'incubation.

Bien qu'il ne soit pas efficace à 100 % et ne confère pas une immunité absolue, le vaccin antigrippal connaît une certaine faveur. On l'utilise surtout chez les personnes à risque, c'est-à-dire les personnes déjà mentionnées, les professionnels de la santé et les autres catégories de personnes travaillant avec le public. Certaines personnes vaccinées développent le syndrome de Guillain-Barré, principalement marqué de douleurs musculaires, de faiblesse et de diverses manifestations neurologiques pouvant aller jusqu'à une paralysie irréversible.

17.5.3 VIROSES À MANIFESTATIONS INTESTINALES

La plupart des infections virales intestinales sont sans gravité et disparaissent spontanément en quelques jours. Les virus responsables sont résistants et franchissent l'estomac sans être endommagés par l'acidité gastrique. À l'exception des coronavirus, ils sont dépourvus d'enveloppe. Le principal lieu de multiplication des entérovirus est l'épithélium de la muqueuse intestinale. Cependant, la plupart d'entre eux se multiplient d'abord dans le pharynx. Lorsqu'ils parviennent dans les entérocytes et s'y multiplient, les entérovirus perturbent les activités des entérocytes, ce qui se traduit le plus souvent par des diarrhées, des vomissements et de la fièvre. Si l'on peut parer au danger de déshydratation, ces affections sont presque toujours bénignes. Quand les complications surviennent, elles affectent principalement le système nerveux.

L'Homme constitue le seul réservoir d'agents pathogènes. La transmission contagieuse s'effectue directement ou indirectement. Dans le premier cas, la transmission est interhumaine par la voie rhino-pharyngée ou la voie digestive, par infection transmise par les mains sales. Dans le second, elle est réalisée par l'intermédiaire d'eau ou d'aliments contaminés. L'eau est souvent responsable, en particulier celle des rivières et des lacs pollués par les baigneurs ou par les égouts qui s'y déversent[1].

Les principaux agents des entéroviroses sont les rotavirus, l'agent de Norwalk et les entérovirus. Le rôle des coronavirus, des calicivirus et des astrovirus n'est pas encore confirmé hors de tout doute.

Les seuls virus responsables d'affections graves sont les poliovirus, à cause des complications

qu'ils créent après avoir franchi la barrière intestinale pour pénétrer dans le sang (virémie). De là, ils traversent la barrière hémato-méningée pour atteindre le système nerveux central. Les principales manifestations cliniques alors observées sont des paralysies causées par la présence des virus dans les neurones des cornes antérieures de la moelle épinière. Les poliovirus peuvent aussi se localiser dans certains noyaux des nerfs crâniens.

La plupart du temps, la poliomyélite est inapparente et les formes paralytiques de la poliomyélite ne représentent qu'un très faible pourcentage de la maladie.

17.5.4 VIROSES À SYNDROME HÉPATIQUE

Plusieurs virus sont responsables d'hépatites, des affections qui se manifestent principalement par une inflammation aiguë du tissu hépatique. L'hépatite est fréquemment accompagnée d'ictère. Aussi connu sous le nom de jaunisse, en raison de la pigmentation jaune de la peau et de la conjonctive, l'ictère résulte de l'accumulation de bilirubine dans les tissus. La bilirubine est un sous-produit de la dégradation de l'hémoglobine produite dans le foie.

Il existe au moins quatre types d'hépatites : l'hépatite A, l'hépatite B et deux hépatites dites non A - non B, beaucoup moins bien connues que les deux premières.

Le cycle infectieux des hépatites peut être divisé en quatre étapes :

– l'incubation, de durée variable selon le virus en cause. Elle est de 30 à 40 jours (15 à 50 jours) pour le virus A et de 60 jours (50 à 180 jours) pour le virus B. On ne connaît pas la durée d'incubation des hépatites non A – non B;

– la phase préictérique, commune à toutes les hépatites virales, d'environ une semaine, mar-

---

1. Ce qui explique pourquoi la poliomyélite est une épidémie saisonnière.

quée par de la fièvre, des douleurs abdominales, des nausées et un manque d'appétit;
- la phase ictérique, qui dure environ trois mois. Le début de la phase ictérique coïncide avec l'augmentation de la concentration sérique des enzymes hépatiques;
- la convalescence, qui prend de trois mois à un an, au cours de laquelle le foie se régénère progressivement.

HÉPATITE A

L'hépatite A, aussi qualifiée d'hépatite infectieuse, est causée par l'entérovirus 72, une variété d'entérovirus à ARN. Elle se transmet essentiellement par voie fécale-orale par l'intermédiaire d'aliments contaminés (en particulier les fruits de mer) ou souillés au moment de leur préparation, par l'intermédiaire de la vaisselle mal lavée et par les mains sales. Le virus de l'hépatite A est exceptionnellement résistant à l'exposition au froid et à la chaleur.

L'hépatite A se diagnostique par la mise en évidence des antigènes du virus présent dans le sang ou par celle des anticorps dirigés contre eux. À l'heure actuelle, il n'existe pas de médicaments ni de vaccin pour traiter ou prévenir l'hépatite A. Le contrôle de l'hépatite A repose sur la mise en œuvre ou le respect des mesures d'hygiène élémentaires, de la salubrité publique et du contrôle de la qualité des aliments. Depuis quelques années, l'hépatite A semble en recrudescence, notamment dans les institutions pour personnes âgées et dans les garderies.

HÉPATITE B

L'hépatite B est causée par un virus du groupe des hépadnavirus. Ce virus est notamment caractérisé par un antigène de surface particulier appelé HBsAg (*Hepatitis B Surface Antigen*), ou antigène Australia.

L'hépatite B est plus longue à guérir que l'hépatite A. Elle peut devenir chronique et il semble exister, par ailleurs, une forte corrélation entre cette forme d'hépatite et le cancer primitif du foie. Cette hépatite se transmet principalement par voie sanguine et par voie sexuelle. Dans une certaine mesure, elle peut être considérée comme une maladie professionnelle du personnel hospitalier qui manipule le sang et ses dérivés.

Le diagnostic de l'hépatite B est principalement fondé sur la recherche des antigènes HBs. Il n'existe pas de médicaments, mais un vaccin produit par recombinaison génétique est sur le marché depuis quelques années. L'hépatite B est toutefois en recrudescence chez certains groupes à risque élevé, notamment les toxicomanes qui échangent des seringues.

17.5.5 VIROSES À MANIFESTATIONS NEUROLOGIQUES

Le système nerveux est la cible d'un certain nombre de virus responsables de méningites et d'encéphalites. Le cerveau, le cervelet ou le tronc cérébral peuvent être atteints. Selon le territoire de l'encéphale touché par les virus, les symptômes varieront des troubles de la conscience et des crises convulsives aux troubles moteurs. La mortalité est relativement élevée et les complications sont fréquentes.

Une bonne part des méningites est causée par le virus des oreillons. Les autres agents responsables de méningites sont les entérovirus, les arbovirus, le virus de la chorioméningite lymphocytaire et le virus herpès simplex (au cours de la primo-infection génitale).

On distingue généralement les encéphalites aiguës et les encéphalites progressives (tableau 17.3). Les encéphalites causées par les virus de la rage, de l'herpès, de la varicelle, par les arbovirus, les entérovirus, les adénovirus et le cytomégalovirus font partie des encéphalites aiguës. Les virus de la rougeole, de la rubéole et de

Tableau 17.3
Viroses à manifestations neurologiques.

AFFECTIONS	VIRUS
Méningites	Oreillons
	Echovirus
	Entérovirus
	Poliovirus
	Arbovirus
	Virus de la chorioméningite lymphocytaire
	Virus herpès
Encéphalites	Rage
	Virus herpès
	Arbovirus
	Oreillons
	Rubéole
	Rougeole
	Epstein-Barr
	Cytomégalovirus
	Varicelle
Syndrome de Reye	Virus B de la grippe
	Varicelle
	Virus parainfluenzæ
	Adénovirus

Tableau 17.4
Définition des termes relatifs aux viroses éruptives[1].

TYPE D'ÉRUPTION	DÉFINITION
Macule	Tache rouge de dimensions variables, ne faisant pas de saillie notable à la surface des téguments et disparaissant momentanément à la pression du doigt.
Papule	Lésion élémentaire de la peau caractérisée par une élevure solide, de forme variable (conique, hémisphérique, à facette), de couleur rose, rouge ou plus rarement brune, formée par une infiltration de la couche superficielle du derme et disparaissant au bout d'un certain temps sans laisser de cicatrice.
Pustule	Lésion de la peau consistant en un soulèvement circonscrit de l'épiderme et contenant un liquide purulent.
Vésicule	Lésion élémentaire de la peau consistant en un soulèvement circonscrit de l'épiderme et contenant une sérosité transparente.

1. Définitions tirées de Garnier, M. et V. Delamare. *Dictionnaire des termes techniques de médecine*. Paris, Maloine, 1985.

Creuztfeldt-Jakob sont des encéphalites progressives. À ces manifestations neurologiques s'ajoutent le syndrome de Reye et le syndrome de Guillain-Barré, dont nous avons déjà fait mention.

17.5.6 VIROSES ÉRUPTIVES

Les viroses éruptives sont des viroses généralisées. On distingue habituellement les éruptions maculeuses ou maculo-papuleuses et les éruptions vésiculeuses ou pustuleuses. Le tableau 17.4 définit ces quatre termes importants. Ces taches particulières sont causées par l'accumulation de complexes antigène-anticorps sous la peau.

Le tableau 17.5 groupe les principales viroses éruptives. Signalons qu'outre ces virus de nombreux autres sont à l'origine de manifestations éruptives : les virus Coxsackie, les Echovirus, le cytomégalovirus, le virus d'Epstein-Barr, le virus de l'hépatite B et le virus respiratoire syncytial.

Notons que les virus de la rubéole et le cytomégalovirus peuvent traverser le placenta et causer des affections congénitales, alors que ceux de la varicelle et de l'herpès peuvent entraîner des infections périnatales graves[1].

1. Pour cette raison, les femmes souffrant d'herpès génital sont généralement accouchées par césarienne, de manière à éviter la contamination qui pourrait survenir lors de l'expulsion.

Tableau 17.5
Principales viroses éruptives.

ÉRUPTIONS MACULO-PAPULEUSES	ÉRUPTIONS VÉSICULO-PUSTULEUSES
Rougeole	Herpès
Rubéole	Varicelle-Zona
Cytomégalovirus	Coxsackie A
Virus respiratoire syncytial	Variole
Hépatite B	Vaccine
Adénovirus	
Entérovirus	

17.5.7 VIROSES AFFECTANT LE SYSTÈME IMMUNITAIRE

Parmi les viroses qui affectent le système immunitaire, il faut en mentionner deux : la mononucléose infectieuse et le syndrome de l'immunodéficience acquise.

MONONUCLÉOSE INFECTIEUSE

La mononucléose infectieuse est causée par le virus d'Epstein-Barr. Elle résulte de la prolifération anarchique des lymphocytes et des monocytes.

Cette maladie survient surtout chez les adolescents. En plus de la présence d'anticorps spécifiques dans le sang, on peut diagnostiquer la mononucléose infectieuse par :

- un malaise général accompagné de fièvre, de courbature et d'une fatigue intense;
- une angine érythémateuse, pseudo-membraneuse ou ulcéreuse;
- des adénopathies, principalement au niveau des ganglions de la base du cou (sous-cervicaux et adéno-maxillaires).

La mononucléose infectieuse est une maladie exclusive à l'Homme. Elle se transmet directement par l'intermédiaire de la salive. Elle survient surtout en Amérique du Nord et en Europe. Il n'existe pas de traitement spécifique ni de vaccin. En général, la maladie ne laisse pas de séquelles. Il faut cependant signaler que le virus d'Epstein-Barr semble intervenir dans le cancer du naso-pharynx et dans le lymphome de Burkitt. Le premier est observé fréquemment en Asie, le second en Afrique. L'un et l'autre sont pratiquement inconnus en Occident. On ne peut encore expliquer la répartition inusitée de ces deux cancers.

SYNDROME D'IMMUNODÉFICIENCE ACQUISE

Le syndrome d'immunodéficience acquise est causé par un virus qui s'attaque au système immunitaire. Le sujet immunodéficient devient vulnérable à des microorganismes habituellement inoffensifs. Privé de tout moyen de défense, l'individu meurt bien plus des conséquences de la présence du virus que par son action directe.

L'immunodéficience n'est pas la seule manifestation de la présence du virus. Il est établi maintenant que le VIH est associé à certaines maladies du système nerveux central. Le virus de l'immunodéficience humaine peut être détecté dans le cerveau et dans la moelle épinière de certains malades qui souffrent, à des degrés divers, de dépression, de démence, d'affections ressemblant à la sclérose en plaques, etc.

À l'heure actuelle, on ne connaît pas avec précision le nombre réel de cas de SIDA déclarés, sauf pour les pays occidentaux où l'on peut obtenir des statistiques complètes et fiables. De plus, il faut garder présent à l'esprit que les personnes atteintes de la maladie ne représenteraient qu'environ 10 % des personnes infectées par le virus.

À la fin de 1991, on avait rapporté dans le monde près de 380 000 cas de SIDA (tableau 17.6). À elles seules, les Amériques en comptent plus de 200 000, mais il est probable que les statistiques transmises par la plupart des pays africains sous-évaluent le nombre réel de cas.

Les statistiques permettent de constater qu'en Amérique du Nord, plus de 90 % des malades

Tableau 17.6
Répartition globale des cas rapportés de SIDA.

CONTINENTS	NOMBRE DE CAS
Afrique	92 222
Amériques	229 069
Asie	1 088
Europe	52 602
Océanie	2 836
TOTAL	377 817

sont des hommes homosexuels ou bisexuels, que leur âge est compris entre 20 et 40 ans et que la maladie est avant tout transmissible sexuellement. Le virus s'attaque aussi aux femmes et aux jeunes enfants, mais dans une moindre mesure, aux toxicomanes utilisant des drogues par voie intraveineuse, aux sujets transfusés et aux hémophiles qui reçoivent des produits sanguins (tableaux 17.7 et 17.8).

Par ailleurs, le SIDA doit aussi être considéré comme une maladie professionnelle, car le personnel soignant est exposé au virus dans l'exercice de ses fonctions (encadré 17.1).

Tableau 17.7
Distribution des cas de SIDA selon la catégorie de transmission chez les adultes et les adolescents (septembre 1987).
Source : Rapport hebdomadaire des maladies au Canada (décembre 1987).

CATÉGORIES DE TRANSMISSION	NOMBRE	%
Hommes homosexuels et bisexuels	27 270	66
Toxicomanes[1] (i.v.)	6 676	16
Hommes homosexuels et toxicomanes	3 112	8
Cas hétérosexuels	1 612	4
Transfusés	872	2
Hémophiles	377	1
Non déterminée	1 233	3
TOTAL	41 250	100

1. Pour les drogues injectées par voie intraveineuse.

Tableau 17.8
Distribution des cas de SIDA selon la catégorie de transmission « enfants » (septembre 1987).
Source : Rapport hebdomadaire des maladies au Canada (décembre 1987).

CATÉGORIES	NOMBRE	%
Parents à risque ou atteints du SIDA	450	78
Transfusés	69	12
Hémophiles	31	5
Autres	25	4
TOTAL	575	100

Le SIDA est aussi une maladie professionnelle.

Le SIDA entre aussi dans la catégorie des maladies professionnelles, c'est-à-dire des maladies que l'on peut contracter au travail. La compilation de tous les rapports d'exposition professionnelle au SIDA effectuée par le Center for Disease Control d'Atlanta permet d'établir à une vingtaine le nombre de cas de SIDA professionnel. Le risque professionnel auquel les travailleurs sanitaires sont soumis est donc faible, mais il n'est pas nul. Malgré les campagnes d'information et malgré l'instauration de mesures prophylactiques systématiques, les infirmiers et les infirmières, les médecins, les techniciennes et les techniciens de laboratoire continuent de s'inquiéter, probablement à cause de l'issue de ce genre d'infection que l'on croit devoir être fatale, et qui pourrait bien l'être.

Un éditorial paru récemment dans une revue scientifique[1] aborde ce problème. « Plusieurs milliers de malades atteints du syndrome de déficience immunitaire acquise, ou SIDA, sont aujourd'hui hospitalisés dans le monde. On pratique donc, dans les hôpitaux, des millions de manipulations de sang, de fluides biologiques et d'organes potentiellement contaminés par le virus du SIDA. De même, les recherches qui sont en cours dans de nombreux laboratoires ne s'effectuent pas seulement sur des fragments réputés inoffensifs du virus, protéines ou gènes isolés, mais aussi sur des préparations de virus concentrées, sur des cultures cellulaires infectées par des virus vivants, etc. Ainsi, à la liste des personnels soignants qui sont exposés au virus pour des raisons professionnelles, doit donc s'ajouter une cohorte de chercheurs professionnellement exposés au virus humain ou à des virus apparentés comme les virus simiens.

À l'heure actuelle, onze cas certains de contaminations professionnelles ont été reconnus dans le monde. La question concerne la manière dont le virus a pénétré dans le corps du sujet. Trois cas récents sont discutés dans le « *Mortality and Morbidity Report* » du Center for Disease Control d'Atlanta du 22 mai 1987 : il s'agit de trois soignants. Dans le premier cas, une infirmière en salle de chirurgie d'urgence a reçu sur un doigt une petite quantité d'un sang contaminé au cours de la pose d'un cathéter sur un malade en arrêt cardiaque : pas de blessures au doigt, mais des gerçures. Dans le second cas, au cours d'un prélèvement sanguin, une infirmière reçoit du sang sur le visage : rien dans les yeux (alors qu'un cas de contamination transoculaire est déjà connu), mais de l'acné sur la peau. Dans le troisième cas, une technicienne manipulant de grandes quantités de sang a reçu du sang sur les bras et les avant-bras. Elle ne portait pas de gants, le contact a été assez long : pas de blessures ouvertes, mais une dermatose. Ces trois cas prouvent que le virus peut infecter un individu ne portant pas de blessures apparentes : il suffit d'une rupture, même ténue, de la protection cutanée. »

1. *La Recherche*, vol. 18, n° 194 (décembre 1987), p. 1447.

CIBLES DU VIRUS

Le virus de l'immunodéficience humaine infecte plusieurs catégories de cellules, dont les cellules immunitaires. En effet, le virus s'attaque aux monocytes, aux macrophages et surtout aux lymphocytes T4, qui jouent un rôle central dans la régulation des réactions immunitaires.

Dépourvu de ses lymphocytes T4, le système immunitaire est incapable de fonctionner correctement. En l'absence des stimulations appropriées, les lymphocytes B ne peuvent produire les anticorps dirigés contre le virus du SIDA ou contre des agresseurs opportunistes; les lymphocytes cytotoxiques et les lymphocytes suppresseurs ne peuvent assurer leurs activités. De plus, la disparition des lymphocytes T4 entraîne une diminution de la sécrétion d'interleukine 2 et d'interféron gamma, médiateurs nécessaires à l'activation des macrophages et des cellules tueuses.

On cherche toujours à expliquer la disparition des lymphocytes T4. Certains auteurs pensent que les virus détruiraient directement les lymphocytes et qu'ils empêcheraient la multiplication des cellules mémoires. D'autres avancent l'hypothèse que les lymphocytes infectés seraient littéralement poussés à l'autolyse, c'est-à-dire au suicide, sous l'influence d'une stimulation virale. Mais, d'une manière ou d'une autre, il devient impossible de détecter ces lymphocytes alors qu'ils représentent près de 80 % des lymphocytes T circulants. Il est aussi impossible de les trouver dans les ganglions lymphatiques et dans la rate qui en abritent normalement d'importantes populations. Par suite de l'effondrement complet des défenses immunitaires, incapable de lutter, le sujet malade succombe à une infection opportuniste causée par des bactéries.

On a constaté que le virus s'attaquait aussi aux cellules nerveuses. Les effets pathologiques du VIH sur cette catégorie de cellules sont encore assez mal connus, mais on a constaté notamment que la présence du virus entraînait une démyélinisation des fibres nerveuses. À son tour, la démyélinisation provoque des troubles moteurs, des troubles affectifs et cognitifs (dépression, démence, etc.).

TRANSMISSION DU VIRUS

Le virus de l'immunodéficience humaine se transmet par contact sexuel, par exposition à du sang ou à des composés sanguins infectés ainsi que par une mère à son enfant au cours de la période périnatale.

Les modes de transmission continuent d'être très différents en Europe de l'Ouest, en Amérique et en Afrique. Dans le premier groupe, ce sont toujours les homosexuels masculins, les drogués, les hémophiles et leurs partenaires sexuels qui constituent l'énorme majorité des observations. Dans le groupe africain, la transmission est majoritairement hétérosexuelle.

Le virus peut être isolé de nombreux fluides biologiques, comme l'indique le tableau 17.9.

Tableau 17.9
Liquides biologiques susceptibles de contenir le VIH.

Sang
Sperme
Sécrétions vaginales
Larmes
Lait maternel
Liquide céphalo-rachidien
Liquide amniotique
Urine

Il faut noter cependant que, dans la transmission de la maladie, les données épidémiologiques n'ont toutefois incriminé que le sang, le sperme, les sécrétions vaginales et, peut-être, le lait maternel.

Le risque général d'infection après un contact unique avec un sujet infecté est estimé à 1 %. La contamination de la mère séropositive à l'enfant, principalement durant la période intra-utérine, est importante, puisqu'elle survient dans 30 à 65 % des cas. Enfin, les statistiques indiquent que la fréquence d'apparition du SIDA augmente au fil des années chez les sujets infectés. Elle est, de façon cumulative, de :

– 5 % après trois ans de séropositivité;
– 10 % après quatre ans;
– 15 % après cinq ans;
– 24 % après six ans;
– 36 % après sept ans.

ÉVOLUTION DU SIDA

L'évolution du SIDA s'effectue en plusieurs stades. Chez 20 % des personnes infectées, les premiers symptômes apparaissent de deux à six semaines après le contact infectieux. On observe notamment de la fièvre (38 °C - 40 °C), une augmentation du volume des ganglions du cou et des aisselles ainsi que des éruptions cutanées. C'est au cours de cette période que sont fabriqués les anticorps dirigés contre le virus.

Six mois à cinq ans après l'infection, 30 % des personnes voient l'infection évoluer en plusieurs étapes vers l'immunodéficence :

– Le syndrome de lymphoadénopathies chroniques caractérisé par l'augmentation progressive et persistante de la taille des ganglions du cou et des aisselles.

– Le syndrome associé au SIDA (ou paraSIDA) au cours duquel apparaissent les premiers signes de l'immunodéficience. Ce stade de la maladie est accompagné de mycoses sur le visage, sur la peau et les muqueuses, d'infections virales, d'une perte de poids (supérieure à 10 %), des maladies auto-immunes (purpura).

– Le syndrome d'immunodéficience. Alors privé de toutes ses défenses, l'organisme devient vulnérable aux infections opportunistes. C'est aussi à cette étape que se développent certaines tumeurs et qu'apparaissent les manifestations neurologiques.

Les infections opportunistes tuent plus des deux tiers des malades atteints du SIDA. Ces infections s'attaquent principalement au système digestif, au système respiratoire[1] et au système nerveux. Le tableau 17.10 énumère les agents microbiens des principales infections associées au SIDA.

Par ailleurs, la peau, les vaisseaux sanguins et certains organes sont atteints par les tumeurs de Kaposi et par des ulcérations virales. Les manifestations neurologiques se traduisent par des paralysies, des troubles de la vue, des troubles moteurs ou par des manifestations psychiatriques (dépression, démence).

DIAGNOSTIC

D'une façon générale, le diagnostic du SIDA est difficile à poser car il n'existe pas de signes biologiques absolus révélateurs de la maladie. Il

---

1. Plus de la moitié des malades meurent des suites d'une pneumonie à *Pneumocystis carinii*.

Tableau 17.10
Infections associées au SIDA.

INFECTIONS

Infections fongiques (mycoses)	*Cryptococcus* *Histoplasma* *Coccidioides* *Candida*[1]
Infections parasitaires	*Pneumocystis carinii*[2] *Toxoplasma gondii*
Infections virales	*Cytomegalovirus*[3] *Herpes simplex*[4]
Infections bactériennes	*Salmonella* *Mycobacterium* Microorganismes opportunistes

---

1. Candidose buccale (plaques blanchâtres sur un fond de muqueuse érythémateuse) ou œsophagienne.
2. Toux improductive d'installation récente, infiltrations interstitielles pulmonaires, pO^2 inférieure à 70 mm de Hg et absence de signes de pneumonie bactérienne.
3. Notamment des rétinites.
4. Ulcère monocutané persistant, bronchite, pneumonite ou œsophagite.

faut d'abord éliminer toutes les autres causes possibles d'immunodéficience acquise ou congénitale. On doit ensuite associer un certain nombre de signes biologiques, le résultat de nombreux tests (immunologie, microscopie, histologie, cultures), des manifestations cliniques qui constituent autant de critères permettant alors de poser le diagnostic du SIDA. Le tableau 17.11 réunit les manifestations cliniques le plus fréquemment associées au SIDA.

À l'heure actuelle, en test de routine au laboratoire, on utilise une technique immunoenzymatique dite ELISA qui permet de détecter les anticorps anti-HIV dans le sang. Dans ce test, seuls les anticorps peuvent être détectés, indiquant si le sérum analysé contient ou non des anticorps dirigés contre le virus du SIDA. Cepen-

Tableau 17.11
Principales manifestations cliniques associées au SIDA.

MANIFESTATIONS CLINIQUES	REMARQUES
Infections microbiennes ou virales multiples ou récidivantes	Septicémie, pneumonie, méningite, infection osseuse ou articulaire Abcès d'un organe interne ou d'une cavité du corps
Sarcome de Kaposi	Lésions érythémateuses ou violacées sur la peau ou les muqueuses
Lymphomes	Tumeurs malignes s'attaquant aux cellules immunitaires
Hyperplasie lymphoïde	Développement excessif du tissu des organes lymphoïdes
Encéphalopathies	Dérèglement des fonctions cognitives et motrices Démence
Syndrome d'émaciation	Perte pondérale involontaire supérieure à 10 % accompagnée de diarrhées chroniques

dant, un test sérologique positif ne signifie pas la présence du virus au moment où le test est effectué. Tout au plus, indique-t-il que le sujet a déjà été en contact avec le virus puisqu'il a produit des anticorps. Des tests de confirmation plus complexes doivent alors être entrepris chez les individus séropositifs.

TRAITEMENT

Le traitement du SIDA est d'une grande complexité. Il faut distinguer le traitement des infections opportunistes et celui de l'infection proprement dite.

Actuellement, on contrôle relativement bien les infections opportunistes, notamment celles d'origine bactérienne, grâce aux antibiotiques et aux antiparasitaires. Mentionnons aussi le nom de la pentamidine qui permet de lutter efficacement contre la pneumonie à *Pneumocystis carinii*.

La situation est très différente à l'égard du VIH. Pour le moment, on ne peut espérer le développement rapide de médicaments antiviraux puissants et sans effets secondaires. Les médicaments actuels ne tuent pas le virus; ils l'inactivent et l'empêchent de se fixer à la surface de la cellule hôte ou de se multiplier. De tous les médicaments anti VIH connus, seule la 3'-azido-3'désoxythymidine ou AZT fait l'objet d'application médicale à grande échelle. D'autres substances, telles que la suramine, l'HPA23, la ribavirine, l'ansamycine et le s-CD4, font l'objet d'essais thérapeutiques. Le s-CD4 est une reproduction de synthèse du récepteur CD4 porté par les lymphocytes T4, soit les premières cibles du virus quand il pénètre dans l'organisme. Le s-CD4 viendrait se fixer sur le virus du SIDA et ainsi bloquer la région où il se fixe habituellement sur les lymphocytes. Ce médicament permettrait d'inactiver le virus dans le sang avant qu'il n'ait pu infecter les premières cellules cibles.

PRÉVENTION

Au-delà des espoirs que suscite la découverte de moyens thérapeutiques ou la mise au point d'un hypothétique vaccin, la situation à l'égard du SIDA reste préoccupante : le nombre de cas s'accroîtra inéluctablement au cours des prochaines années, car il existe peu de mesures prophylactiques capables de limiter l'extension de la maladie. Parmi celles-ci, on peut compter :

– sur la détection systématique des donneurs de sang infectés;
– sur l'inactivation du virus dans les extraits sanguins;
– sur la modification des comportements sexuels et sur l'utilisation systématique de condoms;
– sur le développement de mesures de prévention en milieu de soins (voir encadré 22.1, chapitre 22, *Prophylaxie*).

17.6 RÉSUMÉ

Les virus sont des agents pathogènes qui perturbent le fonctionnement cellulaire. Ces dérèglements sont à l'origine de déséquilibres métaboliques graves et d'effets cytopathologiques mortels pour les cellules infectées. Les perturbations cellulaires peuvent à leur tour altérer des activités physiologiques essentielles, provoquer la mort de l'individu ou laisser des séquelles invalidantes permanentes. En plus d'être infectieux, les virus interviendraient dans le développement de certains cancers.

Les virus pénètrent surtout dans l'organisme par les voies respiratoire et digestive. Les voies génito-urinaire et parentale sont les autres portes d'entrée des virus. Ils se multiplient d'abord sur les muqueuses; éventuellement, ils envahissent les tissus profonds de l'organisme. Les virus peuvent se propager de plusieurs façons: ils passent directement d'une cellule à une autre, ils sont rejetés dans le milieu extracellulaire avant de parasiter une autre cellule ou ils utilisent la propagation nucléaire.

Les infections causées par les virus peuvent être localisées, généralisées, persistantes ou lentes. Les infections localisées sont caractérisées par une courte période d'incubation. Les organes cibles sont situés près de la porte d'entrée des virus et il n'y a généralement pas de virémie. Dans les infections généralisées, la période d'incubation est plus longue, les organes cibles sont éloignés de la porte d'entrée. Il y a toujours virémie. Les infections persistantes peuvent être localisées ou généralisées, épisodiques ou chroniques. Dans les infections lentes, la maladie apparaît plusieurs années après le contage infectieux.

Le classement des viroses selon les syndromes qui les caractérisent permet de distinguer neuf grandes catégories : Les viroses à manifestations respiratoires, à syndrome grippal, à manifestations intestinales et à manifestations neurologiques. S'ajoutent à ces cinq premiers groupes, les viroses éruptives, les viroses adénopathiques, les fœtopathies virales et les fièvres hémorragiques.

LECTURES SUGGÉRÉES

BERNUAU, J. « Les hépatites dues au virus D ». *Médecine sciences*, vol. n° 1 (avril 1985), p. 69-73.

BLANC, M. « Les hépatites virales ». *La recherche*, vol. 11, n° 115 (octobre 1980), p. 1148-1150.

BRÉCHOT, C. « L'agent delta : biologie et pathobiologie ». *Médecine sciences*, n° 1 (avril 1985), p. 66-68.

DARGOUGE, O. « Le virus de l'hépatite C ». *La recherche*, vol. 21, n° 220 (avril 1990), p. 500-501.

EVANS, A. A. *Viral Infections of Humans.* 3e éd., New York, Plenum Medical Book Co., 1989, 829 p.

GALLO, R. et L. MONTAGNIER. « Le SIDA aujourd'hui ». *Pour la science*, n° 134 (décembre 1988), p. 20-28.

HAMELIN, C. « Infections à cytomégalovirus : diagnostic, traitement et prévention ». *Médecine sciences*, vol. 6, n° 6 (juin 1990), p. 544-551.

HANNOUN C. « Les grippes humaines ». *La recherche*, vol. 11, n° 115 (octobre 1980), p. 1147- 1148.

HANNOUN. C. « Les maladies virales ». *La recherche*, volume 11, n° 115 (octobre 1980), p. 1140-1146.

HURAUX, J.-M., NICOLAS, J.-C. et H. AGUT. *Virologie.* Paris, Flammarion. Médecine sciences, 1985, 381 p.

KAPLAN, M. et H. KOPROWSKI. « La rage ». *Pour la science*, n° 29 (mars 1980), p. 94-102.

LAFAIX, C. « La rougeole : un modèle d'immunodépression acquise ». *Médecine sciences*, vol. 6, n° 7 (août 1990), p. 12-18.

LAURENCE, J. « Le système immunitaire et le SIDA ». *Pour la science*, n° 100 (février 1986), p. 40-51.

MONTAGNIER, L., BRUNET J. B. et D. KLATZMANN. « Le SIDA et son virus ». *La recherche*, vol. 16, n° 167 (juin 1985), p. 750-760.

OLDSTONE, M. « Les anomalies cellulaires d'origine virale ». *Pour la science*, n° 144 (octobre 1991), p. 78-87.

PLATA, F. et S. WAIN-HOBSON. « Un vaccin contre le SIDA ». *La recherche*, vol. 18, n° 193 (novembre 1987), p. 1320-1331.

REDFIELD, R. et D. BURKE. « Les manifestations cliniques du SIDA ». *Pour la science*, n° 134 (décembre 1988), p. 66-75.

REY, M. « La rougeole ». *La recherche*, vol. 11, n° 115 (octobre 1980), p. 1151-1152.

SUREAU, P. « Les nouvelles fièvres hémorragiques ». *La recherche*, vol. 11, n° 115 (octobre 1980), p. 1152-1154.

TIOLLAIS, P. et M. A. BUENDIA. « Le virus de l'hépatite B ». *Pour la science*, n° 164, juin 1991, p. 28-34.

WAIGMANN-RÜSBSAMEN, H. et U. DIETRICH. « Les origines du SIDA ». *La recherche*, vol. 22, n° 234 (juillet-août 1991), p. 980-989.

WEBER, J. et R. WEISS. « Le virus du SIDA et ses cibles ». *Pour la science*, n° 134 (décembre 1988), p. 77-83.

ZOTOV, A. « Les hépatites ». *La recherche*, vol. 14, n° 145 (juin 1983), p. 854-865.

chapitre **18**

mycoses

18.1 INTRODUCTION

Parmi les 40 000 espèces de mycètes actuellement connues, seule une quarantaine sont pathogènes pour l'Homme. Comme les mycoses sont causées par les spores présentes dans le sol et transportées par l'air, il n'est pas surprenant qu'elles soient principalement des affections cutanéo-muqueuses et respiratoires. Outre les mycoses, relativement fréquentes, surtout dans leur forme bénigne, on fera mention des mycotoxicoses, des empoisonnements causés par la consommation d'aliments contaminés par les toxines sécrétées par certains mycètes.

Avant de passer en revue les principales mycoses susceptibles de survenir chez l'Homme, nous examinerons les facteurs du pouvoir pathogène des mycètes.

18.2 POUVOIR PATHOGÈNE DES MYCÈTES

Le pouvoir pathogène des mycètes est très différent de celui des autres groupes d'agents pathogènes car ils ne produisent pas de toxines, à l'exception des quelques espèces responsables de mycotoxicoses. Les mycètes agressent leur hôte en envahissant et en détruisant, d'une part les tissus, et, d'autre part, en provoquant des réactions d'hypersensibilité.

D'une façon générale, l'action pathogène des mycètes est relativement modeste et les mycoses sont peu contagieuses, sauf exception. Il est rare que des mycètes soient responsables de problèmes infectieux graves chez les personnes en bonne santé. Ils s'attaquent surtout aux personnes présentant des plaies cutanées, des lésions tissulaires ou souffrant de déficits de l'immunité à médiation cellulaire.

La contamination peut être d'origine exogène ou d'origine endogène. La contamination exogène s'effectue par suite de l'inhalation des spores de mycètes du sol, ou par suite de contacts avec des êtres humains et des animaux infectés. La contamination endogène s'effectue à partir des mycètes opportunistes qui colonisent la peau et certaines muqueuses (muqueuses intestinale et vaginale). En temps normal, ces mycètes ne sont présents qu'en petit nombre. Mais à l'occasion d'un déséquilibre de l'écosystème causé par une antibiothérapie ou par un traitement immunosuppresseur, par exemple, les mycètes se mettent à proliférer et causent des troubles infectieux.

Notons que les individus qui possèdent un système immunitaire actif luttent rapidement contre les infections fongiques. Il n'en est pas de même chez les sujets qui présentent une dépression des fonctions immunitaires assurées par les lymphocytes T. Cette immunodépression peut être génétique ou acquise. Les immunodépressions acquises peuvent résulter de :

– l'immaturité transitoire du système immunitaire du nouveau-né;

– traitements immunosuppresseurs;

– certaines maladies, comme le syndrome d'immunodéficience acquise.

Chez de tels sujets, les mycoses deviennent souvent chroniques.

18.2.1 INVASION ET DESTRUCTION DES TISSUS

Le premier effet pathogène des mycètes résulte de leur action invasive et destructive au sein des tissus. Leur mycélium envahit les tissus et détruit les cellules de la peau et des muqueuses. Les mycètes croissent *in vivo* de la même façon que sur les milieux de culture : ils s'étendent radialement à partir d'un point d'inoculation, donnant des lésions cutanées caractéristiques, à croissance centrifuge et ressemblant parfois à des pièces de monnaie.

Toute mycose est très circonscrite au départ. Elle reste localisée ou elle s'étend. Dans ce dernier cas, la lésion progresse par suite de l'extension du mycélium ou s'étend de proche en proche par essaimage. Il arrive aussi que la mycose se généralise. Dans ce cas, les mycètes envahissent les tissus profonds, s'introduisent dans les vaisseaux lymphatiques ou dans les vaisseaux sanguins et vont se fixer dans certains organes profonds (foie, poumons, cerveau, cœur, etc.).

18.2.2 RÉACTIONS D'HYPERSENSIBILITÉ

Les réactions d'hypersensibilité sont des manifestations fréquentes des mycoses. Celles qui surviennent par suite de l'inhalation des spores mises en suspension dans l'air sont identiques aux manifestations que l'on observe dans les autres allergies respiratoires. Elles se traduisent principalement par des rhinites ou de l'asthme. Quant aux réactions allergiques qui surviennent dans les mycoses cutanées, elles se manifestent par de l'eczéma ou de l'urticaire.

18.2.3 MYCOTOXINES

Dans certaines conditions, plusieurs espèces de mycètes sécrètent des toxines. Ces toxines sont responsables de graves intoxications alimentaires, d'affections hépatiques, rénales ou neurologiques ainsi que de cancers.

RELATIVEMENT PEU PATHOGÈNES, LES MYCÈTES S'ATTAQUENT PRINCIPALEMENT AUX PERSONNES SOUFFRANT DE TROUBLES IMMUNITAIRES.
LEUR POUVOIR PATHOGÈNE RÉSULTE DE L'INVASION ET DE LA DESTRUCTION DES TISSUS, DES RÉACTIONS D'HYPERSENSIBILITÉ QU'ILS SUSCITENT ET, DANS CERTAINS CAS, DE L'ACTION DE TOXINES. DANS LEUR FORME BÉNIGNE, LES MYCOSES SE MANIFESTENT PAR DES LÉSIONS CUTANÉES ET MUQUEUSES BIEN CIRCONSCRITES.

18.3 PRINCIPALES MYCOSES

Par convention, on distingue généralement deux types de mycoses : les mycoses localisées et les mycoses généralisées ou systémiques. Les premières sont dues à la prolifération de mycètes dont les spores se déposent et germent sur la peau, les plis interdigitaux des mains et des pieds. Ils croissent aisément dans ces endroits, car ils y trouvent l'humidité et d'autres conditions idéales à leur développement. Les mycètes se déposent aussi à proximité des orifices corporels à partir desquels ils peuvent envahir les muqueuses. D'autres mycoses localisées surviennent dans les voies respiratoires, car les spores de ces mycètes en suspension dans l'air sont inhalées et arrêtées par le système muco-ciliaire. Éventuellement, surtout chez les personnes immunodéprimées, ces mycoses peuvent se propager vers d'autres organes et causer des mycoses systémiques.

18.3.1 MYCOSES LOCALISÉES

Les mycoses localisées sont souvent nommées mycoses cutanées ou cutanéo-muqueuses en raison de la nature des téguments qu'elles infectent. On distingue deux groupes de mycoses localisées : les dermatomycoses et les candidoses.

DERMATOMYCOSES

Les dermatomycoses sont causées par des dermatophytes. Ceux qui causent les infections cutanées les plus courantes appartiennent aux genres *Microsporum*, *Trichophyton* et *Epidermophyton*. En effet, ces trois groupes de dermatophytes ont une prédilection pour la peau et les phanères (poils, cheveux, ongles). Cette prédilection s'explique par leur capacité d'hydrolyser la kératine, une protéine présente dans les cellules épidermiques, dans les ongles, les poils et les cheveux. Plusieurs espèces de *Microsporum* et de *Trichophyton* sont les agents responsables des teignes du cuir chevelu et de la peau glabre. Les espèces d'*Epidermophyton* pathogènes pour l'Homme attaquent uniquement la peau glabre et les ongles.

Au cours des atteintes cutanées, la présence des dermatophytes se traduit par l'apparition de plaques progressant radialement et de coloration rosée virant au gris. Ces mycoses provoquent des réactions d'hypersensibilité, une inflammation sous-cutanée et de l'œdème. La peau lésée se desquame, les poils et les cheveux des surfaces atteintes tombent. Ces affections ne surviennent pratiquement que chez les jeunes enfants. À partir de la puberté, les adolescents et les adultes seraient protégés de ces infections, en raison de la plus grande production par les glandes sébacées d'acides gras à pouvoir antifongique.

De nous jours, les teignes épidémiques du cuir chevelu sont rares, mais il en existe toujours quelques foyers isolés[1]. Les lésions du cuir chevelu entraînent une alopécie, c'est-à-dire la chute des cheveux. On distingue notamment :

– les teignes tondantes causées par *Trichophyton tonsurans*, à transmission interhumaine, et surtout par *Microsporum canis,* qui est transmis par les chats et les chiens. Ces teignes tondantes se manifestent par une ou plusieurs petites plaques d'alopécie temporaire;
– les teignes suppuratives, ou kérion, accompagnées d'inflammation et de suppuration. Aujourd'hui très rares, ces teignes sont localisées sur les zones pileuses de la peau (cuir chevelu et barbe) et causent une alopécie irréversible.

Parmi les teignes de la peau glabre, on distingue :

– l'herpès circiné, causé notamment par *Microsporum canis* et *Trichophyton rubrum*. Cette atteinte cutanée est localisée sur la face, le tronc ou les membres et se caractérise par l'apparition d'une plaque rouge vésiculeuse;
– les lésions localisées au niveau des plis inguinaux, axillaires ou sous-mammaires et qualifiées d'eczéma marginé. Causé par plusieurs espèces de *Trichophyton*, cet eczéma se manifeste par la formation de plaques rouges;
– les lésions des plis interdigitaux caractérisées par des fissurations de la peau. Elles sont très fréquentes aux pieds car l'humidité favorise leur développement. Cette mycose est surtout connue sous le nom de « pied d'athlète ». Elle est favorisée par la macération des pieds dans des chaussures qui retiennent la transpiration. Cette affection bénigne est causée par *Epidermophyton* et par certaines levures (*Candida*).

Enfin, certaines espèces de dermatophytes s'attaquent aux ongles. Elles causent un épaississement de l'ongle, ou onyxis. L'ongle devient friable; il se casse ou se décolle.

CANDIDOSES

Les candidoses sont causées par des levures du genre *Candida*, et dont *Candida albicans* est la plus fréquente. Cette levure est plutôt considérée comme une espèce opportuniste, car on la compte généralement parmi les résidants habituels de la peau et de certaines muqueuses, notamment la muqueuse intestinale. C'est pourquoi de nombreuses mycoses sont d'origine endogène et résultent d'un déséquilibre des flores commensales ou de troubles physiologiques. *Candida albicans* est responsable de plusieurs affections. Parmi les candidoses localisées, nous retiendrons le muguet, l'intertrigo et les candidoses génito-urinaires.

Muguet

Le muguet survient chez les jeunes enfants et chez les personnes atteintes du SIDA. Cette mycose est d'abord caractérisée par une forte inflammation et par une ulcération muqueuse buccale. Apparaissent ensuite des plaques blanchâtres sur le palais et la langue.

---

1. Les épidémies de teigne ont pratiquement disparu grâce à l'emploi d'un antibiotique antifongique, la griséofulvine.

Chez les personnes atteintes du SIDA, le muguet est souvent une des premières infections opportunistes à survenir. Il s'étend fréquemment au pharynx et à l'œsophage; il gêne alors l'alimentation par suite des vives douleurs ressenties au moment de la déglutition.

Intertrigo

L'intertrigo est une candidose cutanée qui se manifeste par l'apparition de grandes plaques rouges, suintantes et très prurigineuses au niveau des plis axillaires, inguinaux, sous-mammaires, etc.

Candidoses génito-urinaires

Les candidoses génito-urinaires sont plus évidentes chez la femme que chez l'homme, mais elles affectent les deux sexes. Chez la femme, elles se manifestent par une vaginite ou par une vulvovaginite accompagnées de fortes sensations de brûlure. La muqueuse vaginale est érythémateuse, œdématiée et envahie de sécrétions épaisses, blanchâtres et adhérentes. Chez l'homme, la candidose génito-urinaire se manifeste par une urétrite et des lésions du gland ou du prépuce.

Comme la plupart des femmes abritent *Candida albicans* en petite quantité, même en temps normal, on considère que la contamination est endogène. Toutefois, ces femmes constituent des points de départ d'une transmission interhumaine, faisant des candidoses une des trois plus fréquentes maladies transmissibles sexuellement[1]. La candidose génito-urinaire se soigne bien en raison de la sensibilité de l'agent infectieux à plusieurs antibiotiques (Nystatine, Mycostatin, etc.).

La croissance anormale de *Candida albicans* sur la muqueuse vaginale serait due à une modification des facteurs environnementaux locaux. Par exemple, il est reconnu que les vaginites à *Candida* surviennent fréquemment chez les femmes en-

ceintes, chez celles qui prennent des pilules anovulatoires et chez les diabétiques. La modification de l'état hormonal change les conditions locales de pH, perturbe l'équilibre de la flore commensale et cause une surcharge en glycogène des cellules épithéliales du vagin. Tous ces facteurs favorisent la prolifération des levures. Rappelons qu'en perturbant la flore vaginale normale, l'antibiothérapie peut également provoquer la prolifération de *Candida*.

Outre ces facteurs, les candidoses génito-urinaires sont causées par la macération créée par l'humidité stagnante entretenue notamment par le port de sous-vêtements en tissus synthétiques toujours moins perméables que les tissus naturels. Il en est de même dans le cas de l'intertrigo, du pied d'athlète ou des candidoses cutanées favorisées par un mauvais assèchement de la peau. Chez les personnes hospitalisées, il est important de veiller à l'assèchement correct de la peau et des plis cutanés de manière à réduire le risque que ne se développe une candidose, car les foyers cutanés constituent souvent des points d'entrée possibles pour des septicémies ou des candidoses généralisées.

Enfin, les candidoses surviennent fréquemment chez les personnes sous antibiothérapie (antibiotiques à large spectre), chez celles qui sont soumises à des traitements immunosuppresseurs après une transplantation d'organe ou celles qui suivent des chimiothérapies anticancéreuses.

AUTRES MYCOSES LOCALISÉES

Il existe d'autres espèces qui provoquent des mycoses à localisation respiratoire : *Histoplasma capsulatum*[2], *Blastomyces dermatidis*, *Crytococ-*

---

1. Les deux autres étant la trichomonase et les gonococcies.

2. Un cas célèbre d'histoplasmose : l'égyptologue du nom de Howard Carter (ou Lord Carnavon) qui a découvert la tombe de Toutânkhamon n'est pas mort d'un mal mystérieux mais tout simplement d'une infection causée par l'inhalation des spores d'*Histoplasma capsulatum* présentes dans l'air de la chambre funéraire.

cus neoformans, Coccidioides immitis et Candida albicans. Généralement, la guérison est spontanée et survient en quelques semaines. Cependant, ce type de mycoses peut se généraliser chez les personnes souffrant de diverses affections.

LES MYCOSES LOCALISÉES SONT DUES À LA PROLIFÉRATION DE MYCÈTES SUR LES ENDROITS HUMIDES DE LA PEAU ET SUR LES MUQUEUSES. ON DISTINGUE :

- **LES DERMATOMYCOSES, QUI SONT DES AFFECTIONS CUTANÉES CARACTÉRISÉES PAR DES RÉACTIONS D'HYPERSENSIBILITÉ, PAR UNE INFLAMMATION SOUS-CUTANÉE ET PAR DE L'ŒDÈME;**

- **LES CANDIDOSES QUI AFFECTENT LA PEAU, DIVERSES MUQUEUSES ET QUI SE MANIFESTENT PAR UNE FORTE INFLAMMATION DES TISSUS LÉSÉS.**

18.3.2 MYCOSES SYSTÉMIQUES

Généralement, les mycoses systémiques sont les formes graves de mycoses localisées. Elles peuvent être causées par tous les mycètes énumérés ci-dessus, à l'exception des dermatophytes (tableau 18.1). Parmi les mycoses généralisées, les candidoses systémiques surviennent fréquemment chez les personnes souffrant de troubles immunitaires, d'immuno-dépression, de cancers, de diabète, etc., ou chez celles qui subissent des traitements immunosuppresseurs ou une antibiothérapie prolongée. Elles causent des septicémies, des endocardites, des atteintes rénales, oculaires, cérébrales, digestives ou respiratoires. Chez l'adulte, Candida pénètre souvent dans l'organisme lors de la pose d'un cathéter.

Quoiqu'à une moindre fréquence, ces mêmes malades sont aussi sujets aux aspergilloses. Causées notamment par Aspergillus fumigatus, Asper-

Tableau 18.1
Mycoses systémiques.

MYCÈTES RESPONSABLES	MANIFESTATIONS CLINIQUES
Histoplasma capsulatum	Infection du système respiratoire (poumons) et du système réticulo-endothélial. Après une phase plus ou moine aiguë, la maladie régresse spontanément.
	Mycose transmise à l'Homme par les chauves-souris et les fientes d'oiseaux, par inhalation des spores en suspension dans l'air.
Blastomyces dermatidis	Agent responsable de la blastomycose nord-américaine (États-Unis et Canada) et causant des infections respiratoires (atteintes pulmonaires et pleurales), des manifestations cutanées ou des tissus profonds de l'organisme et de certains organes.
Cryptococcus neoformans	D'abord pulmonaire, l'infection se propage par le sang dans tout l'organisme pour atteindre la peau, les os et les organes internes. Les formes les plus graves atteignent les méninges et le cerveau.
Coccidioides immitis	Présentes en grande quantité dans le sol de certaines régions des États-Unis, les spores provoquent la coccidioidomycose. Cette mycose se caractérise par des affections respiratoires bénignes et transitoires ou par des affections chroniques et progressives qui envahissent les tissus sous-cutanés, les os et les articulations ainsi que les organes internes. Cette forme de la maladie est souvent fatale[1].

1. En raison du grand pouvoir infectieux de *Coccidioides*, les spécimens cliniques doivent être manipulés avec le plus grand soin.

gillus nidulans et par Aspergillus niger, les aspergilloses se manifestent surtout par des localisations pulmonaires; elles peuvent aussi causer des thromboses et des hémorragies. Ces infections généralisées sont d'autant plus graves qu'elles sont difficiles à diagnostiquer, qu'il y a peu de médicaments pour les traiter et qu'elles surviennent chez des individus dont le système immunitaire très affaibli ne permet pas de lutter efficacement[1].

> LES MYCOSES SYSTÉMIQUES SURVIENNENT PRINCIPALEMENT CHEZ LES PERSONNES SOUFFRANT DE TROUBLES IMMUNITAIRES. CES MYCOSES RÉSULTENT DE LA GÉNÉRALISATION D'UNE MYCOSE LOCALISÉE. ELLES SE TRADUISENT PAR DES SEPTICÉMIES, DES AFFECTIONS RESPIRATOIRES OU DIGESTIVES AINSI QUE PAR L'ATTEINTE DE DIVERS ORGANES.

18.3.3 MYCOTOXICOSES

Les mycotoxicoses sont causées par certains mycètes qui produisent des toxines, appelées mycotoxines afin de les différencier de celles qu'élaborent les bactéries. Ces mycotoxines entraînent, chez l'animal et chez l'Homme, des intoxications alimentaires graves, des syndromes hépatiques, hémorragiques et rénaux ainsi que des désordres nerveux. Certaines de ces toxines sont également très cancérigènes.

Les mycotoxines sont produites par des moisissures qui se développent sur les céréales (orge, avoine, maïs, riz) et sur les graines oléagineuses comme les arachides. Parmi les mycètes reconnus pour leur pouvoir mycotoxique, mentionnons :

– *Aspergillus flavus*, qui se développe sur les arachides et qui produit des aflatoxines. L'une d'elle, l'aflatoxine B_1, est la substance dotée du plus fort pouvoir cancérigène que l'on connaisse. Elle cause des cancers du foie;

– *Claviceps pupurea*, qui se développe sur le seigle et est responsable de l'ergotisme, la plus ancienne mycotoxicose humaine connue. Cette toxine entraîne des désordres nerveux graves et la gangrène des membres.

> QUELQUES ESPÈCES DE MYCÈTES SÉCRÈTENT DES MYCOTOXINES RESPONSABLES DE GRAVES INTOXICATIONS ALIMENTAIRES, DE DIVERS SYNDROMES ET DE CANCERS.

18.4 RÉSUMÉ

Relativement peu pathogènes, les mycètes s'attaquent principalement aux personnes souffrant de troubles immunitaires.

Leur pouvoir pathogène résulte de l'invasion et de la destruction des tissus, des réactions d'hypersensibilité qu'ils suscitent et, dans certains cas, de l'action de mycotoxines.

Dans leur forme bénigne, les mycoses se manifestent soit par des lésions cutanées et muqueuses bien circonscrites, soit par des atteintes généralisées. Les mycoses localisées sont dues à la prolifération de mycètes sur les endroits humides de la peau et sur les muqueuses. On distingue les dermatomycoses et les candidoses. Les dermatomycoses causées par des mycètes appartenant aux genres *Microsporum*, *Epidermophyton* et *Trichophyton* sont des affections cutanées caractérisées par des réactions d'hypersensibilité, par une inflammation sous-cutanée et par de l'œdème. Causées surtout par *Candida albicans*, les candidoses affectent la peau, les muqueuses buccales, digestives et génito-urinaires. Elles se manifestent principalement par une forte inflammation des

---

1. Surtout chez les personnes souffrant de déficits en lymphocytes T.

tissus lésés. Les candidoses surviennent par suite de divers déséquilibres hormonaux, de déséquilibres des flores commensales et par suite d'un mauvais assèchement des régions humides du corps. Ces mycoses sont généralement d'origine endogène. C'est aussi le cas de celles qui affectent les muqueuses génito-urinaires, mais ces dernières font également l'objet d'une transmission sexuelle.

Les mycoses systémiques surviennent principalement chez les personnes souffrant de troubles immunitaires. Elle résultent de l'extension d'une mycose localisée et se traduisent par des septicémies, des affections respiratoires ou digestives ainsi que par l'atteinte de divers organes. Elles sont souvent causées par *Candida albicans, Aspergillus fumigatus. Histoplasma capsulatum, Blastomyces dermatidis, Cryptococcus neoformans* et *Coccidioides immitis* sont d'autres agents possibles de mycoses systémiques.

Quelques espèces de mycètes sécrètent des mycotoxines responsables de graves intoxications alimentaires, de troubles nerveux, de syndromes hépatiques, hémorragiques et rénaux. En outre, les aflatoxines sont cancérigènes.

LECTURES SUGGÉRÉES

Dubos, R. J. et J. G. Hirsh. *Bacterial and Mycotic Infections of Man*. Philadelphie, J. B. Lippincott, 1972, 1025 p.

Durady, A. « Immunologie des infections chroniques à *Candida albicans* ». *Médecine sciences*, vol. 6, supplément au n° 7 (août 1990), p. 77-80.

Emmons, C.W., Binford, C.H., Utz, J.P. et Keon-Chung, K. J. *Medical Mycology*. 3e éd., Philadelplie, Lea and Febiger, 1977, 592 p.

Jemmali, M. « Les moisissures et leurs toxines ». La recherche, vol. 10, n° 102 (juillet-août 1979), p. 724-731.

Mills, J. et H. Masur. « Les infections opportunistes du SIDA ». *Pour la science*, n° 156 (octobre 1990), p. 72-79.

Pechère, J.-C., et *all. Reconnaître, comprendre, traiter les infections*. 2e éd., Paris, St-Hyacinthe, Maloine, 1983, 819 p.

chapitre **19**

parasitoses

19.1 INTRODUCTION

Sous le terme de parasitoses, on réunit diverses infections causées par des protozoaires et des helminthes, communément appelés vers, et des ectoparasites. Notons qu'ici le terme parasite est employé dans son sens médical et non dans son sens biologique.

Nous avons décrit dans le chapitre 3 les caractéristiques biologiques des protozoaires. Nous n'en reparlerons donc pas. En revanche, nous décrirons sommairement les helminthes et les ectoparasites, puis nous en donnerons une brève classification. Lorsque nous aurons précisé la notion de cycle évolutif et présenté les différents modes de transmission des parasites, nous traiterons de leur pouvoir pathogène. Enfin, nous passerons brièvement en revue les principales parasitoses.

19.2 HELMINTHES

Les helminthes, ou vers, sont des organismes pluricellulaires. Leur corps, plus ou moins allongé, est cylindrique ou plat. De taille très variable, ils mesurent entre quelques millimètres et plusieurs mètres. Ces invertébrés ont un corps mou et sont dépourvus de pattes. Ils possèdent des tissus et des organes spécialisés mais leur structure est simple. Par ailleurs, les helminthes parasites présentent parfois une atrophie de certains organes, voire une absence complète. C'est le cas des ténias qui sont dépourvus d'appareil digestif. Ils n'en ont pas besoin puisqu'ils vivent dans l'intestin d'un hôte où ils trouvent les substances nutritives déjà prêtes à être absorbées.

Les helminthes se reproduisent par reproduction sexuée, mais les sexes ne sont pas toujours séparés. Dans ce cas, ils sont dits hermaphrodites.

La classification des helminthes repose sur leur structure interne. Ils forment trois groupes : les cestodes, les nématodes et les trématodes.

19.2.1 CESTODES

Les cestodes se reconnaissent à leur corps allongé et plat, en forme de ruban. Leur corps est formé d'une tête, ou scolex, et d'une longue chaîne de segments, ou proglottis. Très fine, la tête est généralement pourvue de crochets, de ventouses ou d'autres structures qui permettent aux cestodes de s'agripper à la muqueuse intestinale. Les proglottis se forment sucessivement par bourgeonnement au niveau du cou. Ils présentent tous la même organisation et sont indépendants les uns des autres. Comme l'illustre la figure 19.1, les segments les plus volumineux se trouvent à l'extrémité postérieure du ver.

Les cestodes sont hermaphrodites. Les segments les plus jeunes renferment un organe génital mâle qui se transforme par la suite en organe génital femelle. C'est pourquoi les segments les plus âgés, qui sont aussi les plus éloignés de la tête, contiennent un grand nombre d'œufs. Les ténias sont des exemples de vers de la classe des cestodes.

19.2.2 NÉMATODES

Les nématodes sont des vers cylindriques et non segmentés. Ils ont un aspect filiforme (figure 19.2). Ils sont notamment pourvus d'un tube digestif complet (bouche, œsophage, intestin et anus). Les sexes sont séparés et morphologiquement distincts. Chez certaines espèces, le dimorphisme sexuel est très apparent. Les ascaris, les oxyures, les filaires et les trichines sont des exemples de vers nématodes.

19.2.3 TRÉMATODES

Les trématodes sont des vers plats non segmentés. Ils se reconnaissent à leur corps aplati et foliacé (figure 19.3), c'est-à-dire en forme de feuille. Ils possèdent plusieurs ventouses de fixation; par ailleurs, leur tube digestif est incomplet

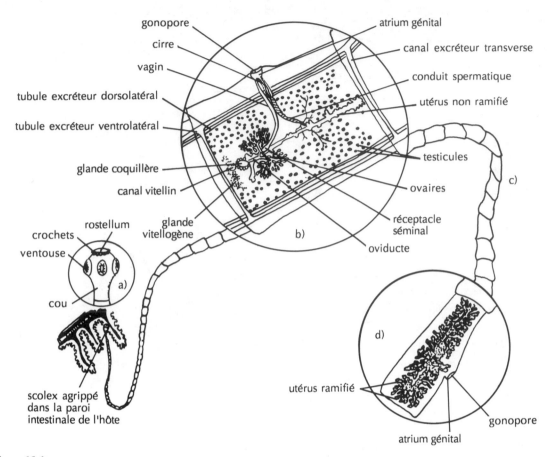

gonopore
atrium génital
cirre
canal excréteur transverse
vagin
conduit spermatique
tubule excréteur dorsolatéral
utérus non ramifié
tubule excréteur ventrolatéral
testicules
glande coquillère
ovaires
canal vitellin
réceptacle séminal
glande vitellogène
oviducte
rostellum
crochets
ventouse
cou
scolex agrippé dans la paroi intestinale de l'hôte
utérus ramifié
gonopore
atrium génital

Figure 19.1
Organisation générale d'un cestode (*Tænia saginata*).

Tænia saginata est un cestode typique. Il est formé d'une tête pourvue de ventouses et de crochets suivie de nombreux segments. Notons que cet helminthe parasite de l'Homme est dépourvu de tube digestif.

Source : Ali, M. *Biologie des invertébrés.* Montréal, Décarie, 1990.

(il est dépourvu d'anus). Selon les espèces, les vers ont des sexes séparés ou sont hermaphrodites.

Les schistosomes et les douves sont des exemples de trématodes.

19.3 ARTHROPODES

Les arthropodes forment un groupe important d'invertébrés. Ils sont pourvus d'yeux et de membres articulés; ils ont des sexes séparés. Comme leur nom l'indique, ils sont dépourvus d'endosquelette, c'est-à-dire de colonne vertébrale. Toutefois, le corps des arthropodes adultes est recouvert d'un squelette externe de chitine et est formé de segments rigides mais articulés entre eux.

Le groupe des arthropodes est immense, mais seuls les insectes et les arachnides renferment des espèces parasites de l'Homme.

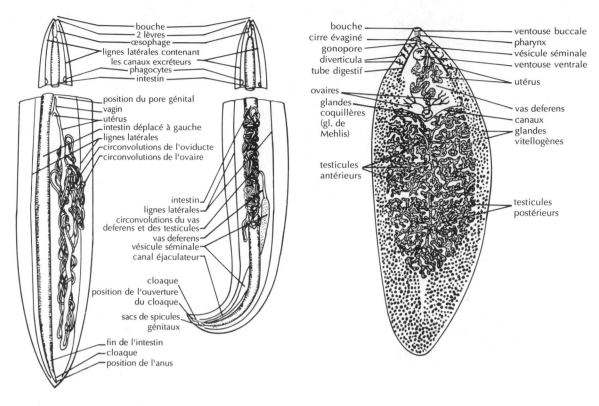

Figure 19.2

Organisation générale d'un nématode (*Ascaris lumbricoides*).

Les nématodes se reconnaissent à leur corps cylindrique et non segmenté. Ils possèdent un tube digestif complet et les sexes sont séparés. Noter le dimorphisme sexuel.

Source : Ali, M. *Biologie des invertébrés.* Montréal, Décarie, 1990.

Figure 19.3

Organisation générale d'un trématode.

Les trématodes se reconnaissent à leur forme aplatie et foliacée ainsi qu'à leur tube digestif incomplet.

Source : Ali, M. *Biologie des invertébrés.* Montréal, Décarie, 1990.

19.3.1 INSECTES

Les insectes se reconnaissent à leur corps formé de trois segments : la tête, le thorax et l'abdomen. Ils possèdent trois paires de pattes et deux paires d'ailes plus ou moins développées. Certains insectes sont hématophages : ils se nourrissent du sang d'autres animaux ou de l'Homme. Les moustiques, les simulies, les phlébotomes, les poux sont des exemples d'insectes hématophages parasites de l'Homme. Il est à noter que certaines espèces, comme les moustiques, quittent l'organisme qu'ils ont parasité dès qu'ils sont gorgés de sang, alors que d'autres, comme les poux, y vivent en permanence.

19.3.2 ARACHNIDES

Les arachnides se distinguent des insectes par deux caractéristiques :

– la tête et le thorax sont soudés pour constituer le céphalothorax. Leur corps n'est donc formé que de deux segments;

– la présence de quatre paires de pattes.

Les arachnides comprennent plusieurs groupes d'organismes, mais seuls les acariens présentent un intérêt médical. C'est en effet dans ce groupe que l'on trouve les tiques hématophages et les acariens cuticoles, qui vivent dans la peau.

19.4 RELATIONS PARASITAIRES

De nombreuses espèces de protozoaires et d'helminthes entretiennent des relations complexes avec les organismes qu'ils parasitent. Ces relations sont à mettre en relation avec le cycle évolutif.

19.4.1 CYCLE ÉVOLUTIF

On appelle cycle évolutif l'ensemble des transformations que subit un parasite au cours de sa vie. Ce cycle se déroule selon des modalités variables d'un parasite à l'autre. Il peut être simple ou complexe selon qu'il se déroule dans sa totalité chez un seul hôte ou qu'il fasse appel à plusieurs hôtes successifs.

CYCLE SIMPLE

On qualifie de simple un cycle évolutif qui se déroule en entier chez un seul hôte, à l'exception d'une phase libre dans le milieu extérieur qui permet au parasite d'infecter de nouveaux individus. Selon les espèces, les parasites se retrouvent dans l'environnement sous forme d'œufs, de larves ou de kystes. L'oxyure est un exemple d'helminthe à cycle simple : le ver femelle quitte l'intestin pour pondre des œufs dans la région péri-anale. Les œufs pondus adhèrent aux vêtements de nuit, à la literie. Très légers, ces œufs sont facilement mis en suspension dans l'air. Les œufs peuvent être ingurgités ou inhalés et déglutis. Par ailleurs, les personnes qui se grattent, en particulier les jeunes enfants, transportent des œufs sous leurs ongles. Ces personnes constituent une source importante de propagation des oxyures par voie fécale-orale (figure 19.4).

Chez certaines espèces, la transmission est directe. C'est le cas de *Trichomonas vaginalis* qui se propage d'un individu à un autre par contact sexuel.

CYCLE COMPLEXE

Plusieurs espèces de protozoaires et la plupart des helminthes ont des cycles évolutifs complexes. Ces cycles complexes se caractérisent par des transformations successives qui se déroulent dans des hôtes différents. On distingue généralement l'hôte intermédiaire au sein duquel le parasite vit au stade larvaire et subit des transformations morphologiques importantes. À la fin du stade larvaire, le parasite gagne un autre organisme hôte dans lequel il parviendra à l'état adulte et dans lequel il se reproduira de façon sexuée. L'organisme hôte qui abrite un parasite

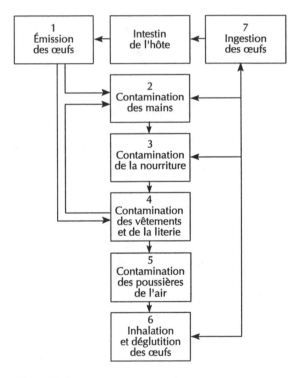

Figure 19.4
Cycle évolutif de l'oxyure (*Enterobius vermicularis*).
Source : Richards, R., *Parasitologie*, Décarie, 1992.

adulte porte le nom d'hôte définitif. Celui-ci peut être un animal domestique (chat, chien, mouton), un animal sauvage (castor, ours, loup) ou l'Homme. Dans certain cas, l'Homme est un hôte accidentel. Ces animaux jouent parfois le rôle de réservoirs.

Pour réaliser l'ensemble de leur cycle, certains parasites font appel à plusieurs hôtes intermé-

diaires. C'est le cas des douves, dont le cycle est représenté à la figure 19.5.

Il arrive que des parasites d'animaux s'introduisent chez l'Homme et ne puissent y achever leur cycle évolutif. La larve ne peut atteindre l'état adulte. Sa présence est cependant responsable de troubles pour l'organisme qui l'abrite.

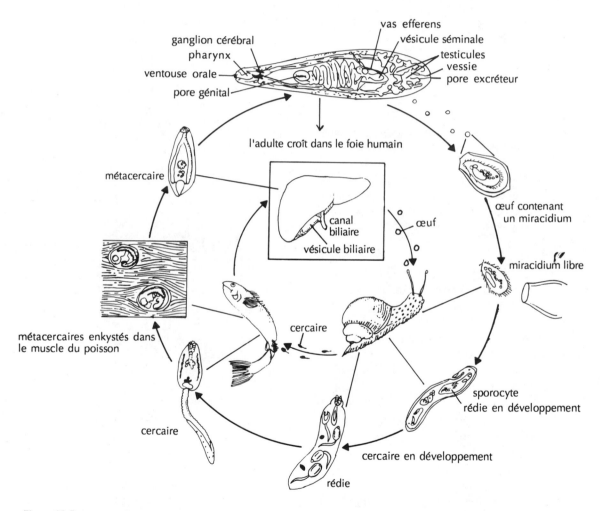

Figure 19.5
Cycle évolutif de d'*Opistorchis sinensis.*
Source : Ali, M. *Biologie des invertébrés.* Montréal, Décarie, 1990.

19.4.2 MODES DE TRANSMISSION DES PARASITES

Les parasites peuvent se transmettre directement, d'un individu à un autre, ou indirectement. La transmission indirecte peut se faire soit par l'intermédiaire d'objets et d'aliments contaminés, soit par l'intermédiaire d'insectes. Ces derniers sont appelés vecteurs. En règle générale, les parasites transmis par de tels vecteurs ont un cycle évolutif dépourvu de phase libre. Celle-ci est remplacée par une phase de développement dans l'insecte vecteur, comme cela se produit dans le cas du paludisme, une maladie causée par *Plasmodium malariæ* qui se transmet par l'intermédiaire de l'anophèle. Le tableau 19.1 indique quelques insectes vecteurs de maladies parasitaires. Ces mêmes vecteurs transmettent les agents d'autres types d'infections, notamment certaines infections virales.

Tableau 19.1
Quelques vecteurs de maladies parasitaires.

VECTEURS	MALADIES
Moustiques	Paludisme Filarioses lymphatiques
Mouches (glossines)	Trypanosomiase africaine (maladie du sommeil)
Simulies	Onchocercose
Taons	Loase
Réduves	Trypanosomiase américaine (maladie de Chagas)

19.5 POUVOIR PATHOGÈNE DES PARASITES

Le pouvoir pathogène des parasites s'exerce de multiples façons. Il dépend principalement de la nature du parasite et de sa localisation dans l'organisme.

Le pouvoir pathogène résulte de quatre types de facteurs qui interviennent isolément ou en association :

– un facteur toxique, par suite de la production de substances irritantes ou de toxines;

– un facteur mécanique, qui résulte de l'obstacle formé dans l'organisme par les parasites, comme dans le cas de certaines filaires qui obstruent les vaisseaux lymphatiques et causent de l'œdème, ou dans celui de la douve du foie qui bouche les canaux biliaires;

– un facteur traumatisant, qui résulte de la destruction de cellules ou de tissus. La destruction des globules rouges par les *Plasmodium* responsables du paludisme ainsi que l'ulcération et la destruction de la muqueuse intestinale par les amibes sont deux exemples de ce mode d'agression;

– un facteur de spoliation, qui est due au détournement de substances nutritives par les parasites (comme le bothriocéphale), voire de sang prélevé dans les vaisseaux sanguins de la muqueuse intestinale.

Le pouvoir pathogène dépend aussi de l'effet de nombre, car la gravité des symptômes observés est souvent proportionnelle au nombre de parasites. C'est ce que l'on observe notamment dans le cas de l'ascaridiase, une helminthiase causée par *Ascaris lumbricoides*.

19.6 PORTES D'ENTRÉE DES PARASITES

Les protozoaires s'introduisent surtout dans l'organisme par les voies digestives (*Entamœba, Giardia*) et parentérales (*Trypanosoma, Plasmodium, Leishmania*). Dans ce dernier cas, le protozoaire est transporté par un insecte vecteur. La très grande majorité des helminthes s'introduisent dans l'organisme par voie digestive, la contamination s'effectuant le plus souvent lors de la consommation d'aliments contaminés. La multiplication initiale des helminthes a lieu dans l'intestin mais, par la suite, certains parasites gagnent les tissus profonds et s'installent dans des organes vitaux comme le cœur, le foie, les poumons et le système nerveux central. Ils causent alors des complications graves. Les protozoaires et les vers parasitant le tube digestif sont généralement expulsés dans les selles sous leur forme végétative, mais aussi sous forme de kystes ou d'œufs enkystés. Kystes et œufs enkystés sont des formes de résistance qui permettent aux parasites de survivre aux conditions environnementales inhospitalières que constituent l'eau et le sol dans lesquels ils sont éparpillés.

19.7 PRINCIPALES INFECTIONS CAUSÉES PAR LES PARASITES

C'est surtout dans les régions chaudes du globe, et tout particulièrement dans les pays les plus pauvres, que les parasitoses constituent un véritable fléau : près de 500 millions d'individus souffrent de la malaria, 300 millions sont atteints de schistosomiases, plus de 600 millions de filarioses. Faute de médicaments, de vaccins et de mesures de prévention, la situation reste grave. Dans nos régions, les parasitoses ne constituent pas un problème épidémiologique important bien qu'elles soient en recrudescence. Le principal facteur de progression de ces maladies est le mouvement des populations qu'entraînent le tourisme et l'immigration.

Nous présenterons les parasitoses en fonction des organes atteints. De cette manière, nous pourrons traiter de façon générale des symptômes et de l'épidémiologie, qui présentent souvent de nombreux points communs. Les principales parasitoses seront présentées à l'aide de tableaux. Nous traiterons successivement des parasitoses intestinales, des parasitoses sanguines, des para-

sitoses tissulaires, des parasitoses génito-urinaires et des ectoparasitoses.

19.7.1 PARASITOSES DIGESTIVES

Les parasitoses digestives sont les plus fréquentes et les plus répandues. Certaines parasitoses sont cosmopolites, d'autres sont limitées aux régions tropicales ou intertropicales. Comme l'indique le tableau 19.2, elles sont principalement causées par les helminthes.

Tableau 19.2
Principaux agents des parasitoses digestives.

AGENTS	PARASITOSES
Protozoaires	
Giardia lamblia	Giardiase
Entamœba histolytica	Dysenterie amibienne
Balantidium coli	Balantidiase
Cestodes	
Tænia solium *Tænia saginata* *Echinococcus granulosus*	Téniases
Diphyllobothrium latum	Bothriocéphalose
Nématodes	
Ascaris lumbricoides	Ascaridiase
Enterobius vermicularis	Entérobiose (oxyuriose)
Strongyloïdes stercoralis	Strongyloïdose
Ancylostoma duodenale *Necator americanus*	Ankylostomiases
Trichinella spiralis	Trichinose
Trichuris trichiura	Trichocéphalose
Trématodes	
Fasciola hepatica	Distomatoses
Clonorchis sinensis	
Opistorchis felineus	

Le cycle évolutif des protozoaires intestinaux est relativement simple : les parasites sont ingérés sous forme de kystes. Dans le tube digestif, ces formes de résistance se transforment en trophozoïtes, c'est-à-dire en formes végétatives infestantes qui se multiplient abondamment.

Généralement plus complexe, le cycle évolutif des helminthes intestinaux varie considérablement d'une espèce à une autre. Même s'il est impossible de décrire un cycle type, on peut néanmoins faire ressortir plusieurs éléments caractéristiques. En effet, il est fréquent que le cycle soit marqué par :

– La migration des larves dans différents organes de l'être humain après l'éclosion des œufs dans le tube digestif. Les larves passent dans le foie ou les poumons, avant de retourner définitivement dans le tube digestif pour y atteindre l'état adulte et se reproduire. C'est ce que l'on observe au cours de l'ascaridiase ou de l'ankylostomiase, par exemple.
– Le passage dans un ou plusieurs hôtes intermédiaires (crustacés, poissons, animaux herbivores ou carnivores) avant de gagner l'Homme qui constitue l'hôte définitif, comme cela survient au cours des téniases ou de la douve.

SYMPTÔMES

Les symptômes observés au cours des parasitoses intestinales varient considérablement d'un individu à un autre et d'une parasitose à une autre. Toutefois, on peut observer :

– des troubles digestifs plus ou moins graves et se manifestant par des douleurs ou crampes abdominales, des nausées, des vomissements, des diarrhées liquides, parfois sanglantes ou glaireuses, alternant avec des épisodes de constipation;
– des douleurs variant généralement avec la localisation des parasites (douleurs épigastriques et vomissements pour les parasites dans le duodénum, diarrhées et douleurs basses pour ceux présents dans l'iléon ou le côlon);
– de la fatigue, de l'amaigrissement, de la perte d'appétit, de l'anémie, du prurit;
– des manifestations allergiques causées par la migration des larves dans les tissus. Associées à une éosinophilie plus ou moins marquée, ces réactions allergiques se manifestent notamment par de l'asthme et par des réactions cutanées ressemblant à de l'urticaire.

TRANSMISSION

Les parasites intestinaux sont éliminés dans les selles et se retrouvent dans l'environnement sous forme d'œufs, de kystes ou de larves. Leur transmission s'effectue selon l'un de ces quatre modes :

– par suite de la consommation d'eau ou d'aliments en contact avec des matières fécales portant des œufs, des larves ou des kystes;
– par suite d'une manipulation inadéquate des aliments ou des objets par des personnes contaminées et peu respectueuses des mesures d'hygiène élémentaire;
– par contact de main à bouche, surtout chez les jeunes enfants;
– par pénétration active à travers la peau.

Le tableau 19.3 associe quelques parasitoses avec ces quatre modes de contamination.

PRINCIPALES PARASITOSES DIGESTIVES

Les principales parasitoses digestives sont présentées sous forme de tableaux (tableaux 19.4 et 19.5).

19.7.2 PARASITOSES SANGUINES

Les parasitoses sanguines sont causées par des protozoaires qui vivent et se multiplient dans le sang. La transmission des parasites s'effectue par l'intermédiaire de vecteurs hématophages. Ces

Tableau 19.3
Modes de contamination des parasitoses.

MODES DE CONTAMINATION	PARASITOSES
Contamination fécale de l'eau et des aliments	Giardiase Amibiase Téniase Bothriocéphalose Ascaridiase Distomatoses
Manipulation inadéquate des aliments	Giardiase Ascaridiase
Contact de main à bouche	Oxyuriose
Passage transcutané	Ankylostomiase Anguillulose

vecteurs jouent le rôle d'hôtes intermédiaires, permettant aux parasites de réaliser plusieurs étapes essentielles de leur cycle évolutif.

Le paludisme, les trypanosomiases et les leishmanioses sont les principales parasitoses sanguines.

Elles sont décrites dans le tableau 19.6. Par ailleurs, la figure 19.6 décrit le cycle évolutif de *Plasmodium malariæ*.

19.7.3 PARASITOSES TISSULAIRES

Les parasitoses tissulaires sont causées par des protozoaires (*Leishmania* et *Toxoplasma*) et par des helminthes (schistosomes et filaires). Ces quatre parasitoses sont décrites dans les tableaux 19.7 et 19.8.

19.7.4 DERMATOSES CAUSÉES PAR DES HELMINTHES

Certaines dermatoses sont causées par des larves d'helminthes d'animaux qui s'égarent dans l'organisme humain par suite d'une contamination accidentelle. Ces larves pénètrent dans l'organisme mais ne peuvent y poursuivre leur cycle évolutif. Certaines restent dans la peau, tandis que d'autres gagnent les organes profonds. L'irritation de la peau traduit la migration du ver dans les tissus superficiels. En cheminant, les larves

Tableau 19.4
Principales parasitoses digestives causées par des protozoaires.

PARASITOSES	REMARQUES
Giardiase *Giardia lamblia*	Gastro-entérite asymptomatique ou se manifestant par divers troubles digestifs tels que diarrhées, douleurs et crampes abdominales, constipation et manque d'appétit. Les parasites sont rejetés de manière intermittente sous forme végétative (trophozoïtes) ou enkystés. Généralement bénigne, l'affection peut être prévenue par les mesures d'hygiène permettant de lutter contre le péril fécal. Réservoir : malades, eau contaminée par les selles. Transmission : fécale-orale, par les mains sales.
Dysenterie amibienne *Entamœba histolytica*	Les amibes se multiplient d'abord dans la muqueuse intestinale où elles causent des ulcérations de la muqueuse du côlon. Par la suite, les amibes gagnent le système circulatoire d'où elles sont transportées vers le foie, les poumons, le cerveau. Les principales manifestations sont celles d'un syndrome dysentérique marqué par des selles diarrhéiques enrobées de mucus strié de sang. Les selles contiennent des amibes enkystées capables de résister à des conditions environnementales défavorables. Réservoir : malades, sol et eau. Transmission : fécale-orale, par les mains sales, par vecteurs passifs (mouches).

Tableau 19.5
Principales parasitoses digestives causées par des helminthes.

HELMINTOSES	REMARQUES
Oxyurose *Enterobius vermicularis*	Parasitose intestinale la plus fréquente, surtout chez les enfants. Les vers se développent dans l'intestin à partir des œufs présents sur des aliments souillés. Les femelles quittent le rectum pour pondre dans la région péri-anale. Souvent, c'est en se grattant qu'il y a réinfestation. Le prurit (démangeaisons) est pratiquement la seule manifestation de l'infection. Réservoir : personnes infectées qui rejettent des œufs dans les selles. Transmission : par les mains sales.
Ascaridiose *Ascaris lumbricoides*	Parasitose intestinale chronique causée par un vers de grande taille (le ver adulte mesure entre 10 et 12 cm). Après ingestion, les œufs éclosent dans l'intestin. Les larves traversent la paroi intestinale et gagnent le foie par le système porte. De là, le courant sanguin les emporte vers les poumons. Des poumons, ils gagnent le pharynx et retournent dans le tube digestif. Deux à trois mois après l'infestation, les femelles adultes pondent et les œufs sont expulsés dans les selles. Symptômes variables, vagues, souvent absents. Diagnostic difficile à poser avant de trouver des vers dans les selles. L'infection massive cause des troubles digestifs, des douleurs abdominales et des vomissements. Réservoir : personnes infectées qui rejettent des œufs dans les selles. Transmission : directe ou indirecte des œufs à la bouche, par l'intermédiaire de poussières ou d'aliments contaminés.
Trichinose *Trichinella spiralis*	Parasitose intestinale survenant chez l'Homme et chez de nombreux animaux mammifères. Les parasites sont ingérés sous forme de larves enkystées dans la viande parasitée. Ces larves atteignent le tube digestif et pénètrent dans la muqueuse. Après accouplement, les femelles rejettent des larves qui traversent la paroi intestinale et gagnent le système circulatoire puis le tissu musculaire strié où elles s'enkystent. Les larves enkystées peuvent persister plusieurs années. Les premiers symptômes sont digestifs : douleurs abdominales, nausées, diarrhées, vomissements. La fièvre est élevée. Surviennent ensuite des myalgies (douleurs musculaires), des maux de tête, de la gêne respiratoire. L'œdème de la face est un signe caractéristique de l'infection. On note aussi des symptômes allergiques. La présence des vers entraîne des complications graves (encéphalites, névrites, myocardites, etc.). La maladie peut être fatale. Réservoir : Homme et animaux (porcs, rats, renards, ours, mammifères marins comme les phoques). Transmission : indirecte (consommation de viande contaminée[1]).
Distomatoses (fasciolase clonorchiase[2]) *Fasciola hepatica* *Clonorchis sinensis*	Les distomatoses intestinales sont des parasitoses communes à l'Homme et à de nombreux animaux. Elles se manifestent principalement par une cirrhose biliaire résultant de l'envahissement du foie par les larves de ces vers. Celles-ci quittent le tube digestif et passent dans la cavité péritonéale. Elles atteignent les tissus hépatiques et s'installent dans les canaux biliaires. Réservoir : pour la douve du foie : Homme et animaux (mouton principalement); pour la clonorchiase : Homme et animaux (poissons). Transmission : indirecte (consommation d'aliments contaminés).

1. Les trichines sont détruites par exposition à une température supérieure à 60 °C. C'est pourquoi il est important de bien faire cuire la viande de porc, la principale source de contamination humaine.

2. La clonorchiase n'est observée qu'en Orient. (*Suite page suivante.*)

Tableau 19.5
Principales parasitoses digestives causées par des helminthes. (*Suite.*)

HELMINTOSES	REMARQUES
Téniases *Tænia saginata* *Tænia solium*	Les téniases peuvent survenir sous forme de parasitose intestinale bénigne ou d'une infection somatique grave appelée cysticercose. *Tænia saginata* est un parasite du bœuf, *Tænia solium* un parasite du porc. Les œufs de *Tænia saginata* sont ingérés par les animaux au pâturage. Les larves issues des œufs, ou cysticerques, se développent d'abord dans le tube digestif puis migrent dans les tissus sous-cutanés et dans le tissu musculaire strié de l'animal. L'Homme s'infeste en mangeant de la viande crue ou mal cuite. L'un des cysticerques se développe dans le tube digestif. Il se fixe à la muqueuse de l'intestin grêle à l'aide de son scolex. En deux à trois mois, il atteint le stade adulte : il mesure alors entre cinq et dix mètres. La présence du ver cause des symptômes divers : anorexie ou boulimie, troubles digestifs, crampes intestinales, insomnies, baisse de poids. La maladie n'est pas fatale. Le diagnostic est posé par suite de l'observation des anneaux expulsés dans les selles. La téniase causée par *Tænia solium* est plus grave, car le parasite peut se développer chez l'Homme sous sa forme larvaire. Les œufs ingérés avec la viande de porc mal cuite éclosent dans l'intestin; les larves gagnent les tissus sous-cutanés et les tissus musculaires, causant une infection systémique grave, la cysticercose, éventuellement mortelle par suite d'atteintes cardiaques et nerveuses. Réservoir : Homme. Transmission : surtout les viandes de bœuf et de porc crues ou mal cuites. Aussi, les selles des personnes infectées et l'eau contaminée.

Tableau 19.6
Parasitoses sanguines.

PARASITOSES	REMARQUES
Paludisme *Plasmodium malariæ* *Plasmodium falciparum* *Plasmodium vivax* *Plasmodium ovale*	Maladie causée par un parasite intracellulaire au cycle vital complexe, dont la phase asexuée se réalise chez l'Homme et la phase sexuée chez l'anophèle. Lorsque les parasites sont injectés dans le sang, ils pénètrent dans les globules rouges pour s'y multiplier. Chaque cycle de reproduction dans ces cellules est accompagné de poussées de fièvre. Celle-ci est continue lors du premier accès de la maladie, et devient intermittente dans les récidives. La lyse des globules rouges, dans lesquels *Plasmodium* se multiplie, entraîne de l'anémie. Affection spécifiquement humaine et survenant surtout dans les régions équatoriales, tropicales et subtropicales. Réservoir : animal (l'anophèle femelle). Transmission : voie parentérale (piqûre).
Trypanosomiase africaine (maladie du sommeil) *Trypanosoma gambiense*	Maladie causée par un parasite extracellulaire. L'infection est d'abord caractérisée par une fièvre irrégulière, une hypertrophie de la rate et l'adénopathie. Apparaissent ensuite les manifestations neurologiques : troubles neuropsychiques évoluant progressivement vers la démence, accompagnés de troubles du sommeil et de divers comportements de veille. Maladie spécifiquement humaine sévissant en Afrique équatoriale et tropicale. Réservoir : glossine (mouche tsé-tsé). Transmission : voie parentérale (piqûre).

Tableau 19.6
Parasitoses sanguines. (*Suite.*)

PARASITOSES	REMARQUES
Maladie de Chagas (trypanosomiase américaine) *Trypanosoma cruzi*	Maladie causée par un parasite extracellulaire. L'infection est caractérisée par une conjonctivite causée par l'inoculation du parasite dans l'œil puis par un œdème de la face. Par la suite surviennent l'hypertrophie de la thyroïde, du foie et de la rate ainsi que des troubles cardiaques. Maladie spécifiquement humaine sévissant surtout en Amérique du Sud, en Amérique centrale et atteignant principalement les enfants.
	Réservoir : animal (mouche). Transmission : voie parentérale (insecte hématophage du genre *Triatoma*).

Tableau 19.7
Parasitoses tissulaires causées par des protozoaires.

PARASITOSES	REMARQUES
Leishmanioses *Leishmania donovani*	Les leishmanioses sont des parasitoses communes à l'Homme et à certains animaux. Elles sont causées par la multiplication des leishmanies dans les histiocytes tissulaires et dans les monocytes.
	On distingue trois leishmanioses : – La leishmaniose viscérale, ou kala-azar, principalement marquée par des adénopathies, une hépato-splénomégalie et de la fièvre. En l'absence de traitement, la maladie est mortelle. – La leishmaniose cutanée, ou bouton d'Orient, qui se traduit par une lésion cutanée qui laisse une cicatrice indélébile. – La leishmaniose cutanéo-muqueuse, qui est propre à l'Amérique du Sud.
Toxoplasmose *Toxoplasma gondii*	Maladie le plus souvent inapparente affectant 80 à 90 % de la population par suite de contamination par les personnes en contact avec des chats porteurs du parasite ou par suite de l'ingestion d'aliments contaminés. Les seules formes graves, voire mortelles, de la toxoplasmose sont celles qui surviennent chez le fœtus (toxoplasmose congénitale) et chez les personnes immunodéprimées.
	Maladie affectant l'Homme et de nombreux animaux. Réservoir principal : animal (chat). Transmission : par les mains sales.
Schistosomiases (bilharzioses) *Schistosoma hæmatobium* *Schistosoma mansoni* *Schistosoma japonicum*	Les schistosomiases sont des affections causées par des vers trématodes hématogènes. *Schistosoma hæmatobium* vit dans les plexus veineux de la vessie, *Schistosoma mansoni* et *Schistosoma japonicum* vivent dans les plexus mésentériques. Les schistosomes connaissent un cycle évolutif à deux hôtes : un mollusque d'eau douce et l'Homme. Les schistosomes s'introduisent chez l'Homme par effraction cutanée avant de gagner le lieu de leur multiplication. Les femelles pondent des œufs dans le sang. Les œufs quittent le système circulatoire, gagnent la vessie ou l'intestin (selon les espèces de schistosomes en cause). Rejetés dans la nature, ces œufs donnent naissance à des larves qui complètent leur cycle vital chez un mollusque. La maladie est principalement caractérisée par la fièvre, des réactions allergiques cutanées et une augmentation du nombre des éosinophiles. Des complications tardives (tumeurs, lésions scléreuses) surviennent à l'occasion.

Tableau 19.8
Parasitoses tissulaires causées par des helminthes.

PARASITOSES	REMARQUES
Filarioses (Filarioses lymphatiques, loase, onchocercose, dracunculose) *Wuchereria bancrofti* *Brugia malayi* *Onchocerca volvulus* *Dracunculus medinensis*	Les filarioses sont des helminthiases systémiques transmises par des arthropodes vecteurs. Sévissant surtout dans les régions chaudes, ces parasitoses sont généralement bénignes, sauf l'onchocercose dont la principale complication est la cécité[1]. Les vers adultes des différentes filarioses vivent soit dans le système lymphatique (*Wuchereria bancrofti*), soit dans la peau (*Loa Loa, Onchocerca volvulus*). Les filarioses à manifestations lymphatiques se traduisent le plus souvent par des adénites, des lymphangites puis par des manifestations chroniques résultant de l'obstruction des vaisseaux lymphatiques, évoluant en éléphantiasis des membres inférieurs (ou du scrotum chez l'Homme). Réservoir : animaux (arthropodes). Transmission : voie parentérale.

1. Dans le monde, l'onchocercose est la seconde cause de cécité (après le trachome). On évalue que 40 millions de personnes sont atteintes d'onchocercose dont deux millions souffrent de cécité.

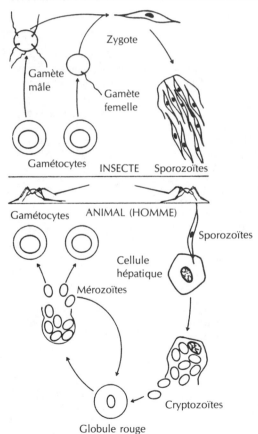

Figure 19.6
Cycle évolutif de *Plasmodium malariæ*.

creusent des galeries déterminant des traînées roses, sinueuses et prurigineuses sur la peau. Ces galeries progressent chaque jour. On qualifie ces larves de *Larva migrans* cutanée. C'est ce qui se produit, par exemple, quand des larves *d'Ankylostoma brasiliense*, responsables de l'ankylostomiase du chien, pénètrent accidentellement chez un être humain. Celui-ci s'infecte généralement par voie cutanée au contact d'un sol souillé par les déjections d'animaux parasités.

La dermatite des nageurs, qui peut survenir à la suite de baignades en eau douce, est apparentée aux *Larva migrans*. Cette dermatite est causée par des larves de parasites d'oiseaux palmipèdes (canards) qui traversent la peau. La présence des larves cause une éruption cutanée et de violentes démangeaisons.

De leur côté, les *Larva migrans* viscérales sont causées par des larves d'helminthes qui parasitent les animaux et qui ne peuvent compléter leur cycle évolutif chez l'Homme. Celui-ci se contamine en ingérant des œufs des vers avec de la terre ou avec des aliments souillés par des déjections des animaux parasités. Dans l'intestin, les œufs libèrent des larves. Elles traversent la muqueuse et gagnent différents organes, où elles peuvent survivre pendant plusieurs années. C'est ce qui se produit notamment au cours de la toxocarase, que l'on observe surtout chez les jeunes enfants géophages[1]. Les larves atteignent, entre autres, les poumons et déterminent des symptômes respiratoires ressemblant à ceux que l'on observe au cours de la crise d'asthme.

19.7.5 PARASITOSES GÉNITO-URINAIRES

La seule parasitose génito-urinaire est causée par un protozoaire, *Trichomonas vaginalis*. Cette affection, transmise par voie sexuelle, est très répandue (tableau 19.9).En Amérique du Nord, on évalue que cinq millions de femmes et au moins un million d'hommes sont porteurs du parasite. L'infection est principalement transmise par contact sexuel. Généralement, les hommes porteurs du parasite sont asymptomatiques. Il en est de même de 50 à 75 % des femmes.

Chez les femmes montrant des symptômes, la présence de ce flagellé cause notamment des vaginites caractérisées par une muqueuse œdématiée et par un écoulement jaunâtre et malodorant. Très souvent, les symptômes de l'infection apparaissent pendant les menstruations, car, à ce moment, les sécrétions vaginales sont moins acides, ce qui favorise la croissance de ce parasite.Chez l'homme, le parasite est à l'origine d'urétrites (urétrites non gonococciques).

---

1. C'est-à-dire qui mangent de la terre.

Trichomonas vaginalis peut être isolé de l'urine, des sécrétions vaginales et des sécrétions prostatiques. Généralement, le diagnostic de l'infection est posé par l'examen microscopique direct des sécrétions génitales ou des sédiments urinaires. Au microscope, on observe des trophozoïtes très mobiles et d'aspect caractéristique.

L'infection peut être facilement combattue par le métronizadole, mais il est important que le ou les partenaires sexuels soient traités afin d'éviter que ces partenaires ne constituent des réservoirs de germes entraînant des réinfections.

19.7.6 PARASITOSES RESPIRATOIRES

Il existe deux parasitoses respiratoires. La première est causée par *Pneumocystis carinii*, provisoirement classé avec les protozoaires. Elle survient principalement chez les personnes souffrant d'immunodéficience. La seconde est une distomatose pulmonaire causée par une douve, *Paragonimus westermani* (tableau 19.10).

19.7.7 PARASITOSES CAUSÉES PAR DES ECTOPARASITES

Sous le terme d'ectoparasites, on regroupe diverses catégories d'arthropodes parasites qui vivent plus ou moins longtemps à la surface de la peau.

On ne classe généralement parmi les ectoparasites que les parasites qui causent des dermatoses, mais on peut considérer que certains ectoparasites

Tableau 19.9
Parasitose génito-urinaire.

PARASITOSE	REMARQUES
Trichomonase *Trichomonas vaginalis*	Maladie transmissible sexuellement se manifestant par une urétrite chez l'Homme et, chez la femme, par une vaginite survenant généralement pendant ou immédiatement après les menstruations.
	Réservoir : Homme. Transmission : directe, interhumaine.

Tableau 19.10
Parasitoses respiratoires.

PARASITOSES	REMARQUES
Pneumocystose *Pneumocystis carinii*	Pneumonie d'évolution grave, fatale si elle n'est pas traitée, ne survenant que chez les malades immunodéprimés, notamment ceux et celles atteints du SIDA.
	Réservoir : Homme. Transmission : auto-infection.
Paragonimiase (distomatose pulmonaire) *Paragonimus westermani*	Affection parasitaire commune à l'Homme et à certains animaux, la paragonimiase est marquée par des symptômes pulmonaires évoquant la tuberculose.
	Transmission : par suite de la consommation de la chair crue de crustacés d'eau douce parasités par les larves du ver.

hématophages jouent aussi le rôle de vecteurs dans certaines maladies. Nous ne traiterons pas de ces derniers, sauf dans le tableau 19.11 qui les regroupe et montre le rôle dans la transmission interhumaine de plusieurs maladies bactériennes, virales et parasitaires.

Tableau 19.11
Arthropodes vecteurs des maladies infectieuses.

ARTHROPODES	MALADIES INFECTIEUSES
Moustiques et anophèles	Paludisme Filarioses lymphatiques Fièvre jaune Dengue Encéphalites
Glossines	Trypanosomiase africaine
Réduves	Trypanosomiase américaine
Phlébotomes	Leishmanioses Encéphalites
Simulies	Onchocercose
Taons	Loase
Poux	Typhus Rickettsioses Maladie de Lyme Encéphalites

INSECTES HÉMATOPHAGES

Les insectes hématophages comprennent plusieurs espèces. Parmi celles-ci, mentionnons :

– les moustiques et les anophèles;
– les phlébotomes, qui ressemblent à des petits moustiques;
– les simulies, qui ressemblent à des petits moucherons;
– les taons.

Tous ces insectes sont des ectoparasites temporaires. Ils piquent leur hôte pour se gorger de sang, mais ils le quittent dès la fin de leurs repas sanguins. Leur piqûre est irritante.

Notons que la transmission d'une maladie infectieuse par un arthropode vecteur nécessite deux contacts avec l'hôte. Au cours du premier contact, qui est généralement une piqûre, l'arthropode prélève l'agent infectieux en même temps qu'il absorbe le sang de l'hôte infecté. Les parasites poursuivent leur cycle évolutif et se multiplient dans l'arthropode. Au cours du second contact, l'arthropode contamine l'hôte. Cette contamination peut s'effectuer :

– par injection directe (piqûre), comme dans le paludisme, où l'anophèle injecte les parasites avec sa salive;

– par inoculation indirecte, comme dans le cas de la trypanosomiase américaine. Dans ce cas, les réduves déposent leurs déjections sur la peau. Les parasites pénètrent dans l'organisme quand l'individu se gratte et lèse la peau.

Les poux constituent un second groupe d'arthropodes hématophages, mais ils se distinguent du premier en vivant en permanence sur l'hôte où ils se sont installés.

Il existe trois espèces de poux parasites de l'Homme : le pou de tête (*Pediculus capitis*), le pou du corps (*Pediculus corporis*) et le pou du pubis, ou morpion (*Pthirus pubis*). *Pediculus capitis* et *Pediculus corporis* sont responsables de la pédiculose. Le premier affecte la tête. Les poux adultes vivent sur le cuir chevelu; les œufs, ou lentes, sont collés aux cheveux. Même si cette pédiculose est généralement favorisée par une mauvaise hygiène de la chevelure, elle peut affecter n'importe qui, surtout les enfants en bas âge. La pédiculose causée par *Pediculus corporis* affecte le corps entier. Les poux s'installent sur la peau et dans les vêtements. Les lentes adhèrent aux poils et aux fibres des vêtements des personnes peu soucieuses de leur propreté. *Pthirus pubis* cause la phtiriase inguinale. Ce pou vit dans les poils pubiens et se transmet le plus souvent par contact sexuel direct.

Les poux piquent leur hôte très fréquemment et causent d'importantes démangeaisons, ce qui entraîne un risque élevé de surinfection par d'autres agents microbiens.

ACARIENS

Les acariens constituent un autre groupe d'ectoparasites. On y distingue les acariens cuticoles qui vivent dans la peau et les tiques. Les premiers sont des parasites permanents, les seconds sont temporaires.

Les acariens cuticoles sont principalement représentés par les sarcoptes (*Sarcoptes scabiei*). Ils sont responsables de la gale. En creusant des galeries dans la peau pour y pondre des œufs, les femelles de ces acariens causent de violentes démangeaisons.

Les tiques constituent un groupe d'acariens hématophages qui parasitent les animaux. Cependant, il leur arrive d'entrer en contact avec l'être humain et de le piquer. Ils peuvent alors jouer le rôle de vecteur et transmettre notamment l'agent responsable de la maladie de Lyme.

19.8 RÉSUMÉ

Affectant surtout les régions chaudes, les parasitoses constituent un groupe de maladies importantes. Elles sont causées par des protozoaires, par des helminthes ou par des ectoparasites.

Les protozoaires, qui font partie des microorganismes, appartiennent aux mastigophores, aux sarcodines, aux ciliés ou aux sporozoaires. Communément appelés vers, les helminthes sont des organismes pluricellulaires, au corps mou et dépourvus de pattes. Ils appartiennent aux groupes des cestodes, des nématodes ou des trématodes. Les arthropodes parasites font partie des invertébrés. Dans cet immense groupe, seuls quelques insectes et quelques acariens sont responsables de parasitoses. Les helminthes pénètrent dans l'organisme par voie digestive ou parentérale.

La plupart des parasites connaissent un cycle évolutif au cours duquel ils subissent un certain nombre de transformations avant d'atteindre le stade adulte, au cours duquel ils se reproduisent. Ce cycle peut se dérouler chez un seul hôte, avec ou sans phase libre. Il peut aussi impliquer plusieurs organismes. On qualifie d'hôte intermédiaire l'organisme dans lequel le parasite vit au stade larvaire, et d'hôte définitif celui dans lequel le parasite se reproduit de façon sexuée.

Les parasites affectent divers systèmes et tissus de l'organisme humain. Les parasitoses les plus fréquentes sont les parasitoses intestinales. Généralement bénignes, elles peuvent entraîner des troubles graves, surtout chez les personnes souffrant de malnutrition ou d'autres maladies infectieuses. Hormis la giardiase, qui est causée par un protozoaire, les parasitoses intestinales les plus connues sont causées par des helminthes. Viennent ensuite les parasitoses sanguines, dont fait partie le paludisme, les parasitoses tissulaires et les parasitoses génito-urinaires.

LECTURES SUGGÉRÉES

BEAVER, P. C., JUNG, R. C. et E. W. CUPP. *Clinical Parasitology*. 9e éd., Philadelphie, Lea and Febiger, 1984, 825 p.

BROWN, H. W. *Basic Clinical Parasitology*. 5e éd., Norwalk, Appleton-Century-Crofts, 1983, 339 p.

COMBES, C., FOURNIER, A. et X. MINGYI. « Les schistosomes ». *Pour la science*, n° 116 (juin 1987), p. 80-88.

DELATTRE, P., GIRAUDOUX, P. et M. PASCAL. « L'échinococcose alvéolaire ». *La recherche*, vol. 22, n° 230 (mars 1991), p. 294-303.

DONELSON, J. et M. TURNER. « Les métamorphoses du trypanosome ». *Pour la science*, n° 90 (avril 1985), p. 14-22.

HABICHT, G., BECK, G. et J. BENACH. « La maladie de Lyme ». *Pour la science*, n° 119 (septembre 1987), p. 48-54.

JEFFREY H. C. et R. M. LEACH. *Atlas of Medical Helminthology and Protozoology*. 2e éd., Edinburgh, Churchill Livingstone, 1985, 121 p.

MARQUARDT, W. C. et R. S. DEMAREE Jr. *Parasitology*. New York, MacMillan Publishers, 1985, 636 p.

MAZIER, D. « Le rôle de la phase hépatique dans la protection antipaludique ». *Médecine sciences*, vol. 5, n° 10 (décembre 1989), p. 720-728.

NICOLI, R. M. et PENAUD, A. *50 cycles épidémiologiques. Interrelations des êtres vivants*. Paris, Éditions Medsi, 1983, 85 p.

NOBLE, E. R. et G. A. NOBLE. *Parasitology : the Biology of Animal Parasites*. 6e éd., Philadelphie, Lea and Febiger, 1989, 574 p.

NOZAIS, J.-P. « Les maladies parasitaires ». *La recherche*, vol. 11, n° 115 (octobre 1980), p. 1054-1065.

PECHÈRE, J.-C., *et all. Reconnaître, comprendre, traiter les infections*. 2e éd., Paris, St-Hyacinthe, Maloine, 1983, 819 p.

SCHMIDT, G. D. et L. S. ROBERTS. *Foundations of Parasitology*. Saint Louis, C. V. Mosby Company, 1977, 604 p.

chapitre **20**

infections
opportunistes

20.1 INTRODUCTION

Les microorganismes habituellement inoffensifs de la flore commensale peuvent entraîner des infections dans certaines circonstances. Elles surviennent par suite de la prolifération excessive des microorganismes ou par suite de leur introduction accidentelle dans des tissus et des organes d'où ils sont habituellement absents. Ces infections sont qualifiées d'opportunistes. On doit leur accorder une importance, car elles prennent une part sans cesse grandissante dans la détermination d'états infectieux, surtout en milieu hospitalier. Cette constatation ne doit pas nous étonner, car les grandes maladies infectieuses bactériennes qui ont ravagé la planète sont maintenant maîtrisées grâce à un ensemble de mesures directement ou indirectement liées à l'amélioration du niveau de vie : développement de l'hygiène, meilleure alimentation, meilleures conditions de salubrité, développement des mesures préventives comme la vaccination et, surtout, l'utilisation massive et systématique de l'antibiothérapie. En revanche, les infections opportunistes, contre lesquelles on ne dispose que de peu de moyens, sont en recrudescence. Elles sont la conséquence directe du développement et des progrès de la réanimation médicale, de certaines investigations instrumentales (cathétérismes), d'interventions chirurgicales (installation de prothèses, greffes et transplantations d'organes), ou de la chimiothérapie. En effet, toutes ces mesures permettent la survie de sujets affaiblis et autrement condamnés. Les surinfections, les infections opportunistes, les infections nosocomiales[1], acquises en milieu hospitalier, représentent donc à l'heure actuelle un problème d'une réelle importance. Les rapports d'autopsie, par exemple, indiquent que plus de 60 % des sujets atteints de leucémie meurent d'une infection, que près de 40 % des

personnes qui souffrent de la maladie de Hodgkin présentent une pneumonie ou que, directement ou indirectement, près de 30 % des patients qui ont subi une greffe du rein décèdent d'une infection opportuniste.

20.2 ORIGINE DES INFECTIONS OPPORTUNISTES

Les infections opportunistes ne dépendent pas de l'accroissement du pouvoir pathogène des microorganismes. Elles résultent en premier lieu de la défaillance d'un ou plusieurs éléments de la défense immunitaire de l'individu. En effet, plus la réponse immunitaire d'un sujet est faible, plus est élevé le risque de voir apparaître une infection opportuniste. Parmi ces défaillances immunitaires, mentionnons l'altération des barrières naturelles, la perturbation d'activités physiologiques essentielles, les dysfonctions immunitaires et certains traitements immunosuppresseurs.

20.2.1 ALTÉRATION DES BARRIÈRES ANATOMIQUES NATURELLES

Les barrières anatomiques naturelles, comme la peau et les muqueuses, empêchent les microorganismes de pénétrer dans les tissus plus profonds et de gagner les organes vitaux. Si ces barrières sont rompues, les microorganismes s'installent dans les tissus profonds et prolifèrent. La rupture des barrières naturelles survient notamment lors de traumatismes, de brûlures étendues, de l'introduction d'un corps étranger dans l'organisme (une prothèse, par exemple), de l'installation à demeure de sondes, de cathéters ou de tubes de perfusion.

20.2.2 PERTURBATION D'ACTIVITÉS PHYSIOLOGIQUES ESSENTIELLES

La perturbation d'activités physiologiques essentielles a aussi une incidence sur le développe-

---

1. Elles sont aussi connues sous le terme d'infections iatrogènes.

ment de microorganismes opportunistes. Des infections surviennent notamment à la suite d'atteintes hépatiques, rénales ou pancréatiques. Les désordres métaboliques qui résultent de la cirrhose, de l'urémie ou du diabète perturbent les défenses naturelles. La plupart du temps, celles-ci se trouvent déprimées et permettent aux microorganismes de s'installer et de proliférer.

20.2.3 DÉFICIENCES IMMUNITAIRES

Les troubles qui surviennent dans les systèmes lymphatique et réticulo-endothélial, responsables de la phagocytose, de la production d'anticorps et d'un certain nombre de protéines sériques, perturbent gravement les mécanismes clés de défense de l'individu. C'est ce qui se produit dans certaines formes de leucémies ou dans la maladie de Hodgkin. Affaiblis par la diminution de l'efficacité du fonctionnement du système immunitaire, les individus atteints sont plus exposés que les autres aux infections.

20.2.4 TRAITEMENTS IMMUNOSUPPRESSEURS

Des infections opportunistes peuvent survenir au cours de traitements utilisant des radiations ionisantes, des composés cytotoxiques, des corticostéroïdes ou des antibiotiques.

Les radiations ionisantes exercent un pouvoir immunosuppresseur. Elles agissent notamment sur la moelle osseuse et sur le système réticulo-endothélial. Dans la moelle osseuse, les cellules souches des globules blancs sont détruites, ce qui empêche le renouvellement des cellules immunitaires.

En plus de leur action sur les cellules immunitaires en cours de multiplication, les composés cytotoxiques que l'on utilise pour tuer les cellules tumorales détruisent les cellules à croissance rapide des muqueuses, comme celle de la muqueuse intestinale. Pour les microorganismes opportunistes, les ulcérations provoquées constituent un point d'entrée dans les tissus profonds.

Les antibiotiques prédisposent aux infections opportunistes, notamment aux infections fongiques. Ils perturbent l'action naturelle de la flore commensale de la peau et des muqueuses. Les tétracyclines, la bacitracine, la néomycine sont des antibiotiques reconnus pour favoriser indirectement la croissance de *Candida albicans*, une levure souvent à l'origine d'infections opportunistes. Soulignons aussi que l'utilisation intempestive d'antibiotiques à des doses inappropriées favorise l'apparition et la dissémination de souches ou d'espèces résistantes, notamment chez *Staphylococcus, Pseudomonas, Neisseria*, etc.

Les corticostéroïdes favorisent largement l'apparition d'infections opportunistes bactériennes, virales, parasitaires et fongiques. Habituellement, les traitements à base de glucocorticoïdes ralentissent la réaction inflammatoire, inhibent partiellement la synthèse des anticorps et provoquent la lyse des cellules lymphoïdes. L'activité du système réticulo-endothélial peut être perturbée de même que la prolifération des fibroblastes. Utilisés à fortes doses, d'autres corticoïdes inhibent la synthèse des interférons, des substances antivirales naturelles. C'est particulièrement le cas pour l'adénocorticoïde.

20.3 MICROORGANISMES RESPONSABLES DES INFECTIONS OPPORTUNISTES

Les études épidémiologiques ont montré l'existence de liens étroits entre certaines affections et la présence d'espèces particulières responsables d'infections opportunistes secondaires. Ainsi, les salmonelles sont très souvent associées aux anémies falciformes, alors que les streptocoques et les staphylocoques sont à l'origine d'infections chez les personnes présentant des troubles cardio-vasculaires. Le tableau 20.1 réunit les microorganismes les plus souvent mis en jeu dans des infections opportunistes en regard de certains états pathologiques.

Parmi ces espèces, au moins six sont fréquentes en milieu hospitalier :

– *Staphylococcus aureus* est principalement trouvé dans les pouponnières, les maternités et les blocs opératoires. Il est responsable de graves infections en milieu hospitalier. De nombreuses souches sont résistantes à plusieurs antibiotiques, ce qui complique le traitement des infections.

– *Escherichia coli* est responsable d'infections génito-urinaires, digestives (péritonites), nerveuses (méningites, surtout chez les nourris-

Tableau 20.1
Microorganismes causant des infections opportunistes par suite de certains états pathologiques.

ÉTATS PATHOLOGIQUES	MICROORGANISMES RESPONSABLES D'INFECTIONS OPPORTUNISTES	ÉTATS PATHOLOGIQUES	MICROORGANISMES RESPONSABLES D'INFECTIONS OPPORTUNISTES
Brûlures **Traumatismes cutanéo-muqueux**	*Pseudomonas* et autres bacilles Gram négatif Staphylocoques	**Diabète**	Bacilles Gram négatif Staphylocoques *Candida*
Chirurgies abdominales	Streptocoques anaérobies *Bacteroides* *Serratia* *Enterobacter* *Klebsiella* *Candida*	**Déficiences rénales**	*Serratia* *Enterobacter* *Klebsiella*
		Déficiences hépatiques	*Clostridium* *Bacilles Gram négatif* Staphylocoques
Chirurgies cardiaques	*Serratia* *Enterobacter* *Klebsiella* *Candida*	**Dysfonctions des systèmes hématopoïétique, réticulo-endothélial et lymphatique**	*Diphteroides* *Listeria* *Pseudomonas* et autres bacilles Gram négatif Staphylocoques *Nocardia* *Aspergillus* *Candida* *Cryptococcus* *Cytomégalovirus* *Herpes simplex* *Varicella-zoster*
Cathéters intraveineux	Staphylocoques *Aspergillus* *Candida*		
Sondes et investigations urinaires	*Proteus* *Pseudomonas* *Serratia* *Enterobacter* *Klebsiella* Staphylocoques	**Syndrome d'immunodéficience acquise**	*Aspergillus* *Candida* *Cytomégalovirus* *Herpes simplex*

sons), de septicémies secondaires à des chirurgies exploratoires ou à l'installation prolongée de sondes et de cathéters.

– *Serratia* est une entérobactérie régulièrement incriminée dans des septicémies dont souffrent les sujets débilités.

– *Pseudomonas* est notamment responsable de graves septicémies chez les grands brûlés, les prématurés et les nouveau-nés, chez les sujets dont la résistance est diminuée par des traitements à base de corticoïdes, d'antimétabolites ou d'immunodépresseurs. Les sondes et les cathéters constituent une porte d'entrée fréquente, mais les transfusion de sang, de plasma ou de plaquettes constituent aussi une source non négligeable d'infections opportunistes. Les *Pseudomonas* sont, entre autres, des résidants de l'eau et des plantes. Les fleurs et les plantes offertes aux patients dans les hôpitaux entretiennent leur présence redoutable[1] (en particulier dans les siphons des lavabos).

– *Klebsiella pneumoniæ* est une bactérie opportuniste redoutable pour les sujets immunodéprimés et débilités, chez lesquels elle cause des pneumopathies et des septicémies.

– *Proteus* provoque des infections urinaires chroniques et des septicémies, surtout quand il est associé à d'autres entérobactéries (*Escherichia coli, Serratia, Klebsiella*).

Parmi ces six espèces ou genres, quatre sont des résidants permanents de la flore commensale de tout individu. Ce sont : *Staphylococcus, Escherichia coli, Klebsiella* et *Proteus*. Comme ils sont déjà en place sur la peau ou les muqueuses, ils ne demandent qu'à profiter des circonstances favorisantes qui leur sont offertes pour pénétrer dans les tissus profonds et y provoquer des infections

secondaires. Or, pour ces microorganismes, les occasions ne manquent pas de s'installer chez les sujets malades, diabétiques, cancéreux, immunodéprimés, ou chez les opérés envahis par des tubes de perfusion, des sondes ou des cathéters, et autour desquels se multiplient les soignants, parfois porteurs de germes infectieux.

Les bactéries ne sont pas les seuls microorganismes responsables d'infections opportunistes. On trouve aussi des protozoaires, des virus et des mycètes. Chez les protozoaires opportunistes, on trouve des agents responsables de pneumopathies, en particulier *Pneumocystis carinii*, et de la toxoplasmose, *Toxoplasma gondii*. Dans le groupe des mycètes, les agents opportunistes sont des levures comme *Candida*, le plus fréquent, *Torulopsis* ou *Cryptococcus*, ou des mycètes mycéliens comme *Aspergillus* ou *Mucor*. Les infections fongiques opportunistes surviennent fréquemment chez les personnes atteintes du SIDA ainsi que chez les malades souffrant de diabète, de cirrhose et de diverses néoplasies, ou soumis à des traitements immunodépresseurs ou à une corticothérapie. Elles se manifestent le plus souvent sous forme de septicémie (*Torulopsis*), d'endocardite (*Candida*), d'atteintes cutanéo-muqueuses (*Candida*) ou de pneumopathies (*Cryptococcus* et *Aspergillus*).

Parmi les virus, ceux de la varicelle, de l'herpès et les cytomégalovirus causent des infections opportunistes graves apparaissant généralement à la suite d'immunodéficiences. Ces viroses se manifestent sous forme de varicelle (chez les enfants leucémiques, en particulier), d'ulcérations et de lésions cutanées multiples (herpès, zona) et de pneumopathies (cytomégalovirus). Le tableau 20.2 regroupe, à titre d'exemple, les principales infections opportunistes dont souffrent généralement les personnes atteintes du SIDA. Notons que la pneumonie à *Pneumocystis carinii* emporte près des deux tiers de ces malades.

---

1. Afin d'éviter toute contamination au patient, le personnel infirmier ne devrait jamais manipuler les pots de fleurs ou changer l'eau des vases de fleurs.

Tableau 20.2
Infections opportunistes associées au SIDA.

INFECTIONS	AGENTS PATHOGÈNES
Infections fongiques (mycoses)	*Cryptococcus*
	Histoplasma
	Coccidioides
	Candida
Infections parasitaires	*Pneumocystis carinii*
	Toxoplasma gondii
Infections virales	*Cytomegalovirus*
	Herpes simplex
Infections bactériennes	*Salmonella*
	Mycobacterium
	Microorganismes opportunistes

20.4 RÉSUMÉ

Dans certaines circonstances, des microorganismes inoffensifs de la flore commensale peuvent entraîner des infections. Qualifiées d'opportunistes, ces infections ne sont pas causées par une augmentation du pouvoir pathogène des microorganismes. Elles résultent d'un dysfonctionnement du système immunitaire qui peut avoir plusieurs origines : l'altération des barrières anatomiques naturelles, la perturbation d'activités physiologiques essentielles ou divers traitements immunosuppresseurs auxquels sont soumis les patients souffrant d'autres maladies.

LECTURES SUGGÉRÉES

JOKLIK, W. K., WILLET, H. P. et B. AMOS. *Zinsser Microbiology.* Norwalk, Appleton-Century-Croft, 1984, 1316 p.

MONTAGNIER, L., BRUNET, J.B. et D. KLATZMANN. « Le SIDA et son virus ». *La recherche*, vol. 16, n° 167 (juin 1985), p. 750-760.

PECHÈRE, J. C., *et al. Reconnaître, comprendre, traiter les infections,* 2ᵉ éd., St-Hyacinthe, Edisem, Paris, Maloine, 1983, 819 p.

MILLS, J. et H. MASUR. « Les infections opportunistes du SIDA ». *Pour la science*, n° 156 (octobre 1990), p. 72-79.

VILAIN, R. « Écologie microbienne et hygiène hospitalière ». *Pour la science*, n° 55 (mai 1982), p. 105-115.

chapitre **21**

contrôle microbien

21.1 INTRODUCTION

Pour les microbiologistes, pour les spécialistes de la santé comme pour toutes les autres personnes œuvrant dans d'autres domaines, la connaissance des moyens de contrôle des microorganismes est capitale. Dans le monde médical, on applique un ensemble de mesures qui permettent d'éliminer les microorganismes indésirables. Stériliser les instruments chirurgicaux, nettoyer la peau avec de l'alcool avant de procéder à une injection, se laver les mains après avoir donné des soins sont des exemples quotidiens de mesures simples et efficaces pour éviter l'infection.

Parmi les méthodes de contrôle du développement microbien, certaines conduisent à l'élimination de tous les microorganismes, donc à la stérilité, alors que d'autres permettent de réduire temporairement le nombre de microorganismes présents, voire de les éliminer tous. On distingue deux types de procédés :

– les procédés qui tuent les microbes, ou qui les privent de leur pouvoir de reproduction, conduisant ainsi à la stérilité;
– les procédés qui mettent des lieux, des substances ou des êtres vivants à l'abri des microorganismes.

Ces derniers procédés sont ceux de l'asepsie, de l'antisepsie et de la désinfection. L'asepsie protège contre tout apport microbien, tandis que l'antisepsie et la désinfection n'éliminent que partiellement les microbes. Les trois procédés ont leur importance. La situation et le but visé déterminent lequel utiliser.

Lorsque nous aurons présenté les principes fondamentaux du contrôle microbien, nous étudierons les agents qui détruisent les microorganismes ou qui les empêchent de se reproduire, en insistant sur leur mode d'action; nous décrirons ensuite les procédés les plus courants en stérilisation et en désinfection. Nous traiterons aussi de chimiothérapie anti-infectieuse, et particulièrement de l'antibiothérapie qui permet de lutter efficacement contre la plupart des infections bactériennes. Nous aborderons également la question du développement de la chimiothérapie antivirale. Enfin, une section traitant de certains problèmes inhérents à la chimiothérapie viendra clore l'exposé.

Par convention, dans ce chapitre, nous appellerons agents chimiques les substances utilisées pour l'antisepsie, la désinfection et qui ne peuvent pas être utilisées en médecine pour usage interne, c'est-à-dire pour détruire les agents infectieux à l'intérieur de l'organisme. Les antibiotiques, les sulfamides, les médicaments antiviraux et antiparasitaires sont qualifiés d'agents chimiothérapeutiques.

21.2 CONCEPTS FONDAMENTAUX

L'utilisation d'agents physiques et chimiques poursuit un même but : détruire le plus grand nombre de microorganismes. La destruction d'une population microbienne n'est pas instantanée car, pour diverses raisons, tous les microorganismes ne meurent pas en même temps.

21.2.1 MORT DES MICROORGANISMES

La mort des cellules et la diminution de la population microbienne dans un échantillon est un phénomène statistique. Elle est de nature exponentielle.

DÉCROISSANCE EXPONENTIELLE

Qu'elle se trouve dans des conditions naturelles, en contact avec des substances antimicrobiennes ou exposée à un agent physique, une population microbienne ne meurt jamais instantanément. L'exemple suivant permet d'illustrer cette affirmation.

Soit une population d'un million de bactéries sur laquelle on fait agir une substance qui, à toutes les deux minutes, détruit 60 % des bactéries survivantes. Au temps T1 (T0 + 2 minutes), 600 000 bactéries ont été tuées; il en reste 400 000 vivantes. Au temps T2 (T0 + 4 minutes), 60 % des 400 000 bactéries survivantes ont été tuées; il ne reste donc plus que 160 000 bactéries vivantes. Au temps T3 (T0 + 6 minutes), il n'y en aura plus que 64 000. Le tableau 21.1 décrit le processus jusqu'à la disparition de la dernière cellule, et la figure 21.1 montre la décroissance d'une population microbienne. Les populations microbiennes meurent comme elles croissent : à taux constant, c'est-à-dire de façon exponentielle. Une fraction d'une population cellulaire est détruite dans un temps donné; la même fraction de cellules restées vivantes est détruite dans la période suivante de même durée, et ainsi de suite jusqu'à la destruction de tous les microorganismes.

21.2.2 TAUX DE MORTALITÉ

Le TAUX DE MORTALITÉ représente la fraction d'individus tués en un temps donné. Il n'a qu'une valeur relative et ne donne pas d'information quant au nombre d'individus tués, à moins que le nombre de cellules de l'échantillon au début du traitement ne soit connu. La figure 21.2 établit la relation entre le taux de mortalité de plusieurs populations microbiennes et le temps nécessaire à leur destruction. De plus, elle illustre le principe fondamental sur lequel repose tout procédé de contrôle microbien : le temps nécessaire à la destruction dépend d'une part de la densité des populations microbiennes initiales et, d'autre part, du taux de mortalité.

En outre, l'observation de la figure 21.2 fait ressortir trois points principaux :

– le taux de mortalité est d'autant plus grand que la pente de la droite est forte;

Tableau 21.1
Décroissance exponentielle d'une population microbienne.

TEMPS	NOMBRE DE SURVIVANTS	MORTS PAR UNITÉS DE TEMPS		NOMBRE DE MORTS	
		Total	%	Total	%
0	1 000 000,00	0	0	0	0
1	400 000,00	600 000,00	60	600 000,00	60,00
2	240 000,00	160 000,00	60	760 000,00	76,00
3	144 000,00	96 000,00	60	856 000,00	85,60
4	86 400,00	57 600,00	60	913 600,00	91,36
5	51 840,00	34 560,00	60	948 160,00	94,81
6	31 104,00	20 736,00	60	968 896,00	96,88
7	18 662,40	12 441,60	60	981 337,60	98,13
8	11 197,40	7 464,90	60	988 802,50	98,88
9	6 718,40	4 478,90	60	993 281,50	99,32
10	4 031,00	2 687,30	60	995 968,90	99,59
11	2 148,60	1 612,40	60	997 581,30	99,76

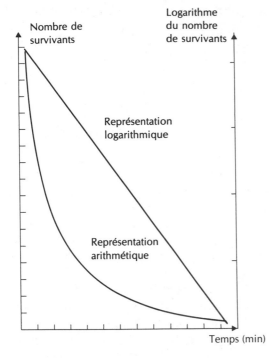

Figure 21.1
Représentation exponentielle et logarithmique de la mort d'une population bactérienne.

Les microorganismes meurent à taux constant. Une fraction d'une population cellulaire est détruite dans un temps donné, et la même fraction de cellules restées vivantes est détruite dans la période suivante de même durée, et ainsi de suite jusqu'à ce que tous les microorganismes soient tués.

- le taux de mortalité varie selon les espèces soumises au traitement;
- le temps de destruction est d'autant plus grand que la population bactérienne initiale est importante.

**LES POPULATIONS MICROBIENNES DÉCROISSENT EXPONENTIELLEMENT.
LE TAUX DE MORTALITÉ REPRÉSENTE LA FRACTION D'INDIVIDUS TUÉS EN UN TEMPS DONNÉ.**

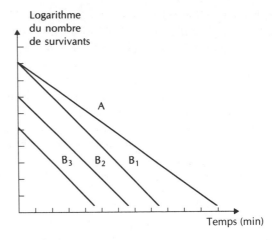

Figure 21.2
Évolution de populations microbiennes soumises à l'action d'une substance bactéricide.

On constate que, même si les cultures A et B_1 ont la même densité, il faut plus de temps pour détruire la culture A que la culture B, car le taux de mortalité des bactéries de la culture A est plus faible que celui de la culture B.

Les cultures B_1, B_2 et B_3 sont des échantillons de densité différente de la même culture. Elles ont le même taux de mortalité, et le temps nécessaire à leur destruction dépend uniquement de la densité des échantillons.

21.2.3 STÉRILISATION

La plupart des auteurs définissent la STÉRILISATION comme la destruction de tous les microorganismes, pathogènes ou non, sous forme végétative ou sous forme de spores. Il est cependant préférable de la définir plutôt comme l'absence de tout microorganisme capable de se développer. D'une part, en raison de la nature statistique de la mort des bactéries, il n'est jamais absolument certain que tous les microorganismes présents ont été effectivement tués. D'autre part, la perte du pouvoir de multiplication des microorganismes est beaucoup plus importante que la mort en soi. En effet, l'infection tient davantage de l'extraordinaire pouvoir de multiplication des microorganismes que de la seule présence dans une plaie de quelques milliers de microorganismes vivants mais incapables de se multiplier : le système immunitaire se chargera rapidement de les éliminer.

Il ne suffit cependant pas que tous les microbes soient détruits ou que les survivants soient incapables de se multiplier. Encore faut-il s'assurer que des substances toxiques ne se sont pas accumulées dans les produits avant la stérilisation. En effet, la destruction des microorganismes n'entraîne pas automatiquement celle des substances toxiques qu'ils peuvent produire. Il est donc toujours préférable de chercher à éviter la contamination et la prolifération bactérienne dans les produits, indépendamment du fait qu'ils pourraient être stérilisés ultérieurement. Ceci importe d'autant plus que le temps nécessaire pour atteindre la stérilité est proportionnel au nombre de microorganismes présents.

> **LA STÉRILISATION EST L'ABSENCE DE TOUT MICROBE CAPABLE DE SE MULTIPLIER.**
> **ELLE DÉPEND :**
>
> - **DU TEMPS D'EXPOSITION À L'AGENT LÉTAL;**
> - **DE LA DENSITÉ DE LA POPULATION MICROBIENNE INITIALE;**
> - **DU TAUX DE MORTALITÉ DES MICROORGANISMES.**

21.3 MODE D'ACTION DES AGENTS ANTIMICROBIENS

Les agents antimicrobiens physiques, chimiques ou chimiothérapeutiques modifient certains composés chimiques cellulaires essentiels ou perturbent des activités physiologiques vitales. Ils exercent une action BACTÉRICIDE OU BACTÉRIOSTATIQUE[1]. Les substances bactéricides tuent les bactéries car elles ont une action irréversible. En revanche, les substances bactériostatiques inhibent temporairement le développement microbien. En d'autres termes, les microorganismes recommenceront à se développer dès que la concentration de la substance aura diminué ou dès que l'on aura arrêté l'application du procédé physique.

Il est important de préciser que la frontière entre bactéricidie et bactériostase n'est pas toujours nette : à une concentration élevée ou à une intensité forte, un agent antimicrobien se révèle bactéricide alors qu'à une concentration ou à une intensité plus faible il n'a qu'un effet bactériostatique.

Les agents antimicrobiens agissent en modifiant les propriétés physiques et chimiques des composés cellulaires, en leur faisant perdre leur activité biologique ou leur réactivité naturelle. Ces modifications se répercutent au niveau cellulaire en entravant diverses activités physiologiques essentielles (figure 21.3).

D'une manière générale, les agents physiques et chimiques exercent une action peu spécifique : plusieurs agents antimicrobiens exercent le même effet sur un microorganisme donné; ils modifient ou détruisent les mêmes catégories de composés ou perturbent les mêmes activités physiologiques. Par exemple, les agents antimicrobiens à base d'iode, de chlore, de peroxyde d'hydrogène ne se distinguent pas entre eux par leur mode d'action. Tous ces agents oxydants réagissent avec les composés oxydables des constituants

---

1. Les termes bactéricide et bactériostatique doivent être pris au sens large, faute de terme pour décrire l'action réversible de certains antimicrobiens sur les autres groupes de microorganismes.

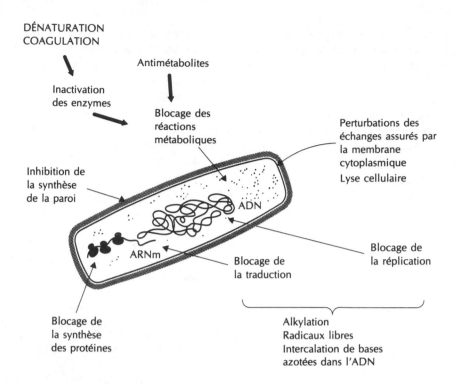

DÉNATURATION
COAGULATION

Inactivation
des enzymes

Antimétabolites

Blocage des
réactions
métaboliques

Perturbations des
échanges assurés par
la membrane
cytoplasmique
Lyse cellulaire

Inhibition de
la synthèse
de la paroi

ADN

Blocage de
la réplication

ARNm

Blocage de
la traduction

Blocage de
la synthèse
des protéines

Alkylation
Radicaux libres
Intercalation de bases
azotées dans l'ADN

Figure 21.3
Effets des agents antimicrobiens.

Les agents antimicrobiens entravent plusieurs activités physiologiques essentielles en modifiant les propriétés physiques et chimiques des composés cellulaires, en leur faisant perdre leur activité biologique ou leur réactivité naturelle.

microbiens avec lesquels ils entrent en contact. Cette faible spécificité s'oppose à celle de certains agents chimiothérapeutiques, comme les antibiotiques qui interfèrent avec un composé chimique particulier ou bloquent une activité physiologique donnée. Par exemple, la pénicilline entrave le développement des bactéries en empêchant spécifiquement l'incorporation de l'acide N-acétylmuramique dans le peptidoglycane de la paroi. Toutes les autres activités chimiques et physiologiques se déroulent normalement. Mais, comme la paroi est un élément capital pour leur survie, les bactéries qui en sont dépourvues sont incapables de se multiplier et meurent rapidement.

LES AGENTS ANTIMICROBIENS AGISSENT EN MODIFIANT LES PROPRIÉTÉS PHYSIQUES ET CHIMIQUES DES COMPOSÉS CELLULAIRES.
CES MODIFICATIONS BLOQUENT DES ACTIVITÉS PHYSIOLOGIQUES ESSENTIELLES DES CELLULES ET ENTRAÎNENT LA MORT DES MICROORGANISMES.

21.4 AGENTS PHYSIQUES

Certains facteurs physiques ont une influence déterminante sur le développement microbien.

Pour cette raison, ils peuvent être utilisés dans des procédés de contrôle des microorganismes. Dans le domaine médical, les procédés de contrôle microbien les plus importants font appel à la température et aux radiations, qui permettent d'obtenir une destruction totale des microorganismes. À côté de ces méthodes absolues, il existe plusieurs autres procédés de contrôle. La filtration, l'utilisation des ultrasons et le lavage font partie des procédés physiques qui connaissent des applications médicales.

> DE TOUS LES AGENTS PHYSIQUES, LA CHALEUR ET LES RADIATIONS SONT LES SEULS QUI PERMETTENT UNE DESTRUCTION ABSOLUE DES MICROORGANISMES.

21.4.1 TRAITEMENTS THERMIQUES

Les traitements thermiques assurent une destruction totale ou partielle des microorganismes selon leur intensité et les conditions de leur utilisation. Pour les détruire totalement, il faut s'assurer que les microorganismes ont été exposés assez longtemps à la température appropriée. On se rappellera que, si les cellules végétatives des bactéries mésophiles sont rapidement détruites à des températures de 60-70 °C, il n'en est pas de même des endospores, des bactéries thermotolérantes ou thermophiles, qui survivent à des températures bien supérieures. Il faut aussi tenir compte :

– Du type de chaleur employée. À température égale, la destruction des microorganismes et des spores est plus lente avec la chaleur sèche qu'avec la chaleur humide. Par exemple, des endospores de *Clostridium botulinum* sont détruites après quelques minutes d'exposition à de la vapeur portée à 120 °C. Pour obtenir le même résultat avec de la chaleur sèche, il faut chauffer pendant deux heures.

– Du rapport temps / température. L'exemple suivant démontre l'importance de la relation temps / température : il faut plus de 1000 minutes pour détruire toutes les spores dans un échantillon en les exposant à la température de 100 °C, 600 minutes pour les éliminer à 105 °C, 70 minutes à 115 °C et 7 minutes à 125 °C. À 135 °C, une seule minute suffit pour les tuer toutes.

– De la concentration de la population microbienne. Le traitement par la chaleur doit être d'autant plus énergique ou long que la concentration microbienne de l'échantillon est forte.

– De la nature du milieu de stérilisation. Des substances particulières dans le milieu de stérilisation influent positivement ou négativement sur l'efficacité du traitement. La présence d'eau accélère la stérilisation : ainsi, la stérilisation d'un produit par exposition à la chaleur humide pendant 20 minutes à 120 °C nécessiterait au moins trois heures à 170 °C à la chaleur sèche.

La figure 21.4 démontre l'importance de la relation temps/température pour une destruction efficace des microorganismes.

STÉRILISATION PAR LA CHALEUR

La chaleur est le plus courant des moyens physiques employés pour la stérilisation de routine en raison de son efficacité, de la simplicité d'opération des appareils de stérilisation, de l'absence de danger pour le personnel puisqu'elle n'entraîne pas la formation de composés toxiques. La stérilisation par la chaleur peut être réalisée à l'aide de chaleur sèche (four Pasteur) ou de chaleur humide (autoclave).

STÉRILISATION PAR LA CHALEUR SÈCHE

Le four Pasteur (ou four Poupinel) assure la stérilisation par la chaleur sèche. Ce procédé est surtout utilisé pour la stérilisation de la verrerie, des seringues, des aiguilles et des pièces de métal.

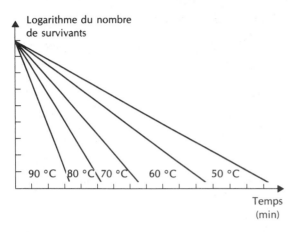

Figure 21.4
Relation temps / température et destruction des microorganismes.

La destruction d'une population microbienne est d'autant plus rapide que la température est élevée.

On y a recours également pour stériliser les substances contenant des teneurs élevées de matières grasses peu miscibles avec l'eau et, de ce fait, difficiles à stériliser avec la vapeur d'eau. L'emploi systématique de matériel à usage unique et des plastiques a fortement réduit l'utilisation de ce mode de stérilisation. Les objets à stériliser sont placés au four Pasteur à 170 °C. Une fois qu'ils ont atteint cette température, ce qui nécessite entre 30 minutes et plus de deux heures, les objets doivent y être maintenus pendant 90 minutes et plus, s'ils sont volumineux.

STÉRILISATION PAR LA CHALEUR HUMIDE

La stérilisation par la chaleur humide est réalisée à l'aide d'un AUTOCLAVE. Cet appareil est représenté à la figure 21.5. Puisqu'elle est comprimée, la vapeur d'eau atteint une température bien supérieure à celle de l'eau bouillant à la pression atmosphérique. De plus, son pouvoir hydratant plus grand accélère notablement la coagulation des substances cellulaires.

La durée d'exposition des objets dépend de la température de fonctionnement de l'autoclave.

Figure 21.5
Autoclave.

L'autoclave est un stérilisateur à vapeur sous pression. Il permet d'obtenir la stérilité des objets qui sont exposés à des températures d'au moins 121 °C.

Photographie : Labconco.

Elle est de 15 à 20 minutes à 121 °C, de 10 à 12 minutes à 126 °C et de 3 à 7 minutes à 134 °C.

La stérilisation fait l'objet de nombreuses applications médicales. En effet, pour éviter tout risque d'infection, tous les objets pénétrant dans les tissus du corps, dans les cavités stériles et certains objets pénétrant dans des cavités non stériles doivent être préalablement stérilisés.

Les objets à stériliser doivent être protégés de la contamination jusqu'au moment de leur utilisation. C'est pourquoi ils doivent être emballés. Le papier est le matériel d'emballage de choix, car il ne permet aucune contamination et assure une stérilité de longue durée. Certains plastiques peuvent servir à l'emballage mais leur sensibilité à la chaleur en limite l'usage lors de la stérilisation. Les textiles ne sont pas intéressants quand on veut conserver des objets stériles pour des périodes dépassant trois à quatre semaines, car les spores de mycètes en suspension dans l'air peuvent germer, se développer et contaminer le matériel.

> **LA CHALEUR HUMIDE EST L'AGENT LE PLUS COURAMMENT UTILISÉ POUR LA STÉRILISATION EN RAISON DE SON EFFICACITÉ, DE SA RAPIDITÉ, DE LA SIMPLICITÉ D'OPÉRATION DES AUTOCLAVES ET DE SON INNOCUITÉ.**

AUTRES PROCÉDÉS FAISANT APPEL À LA TEMPÉRATURE

Certains produits sont altérés par des températures supérieures à 100 °C. Par conséquent, ils ne peuvent être stérilisés à l'autoclave. On a recours, dans ces cas, à des procédés dont les températures ne dépassent pas 100 °C. L'ébullition est le plus connu de ces procédés de traitement thermique.

ÉBULLITION

L'ébullition détruit rapidement la plupart des virus et des bactéries présentes sous forme végétative. Elle suffit pour détruire les microorganismes non sporulants et la plupart des virus (à l'exception du virus de l'hépatite B qui doit être porté à 120 °C pour être détruit). De ce fait, une ébullition, même prolongée, ne stérilise pas les instruments. Elle ne détruit pas non plus certaines toxines thermostables. Cependant, même si l'eau bouillie ne peut être considérée stérile, il reste que l'ébullition constitue un moyen pratique et simple de détruire les entérobactéries, qui ne sporulent pas, ou les entérovirus susceptibles d'entrer dans l'organisme avec l'eau de boisson.

> **L'ÉBULLITION EST UN PROCÉDÉ EFFICACE DE DESTRUCTION DES MICROORGANISMES. CEPENDANT, ELLE NE PEUT ÊTRE EMPLOYÉE POUR LA STÉRILISATION CAR LES ENDOSPORES ET CERTAINS VIRUS RÉSISTENT AU TRAITEMENT.**

21.4.2 IRRADIATION

L'irradiation est le second moyen physique qui permet la destruction complète des microorganismes. Cependant, ce procédé ne connaîtra probablement jamais la diffusion universelle que connaît l'utilisation de la température, à cause des dangers inhérents à la manipulation de substances radioactives et aux réticences qu'elles suscitent.

Les radiations de faible longueur d'onde ont un effet mortel sur les cellules vivantes; on peut donc les utiliser pour détruire les microorganismes. Ce sont les rayons ultraviolets et les radiations ionisantes. Ces dernières comprennent les rayons X et les radiations α, β et γ. En raison de leur coût de production, les rayons X ne sont pas utilisés pour détruire les microorganismes. On se sert plutôt des rayons ultraviolets ou des rayons γ.

Seuls les rayons ultraviolets dont la longueur d'onde est comprise entre 265 et 280 nm ont un pouvoir microbicide. Pour détruire les microorganismes, on utilise des lampes qui émettent des ultraviolets dont la longueur d'onde est de 260 à 270 nm. Cependant, le faible pouvoir pénétrant de ces rayons en limite passablement l'utilisation. Parce qu'ils ne pénètrent pas les objets, ils n'éliminent que les microorganismes en suspension dans l'air ou situés à la surface des objets. Cependant, on emploie les rayons ultraviolets pour diminuer le nombre de microorganismes de l'air dans les blocs opératoires, dans les industries pharmaceutiques ou dans les entrepôts frigorifiques.

Les rayons γ peuvent être mis à profit pour détruire les microorganismes. À cause de leur très grande énergie et de leur grand pouvoir pénétrant, ils pénètrent facilement à l'intérieur des gros objets. On peut donc s'en servir pour la stérilisation en profondeur. Habituellement, la source radioactive est le ^{60}Co, un isotope radioactif du cobalt.

On fait appel à l'irradiation pour stériliser du matériel de plastique comme les boîtes de Pétri ou les seringues, les champs opératoires et les pansements à emballage individuel. L'intérêt de ce procédé est la simplification des opérations d'emballage, puisqu'il n'est pas nécessaire d'effectuer le conditionnement de ces produits de façon aseptique. Cependant, le coût de construction des installations destinées à l'irradiation et les risques inhérents à la manipulation de matières radioactives freinent le développement de ces procédés.

> **EN RAISON DE LEURS EFFETS MORTELS, LES RAYONS ULTRAVIOLETS ET LES RAYONS γ SONT UTILISÉS POUR DÉTRUIRE LES MICROORGANISMES. L'IRRADIATION PAR LES RAYONS γ EST UN MOYEN DE CONTRÔLE ABSOLU.**

21.4.3 FILTRATION

La filtration est un procédé mécanique efficace qui permet de retenir les microorganismes présents dans l'air ou dans certains liquides. Leur emploi est limité mais irremplaçable dans certains cas.

La filtration ne peut pas être considérée comme un procédé de stérilisation. En effet, les filtres les plus fins ne peuvent retenir les mycoplasmes, les rickettsies, les chlamydia et les virus. Tous ces organismes ont une très petite taille ou sont dépourvus de paroi rigide.

La filtration permet aussi de débarrasser l'air des poussières et des bactéries qu'il contient et de diriger l'écoulement de l'air d'une pièce ou d'un bâtiment pour qu'il ne soit pas de nouveau contaminé. De cette manière, on peut empêcher les microorganismes de l'air extérieur de pénétrer dans une pièce. Les microorganismes peuvent aussi être confinés à l'intérieur d'un lieu particulier. Dans le premier cas, une légère surpression est créée dans la pièce ou dans le bâtiment par rapport à l'environnement afin d'empêcher l'entrée d'air extérieur; dans le second cas, on créera une dépression, donc une pression plus basse que celle de l'extérieur, pour empêcher la sortie des microorganismes de la pièce ou du bâtiment. Dans un cas comme dans l'autre, le système de ventilation est muni d'un dispositif de rétention des microorganismes. Le plus souvent, il s'agit de filtres HEPA (*High-Efficiency Particulate Air Filters*) dont les pores sont suffisamment petits pour retenir tous les microorganismes.

Le procédé de filtration est utile, voire indispensable, pour éviter les contaminations dans les laboratoires où l'on étudie et cultive des bactéries et des virus dangereux. En milieu hospitalier, la filtration évite ou réduit le risque de propagation d'infection par l'air dans certaines chambres d'isolement afin d'éviter ou de réduire le risque de propagation d'infections par l'air, notamment dans celles des personnes gravement brûlées.

21.5 AGENTS CHIMIQUES

Pendant plusieurs années, le développement des antibiotiques et de l'antibiothérapie avait relégué les antiseptiques au second plan de la lutte antimicrobienne. Pourtant, l'augmentation croissante de la résistance des bactéries aux antibiotiques attire de nouveau l'attention sur ces agents à l'égard desquels les bactéries ne semblent pas avoir développé de résistance. Cependant, ces limites ne remettent pas en question l'utilisation thérapeutique des antibiotiques. Ils sont toujours irremplaçables dans la lutte anti-infectieuse, étant donné leur faible toxicité et l'absence d'autres moyens pour éliminer les foyers d'infections internes.

De façon générale, la toxicité élevée des antiseptiques à l'égard des cellules eucaryotes limite l'utilisation de ces produits. Ils sont donc habituellement réservés à la désinfection de la peau et des muqueuses, peu fragiles, et au nettoyage des objets et des surfaces inertes. Habituellement, on divise les agents chimiques antimicrobiens en deux grandes catégories :

– les ANTISEPTIQUES, qui ont un usage médical;
– les DÉSINFECTANTS, que l'on utilise pour le nettoyage.

À cause du développement de l'antibiothérapie topique, l'antisepsie cutanée n'a plus toute l'importance qu'elle avait quand elle était le seul moyen d'éviter l'infection d'une plaie. En revanche, la désinfection et, plus généralement le contrôle du développement des microorganismes par les agents chimiques antimicrobiens connaissent de nombreuses applications. L'utilisation systématique des désinfectants comme agents sanitaires est un geste qui fait partie de la vie quotidienne, à la maison comme au travail. En effet, ce geste, qui repose sur le simple bon sens, permet de détruire efficacement la plupart des microorganismes.

21.5.1 CARACTÉRISTIQUES GÉNÉRALES DES AGENTS CHIMIQUES

Il n'existe pas d'antiseptique ou de désinfectant idéal. Toutes les substances dont on dispose actuellement présentent des avantages et des inconvénients. Il faut donc choisir en fonction du but visé : il va de soi qu'on n'utilisera pas, pour désinfecter une plaie ou irriguer une muqueuse, la même substance que pour nettoyer un comptoir de cuisine ou le plancher d'une chambre d'hôpital.

Pour qu'un antiseptique soit efficace, il doit présenter plusieurs propriétés :

– un pouvoir microbicide, afin d'éviter une reprise du développement microbien;
– un large spectre d'action pour s'assurer de la destruction de toutes les catégories de microorganismes;

– une faible toxicité afin de prévenir les effets secondaires indésirables (irritation, nécroses des tissus);
– un bon pouvoir pénétrant, afin que le produit élimine les microorganismes présents sur les surfaces mais aussi ceux qui se trouvent en profondeur, entre les cellules, entre les fibres d'un textile ou à l'intérieur d'une substance;
– un pouvoir détergent, car la mousse formée par le produit emprisonne les microorganismes qui sont ensuite éliminés avec l'eau de rinçage;
– une bonne solubilité dans l'eau afin de pouvoir l'y mélanger.

De plus, un agent chimique efficace se doit d'agir rapidement, à faible concentration, à la température ambiante et de ne pas réagir avec les matières organiques éventuellement présentes dans l'environnement. Enfin, il doit avoir une bonne solubilité dans l'eau, ne pas tacher, être facilement disponible et peu coûteux.

> IL EST SOUHAITABLE QUE LES ANTISEPTIQUES ET LES DÉSINFECTANTS AIENT UN LARGE SPECTRE D'ACTION, ET QU'ILS SOIENT PEU TOXIQUES, PÉNÉTRANTS, DÉTERGENTS ET SOLUBLES DANS L'EAU.
> DE PLUS, ILS DOIVENT AGIR À FAIBLE CONCENTRATION, À TEMPÉRATURE AMBIANTE ET SANS ÊTRE AFFECTÉS PAR LA PRÉSENCE DE MATIÈRES ORGANIQUES.

21.5.2 FACTEURS D'EFFICACITÉ DES AGENTS CHIMIQUES

Différents facteurs influent sur l'efficacité des antiseptiques. Parmi eux, on retiendra :

– la concentration;
– le temps de contact;
– la température;

- le pH;
- la nature et le nombre de microorganismes;
- la présence de matières organiques étrangères.

CONCENTRATION

Dans une certaine limite, la vitesse de destruction d'une population microbienne est proportionnelle à la concentration du produit utilisé, comme l'illustre la figure 21.6. Cette relation est due au fait qu'aux concentrations élevées il y a de fortes probabilités qu'un grand nombre de microorganismes soient atteints et tués par les composés chimiques présents. Toutefois, on ne peut déterminer de concentration idéale car celle-ci varie selon l'antiseptique employé, la nature des microorganismes à éliminer et la densité microbienne. À titre d'exemple, une dilution au demi des alcools diminue leur efficacité de 1000 fois, celle des phénols de 64 fois et celle des dérivés mercuriels de deux fois.

TEMPS DE CONTACT

Le temps de contact influe sur l'efficacité d'action des antiseptiques car, au sein d'une population formée par une espèce donnée, tous les microorganismes ne sont pas également vulnérables, donc ne meurent pas en même temps. De plus, le temps de contact varie selon les substances et, pour une substance donnée, le temps varie selon les espèces. Le temps de contact requis pour la désinfection de lentilles cornéennes à l'aide d'une solution à 3 % de peroxyde d'hydrogène fournit un bon exemple (tableau 21.2).

NATURE ET NOMBRE DES MICROORGANISMES

La nature et le nombre des microorganismes à combattre sont aussi des facteurs à prendre en considération. D'une part, l'efficacité d'action

Tableau 21.2
Temps de contact requis pour la désinfection de lentilles cornéennes à l'aide du peroxyde d'hydrogène (3 %).

MICROORGANISMES	TEMPS DE CONTACT (en minutes)
Neisseria gonorrheæ	0,3
Hæmophilus influenzæ	1,5
Pseudomonas aeruginosa	2,2
Escherichia coli	3,0
Staphylococcus aureus	12,5
Candida albicans	21,2
Aspergillus niger	45,3

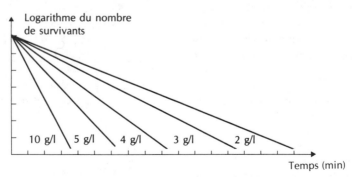

Figure 21.6
Influence de la concentration de l'antiseptique sur la destruction des bactéries.
La vitesse de destruction d'une population microbienne est proportionnelle à la concentration du produit utilisé.

d'un agent antimicrobien varie selon l'espèce ou le groupe de microorganismes à éliminer, étant donné la présence ou l'absence de composés chimiques particuliers.

Les bactéries Gram positif sont habituellement plus vulnérables que les bactéries Gram négatif. Par ailleurs, certaines structures cellulaires, comme les endospores ou les capsules, réduisent l'efficacité des antiseptiques. Les endospores sont extrêmement résistantes : la plupart des agents chimiques, quand ils sont actifs, ne font qu'entraver la germination des endospores; seule l'iode a un pouvoir sporicide. De leur côté, les virus résistent généralement bien aux antiseptiques. Ils sont cependant détruits par l'iode, par les dérivés chlorés ainsi que par le phénol et ses dérivés.

Par ailleurs, l'efficacité dépend du nombre de microorganismes qu'il s'agit d'éliminer. Comme ceux-ci meurent en règle générale de façon exponentielle, il est toujours plus long de détruire une population microbienne abondante qu'une population de faible densité. Cette observation explique pourquoi il est toujours préférable de nettoyer avant de désinfecter : en réduisant d'abord le nombre de microbes, on facilite l'élimination de ceux qui restent.

TEMPÉRATURE

L'efficacité des antiseptiques et des désinfectants varie avec la température ambiante. En règle générale, l'efficacité augmente avec la température, car ce facteur influe lui-même directement sur la vitesse des réactions chimiques (figure 21.7). Par exemple, on constate que, pour une élévation de la température de 10 °C, la vitesse de destruction du chlorure mercurique est multipliée par trois, et celle du phénol par sept.

pH

La concentration des ions H^+ influe considérablement sur l'efficacité des substances antimicrobiennes. D'une part, le pH influe sur la dissociation et l'ionisation des substances; d'autre part, il modifie les charges électriques de surface des microorganismes. Selon le cas, ces variations de pH favorisent ou défavorisent le contact du produit avec les microorganismes. Mais il n'y a pas de règle générale.

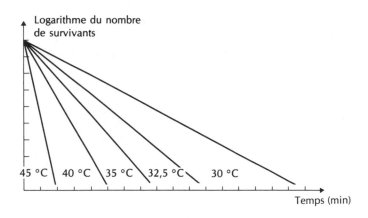

Figure 21.7
Influence de la température sur l'efficacité d'un agent chimique.
L'efficacité augmente avec la température, car ce facteur influe lui-même directement sur la vitesse des réactions chimiques.

Les matières organiques, notamment les protéines, entravent l'action de nombreux antiseptiques, car la plupart des antiseptiques ont une grande affinité à leur égard : ils se fixent sur les matières organiques du milieu, réduisant d'autant le nombre de molécules d'antiseptique susceptibles de se fixer sur les molécules organiques de la paroi ou de la membrane cytoplasmique. La présence des matières organiques affecte particulièrement les oxydants et les antiseptiques qui agissent en provoquant la coagulation. Le pouvoir des premiers est diminué car ils oxydent toutes les matières organiques qu'ils trouvent, les seconds parce qu'ils se fixent sur les protéines et les font précipiter. D'ailleurs, l'action de nombreux antiseptiques est réduite par la présence de sang, de pus ou de sérosités, car les fluides contiennent des proportions importantes de protéines. Les protéines coagulées forment des caillots dans lesquels les microorganismes échappent à l'action des désinfectants. L'action des antiseptiques contenant du mercure est inhibée par les matières organiques qui renferment des groupements thiols; celle des ammoniums quaternaires est affectée par la présence de lipides.

> **L'EFFICACITÉ D'UN ANTISEPTIQUE DÉPEND DE LA CONCENTRATION, DU TEMPS DE CONTACT, DE LA TEMPÉRATURE, DU pH, DE LA NATURE ET DU NOMBRE DE MICROORGANISMES AINSI QUE DE LA PRÉSENCE DE MATIÈRES ORGANIQUES.**

21.5.3 PRINCIPAUX GROUPES D'AGENTS CHIMIQUES

Nous avons retenu une classification pratique reposant sur l'utilisation des principaux agents chimiques pour l'antisepsie, la désinfection et la stérilisation. Les tableaux 21.3, 21.4 et 21.5 présentent cette classification. En même temps, ils per-

mettent de comparer les modes d'action; ils font aussi ressortir leurs avantages et leurs limites.

21.6 AGENTS CHIMIO-THÉRAPEUTIQUES

La découverte des agents chimiothérapeutiques constitue un tournant important dans l'histoire de l'humanité, car elle a donné à la médecine un outil de lutte efficace contre les infections causées par les bactéries et par certains mycètes. On peut même parler de révolution dans la mesure où, depuis les années cinquante, les maladies infectieuses ne constituent plus la première cause de mortalité et de morbidité, du moins dans les pays à haut niveau de vie.

21.6.1 DÉFINITION

Un AGENT CHIMIOTHÉRAPEUTIQUE est un composé chimique naturel ou de synthèse qui inhibe le développement des microorganismes. Ce composé agit à faibles doses, il exerce une action très spécifique sur le fonctionnement cellulaire mais sa toxicité est sélective : il inhibe le développement de sa cible ou la tue tout en étant inoffensif pour l'hôte.

À l'heure actuelle, il existe deux grandes catégories d'agents chimiothérapeutiques antibactériens : les sulfamides et les antibiotiques. Une troisième catégorie, destinée à détruire les virus, est en train de voir le jour.

Sulfamides et antibiotiques ont des modes d'action comparables; ils se distinguent principalement par leur origine : les sulfamides sont des produits de synthèse, tandis que les antibiotiques, du moins les premiers découverts, sont des produits naturels élaborés par des mycètes ou par les actynomycètes, un groupe particulier de bactéries (figure 21.8).

Bien qu'ils soient toujours utilisés, les sulfamides ont été rapidement supplantés par les antibioti-

Tableau 21.3
Agents chimiques antimicrobiens utilisés pour l'antisepsie.

ANTISEPTIQUES	USAGES	REMARQUES
Alcools	Soins de la peau, des muqueuses saines et infectées	Destruction des structures cellulaires riches en lipides, dénaturation des protéines
		Activité antimicrobienne moyenne à faible contre les bactéries Gram positif et Gram négatif; aucun pouvoir sporicide, pouvoir viricide variable
		Concentration recommandée : 70 à 95 %
		Exemple : alcool éthylique alcool isopropylique
Agents tensio-actifs	*Idem*	Perturbation des échanges cellulaires, dénaturation des protéines
		Activité bactériostatique faible Efficaces surtout contre les bactéries Gram positif et contre les mycètes Aucun pouvoir sporicide
		Concentration recommandée : 1/750^e
		Exemple : chlorure de benzalkonium lauryl-sulfonate de sodium
Peroxyde d'hydrogène	*Idem*	Agent oxydant
		Activité antimicrobienne brève et très faible Concentration recommandée : 3 à 6 %
Dérivés des métaux lourds	*Idem*	Dénaturation des protéines et des enzymes
		Activité antimicrobienne bactériostatique faible Efficacité fortement réduite en présence de matières organiques
		Concentration recommandée : 1/500e – 1/1000^e
		Exemple : merthiolate, metaphen, phénylmercure dérivés de l'argent et nitrate d'argent
Iodophores	*Idem*	Inactivation des protéines et des enzymes
		Activité antimicrobienne moyenne à faible
		Concentration recommandée : 75 – 150 ppm
		Exemple : bétadine, proviodine
Composés phénoliques	Fabrication des savons, désodorisants, etc.	Destruction de la membrane cytoplasmique Activité antimicrobienne bonne à moyenne, notamment à l'égard des bactéries Gram négatif (bactéricide ou bactériostatique selon les concentrations) Faible activité contre les mycètes, les endospores et les virus
		Concentration recommandée : variable selon l'usage
		Exemple : hexachlorophène

Tableau 21.4
Agents chimiques antimicrobiens utilisés pour la désinfection.

DÉSINFECTANTS	USAGES	REMARQUES
Chlore et hypochlorites	Désinfection de l'eau Lavage du linge Nettoyage des surfaces de travail	Inactivation des protéines et des enzymes Goût et odeurs désagréables Vapeurs toxiques Activité antimicrobienne forte, sauf en présence de matières organiques Concentration recommandée : variable selon les besoins Exemple : Eau de Javel Eau de Dakin
Détergents cationiques	Nettoyage des surfaces	Perturbation des échanges cellulaires Dénaturation des protéines Activité bactériostatique faible Efficaces surtout contre les bactéries Gram positif et contre les mycètes Aucun pouvoir sporicide Exemple : tweens, spans
Composés phénoliques	Désinfectant général Nettoyage des installations sanitaires	Destruction de la membrane cellulaire Dénaturation des protéines Action antimicrobienne limitée, sauf à l'égard des bactéries Gram négatif Aucun pouvoir sporicide ou viricide Concentration recommandée : 0,5 à 3 % Exemple : lysol

Tableau 21.5
Agents chimiques antimicrobiens utilisés pour la stérilisation.

AGENTS	USAGES	REMARQUES
Aldéhydes	Stérilisation d'instruments Fumigation	Inactivation des protéines et des enzymes Activité antimicrobienne forte Faible pouvoir pénétrant Pouvoir sporicide très faible Corrosif et toxique Concentration recommandée : 8 % Exemple : formaldéhyde, glutaraldéhyde
Oxyde d'éthylène	Stérilisation des produits et des appareils sensibles à la chaleur et à l'humidité	Inactivation des enzymes Activité antimicrobienne forte Procédé efficace mais lent Produit inflammable (risques d'explosion) et toxique Concentration recommandée : 450 à 800 mg/l

Figure 21.8
Penicillium notatum.

Penicillium notatum est un exemple de mycète producteur d'antibiotiques. Dans le sol, ce mycète produit de la pénicilline pour éliminer les bactéries qui sont en compétition dans le même écosystème. Cette activité naturelle a été observée par l'Homme et récupérée à son profit.

ques. Étant donné l'importance relative des sulfamides, nous traiterons surtout des antibiotiques, dont l'utilisation a connu un développement foudroyant à partir des années cinquante et qui occupent maintenant une place de choix dans l'arsenal thérapeutique antimicrobien. Par ailleurs, la question des médicaments antiviraux fera l'objet d'une autre section, principalement en raison des problèmes particuliers que soulèvent leur mise au point et leur mode d'action.

21.6.2 PROPRIÉTÉS DES AGENTS CHIMIOTHÉRAPEUTIQUES ANTIBACTÉRIENS

Quatre propriétés caractérisent les agents chimiothérapeutiques antibactériens : leur toxicité sélective, leur site d'action, leur spectre d'action et leur innocuité pour l'hôte.

TOXICITÉ SÉLECTIVE

Le terme de toxicité sélective signifie que les agents chimiothérapeutiques sont toxiques pour les microorganismes sans affecter l'hôte, parce qu'ils perturbent certaines activités ou parce qu'ils s'attaquent à certaines structures spécifiques des microorganismes. Par exemple, les agents chimiothérapeutiques qui perturbent la synthèse de la paroi ont une toxicité sélective envers les eubactéries parce que les eucaryotes ne possèdent pas de paroi ou en possèdent une de composition chimique différente.

SITES D'ACTION

Comme l'illustre la figure 21.9, les agents chimiothérapeutiques antibactériens agissent sur :

– la paroi, dont ils inhibent la synthèse, bloquant ainsi le développement des bactéries en croissance et les rendant très vulnérables à l'action des cellules immunitaires;

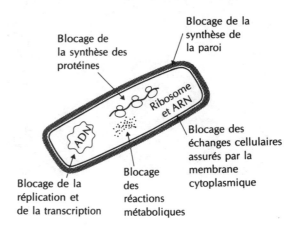

Figure 21.9
Sites d'action des agents chimiothérapeutiques.

Les agents chimiothérapeutiques perturbent des fonctions physiologiques essentielles, provoquant l'arrêt de multiplication ou la mort des microorganismes. Leur mode d'action est plus spécifique que celui des antiseptiques.

- la membrane cytoplasmique, dont ils perturbent les fonctions de perméabilité et de transport;
- la réplication et la transcription des acides nucléiques, ce qui empêche les bactéries de se reproduire ou d'assurer le contrôle et la coordination des réactions et des activités cellulaires;
- la synthèse des protéines, en particulier en bloquant la lecture du code porté par l'ARNm;
- les réactions du métabolisme intermédiaire.

La figure 21.10 montre les modifications importantes que subit la paroi d'un *Pseudomonas* sous l'action de la pénicilline.

SPECTRE D'ACTION

Le spectre d'action se réfère au nombre d'espèces ou aux différents types d'organismes attaqués par un agent chimiothérapeutique donné. L'am-

Figure 21.10
Effet de la pénicilline sur la paroi de *Pseudomonas*.

L'inhibition de la synthèse de la paroi par la pénicilline entraîne des modifications morphologiques importantes. On constate la déformation de la bactérie dont la paroi est incomplète, provoquant l'extrusion de la membrane cytoplasmique.

Source : Kleiner & Geiss. *Agents of Bacterial Diseases.* Hagerstown, Harper and Row, 1973.

pleur du spectre d'action varie d'un agent chimiothérapeutique à un autre, mais on classe généralement les agents chimiothérapeutiques en deux groupes : les agents à large spectre et les agents à spectre étroit. Les agents à large spectre agissent sur plusieurs groupes de microorganismes : ils exercent leur action antimicrobienne sur les bactéries Gram positif, les bactéries Gram négatif, les rickettsies et les chlamydia (figure 21.11). Inversement, un agent à spectre étroit n'agit que sur un groupe de microorganismes particuliers; certains n'agissent que sur les bactéries Gram positif tandis que d'autres n'agissent que sur les bactéries Gram positif. Enfin, la cible d'autres agents chimiothérapeutiques est encore plus étroite et ceux-ci détruiront soit les levures, soit les mycobactéries, soit les protozoaires.

INNOCUITÉ POUR L'HÔTE

À cause de leur toxicité sélective, les agents chimiothérapeutiques sont généralement peu ou non toxiques pour l'hôte. C'est pourquoi les antibiotiques et les sulfamides peuvent être utilisés pour un usage interne. En d'autres termes, ces substances peuvent être administrées par voie orale ou parentérale, ce qui permet de détruire les foyers infectieux les plus reculés.

Idéalement, l'antibiotique employé doit être totalement inoffensif pour l'hôte, mais c'est rarement le cas. Aussi cherche-t-on des substances qui ne provoquent pas de réactions allergiques, de toxicité rénale ou hépatique. On cherche aussi à utiliser des substances chimiquement stables. En d'autres termes, elles ne doivent pas être hydrolysées sous l'action des enzymes digestives; elles ne doivent pas non plus se fixer sur les protéines plasmatiques, car elles ne pourraient pas sortir du système circulatoire pour atteindre les bactéries dans les tissus. En même temps, les antibiotiques doivent avoir une bonne solubilité dans les fluides biologiques : il faut que leur concentration dans le liquide interstitiel, dans le liquide céphalo-rachidien ou dans l'urine, par

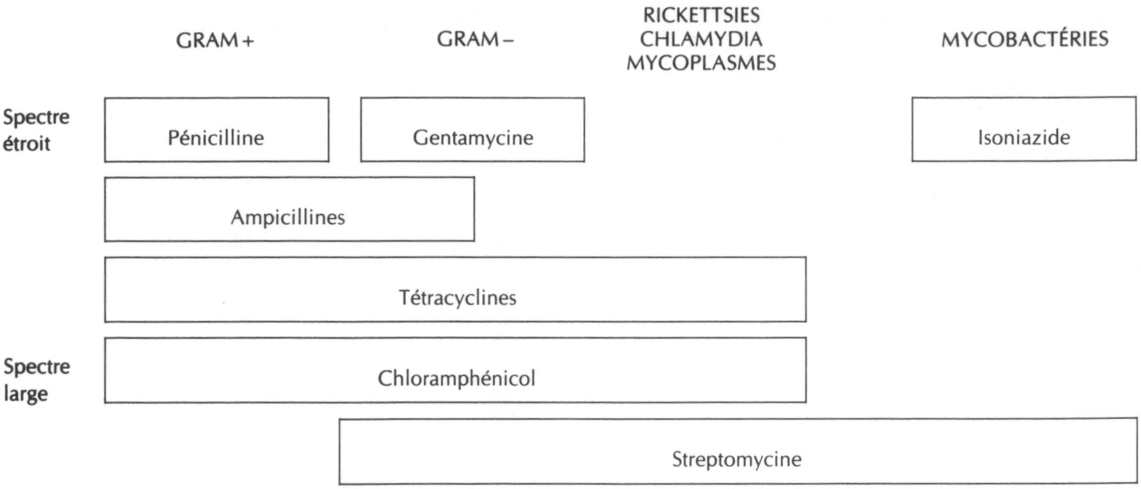

| | GRAM+ | GRAM− | RICKETTSIES CHLAMYDIA MYCOPLASMES | MYCOBACTÉRIES |

Figure 21.11
Spectre d'action de quelques antibiotiques.

Un antibiotique a un spectre d'action d'autant plus large qu'il détruit ou inhibe le développement d'un grand nombre d'espèces microbiennes. La pénicilline, qui détruit surtout les bactéries Gram positif, est un antibiotique à spectre étroit, tandis que le chloramphénicol et la streptomycine ont des larges spectres d'action.

exemple, soit suffisante pour agir sur les micro-organismes responsables de l'infection.

21.6.3 PRINCIPAUX GROUPES D'AGENTS CHIMIOTHÉRAPEUTIQUES ANTIBACTÉRIENS

On peut classer les agents chimiothérapeutiques de différentes manières. En raison des objectifs poursuivis par ce volume, les agents chimiothérapeutiques seront classés selon leur cible et leur mode d'action (tableau 21.6). En se fondant sur ces deux seuls critères, on peut distribuer tous les agents en cinq groupes selon qu'ils ont pour cible :

– la paroi;
– la membrane cytoplasmique;
– la synthèse des protéines;
– la synthèse des acides nucléiques;
– le métabolisme intermédiaire.

Le tableau 21.7 donne des exemples de bactéries et de mycètes vulnérables à des antibiotiques couramment employés en thérapeutique humaine.

> **ON CLASSE LES AGENTS CHIMIOTHÉRAPEUTIQUES EN CINQ GROUPES SELON QU'ILS INHIBENT :**
> – **LA SYNTHÈSE DE LA PAROI;**
> – **LA RÉPLICATION ET LA TRANSCRIPTION DE L'ADN;**
> – **LA SYNTHÈSE DES PROTÉINES;**
> – **LES ÉCHANGES CELLULAIRES;**
> – **CERTAINES RÉACTIONS DU MÉTABOLISME INTERMÉDIAIRE.**

21.6.4 AGENTS CHIMIOTHÉRAPEUTIQUES ANTIVIRAUX

À l'heure actuelle, il existe peu d'agents chimiothérapeutiques antiviraux. Mais les intenses re-

379

Tableau 21.6
Classification des agents chimiothérapeutiques selon le site ou la fonction affectés (excepté les virus).

CIBLES	ANTIBIOTIQUES	SULFAMIDES
Paroi	Pénicillines	
	Céphalosporines	
	Cyclosérine	
	Vancomycine	
	Ristocétine	
	Bacitracine	
Membrane cytoplasmique	Polymyxines	
	Colistine	
	Novobiocine	
	Nistatine[1]	
	Amphotéricine	
Synthèse des protéines	Chloramphénicol	
	Tétracyclines	
	Kanamycine	
	Néomycine	
	Gentamycine	
	Streptomycine	
	Érythromycine	
	Lincomycine	
	Clindamycine	
Synthèse des acides nucléiques	Rifampicine	
	Griséofulvine	
Métabolisme intermédiaire		Sulfamides
		Dapsone
		Isoniazide
		Acide amino-salicylique

1. Sur la membrane cytoplasmique des mycètes.

cherches entreprises il y a quelques années déjà laissent entrevoir une mise en marché des premiers médicaments efficaces dans un proche avenir. Toutefois, les substances actuellement sur le marché ne tuent pas les virus, elles ne font que les inactiver. En d'autres termes, les virus restent vivants dans l'organisme mais leur cycle de reproduction est bloqué.

De nouvelles recherches en vue de créer des médicaments spécifiques à l'égard du virus et inoffensifs à l'égard de l'hôte sont en voie de développement. Grâce au génie génétique, on réalise la production à grande échelle d'interférons humains, substances produites par les lymphocytes et dont la fonction est de stimuler les défenses immunitaires antivirales. On a aussi entrepris des travaux visant à entraver la fusion des membranes lysosomiales et virales.

On tente également de produire des substances analogues à celles qu'utilisent les virus mais susceptibles de bloquer leurs activités. Par exemple, on a découvert des substances à la fois capables de bloquer l'activité de certaines enzymes virales et faiblement toxiques pour les cellules. L'acyclovir est une substance très proche de celles qu'utilisent les virus herpétiques mais qui bloque la réplication de l'ADN viral : le virus ne peut se reproduire et la cellule n'est pas affectée.

Les recherches visent également des produits qui bloqueraient la désintégration de l'enveloppe protéique, empêchant ainsi la multiplication des virus dès les premières étapes. Quelques substances connues créent cet effet, notamment l'arildone, efficace contre les virus à ARN et à ADN. La recherche s'intéresse aussi aux médicaments inhibiteurs sélectifs de la réplication virale. L'amantadine bloque très efficacement la réplication du virus de la grippe de type A, et la ribavirine est active contre plusieurs virus des voies respiratoires supérieures comme les virus de la grippe de type A et B, le virus paragrippal, le virus syncytial respiratoire.

Des médicaments inhibiteurs du cycle de reproduction des rétrovirus, en particulier le virus de l'immunodéficience acquise, sont actuellement mis au point. Plusieurs composés ont déjà été synthétisés et testés. Parmi ces derniers, le nom de l'azidothymidine, ou AZT, peut être retenu. Cette substance bloque l'action de la transcriptase

Tableau 21.7
Bactéries et mycètes vulnérables aux antibiotiques d'usage courant.

ANTIBIOTIQUES	MICROORGANISMES VULNÉRABLES	ANTIBIOTIQUES	MICROORGANISMES VULNÉRABLES
Bacitracine	La plupart des bactéries Gram positif *Neisseria sp.*	**Streptomycine**	*Mycobacterium tuberculosis* *Brucella melitensis* *Yersinia pestis* *Francisella tularensis*
Cyclosérine	Nombreuses bactéries Gram positif et négatif Mycobactéries	**Néomycine**	Bactéries intestinales
Pénicillines	Nombreuses bactéries Gram positif : *Streptocoques* *Streptococcus pneumoniæ* *Streptococcus pyogenes* *Streptococcus fæcalis* *Staphylococcus aureus*[1]. *Neisseria meningitidis* *Neisseria gonorrheæ* *Corynebacterium diphteriæ* Entérobactéries : Certaines espèces de Salmonella *Hæmophilus influenzæ* Certaines espèces de Bacteroides Spirochètes, notamment *Treponema pallidum* Actynomycètes	**Kanamycine**	Nombreuses bactéries Gram négatif (sauf *Pseudomonas*)
		Gentamycine	Diverses bactéries Gram positif et négatif (dont *Pseudomonas*)
		Spectinomycine	*Neisseria gonorrheæ* résistantes à la pénicilline (traitement des blennorragies à Neisseria *gonorrheæ* résistantes à la pénicilline et des patients allergiques à la pénicilline)
		Tétracyclines	Nombreuses bactéries Gram positif et négatif *Mycoplasma* *Rickettsiæ* *Chlamydiæ*
		Nitrofuranes (Nitrofurantoin)	Nombreuses espèces de bactéries Gram positif et négatif (surtout *Escherichia coli* et *Klebsiella pneumoniæ*)
Polymyxine B	Bactéries Gram négatif (utilisée surtout pour traiter les infections causées par *Pseudomonas aeruginosa*)	**Érythromycine**	*Legionella pneumophila* *Mycoplasma pneumoniæ* Nombreuses bactéries Gram positif (dont *Streptococcus pneumoniæ*)
Amphotéricine B Nystatine	Nombreux mycètes dont *Candida*	**Griséofulvine**	Mycètes dont la paroi contient de la chitine
Mitomycine	Nombreuses espèces bactériennes	**Sulfamides**	Bactéries Gram négatif responsables des infections urinaires *Salmonella et Shigella* Bactéries Gram positif (streptocoques et staphylocoques) *Pneumocystis* *Chlamydia* *Nocardia* *Plasmodium*
Acide nalixidique	Bactéries Gram négatif		
Novobiocine	Bactéries Gram positif		
Actynomycine	Nombreuses bactéries Gram positif et Gram négatif		
Chloramphénicol	Nombreuses bactéries Gram positif et négatif *Rickettsiæ* *Chlamydiæ*		

1. Un grand nombre de souches de *Staphylococcus aureus* sont maintenant résistantes à la pénicilline.

inverse du virus du SIDA. Enfin, on se tourne vers des substances capables de se fixer sur les récepteurs cellulaires de façon à empêcher les virus d'entrer en contact avec eux.

> LES AGENTS CHIMIOTHÉRAPEUTIQUES ANTIVIRAUX SONT ENCORE PEU DÉVELOPPÉS, CAR ON NE CONNAIT PAS EXACTEMENT QUELLES ACTIVITÉS VIRALES SPÉCIFIQUES DOIVENT ÊTRE BLOQUÉES DANS LA PHASE INTRACELLULAIRE DU CYCLE VIRAL.

21.7 PROBLÈMES DE LA CHIMIOTHÉRAPIE

L'utilisation massive des antibiotiques a laissé croire à une victoire définitive contre les infections bactériennes. Mais c'était sous-estimer les bactéries et leur immense potentiel d'adaptation. Aujourd'hui, la résistance aux antibiotiques est en train de devenir un problème majeur. Par ailleurs, les antibiotiques sont loin d'être des substances totalement inoffensives. Un bon nombre d'entre elles causent des effets secondaires indésirables.

21.7.1 RÉSISTANCE AUX ANTIBIOTIQUES

Aujourd'hui, le développement de la résistance aux antibiotiques constitue un problème considérable. Il contraint notamment à la recherche permanente de nouveaux antibiotiques auxquels les bactéries pathogènes de l'Homme n'ont jamais été exposées.

Un nombre croissant d'espèces bactériennes s'adaptent au contact des antibiotiques en développant des moyens variés de résistance. Certaines espèces microbiennes sont insensibles à l'action des antibiotiques qui ne peuvent se fixer spontanément sur la membrane cytoplasmique

et la traverser pour exercer leur action. D'autres bactéries sécrètent des enzymes qui hydrolysent certaines parties actives des molécules d'antibiotiques, dont la pénicilline. C'est le cas de *Staphylococcus aureus*, des *Pseudomonas*, d'*Hæmophilus influenzæ* et de certaines entérobactéries. Cependant, ce mécanisme n'est pas le seul à l'origine de la résistance à la pénicilline : on connaît des bactéries qui résistent à cet antibiotique par suite de l'altération des protéines sur lesquelles se fixe cet antibiotique. On a observé ce mode de résistance à la pénicilline chez *Neisseria gonorrheæ*, *Streptococcus pneumoniæ* et chez certaines souches de *Staphylococcus aureus*.

Il arrive souvent qu'une souche donnée résiste à plusieurs antibiotiques en même temps : par exemple, il existe des souches de *Staphylococcus aureus* qui résistent à la pénicilline, à la streptomycine, aux tétracyclines et à la néomycine. De plus, certains plasmides portent des facteurs de résistance aux ions des métaux lourds comme le mercure, le plomb, le bismuth, le cadmium et l'arsenic. C'est au Japon, en 1959, qu'ont été rapportés les premiers cas de résistance multiple aux antibiotiques. Depuis, la situation s'est aggravée dans de nombreux pays où la résistance aux antibiotiques constitue une réelle menace.

Ce problème prend des proportions inquiétantes dans le cas des bactéries Gram négatif, qui présentent une fréquence de résistance élevée. Il est provoqué par l'utilisation massive d'antibiotiques à large spectre chez un nombre toujours plus grand de patients. Or, comme ces espèces peuvent transmettre leurs facteurs de résistance, de plus en plus de souches de *Neisseria*, de *Proteus*, de *Serratia*, d'*Enterobacter* et de *Pseudomonas* sont aujourd'hui résistantes à plusieurs antibiotiques.

Les bactéries Gram positif n'échappent pas à cette règle : aux États-Unis, on estime entre 65 et

85 % les souches de *Staphylococcus aureus* qui sont désormais résistantes à la pénicilline. Une résistance aux antibiotiques chez *Streptococcus pneumoniæ* et d'autres streptocoques est également signalée.

> **UN NOMBRE CROISSANT DE MICRO-ORGANISMES S'ADAPTENT À LA PRÉSENCE DES ANTIBIOTIQUES EN DÉVELOPPANT DES MOYENS DE RÉSISTANCE.**

21.7.2 TOXICITÉ DES AGENTS CHIMIOTHÉRAPEUTIQUES

Les agents chimiothérapeutiques ne sont pas dénués de toute toxicité. Cette toxicité est faible mais elle est loin d'être nulle, ce qui entraîne des effets secondaires sur l'organisme.

Avant d'aborder cet aspect important de l'utilisation des agents chimiothérapeutiques, il est important de préciser que :

– les agents chimiothérapeutiques doivent se trouver en concentration suffisante dans l'organisme pour exercer leur action bactéricide ou bactériostatique;

– ils commencent à être éliminés dès leur introduction dans l'organisme;

– l'élimination s'effectue principalement par les reins, à l'exception de quelques-uns qui sont excrétés par le foie.

Les effets secondaires les plus fréquents sont des atteintes hépatiques et rénales, des réactions d'hypersensibilité immédiate ou retardée, des troubles neuromusculaires, des troubles de la production des cellules sanguines, des désordres gastro-intestinaux et des surinfections.

Les dommages hépatiques se traduisent par l'élévation du taux sanguin d'enzymes hépatiques et de pigments biliaires, ce qui provoque un ictère (jaunisse). Ces troubles sont temporaires, sauf en cas de traitements prolongés.

Les troubles rénaux se traduisent soit par des glomérulonéphrites, soit par des tubulopathies[1] de gravité variable. La kanamycine, la néomycine, l'amphotéricine B et la bacitracine sont des exemples d'antibiotiques susceptibles de perturber les fonctions rénales.

Il est relativement fréquent d'observer des réactions d'hypersensibilité en cours de chimiothérapie anti-infectieuse. Généralement, les manifestations allergiques causent des désagréments bénins. Mais ce n'est pas toujours le cas. L'exemple le plus connu est celui de la pénicilline envers laquelle certaines personnes développent une hypersensibilité immédiate pouvant aller jusqu'au choc anaphylactique[2]. Les diarrhées ou certaines éruptions cutanées consécutives à la consommation d'antibiotiques peuvent aussi être des manifestations allergiques. Les pénicillines, les céphalosporines, l'érythromycine et la streptomycine sont les antibiotiques les plus fréquemment mis en jeu dans les réactions allergiques. Toutefois, ces réactions ne sont pas l'apanage des antibiotiques, car les sulfamides sont aussi responsables de telles manifestations.

Des troubles gastro-intestinaux peuvent survenir au cours des chimiothérapies anti-infectieuses. Ils se manifestent principalement par des nausées, des diarrhées et des vomissements. Pour remédier à ces inconvénients, on conseille parfois de manger avant de prendre les antibiotiques, mais ce n'est malheureusement pas toujours indiqué : certains aliments peuvent empê-

---

1. Affections du rein atteignant électivement le tube contourné du néphron.

2. Aux États-Unis, on évalue à plus de 300 le nombre de personnes qui meurent des suites d'un choc anaphylactique consécutif à l'injection de pénicilline.

cher l'absorption des antibiotiques par la muqueuse intestinale. C'est le cas des produits laitiers dont le calcium bloque le passage des tétracyclines, et de nombreux agents chimiothérapeutiques qui causent des troubles gastro-intestinaux : les pénicillines, les céphalosporines, la streptomycine, la lincomycine, la clindamycine, le nitrofurantoin et certains sulfamides.

La toxicité de certains antibiotiques peut altérer l'hématopoïèse, c'est-à-dire la production des cellules sanguines dont les cellules souches se trouvent dans la moelle osseuse. Généralement, les cellules souches ne sont pas gravement atteintes, et la diminution des globules du sang n'est que temporaire. Les globules rouges peuvent être produits en moins grand nombre ou être plus fragiles, ce qui augmente leur risque d'être hémolysés. Dans un cas comme dans l'autre apparaît une anémie causée par la diminution de la capacité de transport des gaz respiratoires. La diminution du nombre des globules blancs, ou leucopénie, peut entraîner une immunodéficience légère et passagère. La toxicité du chloramphénicol est un cas particulier qui mérite d'être souligné : cet antibiotique cause une aplasie médullaire progressive et irréversible. L'aplasie médullaire résulte de la disparition des cellules souches qui donnent naissance aux globules rouges, aux différents groupes de globules blancs et aux plaquettes sanguines.

Des surinfections peuvent être causées par la prise d'antibiotiques. En effet, un antibiotique n'est pas suffisamment sélectif, sauf exception, pour n'éliminer que l'espèce microbienne responsable de l'infection : toutes les espèces microbiennes sensibles à l'action de cette substance sont affectées. Il en résulte un déséquilibre de la flore microbienne commensale et l'installation d'éventuels microorganismes pathogènes. C'est ce qui se produit, par exemple, lors de l'entérocolite causée par *Clostridium difficile*, une infection souvent consécutive à une antibiothé-

rapie intestinale énergique. Certaines vaginites, causées par *Candida albicans*, sont aussi la conséquence de la perturbation de la flore vaginale dont un des rôles est de maintenir une acidité qui inhibe ou ralentit le développement de certains microorganismes indésirables ou pathogènes. Les troubles gastro-intestinaux, notamment les diarrhées, traduisent aussi l'anéantissement de la flore intestinale. La consommation prolongée ou à fortes doses de clindamycine, d'ampicilline et de céphalosporines peut être à l'origine de tels incidents.

Enfin, les antibiotiques peuvent causer des troubles neurologiques. Le plus souvent, ces désordres sont mineurs et passagers : les maux de tête ou la somnolence disparaissent avec l'arrêt de la médication. Cependant, ils peuvent être plus graves et permanents. À titre d'exemple, mentionnons le cas de la streptomycine, qui peut entraîner la surdité par suite de lésions au nerf auditif.

> **LES AGENTS CHIMIOTHÉRAPEUTIQUES NE SONT PAS DÉNUÉS DE TOUTE TOXICITÉ.**
> **LES RÉACTIONS D'HYPERSENSIBILITÉ GÉNÉRALISÉES OU LOCALES, LES TROUBLES GASTRO-INTESTINAUX, L'HÉPATOTOXICITÉ ET LA NÉPHROTOXICITÉ SONT LES PRINCIPAUX EFFETS SECONDAIRES DE L'ANTIBIOTHÉRAPIE.**

21.8 RÉSUMÉ

Le contrôle du développement microbien est un élément fondamental de la lutte anti-infectieuse et de la protection des matières organiques périssables.

La destruction des microorganismes n'est jamais instantanée car ils ne meurent pas tous en même temps. Les populations microbiennes décroissent exponentiellement. Le taux de mortalité représente la fraction d'individus qui meurent en un temps donné.

La stérilisation est l'absence de tout microbe capable de se multiplier. Elle dépend du temps d'exposition à l'agent létal, de la densité de la population microbienne initiale et du taux de mortalité des microorganismes.

Les agents antimicrobiens agissent en modifiant les propriétés physiques et chimiques des composés cellulaires. Ces modifications se répercutent au niveau cellulaire en inhibant des activités physiologiques essentielles. Ils ont une action bactériostatique ou bactéricide.

On distingue trois groupes d'agents antimicrobiens : les agents physiques, chimiques et chimiothérapeutiques.

Parmi les agents physiques, la chaleur et les radiations sont les seuls qui permettent une destruction absolue des microorganismes. La chaleur humide est l'agent de destruction le plus couramment employé pour la stérilisation en raison de son efficacité, de sa rapidité, de sa simplicité d'opération et de son innocuité. L'ébullition ne peut être considérée comme un procédé de stérilisation car les endospores ne sont pas détruites. La réfrigération et la congélation sont des moyens efficaces pour enrayer le développement des microorganismes, mais leur action n'est que bactériostatique. À cause de leurs effets mortels, l'irradiation par les rayons γ est un moyen de contrôle absolu. Bien qu'elle ne les détruise pas, la filtration est un moyen physique pratique et efficace pour retirer les microorganismes les plus volumineux de certains liquides et de l'air.

On appelle agents chimiques les substances utilisées pour l'antisepsie et la désinfection. En raison de leur toxicité élevée et de leur faible spécificité, ils ne peuvent servir qu'à l'élimination des microorganismes à la surface de la peau et des muqueuses. Il est souhaitable qu'ils aient un large spectre d'action, qu'ils soient peu toxiques, pénétrants, détergents et solubles dans l'eau. De plus, ils doivent agir à faible concentration et à température ambiante sans être affectés par la présence de matières organiques étrangères. L'efficacité d'un antiseptique dépend de tous ces facteurs, mais aussi de la concentration de la population microbienne à détruire.

Les plus utilisés pour les soins de la peau et des muqueuses sont surtout les alcools, les agents cationiques et les iodophores. Les produits contenant du chlore sous diverses formes ou des phénols ont une action microbienne forte, mais leur nocivité en limite l'emploi au nettoyage et à la désinfection.

Les agents chimiothérapeutiques sont des composés chimiques naturels ou de synthèse à pouvoir bactériostatique ou bactéricide. Agissant très spécifiquement et à faible dose sur les microorganismes sans affecter l'hôte, les agents chimiothérapeutiques peuvent être administrés par voie orale ou parentérale. On classe les agents chimiothérapeutiques en cinq groupes selon qu'ils inhibent la synthèse de la paroi, la réplication et la transcription de l'ADN, la synthèse des protéines, les échanges cellulaires et certaines réactions du métabolisme intermédiaire.

Les agents chimiothérapeutiques antiviraux sont encore peu développés, car on connaît encore mal les activités virales à bloquer au cours de la phase intracellulaire du cycle viral.

Un nombre croissant de microorganismes s'adaptent au contact des antibiotiques en développant des moyens de résistance, ce qui complique la thérapeutique anti-infectieuse et condamne à la recherche perpétuelle de nouvelles substances antimicrobiennes.

Les agents chimiothérapeutiques ne sont pas dénués de toute toxicité. Les réactions d'hypersensibilité, locales ou généralisées, les troubles gastro-intestinaux, l'hépatotoxicité et la néphrotoxicité sont les effets secondaires les plus fréquents.

LECTURES SUGGÉRÉES

ABRAHAM, E. « Des antibiotiques: les β-lactamines ». *Pour la science,* n° 46 (août 1981), p. 92-105.

ACAR, P. « Résistance des bactéries, problème mondial ». *Médecine sciences*, vol. 3, n° 2 (février 1987), p. 66-67.

BENENSON, A.S. *Control of Communicable Diseases in Man.* 14e éd., Washington, American Public Health Association, 1985, 485 p.

BLOCK, S. S. *Disinfection, Sterilization and Preservation.* 3e éd., Philadelphie, Lea and Febiger, 1983, 1053 p.

CLERCQ, E. de. « La chimiothérapie du SIDA ». *La recherche,* vol. 23, n° 241 (mars 1992), p. 288-295.

COLLINS, C. H., ALLWOOD, M. C. et A. FOX. *Disinfectants, their Uses and Evaluation of Effectivness.* New York, Academic Press, 1981, 229 p.

CORPET, D. « Les microbes font de la résistance ». *La recherche*, vol. 20, n° 215 (novembre 1989), p. 222-223.

GALLOIS, J.-M. « La revanche des gonocoques ». *La recherche,* vol. 8, n° 80 (juillet-août 1977), p. 682-684.

GUTMAN, L. et R. WILLIAMSON. « Paroi bactérienne et b-lactamines ». *Médecine sciences*, vol. 3, n° 2 (février 1987), p. 75-81.

HAMDEN, M. « Les médicaments antiviraux ». *La recherche*, vol. 19, n° 195 (janvier 1988), p. 31-41.

HIRSH, M. et J. KAPLAN. « Les traitements antiviraux ». *Pour la science*, n° 116 (juin 1987), p. 42-54.

JOKLICK, W. K., WILLET, H. P. et D. B. AMOS. *Zinsser Microbiology.* 18e éd., Norwalk, Appleton-Century-Crofts, 1984, 1316 p.

MILLER, B. M. *Laboratory Safety Principles and Practices.* Washington, American Society for Microbiology, 1986, 372 p.

REGNAULT, J.-P. *Microbiologie générale.* Montréal, Décarie, 1990, 859 p.

TANNER, F., HAXHE, J. J., ZUMOFEN, M. et G. DUCEL. *Éléments d'hygiène hospitalière et techniques d'isolement hospitalier.* Paris, Maloine, 194 p.

TRIEU-CUOT, P. et P. COURVALIN. « Résistance aux antibiotiques : mode privilégié de la circulation génétique ». *Médecine sciences*, vol. 3, n° 2 (février 1987), p. 82-90.

YARCHOAN, R. , MITSUYA, H. et S. BRODER. « Les traitements du SIDA ». *Pour la science*, n° 134 (décembre 1988), p. 94-105.

chapitre **22**

prophylaxie

SOMMAIRE

22.1 INTRODUCTION

La recherche d'une protection efficace contre le péril infectieux est une très ancienne préoccupation de l'Homme, mais il n'y a pas plus d'un siècle que les maladies infectieuses ont vraiment commencé de régresser.

En fait, cette diminution est reliée au développement de la médecine moderne, notamment sous l'impulsion de la microbiologie. À cette époque, en effet, les microbiologistes ont démontré l'exactitude de la théorie germinale des maladies infectieuses, théorie selon laquelle ces maladies sont causées par des germes pathogènes[1]. Jusqu'alors, on croyait que les maladies étaient soit l'expression de la colère divine – et le juste châtiment d'une faute –, soit le résultat d'un dérèglement d'une des quatre forces régissant l'équilibre de la nature et des êtres qui l'habitent.

Une fois prouvée la théorie germinale, il devient possible :

– de rechercher, de cultiver et d'identifier les agents microbiens responsables des nombreuses infections qui accablent l'humanité;

– de mettre en œuvre des moyens de contrôle (désinfection, stérilisation, pasteurisation, etc.);

– de freiner la propagation des agents infectieux dans l'environnement et d'enrayer la contamination de l'eau;

– d'appliquer en médecine et en chirurgie les concepts d'asepsie, d'antisepsie et de prophylaxie développés par Pasteur et par quelques médecins et microbiologistes de l'époque.

Par ailleurs, le recul des grandes maladies infectieuses coïncide avec l'émergence d'une nouvelle pensée médicale et sanitaire postulant que la santé doit être envisagée tant pour les individus que pour la collectivité tout entière. Dans cette optique, on met l'accent sur l'amélioration des conditions sanitaires et des procédés permettant d'enrayer la dissémination des agents infectieux. Les premiers résultats sont spectaculaires. Le traitement de l'eau et la construction d'égouts sont directement responsables de la disparition des grandes épidémies de maladies hydriques telles que le choléra ou la typhoïde transmises par contamination fécale[2]. De même, l'amélioration de l'hygiène générale, de la salubrité des habitations, des conditions de travail et de l'alimentation sont à l'origine de la régression de la tuberculose que l'on fait souvent coïncider, mais à tort, avec la mise au point du vaccin antituberculeux.

Quoique la prévention soit largement responsable du recul du péril infectieux, l'heure n'est pas au triomphalisme : le bilan reste très inégal, même dans les pays à haut niveau de vie qui se sont dotés de systèmes de santé efficaces. Et que dire de la situation que connaissent la plupart des pays en voie de développement où les maladies infectieuses constituent toujours la première cause de maladie et de décès ?

Dans les pays riches, des résultats spectaculaires ont été obtenus contre la variole, contre plusieurs maladies infantiles, contre la tuberculose, la typhoïde et le choléra, par exemple. Mais les infections respiratoires sont encore loin d'être jugulées, et les maladies transmissibles sexuellement sont en pleine expansion. Enfin, avec le développement des infections nosocomiales, les hôpitaux connaissent une situation préoccupante.

---

1. Ce terme de germe est alors synonyme de microbe.

2. Au Québec, en 1832, le choléra emporta plus de 7000 personnes et, en 1847, les épidémies de typhoïde qui survinrent à Québec et à Montréal firent plus de 15 000 morts.

Aujourd'hui, le maintien de la santé de la population repose sur deux grandes catégories de moyens : la médecine curative, qui traite les malades et tente de les guérir, et la médecine préventive, qui cherche à prévenir les maladies et les rechutes, qu'elles soient d'origine infectieuse ou non (maladies cardio-vasculaires, cancers, etc.). Ce volet préventif de la médecine moderne porte le nom de prophylaxie. Sur le plan de la lutte anti-infectieuse, la prévention vise deux grands objectifs :

– l'arrêt de la propagation de l'infection par suite de la rupture de la chaîne épidémiologique au niveau de l'un de ses maillons;
– l'acquisition de la résistance anti-infectieuse de la part des personnes ou des individus exposés au risque infectieux.

L'objet de ce chapitre est de passer en revue les principaux moyens dont on dispose actuellement pour prévenir les maladies infectieuses. Nous présenterons successivement les mesures à prendre sur les réservoirs, sur le milieu extérieur, sur la transmission des agents infectieux et sur l'hôte réceptif. Ensuite, nous traiterons de la prophylaxie en milieu hospitalier, un sujet d'importance en raison de la recrudescence du risque infectieux que l'on y observe.

22.2 ACTION SUR LES RÉSERVOIRS

Il est possible, sinon souhaitable, d'entreprendre une lutte préventive au niveau des réservoirs humains et animaux afin d'éliminer les agents infectieux avant qu'ils n'en sortent.

22.2.1 RÉSERVOIRS HUMAINS

La plupart des maladies infectieuses humaines se propagent à partir de réservoirs humains. Ces réservoirs sont les personnes malades et contagieuses, les convalescents et les porteurs sains.

Les infections à réservoir exclusivement humain sont celles qui sont les plus faciles à freiner ou à éradiquer. La prévention de ces infections repose sur deux grandes catégories de moyens :

– le dépistage, le traitement des malades, éventuellement leur isolement et la chimioprophylaxie, c'est-à-dire une chimiothérapie préventive, afin d'éviter la propagation de l'infection;
– l'éducation sanitaire, sur laquelle repose, à long terme, la disparition du péril infectieux.

DÉPISTAGE DES MALADES

Le dépistage constitue la première mesure préventive à mettre en œuvre afin de prévenir la propagation des maladies infectieuses. Les modalités diffèrent selon les pays, l'infrastructure médicale en place, le type d'habitat (urbain ou rural), etc.

Habituellement, dans nos régions à fortes concentrations urbaines, aux infrastructures médicales développées, on se contente généralement d'un dépistage passif : les malades viennent d'eux-mêmes consulter par suite des symptômes qu'ils ressentent. Une infection inapparente peut aussi être diagnostiquée à l'occasion d'une visite de routine ou d'un examen. Mais, dans certaines circonstances, comme la survenue d'une épidémie ou d'une augmentation du nombre de cas isolés, il peut s'avérer nécessaire de passer à un niveau de surveillance plus élevé : la surveillance active. Ce type de surveillance permet de récolter rapidement les informations pertinentes à la mise en œuvre immédiate des mesures prophylactiques nécessaires.

SURVEILLANCE DES INFECTIONS

Des réglementations internationales et nationales imposent la surveillance et la déclaration obligatoire de certaines maladies infectieuses. L'analyse des données collectées permet :

- de connaître l'évolution de la mortalité et de la morbidité infectieuse;
- de connaître les agents infectieux en circulation;
- de guetter l'apparition d'agents nouveaux;
- de révéler les menaces d'épidémies et de permettre une intervention précoce;
- de suivre l'évolution sérologique de certains agents, notamment les virus grippaux[1];
- de suivre l'évolution de la sensibilité des agents pathogènes aux antibiotiques;
- d'évaluer l'efficacité des mesures curatives ou préventives mises en œuvre pour lutter contre les infections;
- de mesurer les risques infectieux liés à l'environnement, notamment ceux liés à la qualité de l'eau, à la qualité de l'alimentation, à la présence de réservoirs animaux et de vecteurs;
- de promouvoir, de guider et de contrôler les campagnes d'information et de prévention.

Le Règlement sanitaire international établi par l'Organisation mondiale de la santé impose la déclaration de la peste[2], du choléra, de la fièvre jaune et du SIDA; cet organisme suit aussi l'évolution d'autres maladies infectieuses. À partir des informations reçues par l'OMS sur les zones où sévissent les maladies, certains pays établissent des formalités à l'entrée de leur territoire (vaccination, examen médical, quarantaine, etc.) ou conseillent à leurs ressortissants de se conformer aux mesures prophylactiques individuelles qui les protégeront des maladies qu'ils pourraient contracter au cours de leurs déplacements.

La plupart des pays occidentaux ont leur propre réglementation sur les maladies à déclaration obligatoire. Le tableau 22.1 indique celles qui le sont dans la plupart des pays, dont le Canada.

TRAITEMENT DES MALADES

En assurant une prompte guérison des malades, le traitement contribue à éliminer les agents infectieux et réduit le nombre de porteurs sains. En fait, le traitement est un problème très complexe, car il peut être difficile de savoir qui l'on doit traiter dans la population. Il faut d'abord se rappeler que la notion de « malade » est parfois difficile à cerner. Toutes les personnes ne présentent pas nécessairement les mêmes symptômes, et ces symptômes sont parfois de moindre gravité ou carrément absents. À ces personnes s'ajoutent les porteurs sains qui, sur le plan épidémiologique, représentent toujours un plus grand danger que les malades proprement dits. D'ailleurs, il arrive fréquemment que ces porteurs soient plus nombreux que les malades eux-mêmes, comme dans le cas du SIDA, par exemple. Comme il n'est pas toujours facile de les rejoindre, de les sensibiliser à la prévention, ils continuent souvent de transmettre l'agent infectieux qu'ils hébergent.

Par ailleurs, il ne saurait être question de traiter l'ensemble de la population à titre préventif. Cette mesure est inutile si les personnes infectées ou porteuses de l'agent pathogène sont rares. La plupart du temps, seules les personnes chez qui on aura dépisté l'agent infectieux seront traitées.

ISOLEMENT

Autrefois, l'isolement des malades ainsi que l'éviction scolaire étaient instaurés systématiquement afin d'enrayer la propagation des maladies infectieuses. Le temps de l'isolement des lépreux, des

---

1. Ce problème a conduit à la création d'un réseau mondial de surveillance et de laboratoires de référence. Un tel système a pour fonction de suivre l'évolution continuelle des virus et de signaler l'apparition de nouvelles souches grippales responsables des pandémies.
2. Grâce à ces déclarations, en 1990, l'OMS a recensé 1250 cas de peste humaine. Cent trente-sept personnes en sont mortes. Les plus grands nombres de cas ont été recensés au Viêt-nam, dans la République de Tanzanie et à Madagascar.

Tableau 22.1
Maladies infectieuses à déclaration obligatoire.

BACTÉRIOSES	VIROSES	PARASITOSES
Fièvre jaune	Hépatite A	Amibiase
Botulisme	Hépatite B	Giardiase
Brucellose	Hépatite C	Paludisme
Campylobactériose	Hépatite non A – non B	
Chancre mou	Herpès simplex (congénital et néonatal)	Trichinose
Chlamydiose génitale	Méningites et encéphalites virales	
Choléra	Oreillons	
Coqueluche	Poliomyélite	
Diphtérie	Rage	
Infections gonococciques	Rougeole	
Infections invasives à *Hæmophilus influenzæ*	Rubéole	
Infections à méningocoques	Rubéole congénitale	
Légionellose	Syndrome d'immunodéficience acquise	
Lèpre	Varicelle	
Listérioses		
Méningites à pneumocoques (et autres méningites bactériennes)		
Ophtalmie gonococcique du nouveau-né		
Paratyphoïde		
Peste		
Salmonelloses		
Shigellose		
Syphilis		
Tétanos		
Tuberculose		
Typhoïde		

tuberculeux et, dans certains pays, des syphilitiques n'est pas encore si lointain, de même que celui des mesures de quarantaine imposées aux immigrants arrivant aux États-Unis et au Canada jusqu'au début du XXᵉ siècle. On se souvient aussi des enfants bannis de l'école pour la durée de la rougeole, de la varicelle, etc.

De nos jours, l'isolement est tombé en désuétude, sauf en milieu hospitalier. S'il en est ainsi, c'est que les sulfamides et les antibiotiques ont révolutionné le traitement des infections bactériennes et réduit considérablement la période de sortie des agents infectieux. Par ailleurs, l'isolement ne prend pas en compte :

– la propagation de certains agents infectieux (hépatite A, poliomyélite et autres entéroviroses) par l'intermédiaire de malades inapparents;

– la faible contagiosité de certains agents infectieux (typhoïde, salmonellose, choléra) qui peuvent être facilement maîtrisés par de simples mesures d'hygiène;

– certaines maladies, comme les maladies respiratoires, dont la contagiosité très précoce précède les premiers symptômes (grippe, rougeole, adénoviroses, etc.).

De nombreux auteurs considèrent cependant que l'isolement et l'éviction constituent une mesure appropriée dans les circonstances suivantes :

- les personnes atteintes d'une maladie transmissible sexuellement, à qui l'on recommande l'abstinence les premiers jours du traitement;

- les personnes porteuses de staphylocoques, de salmonelles, de shigelles ou du virus de l'hépatite A et qui œuvrent dans le domaine de l'alimentation;

- les personnels soignants atteints de certaines infections et les femmes enceintes non immunes et risquant d'entrer en contact avec des agents infectieux nuisibles pour l'enfant qu'elles portent.

CHIMIOPROPHYLAXIE

La chimioprophylaxie est l'emploi préventif de médicaments dans le but d'empêcher l'apparition d'une maladie. Les médicaments sont pris avant l'exposition à l'agent infectieux ou immédiatement après.

Ce procédé présente l'avantage d'être efficace immédiatement, mais certains inconvénients en restreignent l'usage :

- le médicament utilisé doit être actif contre le plus grand nombre de souches de l'agent infectieux visé tout en ayant un spectre étroit d'action afin de s'attaquer électivement à cet agent; en effet, ce médicament ne doit pas bouleverser l'équilibre des flores microbiennes commensales normales;

- le médicament ne doit pas favoriser l'apparition de souches résistantes;

- le médicament doit être dépourvu d'effets secondaires. Si tel n'est pas le cas, ces effets doivent être très inférieurs aux risques que court l'individu s'il contracte la maladie.

ÉDUCATION SANITAIRE

L'éducation sanitaire est un autre volet fondamental de tout programme de prophylaxie : il faut sensibiliser la population à l'intérêt des mesures d'hygiène générale et de prophylaxie.

Les mesures varient selon les régions, le niveau de vie, les groupes cibles. Dans les pays où le niveau de vie est élevé, les principales interventions portent sur les maladies transmissibles sexuellement ou sur certaines flambées infectieuses qui surviennent dans des populations circonscrites (giardiase chez les enfants en garderie) ou dans des groupes à risque et chez les toxicomanes s'injectant des drogues par voie intraveineuse (hépatite B et SIDA). Ces campagnes d'information renseignent sur le mode de transmission de l'agent infectieux, suggèrent des moyens de prévention et incitent les personnes à risque à consulter un médecin.

L'efficacité de ces mesures est souvent diminuée par le peu d'effet qu'elles ont sur les personnes les plus exposées au péril infectieux. Il n'est pas toujours possible de compter sur l'approbation publique pour des raisons morales, parce qu'elles vont à l'encontre de valeurs ou d'habitudes bien ancrées ou, tout simplement, parce qu'elles sont perçues comme des contraintes. Dans certains cas, les mesures préventives doivent être soutenues par une réglementation.

> **LA PRÉVENTION DES INFECTIONS À PARTIR DES RÉSERVOIRS HUMAINS REPOSE SUR LE DÉPISTAGE DES MALADES, LA SURVEILLANCE DES INFECTIONS, LE TRAITEMENT DES MALADES, LA CHIMIOPROPHYLAXIE ET L'ÉDUCATION SANITAIRE.**

22.2.2 RÉSERVOIRS ANIMAUX

L'Homme vit entouré d'animaux domestiques et sauvages. Leur présence constitue une menace non négligeable pour sa santé. On distingue généralement quatre types de réservoirs animaux :

– les animaux domestiques, notamment les chiens et les chats, qui peuvent transmettre leurs tiques, leurs teignes et leurs ascaris[1]. Le chat peut transmettre la toxoplasmose; les cobayes et les hamsters sont des agents de transmission de la chorioméningite;

– les rongeurs communs, comme les rats, qui jouent encore un rôle important dans la propagation de la peste, toujours présente dans certains pays, et qui sont aussi responsables de la leptospirose ictéro-hémorragique et du typhus murin;

– les animaux d'élevage, responsables de différentes maladies rencontrées chez les éleveurs et les vétérinaires en contact avec le lait, la viande, le cuir, la laine (brucellose, fièvre Q), et des personnes qui consomment des produits contaminés comme le lait (tuberculose et brucellose) ou la viande (salmonellose, trichinose, téniase et cysticercose). Il en est de même des végétaux souillés par les déjections de ces animaux (douve du foie);

– les animaux sauvages, qui menacent les chasseurs (tularémie, rage, échinococcose alvéolaire, fièvre des montagnes Rocheuses), les ouvriers forestiers, etc.

Dans certaines maladies animales transmissibles à l'Homme comme dans le cas des anthropozoonoses, ou dans celui des parasitoses dont les agents infectieux réalisent une partie de leur cycle évolutif chez l'animal, il est possible d'intervenir de manière à prévenir la contamination humaine. D'une façon générale, nous distinguerons quatre grands types de mesure préventive :

– la surveillance, l'hygiène, le déparasitage et, éventuellement, la vaccination des animaux domestiques et de compagnie;

---

1. Ces ascaris sont responsables des *Larva migrans* (*voir chapitre 19*).

– le dépistage des personnes exposées aux agents infectieux par suite de morsures d'animaux domestiques ayant contracté la rage auprès d'animaux sauvages enragés;

– l'éducation du public, surtout pour le mettre en garde contre le risque de rage par suite de contact d'animaux domestiques avec des animaux sauvages enragés (notamment les mouffettes, les renards et les chauves-souris);

– le contrôle sanitaire des transports d'animaux et la mise en quarantaine ou l'abattage des animaux malades.

LA PRÉVENTION DES INFECTIONS À PARTIR DES RÉSERVOIRS ANIMAUX REPOSE NOTAMMENT SUR L'ACTION VÉTÉRINAIRE, LE DÉPISTAGE DES MALADIES CHEZ LES PERSONNES EN CONTACT AVEC LES ANIMAUX ET L'ÉDUCATION DU PUBLIC.

22.3 ACTION SUR LE MILIEU EXTÉRIEUR

Tout programme prophylactique comporte un important volet d'action sur le milieu extérieur. Relevant généralement de la salubrité publique, l'intervention sur le milieu extérieur permet d'éviter la contamination de l'eau et des aliments. Elle permet aussi de contrôler la pullulation de certains vecteurs animaux.

22.3.1 ASSAINISSEMENT DE L'EAU

Dans nos régions, l'assainissement de l'eau repose sur deux grands types de procédés :

– les traitements qui permettent d'obtenir de l'eau potable, c'est-à-dire de l'eau que l'on peut consommer sans danger, après l'avoir débarrassée des matières toxiques et des micro-organismes pathogènes;

- les traitements qui épurent les eaux résiduaires (vaisselle, lavages, lessive, toilettes), qui éliminent, à des degrés divers, les matières organiques et les microorganismes qu'elles contiennent de manière à retourner dans la nature une eau de qualité convenable.

Ces traitements visent donc à prévenir :

- la dissémination des microorganismes pathogènes qui risquent de contaminer l'eau de baignade et les prises d'eau potable des villes situées en aval;

- la contamination des cultures et de l'élevage de certains fruits de mer.

Deux cas sont à considérer selon que l'on se trouve en zones urbaines ou en zones rurales. En zone urbaine, les eaux usées sont collectées par un système d'égouts sanitaires et conduites vers une station d'épuration. En zones rurales, les eaux usées et les matières fécales doivent être envoyées dans des fosses septiques. Au cours du processus d'épuration, les matières organiques sont dégradées et les microorganismes fécaux sont éliminés.

Que l'on soit en milieux urbain ou rural, les ordures ménagères doivent être ramassées et éliminées. Elles peuvent être enfouies ou incinérées. Dans un cas comme dans l'autre, le traitement des ordures évite la prolifération des microorganismes indésirables et la pullulation des rongeurs, qui jouent un rôle important dans la chaîne épidémiologique de certaines maladies infectieuses.

> **LE TRAITEMENT ET L'ÉPURATION DE L'EAU, LE RAMASSAGE ET L'ÉLIMINATION DES ORDURES SONT LES PRINCIPAUX MOYENS D'ACTION SUR LE MILIEU EXTÉRIEUR.**

22.4 ACTION SUR LA TRANSMISSION

Il est aussi possible de prévenir la propagation de certaines infections en empêchant la transmission des agents infectieux. C'est le cas de plusieurs infections respiratoires, de la plupart des toxi-infections alimentaires, des maladies transmissibles sexuellement, de nombreuses parasitoses et des maladies transmises par des insectes vecteurs.

22.4.1 PRÉVENTION DE LA CONTAMINATION PAR VOIE AÉRIENNE

La prévention des maladies transmises par voie aérienne peut être effectuée en empêchant la dissémination des gouttelettes rhyno-pharyngées et des poussières porteuses de microorganismes pathogènes. La prévention porte essentiellement sur l'assainissement de l'air :

- Dans les maisons, l'atmosphère peut être assainie par une aération adéquate. L'ensoleillement et le degré hygrométrique sont deux facteurs importants de la salubrité de l'air. Les rayons ultraviolets éliminent un certain nombre de microorganismes; quant à l'humidité de l'air, elle doit être suffisante (entre 35 et 60 %) pour éviter l'irritation des voies respiratoires, qui favorise les infections virales. Dans le cas des immeubles climatisés, l'air recyclé doit être filtré. Il faut aussi veiller à l'entretien des appareils de climatisation, car ils peuvent servir de réservoir à certains microorganismes infectieux tels *Legionella pneumophila*.

- Dans les services publics, on peut réduire la transmission des agents infectieux en plaçant des hygiaphones aux guichets et en demandant aux individus de ne pas cracher par terre. Dans certains pays, les personnes enrhumées portent des masques pour éviter de contaminer leurs concitoyens.

Le contrôle de la qualité de l'air revêt une importance capitale en milieu hospitalier, car l'air ambiant doit y être assaini systématiquement afin d'éviter la propagation des agents infectieux transportés par l'air. Ce cas particulier est traité à la section 22.6.3.

22.4.2 PRÉVENTION DE LA CONTAMINATION PAR VOIE DIGESTIVE

Il est possible de prévenir la contamination par voie digestive par plusieurs séries de mesures préventives relatives à l'eau potable et aux aliments consommés.

Les communautés urbaines et rurales devraient disposer d'eau potable, c'est-à-dire d'eau exempte de microorganismes pathogènes. En milieu urbain, le traitement de l'eau offre aux habitants une eau filtrée, chlorée ou ozonisée. La qualité bactériologique de l'eau potable fait l'objet d'un contrôle régulier afin de s'assurer de l'absence de tout microorganisme d'origine fécale. Il en est de même des eaux destinées aux activités récréatives, qui sont soumises à certaines normes. En milieu rural, les points d'eau et les puits doivent être situés loin des fosses septiques, des pâturages et des dépotoirs. En cas de doute, il est toujours préférable de faire bouillir l'eau ou de la filtrer.

Les aliments devraient être exempts d'agents pathogènes tout au long de la chaîne alimentaire, de leur lieu de production jusqu'à l'assiette du consommateur. Cette règle exige la stricte observance des règles d'hygiène et de salubrité au moment de la culture des fruits et des légumes, de leur récolte, de leur traitement et de leur conservation. Il en est de même de l'élevage des animaux. Les volailles, les cheptels destinés à la production laitière ou à la boucherie font l'objet de contrôles sévères. De nos jours, la préparation

des aliments constitue la principale cause de toxi-infections alimentaires.

La prévention de la transmission des infections par voie digestive passe aussi par l'éducation sanitaire des enfants et des adultes. Il faut notamment veiller aux risques de contamination fécale-orale liés à la manipulation d'objets souillés, aux doigts que l'on met dans la bouche et, chez les enfants, à la géophagie.

> IL EST POSSIBLE DE PRÉVENIR LA PROPAGATION DES MALADIES INFECTIEUSES PAR L'ASSAINISSEMENT DE L'AIR, PAR LE TRAITEMENT DE L'EAU ET PAR UNE PRÉPARATION ADÉQUATE DES ALIMENTS.

22.5 ACTION SUR L'HÔTE RÉCEPTIF

L'hôte réceptif constitue un autre élément important de toute prévention des maladies infectieuses. Celle-ci repose sur quatre moyens :

- la chimioprophylaxie des personnes exposées à un risque infectieux;
- la vaccination, aujourd'hui largement développée en raison de l'immunité durable qu'elle confère;
- la séroprophylaxie, qui permet de prévenir certaines infections chez des personnes non immunisées;
- l'isolement, dont nous traiterons dans la section consacrée à la prophylaxie en milieu hospitalier.

Les vaccinations et les sérothérapies présentent depuis le début de l'immunologie un intérêt considérable. Elles sont largement responsables de la réduction de la morbidité et de la mortalité infectieuses. Systématiquement utilisées, comme elles le sont dans de nombreux pays occidentaux, elles ont permis de freiner la plupart des maladies infectieuses infantiles. C'est aussi grâce à cette utilisation systématique que la variole a été éliminée de la surface de la planète, aucun cas de cette infection virale n'ayant été recensé depuis 1980.

Si le but ultime de l'immunisation est l'élimination totale et définitive des maladies infectieuses évitables par les vaccins, l'éradication des agents responsables de ces maladies n'est généralement possible que dans un petit nombre de cas : il faut que la maladie soit limitée à l'Homme et qu'il n'y ait pas de réservoirs animaux de l'agent pathogène.

22.5.1 CHIMIOPROPHYLAXIE

La chimioprophylaxie consiste en un traitement préventif des personnes saines qui ont été exposées à un agent infectieux. Toutefois, quand elle est possible, la vaccination est toujours préférable, car la chimioprophylaxie laisse toujours le risque de voir apparaître des agents pathogènes résistants au médicaments, comme c'est le cas chez *Plasmodium malariæ,* responsable du paludisme.

La chimioprophylaxie connaît plusieurs applications médicales ou chirurgicales; parmi celles-ci, mentionnons la prévention :

– du paludisme, en principe systématique pour les personnes non immunes appelées à voyager en zones endémiques[1], et, dans une moindre mesure, de la loase et de la trypanosomiase africaine;

– de certaines parasitoses intestinales (giardiase, entérobiose);

---

1. L'apparition de la résistance de *Plasmodium falciparum* à la chloroquine complique le problème de la prévention dans certaines régions.

– des méningites à méningocoques par traitement systématique des personnes au contact du malade;

– des gangrènes gazeuses chez les blessés (notamment les accidentés de la route);

– du choléra, de la tuberculose et de la lèpre;

– des maladies transmissibles sexuellement, notamment la syphilis, la blennorragie et la chlamydiose;

– du rhumatisme articulaire aigu et des glomérulo-néphrites susceptibles de survenir chez les personnes souffrant d'angines ou de scarlatine;

– des infections néonatales, en particulier après le dépistage sérologique de la syphilis et de la toxoplasmose.

Sur le plan chirurgical, la chimioprophylaxie est indiquée pour prévenir les infections postchirurgicales susceptibles de survenir à la suite d'interventions colo-rectales, gynécologiques, urologiques, etc.

22.5.2 VACCINATIONS

Les vaccinations ont pour but d'établir chez un sujet non immunisé un état réfractaire comparable à celui que l'on trouve chez des sujets qui ont été l'objet d'une infection naturelle. Cet état réfractaire est souvent lié à la présence d'anticorps protecteurs dans le sérum des sujets vaccinés. Il peut aussi être lié à des réactions spécifiques à médiation cellulaire, à des réactions d'hypersensibilité ainsi qu'à des facteurs non spécifiques.

En règle générale, un vaccin devrait conférer une protection durable, sinon définitive. Il devrait être efficace à faible dose, facile d'administration et stable pour conserver son activité. Il devrait enfin être dépourvu d'effets défavorables pour le vacciné. On ne doit pas oublier que l'efficacité d'un vaccin dépend aussi d'un certain nombre de facteurs relevant du sujet vacciné, de la qualité du vaccin et de son mode d'injection.

L'efficacité de la vaccination dépend notamment de l'âge, de l'état physiologique et de la capacité de l'individu à fournir une réaction immunitaire. C'est pourquoi on dit d'abord qu'elle dépend du sujet vacciné.

La qualité du vaccin influe aussi sur l'intensité de la résistance induite. L'intensité de la résistance acquise dépend notamment du pouvoir immunogène plus ou moins élevé du vaccin et de l'utilisation d'adjuvants qui renforcent la réponse immunitaire. On constate que les vaccins en association induisent une réponse plus forte. C'est le cas, par exemple, des vaccins polyvalents DCT (diphtérie, coqueluche, tétanos) et du vaccin Sabin (antipoliomyélitique) que l'on associe aux vaccins contre la rougeole, les oreillons et la rubéole.

La voie d'administration doit tenir compte des mécanismes de résistance spécifique induits par le vaccin. Si la réponse au vaccin est de nature humorale, l'administration se fait par voie souscutanée, intradermique ou intramusculaire, comme pour le tétanos. En revanche, l'administration du vaccin peut être locale si les réactions immunitaires sont localisées. C'est le cas de la vaccination antipoliomyélitique, que l'on effectue par voie buccale : un tel vaccin oral induit la synthèse locale d'IgA. On croit que ces anticorps empêchent les infections subséquentes de *Poliovirus* ainsi que sa propagation fécale-orale parmi les sujets réceptifs de la population.

La quantité d'antigène vaccinal constitue un autre facteur d'importance dans la vaccination. Il faut souligner notamment la nécessité d'effectuer des injections de rappel pour obtenir une protection efficace.

TYPES DE VACCINS

Les différents vaccins peuvent être classés en quatre groupes : les vaccins préparés à partir d'organismes vivants ou atténués, les vaccins préparés à partir d'organismes morts, les vaccins antitoxiques et les vaccins synthétiques (tableau 22.2).

VACCINS PRÉPARÉS À PARTIR D'ORGANISMES VIVANTS OU ATTÉNUÉS

Les vaccins préparés à partir d'organismes vivants le sont à partir d'organismes inoffensifs chez le sujet humain qui le reçoit. Les vaccins préparés à partir d'organismes atténués le sont à partir d'organismes qui ont perdu leur virulence. Entrent dans cette catégorie le vaccin antivariolique, le vaccin antipoliomyélitique Sabin, le vaccin antirougeoleux et le vaccin antituberculeux :

- le vaccin antipoliomyélitique Sabin est constitué de *poliovirus* qui ont perdu leur pouvoir neurovirulent à la suite de multiples passages sur cultures cellulaires et sur l'animal;
- le vaccin antituberculeux est constitué par une culture de bacilles tuberculeux d'origine bovine, le BCG, dont la virulence a été atténuée par de multiples repiquages sur milieux de culture;
- le vaccin antirougeoleux est préparé à partir de la souche Edmunston suratténuée et inactivée.

Cette catégorie de vaccins est très efficace dans les infections qui induisent principalement une réponse immunitaire à médiation cellulaire, comme c'est le cas de la poliomyélite, de la tuberculose et de la rougeole.

VACCINS PRÉPARÉS À PARTIR D'ORGANISMES MORTS OU INACTIVÉS

Les vaccins préparés à partir d'organismes morts ou inactivés sont composés de suspensions de bactéries ou de virus tués ou dont la virulence a été définitivement supprimée. Les vaccins les plus connus de cette catégorie sont les vaccins antipoliomyélitique Salk, le vaccin anticholérique, le vaccin antityphoïdique, les vaccins antigrippal, anticoquelucheux et antirabique.

Tableau 22.2
Principaux vaccins.

ORGANISMES VIVANTS OU ATTÉNUÉS	ORGANISMES MORTS	ANATOXINES
Vaccins antituberculeux	Vaccin antigrippal	Vaccin antitétanique
Vaccin antirougeoleux	Vaccin antirabique	Vaccin antidiphtérique
Vaccin antipoliomyélitique Sabin	Vaccin antipoliomyélitique Salk	Vaccin antistaphylococcique
Vaccin antiourlien (oreillons)	Vaccin anticoquelucheux	
Vaccin antirubéoleux	Vaccin anticholérique	
Vaccin antiamaril	Vaccin antityphoïdique	
	Vaccin antipesteux	
	Vaccin antpneumococcique*	
	Vaccin antiméningococcique*	

* Les vaccins antpneumococcique et antiméningococcique sont constitués de suspensions polysaccharidiques purifiées. Les polysaccharides sont isolés de la capsule chez le pneumocoque et de la paroi chez le méningocoque.

VACCINS ANTITOXIQUES

Les vaccins antitoxiques sont préparés à partir d'anatoxines (aussi appelées toxoïdes), c'est-à-dire d'exotoxines détoxifiées. C'est le cas des anatoxines tétaniques et diphtériques. Les exotoxines sécrétées par les microorganismes sont récoltées, purifiées et détoxifiées par la chaleur (40 °C pendant un mois) et le formol. En conséquence de ce traitement, les toxines sont transformées en anatoxines qui ont perdu leur pouvoir toxique, mais qui ont conservé leur antigénicité.

VACCINS SYNTHÉTIQUES

Le développement de nouvelles techniques, et particulièrement celles du génie génétique, est à l'origine d'une nouvelle catégorie de vaccins appelés vaccins synthétiques. Ces vaccins n'ont pas encore dépassé le stade des recherches fondamentales et de l'expérimentation animale, sauf dans le cas de l'hépatite B. Mais ils connaîtront sûrement, dans les prochaines décennies, un développement considérable car ils possèdent de nombreux avantages sur les vaccins traditionnels, particulièrement sur ceux qui sont préparés à partir d'organismes vivants. C'est aussi grâce à

ces techniques que l'on produira un vaccin permettant de prévenir le syndrome d'immunodéficience acquise.

L'approche synthétique combinée aux techniques de génie génétique permettra probablement de préparer des vaccins à l'égard des virus qu'il est impossible de cultiver. Une première réussite a été enregistrée avec la mise au point d'un vaccin synthétique contre le virus de l'hépatite B[1]. Par de tels procédés, on espère produire des vaccins plus stables contre la rage et contre la grippe. On fera aussi sûrement appel à ces techniques dans la préparation de vaccins antiparasitaires contre le paludisme, les schistosomiases et les trypanosomiases.

CALENDRIER DE VACCINATION

Afin d'assurer la prévention des maladies infectieuses, de nombreux pays ont développé des

---

1. Auparavant, on obtenait le vaccin à partir d'enveloppes virales isolées du sang des malades porteurs chroniques du virus.

programmes de vaccinations préventives, en particulier à l'égard des maladies infantiles. Les tableaux 22.3 et 22.4 indiquent les vaccins les plus fréquemment recommandés.

CONTRE-INDICATIONS DES VACCINATIONS

Le Comité consultatif national de l'immunisation recommande que les vaccins contenant des virus vivants tels que les vaccins antirougeoleux, anti-rubéoleux, antiourlien (oreillons) et antipolio-myélitique oral ne soient pas administrés à des sujets qui présentent des états pathologiques caractérisés par une altération des mécanismes immunitaires, c'est-à-dire :

- les sujets atteints d'une affection entraînant un déficit immunitaire (hypogammaglobuminé-mie, déficit immunitaire combiné, etc.);
- les sujets dont l'état immunitaire est altéré par une maladie comme la leucémie, le lymphome ou d'autres affections malignes généralisées;
- les sujets présentant un état d'immunodé-pression induit par les traitements faisant ap-pel aux irradiations, aux corticostéroïdes et à d'autres médicaments qui affectent l'efficacité du système immunitaire.

Il est par ailleurs contre-indiqué de vacciner à l'aide de vaccins vivants :

- les sujets atteints d'une affection fébrile grave ou d'une tuberculose active non traitée;
- les femmes enceintes, à cause du danger théo-rique que ces vaccins présentent pour le fœtus. Les vaccins antirubéoleux et antirougeoleux sont contre-indiqués.

Sauf au cours d'immunisations répétées, qui ris-quent de provoquer des réactions locales impor-tantes, l'utilisation de certains vaccins (anti-diphtérique, antitétanique) se révèle parfaitement inoffensive; mais ce n'est pas le cas de tous. Le plus souvent, les réactions observées sont légè-res. Toutefois, des complications rares mais gra-ves, comme les encéphalites, peuvent survenir à la suite de vaccinations antivariolique, antirabi-que et antirougeoleuse. Par ailleurs, un lien pour-rait exister entre le vaccin contre l'hépatite B et le syndrome de fatigue chronique.

La vaccination peut aussi entraîner une hyper-sensibilité immédiate ou retardée et provoquer une réaction grave lors du contact avec l'agent infectieux.

Tableau 22.3
Calendrier de vaccinations habituellement recommandées pour les enfants et les nourrissons.

ÂGE	MALADIES			
2 mois	Diphtérie	Coqueluche	Tétanos	Poliomyélite
2 mois	Diphtérie	Coqueluche	Tétanos	Poliomyélite
6 mois	Diphtérie	Coqueluche	Tétanos	Poliomyélite
12 mois	Rougeole	Oreillons	Rubéole	Poliomyélite
18 mois	Diphtérie	Coqueluche	Tétanos	Poliomyélite
4-6 ans	Diphtérie	Coqueluche	Tétanos	Poliomyélite
11-12 ans	Rubéole *	Coqueluche	Tétanos	Poliomyélite
14-16 ans	Diphtérie	Coqueluche	Tétanos	Poliomyélite

* Pour les jeunes filles seulement.

L'utilisation de vaccins vivants par voie orale, comme c'est le cas de la vaccination antipoliomyélitique, peut entraîner une dissémination du virus dans l'environnement. Si la souche vaccinale recouvre sa virulence, elle peut provoquer, chez l'adulte ou chez les sujets non immunisés, une affection paralysante.

> **LA VACCINATION PERMET D'ÉTABLIR UN ÉTAT RÉFRACTAIRE CHEZ UN SUJET NON IMMUNISÉ.**
> **L'ACTIVITÉ DU SYSTÈME IMMUNITAIRE EST STIMULÉE PAR L'INTRODUCTION D'ORGANISMES VIVANTS OU ATTÉNUÉS, MORTS OU INACTIVÉS, DE TOXINES DÉTOXIFIÉES OU DE DÉTERMINANTS ANTIGÉNIQUES SYNTHÉTIQUES.**
> **LA VACCINATION, QUI ASSURE UNE IMMUNITÉ DURABLE, DOIT ÊTRE EFFECTUÉE AVANT L'EXPOSITION À L'AGENT INFECTIEUX.**

22.5.3 SÉROTHÉRAPIES

Une protection contre certaines infections ou une réduction de la gravité d'une maladie peuvent être obtenues en administrant des anticorps déjà synthétisés. C'est le principe de la SÉROPROPHYLAXIE, qui est préventive, et de la SÉROTHÉRAPIE, qui est curative. L'avantage des sérothérapies est d'être efficaces à l'instant même où elles sont entreprises. Elles sont donc généralement recommandées :

— dans les cas où la vaccination n'a pu être effectuée avant l'exposition à l'agent infectieux : morsure d'un animal enragé, blessure éventuellement contaminée par le bacille tétanique;

— dans les cas où l'on ne dispose pas de vaccins permettant de développer une immunité active (comme pour l'hépatite A);

Tableau 22.4
Agents utilisés dans l'immunisation active et dans l'immunisation passive.

IMMUNISATION ACTIVE	IMMUNISATION PASSIVE
Vaccins	**Immunoglobulines sériques (ISG)**
antidiphtérique	(Gammaglobulines d'origine
antitétanique	humaine) pour la prévention
antistaphylococcique	de la rougeole,
	des hépatites A et B,
antituberculeux (BCG)	de la rubéole
	et de la varicelle
anticholérique	
antityphoïdique	
anticoquelucheux	
antipesteux	
antiméningococcique	
antipneumococcique	
antitiphique	**Immunoglobulines spécifiques**
	(d'origine animale
antigrippal	ou humaine)
antirougeoleux	
antiourlien	antiourlienne (humaine)
antipoliomyélitique	anticoquelucheuse (humaine)
antirabique	antirabique (humaine)
antirubéoleux	antitétanique (humaine)
antivariolique	antitoxique botulique (cheval)
antiamaril (fièvre jaune)	antitoxine diphtérique (cheval)
contre la fièvre pourprée	antitoxine contre la gangrène
des montagnes Rocheuses	gazeuse (cheval)

— dans les cas où l'antigène n'est pas porté par un agent infectieux : maladie hémolytique du nouveau-né, morsure d'animaux venimeux (serpents, scorpions, araignées);

— chez des sujets suivant un traitement immunosuppresseur ou atteints de déficit immunitaire, donc incapables de répondre à la vaccination ou à l'infection naturelle.

On peut utiliser deux sortes de produits pour assurer l'immunisation passive : les immunoglobulines sériques humaines et les immunoglobulines spécifiques (tableau 22.4).

IMMUNOGLOBULINES SÉRIQUES HUMAINES

Les immunoglobulines sériques humaines contiennent 16,5 % de la fraction gammaglobuline. Elles sont surtout composées d'IgG, associées à des traces d'IgA, d'IgM et d'autres protéines sériques.

Ces immunoglobulines sériques ne doivent pas être injectées par voie intraveineuse à cause des risques élevés de réaction anaphylactique grave. Il faut que les doses importantes soient divisées en deux et injectées par voie intramusculaire à deux points différents ou plus. Utilisées en injection intramusculaire, le niveau maximal d'IgG dans le plasma du receveur est atteint deux jours après l'injection. La demi-vie des immunoglobulines dans le sang du receveur est de l'ordre de 20 à 25 jours.

IMMUNOGLOBULINES SPÉCIFIQUES

Ces immunoglobulines spécifiques humaines ou animales proviennent de sérums prélevés chez des sujets convalescents à la suite d'une infection particulière. Elles peuvent aussi provenir d'animaux hyperimmunisés à un agent infectieux spécifique. Il est toujours préférable de faire appel à des immunoglobulines spécifiques humaines. En effet, il faut se rappeler que des immunoglobulines xénogéniques se comportent chez le receveur comme des antigènes : elles sont rejetées de plus en plus rapidement et elles peuvent être à l'origine de réactions d'hypersensibilité dégénérant en maladies sériques[1]. Il est d'ailleurs fortement recommandé d'effectuer des épreuves de sensibilité avant l'injection d'immunoglobulines spécifiques animales.

Le tableau 22.4 indique les principales utilisations des immunoglobulines sériques humaines.

---

1. Ces réactions d'hypersensibilité particulières sont traitées au chapitre 13.

INCONVÉNIENTS DE LA SÉROTHÉRAPIE

À cause des inconvénients quant aux risques de réactions d'hypersensibilité après l'injection d'immunoglobulines sériques ou d'immunoglobulines spécifiques humaines et animales, la sérothérapie reste limitée aux traitements pour lesquels il n'est pas possible de développer une immunité active ou pour lesquels il n'y a pas de traitement curatif.

Idéalement, lorsque l'on injecte des agents immunisants, qu'il s'agisse de vaccins ou de sérums, il faudrait toujours avoir à portée de la main de l'épinéphrine pour traiter le choc anaphylactique.

Parmi les inconvénients de la sérothérapie, il faut aussi signaler que l'immunité peut être incomplète en plus d'être limitée. Elle dépasse rarement une durée de six semaines.

LA SÉROTHÉRAPIE FAIT APPEL À DES ANTICORPS PRÉFORMÉS ET ASSURE UNE PROTECTION IMMÉDIATE MAIS TEMPORAIRE. ELLE PERMET DE PRÉVENIR L'INFECTION :

- QUAND LA VACCINATION NE PEUT ÊTRE EFFECTUÉE AVANT L'EXPOSITION À L'AGENT INFECTIEUX;
- QUAND ON NE DISPOSE PAS DE VACCINS;
- CHEZ LES SUJETS ATTEINTS DE CARENCE IMMUNITAIRE.

22.6 PROPHYLAXIE EN MILIEU HOSPITALIER

La prophylaxie en milieu hospitalier représente une préoccupation sans cesse grandissante en raison de l'importance que prennent les infections nosocomiales (infections hospitalières).

22.6.1 FACTEURS DE RISQUE

L'accroissement du risque infectieux résulte principalement de la conjonction des facteurs suivants :

- l'environnement hospitalier, dans lequel les malades, les personnels et les locaux constituent des éléments favorisant la concentration des germes, la multiplication des voies de propagation et la sélection d'agents infectieux hautement virulents et résistants aux antibiotiques;
- les soins médicaux eux-mêmes, notamment les actes invasifs (sondes, cathéters, etc.) et l'installation de dispositifs de drainage, qui causent l'effraction des revêtements cutanés et muqueux et risquent d'introduire des agents infectieux dans les tissus profonds;
- la présence de personnes immunodéprimées ou présentant des capacités immunitaires affaiblies par l'âge ou par d'autres maladies.

22.6.2 STRATÉGIES PRÉVENTIVES

Il existe plusieurs types de stratégies préventives aptes à réduire le risque infectieux en milieu hospitalier. Les plus importantes sont l'asepsie, les mesures générales d'hygiène hospitalière et certaines mesures prophylactiques particulières comme l'isolement des malades contagieux ou des personnes sensibles.

ASEPSIE

L'asepsie médicale et l'asepsie chirurgicale sont la règle fondamentale de toute prévention des infections nosocomiales car elles évitent de contaminer le corps humain. L'asepsie repose sur les techniques de désinfection et de stérilisation ainsi que sur une discipline de travail rigoureuse. Elle fait principalement appel au lavage des mains, au port de vêtements de protection propres ou stériles selon le cas (bonnets, masques, gants, blouses, etc.), à l'emploi de linges, de pansements et de produits stériles.

Parmi les autres techniques assurant l'asepsie, il faut aussi mentionner :

- l'emploi de matériel et d'instruments stériles. Doivent être stériles tous les objets pénétrant par effraction dans le corps, tous les objets pénétrant dans les cavités stériles et certains objets introduits dans certaines cavités non stériles;
- le soin adéquat des plaies;
- l'élimination appropriée des liquides biologiques et des articles contaminés par du matériel infecté.

LAVAGE DES MAINS

Le lavage des mains est la règle fondamentale de l'asepsie. Il doit être systématique puisque les mains contaminées constituent la principale cause des infections croisées, c'est-à-dire des infections transmises d'une personne à une autre par l'intermédiaire des mains du personnel. Le lavage doit se faire à la prise du service, après être allé aux toilettes, après s'être mouché, après avoir retouché à sa coiffure, avant et après le repas, et chaque fois que la situation l'exige. Il est recommandé que le personnel soignant se lave systématiquement les mains :

- entre le contact de deux malades;
- après avoir mis ou touché un masque;
- avant de toucher la bouche ou la face du malade;
- à l'entrée et à la sortie de la chambre, chez un malade isolé;
- après avoir manipulé du matériel sale (urinal, cathéter, bassin, etc.).

L'élément fondamental de l'asepsie chirurgicale est le lavage chirurgical des mains. Plus poussé que celui exigé pour l'asepsie médicale, le lavage chirurgical s'effectue à l'aide de brosses, en employant un savon antiseptique (chlorhexidine, triclosan, etc.).

DÉSINFECTION ET STÉRILISATION

La désinfection assure l'élimination partielle ou totale des microorganismes sur les objets, les instruments, les vêtements et les surfaces. Les procédés qui permettent le contrôle microbien ont été décrits en détail au chapitre 21. Rappelons ici quelques principes généraux.

En règle générale, seuls les objets propres doivent être soumis à la stérilisation. On se souvient que la durée d'exposition à l'agent antimicrobien est d'autant plus longue que la population microbienne de départ est dense. Par ailleurs, l'action de certaines substances microbicides est affectée par la présence de matières organiques. Il faut d'abord nettoyer les objets, les récipients, etc., afin d'en éliminer les matières organiques et la saleté.

La stérilisation est généralement obtenue au moyen de la chaleur, des radiations ou de certains composés chimiques (oxyde d'éthylène, formol). L'emploi de ces agents varie selon le but recherché, la nature du matériel à stériliser, etc.

ASEPSIE CHIRURGICALE

L'asepsie chirurgicale exige des précautions encore plus rigoureuses que celles de l'asepsie médicale, car elle ne tolère la présence d'aucun agent infectieux. Il faut respecter le principe fondamental selon lequel « un objet stérile ne reste stérile que s'il est en contact avec un autre objet stérile[1] ». Il faut donc utiliser des gants stériles ou des pinces stériles pour manipuler des objets stériles dans une zone stérile. La moindre erreur de manipulation entraîne la contamination.

L'asepsie chirurgicale se pratique essentiellement dans les salles d'opération, les salles de travail et d'accouchement ainsi que dans certaines salles de diagnostic. Elle se pratique aussi dans le cadre de divers soins donnés aux patients alités (changement de pansements, changement des perfusions et des drains, installation d'une sonde urétrale, d'un cathéter intraveineux, etc.). Le personnel doit porter des vêtements de protection stériles (bonnet, masque, gants et blouse) en salles d'opération et d'accouchement. Ces mesures ne sont pas exigées ailleurs, sauf dans des cas particuliers, notamment quand il y a un risque d'éclaboussures de liquide contaminé.

CONTRÔLE DES PORTES D'ENTRÉE ET DE SORTIE DES AGENTS INFECTIEUX

La prévention repose aussi sur le contrôle des portes d'entrée et de sortie des agents infectieux. Il importe donc que le personnel évite notamment de contaminer les clients en parlant directement devant leur visage, en éternuant ou en toussant. Il importe aussi de manipuler les vomissures, le sang, l'urine, les selles, les crachats et les autres exsudats avec précaution, de préférence avec des gants.

Dans certaines circonstances, le port du masque est exigé afin de réduire le risque de contamination par les microorganismes du rhyno-pharynx. Afin d'empêcher les agents infectieux de pénétrer dans l'organisme, il faut aussi veiller à maintenir l'intrégité de la peau et des muqueuses des personnes hopistalisées.

> EN MILIEU HOSPITALIER, LA PRÉVENTION DU RISQUE INFECTIEUX REPOSE SUR L'ASEPSIE MÉDICALE ET CHIRURGICALE, LA DÉSINFECTION, LA STÉRILISATION ET LE CONTRÔLE DES PORTES D'ENTRÉE ET DE SORTIE DES AGENTS PATHOGÈNES.

---

1. POTTER, P. A. et A. G. PERRY. *Soins infirmiers. Théorie et pratique*. Montréal, Éditions du Renouveau Pédagogique, 1989, p. 1362.

ISOLEMENT

L'isolement est une mesure thérapeutique qui vise à empêcher la propagation des maladies infectieuses à partir des personnes infectées ou contagieuses en empêchant la diffusion des agents pathogènes. Habituellement, la durée de l'isolement correspond à la durée de la maladie.

L'isolement permet aussi de soustraire certaines personnes à l'exposition aux microorganismes de l'environnement et de leur entourage. Ces mesures s'appliquent notamment aux grands brûlés, aux malades affaiblis, aux personnes souffrant d'immunodépression ou à celles qui viennent de subir une transplantation.

Par ailleurs, l'isolement contribue à protéger le personnel soignant qui travaille au contact des malades. Il réduit aussi le risque de faire du personnel et de l'entourage du malade des agents de transmission de l'infection. À ce propos, il importe de souligner que le personnel ne devrait pas s'occuper de personnes souffrant de certaines maladies infectieuses, à moins d'être vacciné ou d'avoir reçu une injection de rappel, s'il n'est pas naturellement immunisé. En outre, les femmes enceintes devraient être écartées de certaines unités de soins, notamment celles où il y a risque d'infection par le VIH ou par le virus de la rubéole.

Dans le cas des personnes souffrant de maladies infectieuses, les mesures d'isolement sont généralement fonction du mode de propagation de l'agent infectieux. Il est donc essentiel de connaître les différentes voies de contamination et les véhicules qu'empruntent les agents infectieux. Après quoi, il est possible de mettre en place des mesures valables. En milieu hospitalier, les maladies se transmettent :

– par l'air, à partir des gouttelettes de salive, des sécrétions rhyno-pharyngées, des expectorations, etc., comme cela survient dans le cas de la coqueluche, de la scarlatine, de la diphtérie, des méningites bactériennes, de la rougeole, de la varicelle, de la rubéole, des oreillons, de la grippe;

– par voie entérique, à partir des selles du malade et surtout, indirectement, à partir du matériel sanitaire avec lequel les selles entrent en contact. Il est nécessaire de prendre des mesures d'isolement entérique à l'égard de personnes souffrant de salmonelloses, de shigelloses, d'hépatite, de poliomyélite, de gastro-entérites à virus Coxsackie, etc.;

– par voie de contact (ou voie cutanée), par laquelle se transmettent les infections staphylococciques, les infections pyocyaniques et les gangrènes.

Les mesures à prendre varient notablement selon le type d'isolement, mais ce dernier exige d'abord et avant tout la mise en œuvre et le respect scrupuleux des techniques aseptiques. Il faut notamment veiller :

– au lavage systématique des mains avant et après contact du malade, même si on porte des gants;

– au port de blouses et de masques stériles (à usage unique, de préférence);

– à utiliser des sacs étanches pour transporter et éliminer tout ce qui a été en contact avec les sécrétions ou les excréments du malade. La destruction de ce matériel fait l'objet de règles strictes;

– au maintien dans la chambre du malade des thermomètres, des tensiomètres et des stéthoscopes, jusqu'au départ du malade. Il doit en être de même des objets personnels du malade.

En cas d'isolement, le malade est placé dans une chambre individuelle. Idéalement, cette chambre devrait être munie d'un sas en légère dépression afin d'éviter le passage des agents infectieux dans le couloir au moment où s'ouvre la porte de la chambre. Ce sas devrait être assez grand pour pouvoir y ranger le matériel stérile nécessaire aux soins.

TYPES D'ISOLEMENT

On distingue généralement sept ou huit catégories d'isolement ou de précautions à prendre à l'égard de certaines maladies. Pour chacune, nous donnerons une définition, quelques exemples de maladies infectieuses faisant l'objet d'isolement et des remarques générales relatives à l'isolement en cause.

Isolement strict

L'isolement strict vise à prévenir la transmission des maladies infectieuses hautement contagieuses parmi lesquelles : les brûlures étendues infectées[1], la varicelle, le zona, l'entérocolite à staphylocoque, les gastro-entérites infantiles à *Escherichia coli* entéropathogènes, l'herpès congénital et la rubéole congénitale.

L'isolement strict nécessite une chambre isolée et dotée de ses propres installations sanitaires. Le port de la blouse, des gants et d'un masque est obligatoire. L'emploi de protège-chaussures peut s'avérer nécessaire. Les appareils doivent rester dans la chambre jusqu'au départ du malade; il faut employer des contenants ou des sacs étanches pour transporter les échantillons, les seringues, les aiguilles, le linge, etc.

Isolement de contact

L'isolement de contact s'applique quand il est nécessaire de prévenir la transmission de maladies infectieuses qui se propagent par l'intermédiaire de contacts étroits ou de contacts directs, mais qui ne demandent pas un isolement strict.

Ces mesures s'imposent notamment dans les cas d'abcès avec drainage majeur, de gale, d'herpès

---

1. Par les staphylocoques, les streptocoques et les bacilles pyocyaniques (*Pseudomonas aeruginosa*).

simplex disséminé, de pédiculose ou d'infections à germes polyrésistants.

Isolement respiratoire

L'isolement respiratoire prévient la transmission des agents infectieux par les gouttelettes de salive et par les sécrétions rhyno-pharyngées. La coqueluche, les méningites et les méningococcémies, les oreillons, la rougeole, la rubéole, la scarlatine et la varicelle sont des exemples de maladies soumises à cet isolement.

Comme les agents pathogènes responsables de certaines de ces infections peuvent être transmis par l'intermédiaire d'objets contaminés, il faut aussi prendre garde à ce mode de contamination.

Les chambres servant à ce type d'isolement doivent être des chambres individuelles munies de leurs propres installations sanitaires. La porte doit rester fermée. Les personnes qui entrent en contact avec les malades devraient être immunisées naturellement ou vaccinées. Si nécessaire, elles devraient subir un rappel afin de stimuler l'immunité. Il n'y a pas de précautions spéciales à prendre, sauf en ce qui concerne le port du masque par le personnel et la manipulation des échantillons et des sécrétions rhyno-pharyngées et bronchiques.

Isolement en cas de tuberculose

Les personnes hospitalisées souffrant de tuberculose pulmonaire active sont l'objet de mesures d'isolement particulières. Elles doivent être placées dans une chambre à un lit, avec ventilation séparée de préférence. La porte de la chambre doit être gardée fermée. Le port de la blouse est recommandé s'il y a risque de souillures, celui du masque si le patient tousse.

Isolement entérique

L'isolement entérique a pour but de prévenir la propagation des maladies transmissibles directement ou indirectement par les matières fécales, comme le choléra, la typhoïde, les salmonelloses et les hépatites A et B. L'isolement nécessite une chambre isolée avec lavabo. Les précautions essentielles concernent la manipulation et le transport des bassins et des urinaux, qui doit toujours s'effectuer avec des gants. Dans le cas d'hépatite virale, il est préférable d'utiliser du matériel à usage unique; les objets réutilisables doivent être transportés dans un sac étanche.

Isolement cutané

L'isolement cutané a pour fonction d'éviter des infections croisées à partir d'une plaie ou de certains objets fortement contaminés. Ces mesures s'appliquent aux patients souffrant de plaies étendues suppurantes, notamment les plaies infectées, les staphylococcies et les streptococcies cutanées, la furonculose, etc. Il n'y a pas de précautions spéciales à prendre, sauf en ce qui concerne le moment des soins. Le personnel devrait alors porter une blouse, un masque et des gants[1]. Par ailleurs, le pansement devrait être fait en respectant les techniques aseptiques. Les pansements sales et les instruments souillés sont transportés dans un sac étanche.

Isolement ou précautions universelles contre le sang ou les liquides biologiques

Cet isolement est appliqué principalement aux personnes souffrant du SIDA, de l'hépatite B ou de la syphilis. Il vise à prévenir les infections transmises par contact direct ou indirect, par l'intermédiaire du sang ou des liquides biologiques infectés.

L'augmentation croissante du nombre de cas de SIDA, d'hépatite B et des infections nosocomiales rend plus que jamais nécessaire le respect absolu de strictes mesures préventives que l'on tente d'appliquer systématiquement pour toutes les maladies (encadré 22.1).

---

1. Certains auteurs conseillent de porter deux paires de gants au moment des pansements.

Précautions envers les maladies ne nécessitant pas d'isolement

Certaines maladies infectieuses ne nécessitent pas d'isolement, mais il est préférable de respecter quelques précautions élémentaires, surtout afin d'éviter les infections croisées. Ces mesures varient selon la voie de transmission des agents infectieux en cause :

– dans le cas des infections cutanées, on veillera à se laver les mains avant et après les pansements (ces derniers étant effectués en respectant les techniques aseptiques). On veillera aussi à disposer des pansements et des instruments souillés dans un sac étanche;

– dans le cas de certaines infections respiratoires ne nécessitant pas d'isolement, on demandera aux patients de tousser ou de cracher dans des mouchoirs à usage unique, tenus devant la bouche. Ces mouchoirs seront jetés dans un sac imperméable près du lit, et le sac sera fermé avant d'être jeté;

– dans le cas de certaines infections entériques ou urinaires ne nécessitant pas d'isolement, un lavage strict des mains du personnel est recommandé, surtout après contact avec les selles. Il faut demander au malade de se laver soigneusement les mains après la défécation.

Isolement préventif

L'isolement préventif, aussi qualifié de technique préventive, a pour but de mettre les malades sensibles à l'abri d'agents infectieux indésirables. Ces mesures sont indispensables chez les personnes qui viennent de subir une transplantation ou une greffe, chez celles qui souffrent de cancers et dont les traitements affectent l'état de leurs défenses immunitaires, etc.

Ce type d'isolement exige des mesures aseptiques très strictes de la part du personnel : port du bonnet, d'un masque, d'une blouse, de gants et de bottes, lavage des mains avant l'entrée dans la chambre aseptique. De plus, le personnel doit se

Précautions universelles en milieu hospitalier.

L'augmentation croissante des cas de SIDA et d'hépatite B accentue pour les travailleurs sanitaires le risque d'être exposés à du sang de patients infectés par ces agents pathogènes, tout particulièrement si les précautions s'appliquant au sang et aux liquides biologiques ne sont pas prises pour tous les patients.

Il est donc nécessaire que chaque travailleur sanitaire considère tous les patients comme étant potentiellement infectés par ces agents infectieux et applique rigoureusement des précautions anti-infectieuses, de façon à minimiser le risque d'exposition au sang et aux liquides biologiques de tous les patients[1].

Ainsi, il est capital de respecter les précautions universelles suivantes :

1 – Tout travailleur sanitaire prévoyant un contact avec du sang ou d'autres liquides organiques d'un patient – quel qu'il soit – doit prendre systématiquement des mesures de protection adéquates pour éviter toute exposition cutanée ou muqueuse, notamment :
   – TOUJOURS PORTER DES GANTS pour toucher le sang et les liquides biologiques, les muqueuses ou la peau lésées d'un patient, pour manipuler des surfaces ou des articles souillés de sang ou de liquides biologiques ainsi que pour pratiquer une veinopuncture et autres actes d'accès vasculaires.
   – CHANGER DE GANTS après les soins de chaque patient.
   – Au besoin, PORTER UN MASQUE ET DES LUNETTES DE PROTECTION ou un écran facial pour empêcher toute exposition des muqueuses de la bouche, du nez et des yeux pendant tout acte susceptible de faire gicler des gouttelettes de sang ou de liquides biologiques.
   – PORTER UNE BLOUSE OU UN TABLIER pendant tout acte susceptible de faire gicler des gouttelettes de sang ou d'autres liquides biologiques.

2 – Les mains ou toute autre surface cutanée touchée doivent être lavées à fond sans tarder après une contamination avec du sang ou d'autres liquides biologiques. Les mains doivent toujours être lavées immédiatement après le retrait des gants.

3 – Les travailleurs sanitaires doivent tous prendre des précautions pour éviter de se blesser avec des aiguilles, des scalpels et avec d'autres instruments ou appareils pointus et tranchants soit pendant le soin des malades, le nettoyage des instruments utilisés ou l'élimination des aiguilles après usage, soit pendant toute autre manipulation d'un tel instrument après un acte de soin. Pour éviter les piqûres, il ne faut jamais replacer une aiguille dans sa gaine de protection, la plier ou la casser sciemment à la main, la détacher de la seringue jetable, ou la manipuler de quelque autre façon. Après usage, les seringues et aiguilles jetables, les lames de scalpel et tout autre instrument pointu ou tranchant doivent être placés dans des contenants non perforables, à des fins d'élimination. Ces contenants doivent être placés le plus près possible de l'aire de travail.

4 – Même si la salive n'a pas été incriminée dans la transmission du VIH, il faut prévoir des embouchures, des ballons de réanimation ou d'autres appareils de ventilation dans les locaux où l'on procède souvent à des interventions de réanimation afin de réduire au minimum la nécessité de pratiquer le bouche-à-bouche.

5 – Toute personne présentant des lésions exsudatives ou un eczéma suintant doit éviter de s'occuper directement des malades et de manipuler tout instrument de soin jusqu'à la guérison[2].

6 – Chez le personnel soignant, rien n'indique que le risque de contracter une infection à VIH soit accru par la grossesse; cependant, si une travailleuse sanitaire enceinte développe l'infection à VIH, le bébé risque d'être infecté par suite d'une transmission périnatale. Les travailleuses sanitaires enceintes doivent donc connaître particulièrement bien les précautions qui s'imposent pour minimiser le risque de transmission du VIH, et les respecter scrupuleusement.

1. D'après SANTÉ ET BIEN-ÊTRE SOCIAL CANADA, Recommandations visant à prévenir la transmission du VIH en milieu de soins. *Rapport hebdomadaire des maladies au Canada,* vol. 13S3, novembre 1987.

2. Dans les quelques cas de SIDA professionnel rapportés – et authentifiés comme tels – des lésions cutanées inapparentes ont été incriminées.

soumettre régulièrement à des contrôles bacté-
riologiques permettant de dépister d'éventuels
porteurs de germes. Le matériel et le mobilier de
la chambre est aseptisé. Le renouvellement de
l'air préalablement débarrassé des poussières et
des microorganismes, se fait en surpression. Tout
ce qui rentre dans la chambre doit être préalablement stérilisé.

**EN MILIEU HOSPITALIER, L'ISOLEMENT
VISE À ENRAYER LA DIFFUSION DES
AGENTS PATHOGÈNES VERS D'AUTRES
MALADES ET À PROTÉGER LE PERSON-
NEL SOIGNANT.**

22.6.3 HYGIÈNE HOSPITALIÈRE

L'omniprésence des microorganismes dans l'environnement et chez les êtres humains impose le
respect des règles d'hygiène pour éviter la
contamination par d'éventuels microorganismes
pathogènes. La pratique générale de l'hygiène
hospitalière est habituellement coordonnée par
un comité d'hygiène hospitalière. Ce comité
examine et définit ses politiques en fonction des
rapports établis par les hygiénistes. En règle générale, ces politiques concernent :

– le personnel, qui doit veiller à son hygiène
  corporelle, à la propreté de ses vêtements et
  plus encore à celle de ses mains;

– l'hygiène corporelle des personnes hospitalisées, notamment par la toilette et le bain,
  l'hygiène fécale, le soin des plaies, etc.;

– le matériel de soin, qui doit être stérilisé et
  utilisé de manière à éviter toute contamination;

– le linge et la literie, dont la distribution doit
  être organisée selon des circuits séparés afin
  d'éviter la contamination après le nettoyage,
  la désinfection ou la stérilisation;

– l'assainissement du milieu ambiant par la
  décontamination et le nettoyage quotidien
  des lieux d'hospitalisation, des lieux de soins
  et des salles d'opération (encadré 22.2);

– l'organisation des circuits de distribution.

Même s'il est relativement peu exposé à contracter des infections d'origine hospitalière, le personnel doit se protéger soigneusement. Une attention permanente doit être portée à la manipulation des échantillons et du matériel contaminé, notamment les seringues, les aiguilles et
les cathéters intraveineux. Le risque de contamination par le virus de l'hépatite B est tel qu'il
justifie la vaccination systématique du personnel
soignant[1].

D'une façon générale, on recommande au personnel hospitalier d'être immunisé contre la diphtérie (avec un rappel tous les 10 ans), le tétanos
(avec un rappel tous les 10 ans), les oreillons, la
poliomyélite, la rubéole[2], la rougeole et l'hépatite B (avec un rappel cinq ans après la vaccination).

De plus, il est recommandé aux employés exposés accidentellement à certaines maladies infectieuses de se soumettre à l'immunoprophylaxie,
notamment pour la rubéole, la poliomyélite et la
rougeole, ou à une chimioprophylaxie après
avoir été en contact avec des personnes atteintes
de méningococcémie ou de tuberculose.

Enfin, la plupart des établissements de santé
excluent des soins aux patients : le personnel atteint d'infections cutanées suppuratives, de maladies éruptives (varicelle, rougeole, rubéole,

---

1. Dans la plupart des établissements de santé, la personne
   qui s'est piquée avec une aiguille contaminée doit remplir
   un rapport d'accident et voir un médecin pour recevoir un
   traitement.

2. Cette mesure s'applique au personnel féminin mais aussi
   aux hommes en contact avec des femmes enceintes.

Assainissement de l'air en milieu hospitalier.

En milieu hospitalier, l'air ambiant doit être assaini systématiquement afin d'éviter la propagation des germes pathogènes provenant des malades non isolés et traités aux antibiotiques. Il est préférable d'éliminer le plus grand nombre possible de microorganismes, y compris ceux qui sont habituellement considérés comme inoffensifs. En effet, ces microorganismes peuvent acquérir une résistance à certains antibiotiques et transmettre cette résistance à des microorganismes pathogènes par suite d'échanges génétiques.

En principe, l'assainissement devrait être quotidien car la contamination est permanente. Il faut assainir l'air pour en éliminer les microorganismes qui sont en suspension, mais il faut aussi éliminer ceux qui sont présents sur les surfaces horizontales, sur les objets manipulés par les malades et le personnel, etc. L'air peut être assaini à l'aide de procédés chimiques et physiques. Les premiers font appel à des fumigations de produits désinfectants; ce sont les plus employés. Dans certains cas particuliers, on peut utiliser des procédés physiques comme l'irradiation par les ultraviolets ou comme la filtration.

On peut facilement désinfecter l'air d'un local par des vapeurs de formol. Il faut fermer hermétiquement toutes les ouvertures de manière à éviter les fuites de ce produit hautement diffusible et irritant. Ce produit détruit efficacement les bactéries végétatives mais l'est moins contre les virus et les endospores, et contre les spores des mycètes. On peut aussi désinfecter l'air à l'aide de lampes à ultraviolets, mais ce procédé est peu efficace en raison du faible pouvoir de pénétration de ces radiations, qui n'agissent que sur une distance de quelques centimètres seulement. De ce fait, elles ne sont utilisées qu'en moyen d'appoint.

La ventilation des locaux par de l'air frais filtré et régulièrement renouvelé est un autre moyen efficace d'éliminer les microorganismes ou d'en réduire le nombre. Pour un contrôle efficace, on doit s'assurer que les lieux devant contenir peu de microorganismes sont toujours en surpression, tandis que les zones contaminées doivent rester en dépression. De plus, le taux d'humidité ambiant doit être maintenu autour de 50 – 60 %, car c'est à ce taux que le développement est le plus faible. De plus, on doit procéder au nettoyage régulier des humidificateurs, car l'eau stagnante qu'ils contiennent et certaines pièces constituent des endroits propices à la prolifération microbienne.

D'une façon générale, on filtrera l'air avec des filtres à haute efficacité, c'est-à-dire pouvant retenir 99 % des particules de 0,5 µm de diamètre, dans les services suivants :

– soins intensifs;

– néonatalogie (prématurés);

– blocs opératoires;

– salles d'accouchement;

– chambres d'isolement.

De plus, il est important de concevoir l'architecture des différents services en fonction de la circulation des personnes et de prévoir des zones à accès limité, ne communiquant pas directement entre eux et dotés de systèmes de ventilation indépendants : cliniques externes, blocs opératoires, pouponnières, salles d'accouchement, cuisines, buanderies, etc.

Le port du masque est un autre moyen de réduire la contamination de l'air car il constitue une barrière efficace : non seulement il prévient la contamination de l'air par la projection hors des voies respiratoires des microorganismes de la bouche, du nez et du pharynx, mais aussi la contamination des personnes par les microorganismes de l'air ambiant.

Cependant, il est important de réaliser que l'assainissement de l'air n'est réellement efficace que s'il est accompagné de la décontamination et du nettoyage systématiques de l'environnement. Le nettoyage ne doit jamais être effectué

(Suite page suivante.)

à sec à cause du risque de remettre en suspension les microorganismes déjà déposés. Le balayage à sec et l'utilisation d'aspirateurs à poussière devraient donc être formellement proscrits. Le seul nettoyage valable est le nettoyage humide. Il peut être effectué à la serpillière, avec des aspirateurs à eau ou à l'aide de pulvérisateurs projetant des liquides sous pression. De plus, il faut se rappeler que la désinfection est toujours plus efficace et plus rapide quand il est effectué sur des objets et des surfaces nettoyés. Généralement, on combine nettoyage et décontamination en utilisant des produits détergents et désinfectants.

etc.), d'infections respiratoires à *Streptococcus pyogenes* (pharyngite, amygdalite, etc.), de pneumonie, des oreillons ou d'infections entériques. Dans ce cas, le retour au travail régulier n'est permis quaprès trois cultures de selles négatives

22.7 RÉSUMÉ

Le recul des maladies infectieuses coïncide avec la preuve de leur origine microbienne et la mise au point des premières mesures préventives. Aujourd'hui, le maintien de la santé repose sur la médecine curative, qui traite les malades, et la lutte préventive, qui cherche à prévenir les maladies. Ce volet de la médecine porte le nom de prophylaxie. Il vise principalement l'arrêt de la propagation des infections par rupture de la chaîne épidémiologique et l'acquisition de l'immunité anti-infectieuse par les individus. La prévention peut s'effectuer au niveau du réservoir de l'agent pathogène, au niveau du milieu extérieur, au moment de la transmission ou chez l'hôte réceptif.

Les premières mesures de prévention du péril infectieux visent à éliminer ou à isoler le réservoir afin d'éviter que les agents infectieux n'en sortent et se propagent dans l'environnement. Pour les réservoirs humains, la prévention repose sur le dépistage des malades et leur traitement, sur la chimioprophylaxie et sur l'éducation sanitaire. Quant à la prévention des infections disséminées à partir des réservoirs animaux, elle repose principalement sur la surveillance vétérinaire des

troupeaux et sur le dépistage des personnes en contact avec des animaux malades.

Les programmes prophylactiques comportent généralement diverses mesures de salubrité publique. Les moyens de ce volet d'action sur le milieu extérieur concernent surtout le traitement et l'épuration de l'eau, l'élimination des ordures et l'assainissement de l'air.

Il est possible de protéger directement l'hôte réceptif en faisant appel à la chimioprophylaxie, à la vaccination, à la séroprophylaxie ainsi qu'à l'isolement. La chimioprophylaxie a pour but de protéger les personnes saines exposées à un agent infectieux. Second moyen de protection de l'hôte, la vaccination a l'avantage de procurer une immunité durable, car elle stimule l'activité du système immunitaire du sujet vacciné. Cependant, elle doit être effectuée avant l'exposition à l'agent infectieux. Si la vaccination ne peut être effectuée à temps, s'il n'existe pas de vaccin ou qu'il y ait contre-indication à la vaccination, il est parfois possible de faire appel à la séroprophylaxie.

En milieu hospitalier, la prévention du risque infectieux repose sur l'asepsie médicale et chirurgicale, sur la désinfection, sur la stérilisation et sur le contrôle des portes d'entrée et de sortie des agents pathogènes. Ce contrôle s'effectue notamment par l'isolement des malades. L'isolement vise à enrayer la diffusion des agents pathogènes vers d'autres malades et à protéger le personnel soignant.

LECTURES SUGGÉRÉES

Contrôle de l'infection. Atlas de soins. Paris, Vigot, 1983, 159 p.

ARNON, R. et M. SERA. « Les antigènes et vaccins synthétiques ». *La recherche*, vol. 14, n° 142 (mars 1983), p. 346-357.

BENENSON, A.S. *Control of Communicable Diseases in Man.* 14e éd., Washington, The American Public Health Association, 1985, 485 p.

BONA, C. « Les vaccins du futur ». *La recherche*, vol. 18, n° 188 (mai 1987), p. 672-682.

Capron, S. et J.-C. Ameisen. « Les nouvelles stratégies de vaccination ». *La recherche*, supplément au n° 237 (novembre 1991), p. 36-44.

COMITÉ CONSULTATIF NATIONAL DE L'IMMUNISATION. *Guide pour la vaccination des Canadiens.* Ministère des Approvisionnements et Services Canada. 1980, 212 p.

COMITÉ CONSULTATIF NATIONAL DE L'IMMUNISATION. « Déclaration au sujet des vaccins conjugués contre *Hæmophilus influenzæ* de type B chez les nourrissons et les enfants ». *Rapport hebdomadaire des maladies au Canada*, vol. 17-39 (28 septembre 1991), p. 210-214.

DEGOS, F., TRON, F., et J.-P. BENHAMOU. « Virus de l'hépatite B et vaccination ». *Medecine sciences*, vol. 4, n° 10 (décembre 1988), p. 629-636.

DODET, B. « Vaccins : les nouvelles perspectives ». *Biofutur*, (septembre 1984), p. 23-31.

GACHELIN, G. « Espoirs pour des vaccins synthétiques ». *La recherche*, vol. 23, n° 240 (février 1992), p. 246-247.

GODSON, N. « À la recherche d'un vaccin antipaludique ». *Pour la science*, n° 93 (juillet 1985), p. 24-31.

GOUVERNEMENT DU CANADA, SANTÉ ET BIEN-ÊTRE SOCIAL CANADA. « Directives sur les conseils à donner aux personnes qui ont subi une exposition professionnelle au virus de l'immuno-déficience humaine ». *Rapport hebdomadaire des maladies au Canada*, vol. 17-48 (21 septembre 1991), p. 205-206.

GOUVERNEMENT DU CANADA, SANTÉ ET BIEN-ÊTRE SOCIAL CANADA. « Enquête sérologique sur la grippe (saison 1991-1992) ». *Rapport hebdomadaire des maladies au Canada*, vol. 17-48 (21 septembre 1991), p. 207-208.

GOUVERNEMENT DU CANADA, SANTÉ ET BIEN-ÊTRE SOCIAL CANADA. « Lien présumé entre le vaccin contre l'hépatite B et le syndrome de fatigue chronique ». *Rapport hebdomadaire des maladies au Canada*, vol. 17-40 (5 octobre 1991), p. 215-216.

GOUVERNEMENT DU CANADA, SANTÉ ET BIEN-ÊTRE SOCIAL CANADA. « Lignes directrices interagences à l'intention des services de santé des États-Unis pour le dépistage de l'hépatite B et de l'hépatite C dans les dons de sang, de plasma, d'organes, de tissus et de sperme ». *Rapport hebdomadaire des maladies au Canada*, vol. 17-46 (16 novembre 1991), p. 251-258.

GOUVERNEMENT DU CANADA, SANTÉ ET BIEN-ÊTRE SOCIAL CANADA. « Lignes directrices pour la lutte contre les atteintes méningococciques ». *Rapport hebdomadaire des maladies au Canada*, vol. 17-45 (9 novembre 1991), p. 245-249.

GOUVERNEMENT DU CANADA, SANTÉ ET BIEN-ÊTRE SOCIAL CANADA. *Recommandations pour la qualité de l'eau potable au Canada.* 4e éd., Ottawa, 1989, 27 p.

GOUVERNEMENT DU QUÉBEC. *Règlement sur l'eau potable.* Québec, Éditeur officiel, 1985, 7 p.

LERNER, R. « Les vaccins de synthèse ». *Pour la science*, n° 66 (avril 1983), p. 72-84.

MATTHEWS, T. et D. BOLOGNESI. « Les vaccins contre le SIDA ». *Pour la science*, n° 134 (décembre 1988), p. 106-113.

POTTER, P. A. et A. G. PERRY. *Soins infirmiers. Théorie et pratique.* 2e éd., Montréal, Éditions du Renouveau Pédagogique, 1989, 1606 p.

REY, M.« Conceptions nouvelles dans la préparation des vaccins et l'usage des vaccinations ». *Médecine sciences,* vol. 3, n° 2 (février 1987), p. 91-99.

ROBBINS, A. et P. FREEMAN. « Des nouveaux vaccins pour les enfants du Tiers-monde ». *Pour la science,* n° 135 (janvier 1989), p. 22-29.

SASSON, A. « Les vaccins modernes ». *La recherche,* vol. 17, n° 177 (mai 1986), p. 720-726.

SILVERTA, D. « La vaccination est-elle utile ? La réponse de la coqueluche ». *La recherche,* vol. 20, n° 206 (janvier 1989), p. 124-125.

SUREAU. P. « La vaccination contre la rage ». *La recherche,* vol. 16, n° 168 (juillet/août 1985), p. 874-882.

SANS NOM. « Les vaccins de demain ». *Pour la science,* n° 160 (février 1991), p. 82-84.

TANNER, F., HAXHE, J. J., ZUMOFEN, M. et G. DUCEL. *Éléments d'hygiène hospitalière et techniques d'isolement hospitalier.* Paris, Maloine, 194 p.

chapitre **23**

laboratoire de microbiologie; techniques de base

23.1 INTRODUCTION

Ce chapitre présente les techniques de base de manipulation des microorganismes au laboratoire. Lorsqu'il aura pris connaissance des règles fondamentales de sécurité et d'asepsie, le lecteur y trouvera successivement les principes de microscopie optique, de préparation des spécimens et de culture des microorganismes.

23.2 SÉCURITÉ AU LABORATOIRE

Au laboratoire, en milieu hospitalier comme ailleurs, on travaille fréquemment avec des cultures qui contiennent de très fortes concentrations de bactéries. Toute bactérie, toute culture microbienne doit être considérée comme potentiellement dangereuse. Les risques de contamination peuvent être grandement réduits si l'on respecte ces quelques règles élémentaires de sécurité :

– nettoyer la surface de travail avec un désinfectant approprié de manière à éliminer les microbes qui ont pu s'y déposer;
– se laver les mains avant de commencer toute manipulation;
– ne laisser au poste de travail que le matériel nécessaire à la manipulation;
– disposer le matériel et les cultures de manière à travailler le plus efficacement possible, sans gestes inutiles;
– s'assurer que l'on connaît bien la procédure avant d'entreprendre toute manipulation, car un travail ordonné et rapidement exécuté diminue le risque de contamination;
– porter un sarrau (boutonné!) afin de protéger les vêtements des microorganismes et des produits qu'on utilise au laboratoire. Normalement, ce sarrau ne devrait pas quitter le laboratoire et devrait être lavé fréquemment;

– ne jamais manger, boire ou fumer dans le laboratoire afin d'éviter de porter des microorganismes à la bouche;
– prendre rapidement les mesures nécessaires pour désinfecter et nettoyer le poste de travail, si des cultures sont renversées.

23.3 TECHNIQUES D'ASEPSIE

Le respect des techniques aseptiques est tout aussi important pour la santé et la sécurité des microbiologistes que pour le résultat de leur travail. Afin d'éviter les accidents, on doit être conscient des risques et s'entourer de toutes les précautions possibles.

Travailler en condition aseptique suppose l'utilisation de matériel stérile et le respect scrupuleux des procédures adéquates :

– Tous les milieux de culture doivent être stérilisés avant d'être ensemencés. Ils doivent aussi être munis d'un couvercle ou d'un bouchon qui les protège de toute contamination en cours d'incubation.
– Tous les contenants, éprouvettes, boîtes de Pétri et tout le matériel utilisé pour les transferts de bactéries, pipettes, fils et aiguilles à ensemencement, etc., doivent être préalablement stérilisés.
– Il faut travailler près de la flamme pour profiter du tirage de l'air (effet cheminée) qui, dans une certaine mesure, empêche les poussières de tomber dans les cultures.
– Il faut effectuer la manipulation des microorganismes sous une hotte bactériologique munie d'un système de filtration qui empêche tout reflux d'air dans les locaux, si cela s'avère nécessaire.
– Il est nécessaire de stériliser les fils de transfert, les pipettes Pasteur et l'embouchure des éprouvettes à la flamme du bec Bunsen ou de la lampe à alcool, avant et après chaque prélèvement de bactéries.

Pour garantir la pureté d'une culture, il faut prévenir toute contamination de l'échantillon en s'entourant d'un certain nombre de précautions. Il faut aussi éviter la contamination des milieux de culture neufs, qui sont stériles, par les microorganismes normalement présents dans l'air, à la surface des objets, sur les mains des personnes qui manipulent les microorganismes, etc.

23.4 PRINCIPES DE MICROSCOPIE OPTIQUE

Tout objet dont la taille est inférieure au dixième de millimètre est imperceptible par l'œil humain. Comme la taille des microorganismes varie entre 0,5 et 5 µm, il faut utiliser des instruments de grossissement visuel pour les observer. Il a fallu attendre la fin du XVIIe siècle pour que soient mis au point les premiers microscopes, en particulier celui d'Anthony van Leeuwenhœck, naturaliste à qui on attribue les premières observations des bactéries.

Les améliorations successives des microscopes ont permis d'augmenter leur capacité de grossissement jusqu'à leur limite actuelle, limite fixée par les lois de l'optique. Par ailleurs, le perfectionnement des appareils a contribué à faciliter l'observation microscopique, permettant par exemple de passer successivement à différents grossissements ou d'incorporer la source lumineuse à l'appareil lui-même.

23.4.1 ÉLÉMENTS DU MICROSCOPE À FOND CLAIR

La figure 23.1 représente un microscope à fond clair. On reconnaît un ensemble de pièces mécaniques et une série de pièces optiques.

La structure mécanique comporte un socle qui permet de maintenir l'appareil en équilibre et une potence sur laquelle sont fixés la platine et

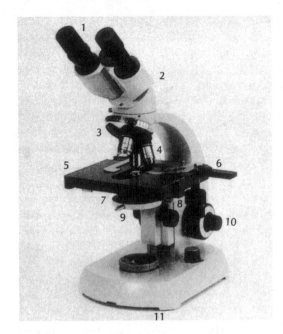

Figure 23.1
Microscope optique à fond clair.

1- Oculaire
2- Tube optique
3- Tourelle révolver
4- Objectifs
5- Platine
6- Chariot
7- Condensateur
8- Dispositif de réglage en hauteur du condensateur
9- Dispositif de centrage du condensateur
10- Bouton de commande des mouvements lents et rapides permettant d'abaisser ou de remonter le tube optique
11- Socle avec lampe basse tension

Source : Möellring, F. K. La microscopie depuis ses débuts. Carl Zeiss, Oberkochen, 1980.

ses dispositifs de manœuvre ainsi que le tube optique. La platine porte la préparation que l'on veut observer. Cette préparation est centrée à l'aide d'un chariot capable de se déplacer horizontalement et verticalement. La partie optique est composée d'une source lumineuse (généralement intégrée dans le pied du microscope), d'un condensateur dont la fonction principale est de concentrer le faisceau lumineux émis par la lampe, d'objectifs de puissance variable, d'un tube optique et d'un ou deux oculaires. C'est dans le tube optique que se forme l'image grossie de l'objet traversé par le faisceau lumineux. La hauteur du tube optique est réglée par l'intermédiaire de deux vis, l'une à mouvement rapide (la vis macrométrique) et l'autre à mouvement lent (la vis micrométrique).

Généralement amovible, l'oculaire est placé à la partie supérieure du tube optique. Le grossissement de ce premier système de lentilles est indiqué sur l'oculaire (par exemple 10 X). En multipliant ce grossissement par celui de l'objectif placé dans l'axe du tube optique, on obtient le grossissement total du microscope.

La plupart des microscopes modernes comportent trois ou quatre objectifs de puissance différente. La qualité de ces objectifs est un facteur très important de l'observation microscopique. En effet, les objectifs de piètre qualité donnent une image déformée de l'objet. L'image présente alors des aberrations géométriques, chromatiques ou les deux. Les aberrations géométriques sont provoquées par un grossissement inégal de la lentille. Elles se traduisent par une déformation plus ou moins prononcée de l'image. Les aberrations chromatiques sont caractérisées par la formation de franges colorées à la périphérie de l'image observée.

Les objectifs sont portés par une tourelle révolver mobile qui permet de placer n'importe quel objectif dans l'axe du tube optique. Généralement, on trouve un objectif de faible grossissement (4 X), un ou deux objectifs de grossissement intermédiaire (10 X et 40 X) et un objectif de fort grossissement (100 X). Ce dernier ne peut être utilisé qu'immergé dans une huile spéciale, l'huile à immersion, dont l'indice de réfraction est identique à celui du verre.

L'objectif de plus faible grossissement est parfois appelé objectif chercheur parce qu'il permet de repérer plus facilement l'objet à observer. D'une part, il permet de centrer l'objet dans le champ microscopique avant de passer à un grossissement supérieur. D'autre part, c'est avec cet objectif que le relief de l'image est le plus grand et que le plan de netteté est le plus marqué.

Sur la plupart des appareils, les objectifs sont dits compensés. Par ce terme, on indique qu'il n'est pas nécessaire de refaire la mise au point de l'appareil chaque fois que l'on passe à un grossissement supérieur en plaçant un objectif de plus forte puissance dans l'axe du tube optique.

La qualité d'une bonne observation au microscope dépend de plusieurs facteurs comme la qualité du frottis et de la coloration, mais le facteur prépondérant est certainement la qualité de l'éclairement de la préparation. La qualité de l'éclairement repose sur la façon dont est réglé le condensateur, constitué de plusieurs lentilles et d'un diaphragme iris. Le condensateur a pour fonction de concentrer les rayons lumineux sur la préparation et comprend un dispositif de centrage ainsi qu'un levier pour escamoter la lentille frontale dans le cas d'observations à faible grossissement.

23.4.2 GROSSISSEMENT ET GRANDISSEMENT

Le microscope permet d'observer l'image agrandie d'un objet, mais l'agrandissement et le grossissement de cet objet ne sont qu'apparents. Il va de soi, par exemple, que les bactéries de la préparation ne changent pas de dimension : elles mesurent environ 1,5 µm. Mais agrandies et grossies par les lentilles de l'objectif et de l'oculaire, elles paraissent plus grosses qu'elles ne le sont en réalité.

En fait, ce qui permet d'obtenir des images agrandies, c'est la distance à laquelle on se place pour observer les objets. Chacun sait qu'une règle d'un mètre de longueur paraîtra beaucoup plus petite à un observateur qui la regarde d'une distance de 50 m qu'à un autre placé à 10 m du même objet. Il suffit donc, en principe, de s'approcher d'un objet pour le voir plus grand. Le problème vient de ce que l'œil ne peut plus former une image nette si l'objet est trop rapproché. C'est à ce moment qu'il faut faire appel aux lentilles dont le rôle est d'agrandir et de grossir la taille des objets et de permettre à la rétine d'en former des images nettes. Plus précisément, les lentilles rapprochent les objets en augmentant l'angle sous lequel l'œil les voit, ce qui en donne une image agrandie[1].

On emploie souvent les termes de grandissement et de grossissement comme des synonymes. Pourtant, ils renvoient à des notions différentes. Le grandissement est le rapport entre la dimension apparente de l'image et la dimension réelle de l'objet observé. Dans un microscope, le grandissement est produit par l'objectif. Le grossissement est le rapport entre l'angle sous lequel l'image est vue à travers une lentille et l'angle sous lequel est vu cet objet à l'œil nu. Dans le microscope, le grossissement est produit par l'oculaire. Le grossissement total est obtenu en multipliant le grandissement de l'objectif employé par le grossissement de l'oculaire. Par exemple, la combinaison de l'oculaire 10 X par l'objectif 40 X donne un grossissement total de 400 (tableau 23.1).

Notons que le traitement par les lentilles du système optique provoque l'inversion de l'image microscopique. Cette inversion se traduit par un déplacement de l'image dans le sens contraire du déplacement de la préparation placée sur la platine.

---

1. Pour une étude des principes d'optique sur lesquels ces affirmations sont fondées : Laliberté, A. *Techniques instrumentales en biologie médicale*. Tome 1, Québec, Odile Germain, 1987, 205 p.

> LE MICROSCOPE OPTIQUE UTILISE LA LUMIÈRE VISIBLE COMME SOURCE D'ÉCLAIREMENT.
> IL EST PRINCIPALEMENT CONSTITUÉ D'UN SYSTÈME OPTIQUE FORMÉ DE PLUSIEURS LENTILLES DONT LE RÔLE EST DE DONNER UNE IMAGE AGRANDIE ET GROSSIE DES OBJETS.

23.4.3 DIAMÈTRE ET PROFONDEUR DE CHAMP

L'expression *champ du microscope* désigne la portion de l'objet qui peut être observée sans que l'objet soit déplacé. On représente habituellement le champ microscopique par un cercle mais cette représentation induit en erreur, car le champ microscopique n'est pas une surface mais un volume. D'apparence circulaire, le champ microscopique doit être représenté par un cylindre, qui est défini par son diamètre et sa hauteur (figure 23.2).

Notons que le diamètre et la surface du champ sont inversement proportionnels au grandissement de l'objectif (tableau 23.2). En d'autres termes, plus l'objet est agrandi et plus petite est la portion qu'on en voit. Il suffit d'observer un morceau de papier millimétré à différents grossissements pour se rendre compte de l'évidence de cette règle.

Tableau 23.1
Grossissement total d'un microscope optique.

GROSSISSEMENT DE L'OCULAIRE	GROSSISSEMENT DE L'OBJECTIF	GROSSISSEMENT TOTAL
10	4	40
10	10	100
10	40	400
10	100	1000

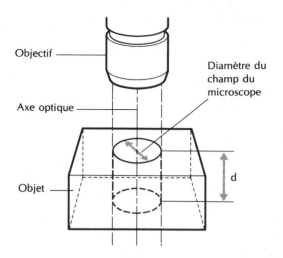

Figure 23.2
Champ microscopique.

Le champ microscopique est représenté par un cylindre imaginaire tracé en pointillé dans l'objet. Ce volume est caractérisé par son diamètre et sa profondeur (d). Il correspond à la portion de l'objet que l'on observe distinctement sans avoir à modifier la mise au point.

Adapté de Laliberté, A. *Techniques instrumentales en biologie médicale*. Tome 1, Québec, Odile Germain, 1987.

Tableau 23.2
Variation de la surface du champ microscopique en fonction du grandissement de l'objectif.

AGRANDISSEMENT DE L'OBJECTIF	DIAMÈTRE DU CHAMP (en mm)	SURFACE DU CHAMP (en mm²)
4	4,2	13,56
10	1,68	8,86
40	0,42	0,138
100	0,168	0,022

C'est pour cette raison qu'il est toujours préférable d'utiliser l'objectif de plus petit grandissement (généralement 4 X ou 10 X). Comme cet objectif couvre la plus grande surface du champ, il permet de repérer l'objet plus facilement et d'effectuer un premier réglage.

La profondeur de champ peut être définie simplement comme l'épaisseur sur laquelle un objet peut être observé distinctement pour un réglage déterminé. Plus précisément, elle représente la distance entre deux points du champ, l'un situé à sa partie supérieure, l'autre à sa partie inférieure, distance pour laquelle on observe une image nette de l'objet (sans modifier la mise au point).

Il est facile d'observer en travaillant au microscope que la profondeur de champ diminue rapidement à mesure que le grossissement augmente et qu'elle est par conséquent extrêmement réduite au plus fort grossissement. C'est pourquoi, au cours de l'observation microscopique, il faut sans cesse agir dans un sens et dans l'autre sur le mouvement lent, réglé par la vis micrométrique, afin de pouvoir explorer l'objet dans toute son épaisseur (figure 23.3).

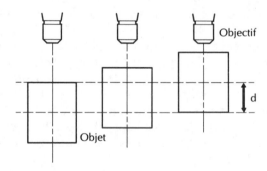

Figure 23.3
Profondeur de champ et réglage du microscope.

Généralement, aux grossissements les plus forts, la profondeur de champ est nettement inférieure à l'épaisseur de l'objet. Il est donc impossible d'observer l'objet dans toute son épaisseur sans modifier la mise au point.

Pour observer l'objet dans son épaisseur, le microscopiste procède en plusieurs étapes, faisant successivement la mise au point sur la partie supérieure, au centre et sur la partie inférieure. À partir des trois surfaces observées, il peut recréer l'apparence tridimensionnelle de cet objet.

Adapté de Laliberté, A. *Techniques instrumentales en biologie médicale*. Tome 1, Québec, Odile Germain, 1987.

> **LA PROFONDEUR DE CHAMP REPRÉSENTE LA DISTANCE ENTRE UN POINT SUPÉRIEUR ET UN POINT INFÉRIEUR DU CHAMP POUR LAQUELLE ON OBSERVE UNE IMAGE NETTE.**
> **CETTE PROFONDEUR EST INVERSEMENT PROPORTIONNELLE AU GROSSISSEMENT.**

23.4.4 MESURES EN MICROSCOPIE

Il est important de bien évaluer l'ordre de grandeur des objets que l'on observe dans le champ d'un microscope. C'est pourquoi il faut préciser les unités de mesure que l'on emploie en microscopie.

UNITÉS DE MESURE

Le micromètre est l'unité de mesure la plus employée en microscopie optique, alors que le nanomètre est l'unité de mesure fondamentale de la microscopie électronique.

Le MICROMÈTRE représente un millième de millimètre, donc un millionième de mètre (10^{-6} m). Le NANOMÈTRE vaut lui-même un millième de millimètre, soit 10^{-9} m. La figure 23.4 indique les différentes unités de mesure utilisées en microscopie ainsi que leurs valeurs comparées.

La figure 23.5 montre quelques dimensions repères intéressantes et précise l'échelle de taille des bactéries et des virus.

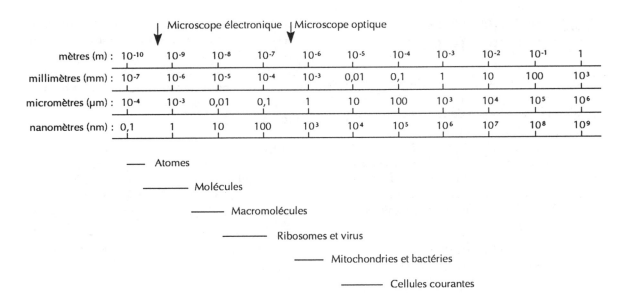

Figure 23.4
Unités de mesure utilisées en microscopie.
La figure donne les valeurs comparées du micromètre et du nanomètre et indique les limites de résolution des microscopes optique et électronique.
Source : Couillard, P. *Biologie cellulaire.* Montréal, Décarie, 1979.

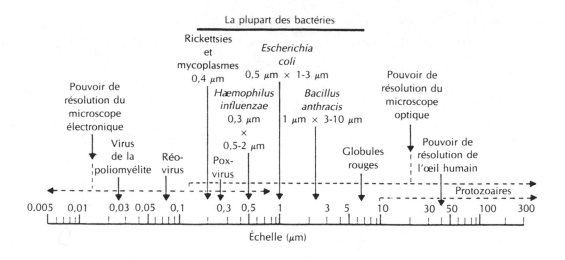

Figure 23.5
Principaux repères quant à la taille des microorganismes.

Source : Joklick, W. K., Willet, H. P. et D. B. Amos. *Zinsser Microbiology.* 11ᵉ éd., Norwalk, Appleton-Century Crofts, 1984.

23.5 PRÉPARATION DES SPÉCIMENS

Sauf dans des cas très particuliers, l'examen direct de microorganismes vivants n'est guère profitable, car l'indice de réfraction des cellules vivantes est trop proche de celui de l'eau et du verre pour permettre le contraste nécessaire à une observation détaillée. C'est pourquoi, la plupart du temps, il est nécessaire de recourir à des préparations et à des colorations spéciales qui facilitent l'étude des microorganismes.

23.5.1 MONTAGE HUMIDE ET EXAMEN À L'ÉTAT FRAIS

Les techniques de montage humide sont utiles quand on veut observer des microorganismes vivants. Par exemple, l'examen à l'état frais permet de vérifier la mobilité des microorganismes. Cette technique est aussi très utile pour observer le mode de groupement des microorganismes. Pour ce faire, il suffit de prélever avec une pipette Pasteur stérile une petite quantité du bouillon dans lequel s'est développée la culture. On peut procéder de deux façons : soit en déposant le prélèvement directement entre lame et lamelle, soit en utilisant une lame munie d'une dépression selon la technique de la goutte pendante (figure 23.6).

Lorsque l'on effectue un examen à l'état frais, il faut apporter un soin particulier au réglage de l'illumination de la préparation. La plupart du temps, il faut diminuer l'intensité de la lumière, abaisser le condensateur et fermer légèrement le

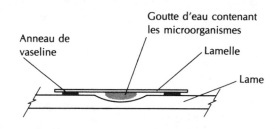

Figure 23.6
Technique de montage humide en goutte pendante.

diaphragme iris du condensateur. De cette manière, les microorganismes apparaissent brillamment éclairés dans le champ plus sombre du microscope car ils réfractent les rayons lumineux dirigés sur eux. En revanche, les structures cellulaires sont peu contrastées, donc peu observables, ce qui enlève beaucoup d'intérêt à ce genre d'examen.

Par ailleurs, tout ce qui bouge dans le champ du microscope n'est pas nécessairement mobile. Il faut apprendre à ne pas confondre la mobilité réelle avec le mouvement brownien. Le mouvement brownien est un mouvement passif qui se manifeste par des vibrations rapides, irrégulières et sans direction précise. Cette apparente mobilité est le résultat du mouvement perpétuel des molécules en suspension dans les liquides, mouvement causé par la collision et le rebondissement des molécules[1]. En s'entrechoquant ainsi, les bactéries, très légères, paraissent vibrer sur place. En revanche, la mobilité vraie se traduit par un mouvement réel, autonome et déterminé, chaque bactérie se déplaçant dans une direction donnée.

23.5.2 COLORATIONS

La coloration des microorganismes s'avère très utile dans de nombreux cas. Elle permet principalement de révéler leur apparence morphologique et de faire apparaître un certain nombre d'organites, facilitant ainsi l'observation au microscope à fond clair. Dans certains cas, elle permet aussi de différencier les microorganismes les uns des autres et, par conséquent, d'orienter les étapes subséquentes du travail d'identification.

On peut classer en deux groupes les colorants d'usage courant en microbiologie :

- les colorants basiques, comme le bleu de méthylène, le violet de cristal ou la safranine; dans la cellule qu'ils colorent, ils réagissent avec les composés acides, particulièrement avec les acides nucléiques et les polyosides riches en acides;

- les colorants acides, comme l'éosine, qui se fixent aux protéines.

La préparation des lames microscopiques requiert un travail soigneux, car l'attention que l'on met à la réalisation de ces techniques de coloration garantit la qualité de l'observation. Comme l'indique la figure 23.7, il est nécessaire de faire un frottis avant de pouvoir colorer les bactéries. En effet, un amas de bactéries entassées sur elles-mêmes est de peu d'intérêt. Les bactéries doivent être suffisamment séparées les unes des autres de façon à ce qu'on distingue leur forme, la présence des organites spécialisés, leur mode de groupement et qu'on puisse mesurer leur taille. Le frottis a donc pour objet d'étaler les bactéries déposées sur la lame avec le fil bouclé ou avec la pipette Pasteur.

Le frottis doit ensuite être fixé de manière que les microorganismes adhèrent correctement à la surface de la lame. Le plus souvent, on effectue la fixation en passant rapidement la lame, à deux ou trois reprises, dans la flamme du bec Bunsen ou de la lampe à alcool. La préparation étalée et fixée peut alors être colorée.

Selon le but recherché, on peut effectuer une coloration simple ou différentielle. Au cours du procédé de coloration simple, on ne fait agir qu'un seul colorant. Le plus fréquemment, on utilise le bleu de méthylène ou le violet de cristal. La lame est recouverte du colorant pendant le temps requis (une minute, par exemple), puis elle est égouttée et rincée. Enfin, elle est asséchée et observée au microscope. Ce genre de coloration donne peu d'indications : il renseigne sur la forme, la taille et la disposition des microorganis-

----

1. Ce mouvement résulte lui-même de l'agitation thermique des molécules.

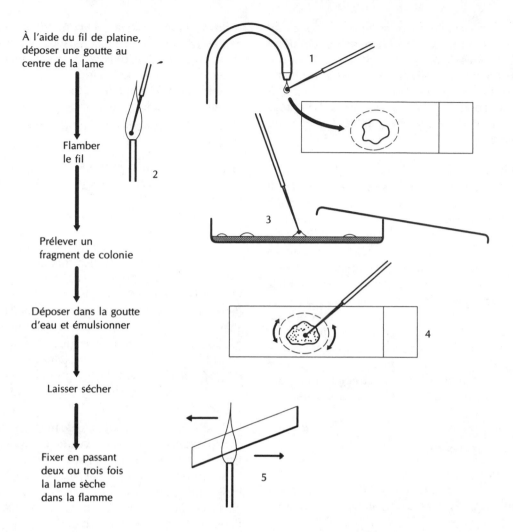

À l'aide du fil de platine, déposer une goutte au centre de la lame

↓

Flamber le fil

↓

Prélever un fragment de colonie

↓

Déposer dans la goutte d'eau et émulsionner

↓

Laisser sécher

↓

Fixer en passant deux ou trois fois la lame sèche dans la flamme

Figure 23.7
Étapes de préparation des lames microscopiques en microbiologie.

mes présents sur la lame. Dans le cas de la coloration différentielle, on fait agir plusieurs colorants et réactifs sur les cellules. Les réactions à l'égard des colorants employés révèlent des différences entre les bactéries. Parmi les colorations différentielles, une des plus utilisées est la coloration de Gram. Cette coloration repose sur des diffé-

rences dans la composition chimique de la paroi des bactéries. Elle permet de distinguer les bactéries Gram positif et les bactéries Gram négatif selon la teneur en lipides de leur paroi. Elle est effectuée sur de nombreuses cultures, car elle oriente les étapes subséquentes de l'identification, renseigne sur le type d'antibiotique à prescrire, etc.

COLORATION DE GRAM

Le tableau 23.3 précise les différences physiques et chimiques de la paroi des bactéries Gram positif et des bactéries Gram négatif. Le tableau 23.4 précise l'action des différentes substances au cours de la coloration de Gram.

23.6 CULTURE DES MICROORGANISMES

Les microorganismes que l'on cherche à cultiver au laboratoire doivent trouver des conditions de développement aussi proches que possible de celles dont ils bénéficient dans leur milieu naturel. Il faut donc leur fournir le milieu de culture idéal ou celui qui s'en rapproche le plus.

23.6.1 PRINCIPES GÉNÉRAUX

La culture des microorganismes au laboratoire doit respecter une double contrainte : les besoins nutritifs des microorganismes et les conditions environnementales dans lesquelles ils croissent habituellement.

D'une part, le milieu de culture idéal doit contenir les éléments nutritifs indispensables aux activités métaboliques des microorganismes. Sa composition doit répondre aux exigences nutritives des microorganismes à cultiver, exigences qui varient selon les espèces. Prenons le cas des microorganismes chimiolithotrophes et des micro-

organismes chimioorganotrophes. Les premiers ne requièrent que des composés sous forme minérale, alors que les seconds ne peuvent utiliser que des composés organiques.

D'autre part, la culture doit aussi respecter les conditions environnementales dans lesquelles croissent habituellement les microorganismes. C'est pourquoi le milieu de culture doit absolument être dépourvu de substances inhibant la vitalité des microorganismes. Il doit donc être placé dans des conditions environnementales optimales : température d'incubation, pH, isotonicité, pression d'oxygène, etc. Il suffit qu'une de ces conditions ne soit pas respectée pour que le développement microbien soit compromis. Par exemple, *Bacillus stearothermophilus*, une bactérie thermophile, se développera très lentement si elle est cultivée dans un incubateur réglé à 37 °C. La température doit être réglée à 55 °C, température optimale de croissance de cette bactérie.

23.6.2 MILIEUX DE CULTURE

Les divers milieux se présentent sous forme liquide (bouillon) ou solide (gélose). Pour préparer la gélose, on ajoute de l'agar ou de la gélatine au bouillon. La gélose comporte deux avantages sur la gélatine : elle n'est pas hydrolysée par les bactéries et elle demeure solide jusqu'à 45 °C. Cette dernière propriété élimine tout risque de liquéfaction au cours du développement microbien à température ambiante.

Sur les milieux de culture solides, les microorganismes se développent en formant des colonies, c'est-à-dire des amas de couleurs, de dimensions ou de formes plus ou moins caractérisées. Le développement de ces milieux solides représente un progrès important en microbiologie. Ils ont considérablement facilité, sinon rendu possible en opération de routine, l'isolement des différentes espèces microbiennes que l'on rencon-

Tableau 23.3
Différences physiques et chimiques de la paroi des bactéries Gram positif et Gram négatif.

CARACTÉRISTIQUES	GRAM POSITIF	GRAM NÉGATIF
Épaisseur (en nm)	15-75	10-15
Nombre de couches	1	3
Disposition des couches	Une couche épaisse de peptidoglycane	Une couche interne de peptidoglycane Une couche intermédiaire de lipopolysaccharides Une couche externe de lipoprotéines
Composition chimique		
Peptidoglycane (en % de la masse sèche)	30-50	10
Lipides (en %)	1-4	11-22
Acides teichoïques	Toujours	Jamais
Lipoprotéines et lipopolysaccharides	Peu	En plus grande quantité

Tableau 23.4
Action des différentes substances au cours de la coloration de Gram.

SUBSTANCES APPLIQUÉES	BACTÉRIES GRAM POSITIF	BACTÉRIES GRAM NÉGATIF
Violet de cristal	La paroi est colorée en violet.	La paroi est colorée en violet.
Lugol	L'action du violet de cristal est renforcée (apparence violet-noir).	L'action du violet de cristal est renforcée (apparence violet-noir).
Alcool	La déshydratation de la paroi et de la membrane cytoplasmique entraîne le resserrement des pores membranaires. Le complexe violet de cristal – lugol est retenu. Les bactéries restent colorées en bleu-violet.	L'action de l'alcool provoque l'extraction des lipides présents en grande quantité. La paroi est fragilisée et le complexe violet de cristal – lugol est entraîné. La coloration bleu-violet disparaît.
Safranine	Le complexe violet de cristal – lugol resté en place masque l'action de la safranine. Les bactéries restent colorées en bleu-violet.	Le complexe violet de cristal – lugol ayant été éliminé, les bactéries sont recolorées en rose par la safranine.

tre habituellement dans les différents spécimens cliniques. De plus, les milieux de culture solides ont permis d'obtenir des cultures pures, grâce auxquelles on a vraiment pu entreprendre l'identification des différentes espèces pathogènes responsables des maladies infectieuses humaines et animales.

23.6.3 CULTURES PURES

Par l'expression CULTURE PURE, on se réfère au développement d'une seule espèce microbienne dans un milieu donné. En principe, tous les microorganismes de cette culture présentent les mêmes caractéristiques morphologiques, anatomiques, physiologiques, biochimiques et antigéniques[1]. Cependant, au sein d'une même espèce, il peut y avoir des variations d'un ou de plusieurs de ces caractères. De plus, même si elles surviennent rarement, les mutations peuvent conduire à des organismes différents.

C'est en milieu solide que les cultures pures sont les plus facilement identifiables par leur simple apparence : pour une espèce et un milieu de culture donnés, sur la même boîte de culture et d'une boîte de culture à une autre, toutes les colonies formées sont identiques. Chaque espèce possède une morphologie propre reconnaissable à l'aide de critères tels que la taille, la couleur, la forme, l'aspect (brillant ou mat), la texture (lisse ou rugueuse), etc. (figures 23.8 et 23.9). Même si, en pratique, une espèce microbienne n'est jamais identifiée par ses seules caractéristiques morphologiques, l'examen morphologique des cultures et l'examen microscopique sont des étapes importantes : elles permettent de poser une identification présomptive et de choisir le test de confirmation approprié.

---

1. Par caractéristiques antigéniques, on désigne certaines structures ou certaines substances sécrétées par les microorganismes et entraînant la stimulation du système immunitaire.

Pour vérifier le caractère pathogène d'un microorganisme donné, le microbiologiste clinique doit d'abord l'isoler et l'identifier clairement. Comme il est exceptionnel de ne rencontrer qu'une seule espèce dans un milieu naturel donné, il doit obtenir une culture pure du microorganisme suspecté. Par exemple, *Streptococcus pyogenes*, agent responsable de la scarlatine, cohabite généralement dans le pharynx avec plus d'une quinzaine d'espèces différentes, la plupart de celles-ci étant inoffensives. Le prélèvement, effectué à l'aide d'un écouvillon, conduit à une première culture sur laquelle se développent toutes les espèces prélevées. On peut différencier sommairement ces espèces par les caractéristiques morphologiques des colonies qu'elles forment, mais comment isoler l'espèce pathogène?

Tout procédé mis en œuvre pour obtenir une culture pure repose sur un principe fondamental : séparer les cellules les unes des autres au moment de l'ensemencement de l'échantillon. À l'issue de cette séparation, chaque bactérie individualisée est déposée à la surface du milieu de culture et se multiplie un très grand nombre de fois. Cette multiplication donne une colonie dont toutes les cellules sont identiques à la bactérie initiale.

Il faut donc tout d'abord séparer les différentes espèces, en se fondant sur les critères morphologiques, et les repiquer dans des milieux de culture neufs de façon à obtenir une culture pure. Sur ces nouveaux milieux, le microbiologiste est en mesure de poursuivre l'identification : coloration et examen microscopique, réactions biochimiques, réactions sérologiques, sensibilité à certains antibiotiques, etc.

TECHNIQUES D'OBTENTION DE CULTURES PURES

Pour obtenir des cultures pures, on fait principalement appel à la technique de l'isolement par épuisement. Cette méthode consiste en un étalement progressif des microorganismes sur une boîte de Pétri à l'aide d'un fil de platine. Après avoir été

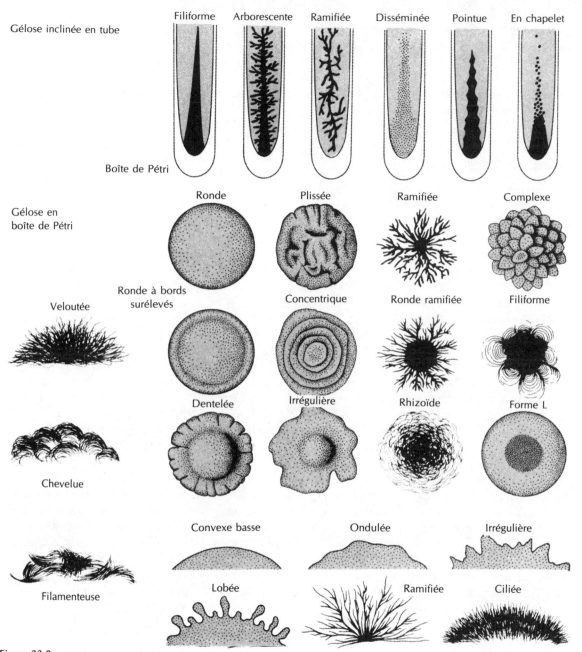

Gélose inclinée en tube

Filiforme Arborescente Ramifiée Disséminée Pointue En chapelet

Boîte de Pétri

Gélose en boîte de Pétri

Ronde Plissée Ramifiée Complexe

Ronde à bords surélevés Concentrique Ronde ramifiée Filiforme

Veloutée

Chevelue

Dentelée Irrégulière Rhizoïde Forme L

Filamenteuse

Convexe basse Ondulée Irrégulière

Lobée Ramifiée Ciliée

Figure 23.8
Aspects morphologiques de quelques colonies microbiennes.

Sur les milieux solides, les bactéries, les levures et les moisissures forment des colonies. Chaque espèce forme des colonies de morphologie caractéristique et reconnaissable à l'aide de critères tels que la taille, la couleur, la forme, l'aspect (brillant ou mat), la texture (lisse ou rugueuse), l'élévation, etc.

Source : Ross, F. *Introductory Microbiology.* Merryl Publishers, Colombus, 1983.

426

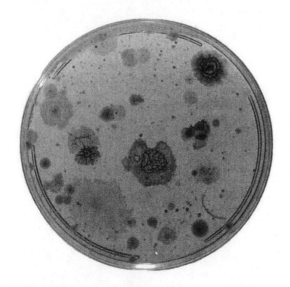

Figure 23.9
Microphotographie de quelques colonies de morphologie différente.
Photographie : M. Carbonneau.

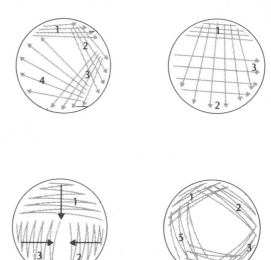

Figure 23.10
Isolement par épuisement.
Les stries peuvent être effectuées dans différentes directions, mais elles ont toujours pour but de séparer les microorganismes et de permettre la formation de colonies distinctes.

préalablement stérilisé, le fil bouclé est plongé dans la colonie d'une culture mixte que l'on veut purifier. L'inoculum est alors transféré et ensemencé sur la gélose d'une boîte de Pétri neuve. Les figures 23.10 et 23.11 illustrent les principales façons de procéder et le résultat obtenu.

Il s'agit d'étaler les microorganismes en effectuant des stries à la surface de la gélose. À mesure que le fil s'éloigne de la zone de contact initial, le nombre de bactéries présentes sur le fil diminue. Dans la dernière zone, c'est-à-dire dans la zone la plus éloignée de l'endroit où le fil de platine a touché la gélose pour la première fois, le nombre de bactéries est très faible. Dans cette dernière zone, des bactéries bien séparées les unes des autres sont déposées : en se multipliant au cours de l'incubation, elles formeront des colonies bien isolées et dont chacune constitue une culture pure.

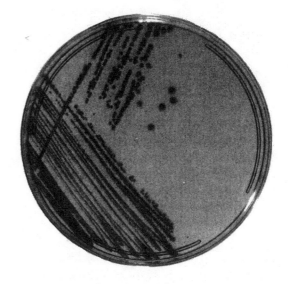

Figure 23.11
Résultat d'un isolement par épuisement.
Photographie : M. Carbonneau.

glossaire

A

Acaryote
Dépourvu de noyau; caractéristique des virus.

Acide dipicolinique
Constituant majeur de l'enveloppe des endospores, responsable de leur thermorésistance.

Adjuvant
Substance qui amplifie la réaction immunitaire quand elle est administrée en même temps et au même point que l'antigène.

Aérobie
Se dit de microorganismes se développant en présence d'oxygène.

Agent chimiothérapeutique
Composé chimique naturel ou de synthèse qui inhibe le développement des microorganismes ou les détruit sans affecter l'hôte qui les abrite; il agit à faible dose et exerce une action très spécifique.

Agents mitogènes
Substances capables d'induire la transformation blastique et la prolifération des lymphocytes.

Allergène
Toute substance antigénique qui provoque une réaction allergique. Ce terme caractérise surtout les antigènes responsables des réactions d'hypersensibilité de type I.

Allergie
Terme synonyme d'hypersensibilité; il est surtout employé pour désigner les hypersensibilités de type I.

Allo-antigènes
Antigènes rencontrés chez plusieurs individus appartenant à la même espèce mais qui sont génétiquement différents.

Allogreffe
Greffe effectuée entre deux individus de la même espèce mais qui sont génétiquement différents.

Anaérobie
Se dit de microorganismes qui croissent dans des milieux dépourvus d'oxygène moléculaire. On distingue les anaérobies stricts, les modérés et les facultatifs.

Anaphylatoxines
Substances produites au moment de l'activation du complément et dotées de propriétés biologiques et pharmacologiques particulières. Elles déclenchent des manifestations identiques à celles du choc anaphylactique.

Anatoxine
Exotoxine dont le pouvoir pathogène a été atténué ou détruit par dénaturation, mais qui conserve son pouvoir antigénique.

Antibiogramme
Épreuve permettant de déterminer la concentration minimale inhibitrice d'un antibiotique à l'égard d'une bactérie.

Anticorps
Substances de nature protéique produites en réponse à un antigène particulier et capable de se combiner spécifiquement avec lui.

Anticorps monoclonal
Anticorps produit par un clone de plasmocytes dirigé contre un déterminant antigénique unique.

Antigène

Toute substance qui entraîne une réponse immunitaire reposant sur l'intervention de cellules lymphoïdes et aboutissant à la production d'anticorps ou à la différenciation de cellules portant des récepteurs cellulaires, les uns et les autres étant spécifiques de l'antigène et possédant la propriété de se combiner avec lui.

Antigènes d'histocompatibilité

Antigènes génétiquement déterminés présents à la surface de la plupart des cellules nucléées d'un individu et responsables des réactions de rejet des greffes. Synonyme : antigènes de transplantation.

Antigènes de classe I

Antigènes d'histocompatibilité HLA-A, HLA-B et HLA-C, cibles des lymphocytes T cytotoxiques.

Antigènes de classe II

Antigènes d'histocompatibilité HLA-D et HLA-DR intervenant dans la reconnaissance du non-soi et dans la coopération cellulaire.

Antigènes particulaires

Antigènes constitués par une cellule, par un virion.

Antigènes solubles

Antigènes constitués par un composé chimique.

Antimétabolites

Produits de synthèse présentant des analogies de structures avec des substances naturelles, capables de se substituer à ces dernières et de bloquer la division cellulaire.

Antisepsie

Ensemble des méthodes permettant de détruire les microorganismes ou d'inhiber leur développement afin de prévenir la sepsie, c'est-à-dire la putréfaction ou la décomposition.

Antiseptique

Se dit d'un agent chimique inhibant des microorganismes ou les détruisant à la surface de la peau et des muqueuses saines ou infectées.

Appareil nucléaire

Chromosome unique et nu qui contient une cellule procaryote; dépourvu de nucléole et de membrane nucléaire, l'appareil nucléaire est l'équivalent du noyau des cellules eucaryotes.

Asepsie

Ensemble des opérations et des moyens permettant d'éliminer les microorganismes d'une substance, d'un objet ou d'un lieu donné afin de protéger l'organisme contre toute contamination microbienne.

Atopies

Diverses manifestations cliniques comme l'asthme, les rhinites allergiques, l'urticaire relevant de l'hypersensibilité immédiate et faisant suite à la production d'IgE.

Atténuation

Diminution progressive de la virulence.

Auto-anticorps

Anticorps produit par un individu en réponse à l'un de ses propres constituants (auto-antigène).

Auto-antigènes

Antigènes responsables, dans l'organisme dont ils proviennent, de la formation d'auto-anticorps.

Auto-immunité

État d'immunisation d'un individu à l'égard de ses propres constituants.

Autoclave

Appareil de stérilisation utilisant la vapeur d'eau sous pression ou des chimiostérilisateurs gazeux comme l'oxyde d'éthylène.

Autotrophe

Organisme capable d'élaborer tous ses constituants cellulaires à partir de minéraux ou de substances simples et d'extraire l'énergie du milieu abiotique.

Axénique

Se dit des animaux de laboratoire exempts de tout microorganisme et vivant en milieu stérile depuis leur naissance.

Bacille

Bactérie cylindrique aux extrémités droites ou effilées apparaissant sous forme de bâtonnet en microscopie optique.

Bactéricide

Se dit d'un agent physique ou chimique dont l'action est mortelle pour les bactéries.

Bactériolyse

Destruction des bactéries sous l'action commune des IgM et du complément et par certaines substances antibactériennes comme le lysozyme.

Bactériolysines

Anticorps ayant pour effet de lyser les bactéries.

Bactériostatique

Se dit d'un agent physique ou chimique dont l'action sur le développement microbien est temporaire.

Basophiles

Granulocytes à noyau irrégulier et dont le cytoplasme contient de volumineuses granulations riches en histamine et en sérotonine. Ces basophiles sont colorés en bleu par les colorants basiques.

BCG

Bacille Calmette et Guérin. Souche de *Mycobacterium bovis* dont la virulence a été atténuée par repiquages successifs mais qui a conservé son pouvoir antigénique et immunisant.

Biotope

Ensemble des facteurs physiques, chimiques et géologiques caractéristiques d'un écosystème donné.

Capside

Coque protéique rigide, formée par la réunion des capsomères, protégeant l'acide nucléique viral.

Capsomères

Sous-unités protéiques de la capside.

Capsule

Enveloppe de nature glucidique plus ou moins épaisse et plus ou moins visqueuse entourant certaines bactéries.

Cariogène

Se dit d'une bactérie qui intervient dans le développement des caries dentaires.

Cellule hôte

Cellule abritant un parasite.

Cellules accessoires

Termes désignant les macrophages et d'autres groupes de cellules immunitaires qui coopèrent avec les lymphocytes lors du dévelopement d'une réponse immunitaire spécifique.

Cellules de Grandstein

Cellules épidermiques possédant la propriété de présenter des antigènes aux lymphocytes T et d'interagir avec les lymphocytes T suppresseurs.

Cellules de Langerhans

Cellules de la peau sécrétant de l'interleukine 1 et intervenant dans la présentation des antigènes provenant de la peau.

Cellules effectrices

Cellules immunitaires intervenant dans la réaction immunitaire à la suite d'une immunisation.

Cellules K

Groupe de cellules à pouvoir cytotoxique responsables de la cytotoxicité à médiation cellulaire dépendante des anticorps.

Cellules lymphoïdes

Ensemble des cellules immunocompétentes (lymphocytes, lymphoblastes et plasmocytes) responsables des réactions immunitaires spécifiques.

Cellules mémoires

Lymphocytes B ou T capables de répondre rapidement et intensément à une nouvelle stimulation antigénique (vis-à-vis d'un antigène déjà rencontré).

Cellules NK
Groupe de cellules cytotoxiques agissant en l'absence d'anticorps et en dehors de toute immunisation préalable.

Cellules phagocytaires
Cellules auxquelles appartiennent les granulocytes et les macrophages responsables de la phagocytose et d'autres aspects de la réaction immunitaire non spécifique.

Cellules cibles
Cellules porteuses de déterminants antigéniques étrangers déclenchant une réaction immunitaire cytotoxique ou humorale.

Chaîne épidémiologique
Ensemble d'éléments particuliers intervenant dans un ordre déterminé au moment de la transmission des infections.

Chimioorganotrophes
Catégorie de microorganismes qui oxydent des composés organiques et qui effectuent des biosynthèses à partir de substrats organiques complexes.

Chimiotactisme
Phénomène par lequel les cellules phagocytaires sont attirées vers un foyer inflammatoire.

Chimiotaxie
(voir *chimiotactisme*.)

Choc anaphylactique
Forme généralisée et grave de l'anaphylaxie. (*Voir ce terme.*)

Choc toxique
Syndrome causé par des endotoxines et se manifestant par des troubles vasomoteurs, des désordres acido-basiques et électrolytiques graves, des troubles de la coagulation, des complications hémorragiques et de l'insuffisance rénale.

Cocci
Bactéries de forme sphérique.

Clone
Ensemble de cellules génétiquement identiques provenant de la même cellule initiale.

Cœnocyte
Structure non cellulaire constituée d'une masse de cytoplasme contenant plusieurs noyaux. Au sein de cette masse, chaque noyau contrôle les activités cellulaires d'un territoire donné.

Commensalisme
Relation parasitaire qui profite à un membre de l'association, alors que l'autre n'est affecté ni positivement ni négativement.

Commensaux
Microorganismes parasites inoffensifs présents sur la peau et les muqueuses de l'Homme et des animaux.

Complément
Ensemble de protéines sériques formant un système multienzymatique intervenant de façon prépondérante dans la défense anti-infectieuse, et capable de se fixer sur un grand nombre de complexes antigène-anticorps.

Complexe immun
Complexe macromoléculaire formé par l'union d'un antigène et de son anticorps.

Complexe majeur d'histocompatibilité
Ensemble des gènes comprenant les gènes HLA responsables du contrôle de certaines réactions immunitaires et de la reconnaissance du soi.

Contage
Particules, sécrétions et autres produits qui transportent les agents des maladies infectieuses et qui sont responsables de la contagion.

Contagion
Transmission d'une maladie infectieuse d'une personne à une autre.

Coombs (test de)
Réaction permettant de détecter la présence d'anticorps non agglutinants dans un sérum grâce à l'action d'un sérum xénogénique anti-immunoglobuline qui provoque l'agglutination.

Corps d'inclusion
Accumulation de composants viraux ou de virus déjà assemblés trouvés dans certaines cellules infectées.

Culture pure

Culture ne contenant qu'une seule espèce microbienne dont les individus présentent les mêmes caractéristiques morphologiques, anatomiques, physiologiques, biochimiques et antigéniques.

Cycle sporal

Ensemble des processus survenant entre le moment où une bactérie commence à sporuler et celui où l'endospore formée germe pour donner naissance à une nouvelle bactérie.

Cycle viral

Ensemble des étapes de la reproduction d'un virus.

Cytolyse

Lyse des cellules par suite de la destruction de la membrane cytoplasmique sous l'action combinée des anticorps et du complément ou sous l'action de cellules cytotoxiques.

Cytolysines

Enzymes favorisant la dissémination des bactéries pathogènes dans l'organisme.

Cytotoxicité à médiation dépendante des anticorps

Réaction cytotoxique exercée par les cellules K à l'égard de cellules cibles recouvertes d'anticorps.

D

Désensibilisation

Traitement consistant en l'administration, à intervalles réguliers, de doses croissantes d'un allergène donné et effectué dans le but de réduire ou d'éliminer l'hypersensibilité à cet allergène.

Désinfectants

Produits chimiques antimicrobiens destinés au nettoyage des objets et des surfaces en contact avec les microorganismes.

Déterminant antigénique

La plus petite unité structurale reconnue par un anticorps. Synonyme : épitope.

Diapédèse

Migration des granulocytes et des monocytes hors des capillaires sanguins.

Domaines

Segments de chaînes lourdes et de chaînes légères de molécules d'immunoglobulines.

E

Écosystème

Système dynamique composé d'organismes vivants dans un milieu donné qui se maintient en équilibre sous l'influence des interactions qui s'établissent entre ses différents éléments.

Effet de barrière

Effet par lequel des bactéries commensales résidantes empêchent ou ralentissent l'installation ou la prolifération trop abondante de microorganismes exogènes indésirables.

Endémie

Persistance faible mais constante du nombre de cas d'une maladie infectieuse donnée dans une région particulière.

Endotoxine

Toxine formée de constituants cellulaires et retenue dans la bactérie jusqu'à la lyse de la cellule.

Éosinophiles

Granulocytes dont les granulations cytoplasmiques sont colorées en rose par le rouge d'éosine.

Épidémie

Apparition, dans une région donnée à un moment donné, d'un nombre élevé et simultané de cas d'une maladie infectieuse, suivie d'un retour à la normale.

Eucaryote

Organisation cellulaire caractérisée par la présence d'un noyau vrai, délimité par une membrane nucléaire, de plusieurs chromosomes, d'un nucléole et d'organites intracytoplasmiques de structure complexe.

Exotoxines

Toxines de nature protéique, diffusant à l'extérieur de la bactérie et agissant spécifiquement sur des cellules ou des organes cibles; responsables de nécroses cellulaires ou de perturbations des activités physiologiques essentielles.

F

Facteur de Hageman

Facteur XII du système de coagulation intervenant dans la réaction inflammatoire : adhésion plaquettaire, adhésion leucocytaire, activation du système kinine.

Filariose

Parasitose provoquée par la filaire *Wuchereria brancrofti*, dont les embryons sont inoculés à l'Homme par des piqûres d'anophèles porteuses de ce parasite.

Fission binaire

Processus de reproduction asexuée plus simple que la mitose et au cours duquel une cellule se divise pour donner naissance à deux cellules filles.

Flore

Ensemble des microorganismes commensaux ou pathogènes présents en un lieu donné et à un moment donné.

Follicules lymphoïdes

Unités fonctionnelles des ganglions lymphoïdes et des autres formations lymphoïdes regroupant les différentes catégories de cellules lymphoïdes.

G

Gammaglobulines

Globulines sériques fractionnées par électrophorèse et dans lesquelles se trouvent la majeure partie des immunoglobulines.

Gènes d'histocompatibilité

Ensemble des gènes faisant partie du complexe majeur d'histocompatibilité et intervenant notamment dans le rejet des greffes et dans la coopération cellulaire.

Gram (coloration de)

Coloration différentielle résultant de l'action d'une solution d'iode sur une préparation préalablement colorée par le violet de cristal et sur laquelle on fait agir ensuite l'alcool et la safranine ou la fuschine. La coloration de Gram permet de distinguer les bactéries Gram négatif décolorées par l'alcool et recolorées en rose par la safranine ou la fuschine et les bactéries Gram positif, qui restent colorées en bleu violet sous l'action du violet de cristal et de l'iode.

Granulocytes

Groupes de globules blancs à noyau irrégulier et segmenté caractérisé par la présence de granulations cytoplasmiques d'affinités tinctoriales particulières.

H

Haptène

Substance de faible masse moléculaire possédant une spécificité antigénique mais dépourvue de pouvoir immunogène. Seul un haptène n'induit pas la production d'anticorps. Pour ce faire, il doit être couplé à un porteur.

Hétérologue

Terme utilisé pour qualifier une substance ou des cellules provenant d'un individu appartenant à une espèce différente.

Hétérotrophes

Organisme incapable d'élaborer les composés organiques qui entrent dans sa constitution et qu'il doit trouver préformés dans son environnement.

Histamine

Médiateur chimique intervenant dans les réactions d'hypersensibilité immédiate et caractérisée par son action sur les vaisseaux sanguins et les muscles lisses.

Holoxéniques

Animaux porteurs de microorganismes dès leur naissance et vivant dans des conditions normales d'élevage.

Homéostasie

Ensemble des fonctions contrôlées par des mécanismes de régulation permettant à un être vivant de réagir à tout changement de l'environnement et de maintenir son équilibre interne.

Hypersensibilité de type I

Réaction d'hypersensibilité immédiate causée par les IgE, lesquelles entraînent la libération d'amines vasoactives par les basophiles et les mastocytes par suite du contact répété de l'organisme avec un allergène particulier.

Hypersensibilité de type II

Réaction d'hypersensibilité immédiate impliquant la participation d'IgG et d'IgM responsables de phénomènes de cytotoxicité en présence du complément.

Hypersensibilité de type III

Réaction d'hypersensibilité immédiate dont la principale manifestation est une réaction inflammatoire causée par la présence de granulocytes attirés par les complexes immuns qui se sont déposés dans certains organes.

Hypersensibilité de type IV

Réaction d'hypersensibilité retardée à médiation cellulaire induite par des lymphocytes T sensibilisés, qui agissent soit par cytotoxicité directe, soit par l'intermédiaire de lymphokines qui attirent et immobilisent les macrophages au point d'introduction de l'antigène.

Hypersensibilité immédiate

Réaction immunitaire provoquée par les IgE, lesquelles entraînent la libération d'amines vasoactives par les basophiles et les mastocytes à la suite du contact répété de l'organisme avec un allergène particulier.

Hypersensibilité retardée

Réaction immunitaire à médiation cellulaire induite par les lymphocytes T sensibilisés et qui ne se développe que de 24 à 48 heures après le contact avec l'antigène.

Hyphes

Filaments à structure cœnocytique plus ou moins ramifiés, éventuellement cloisonnés et dont l'ensemble forme le mycélium.

I

Immunité

Terme désignant l'acquisition d'un état de résistance à l'égard d'un agresseur. Plus largement, ce terme désigne l'ensemble des facteurs humoraux et cellulaires qui protègent l'organisme de toute agression.

Immunité acquise

État de résistance spécifique développé à la suite d'un contact avec un agent infectieux donné.

Immunité naturelle

État spontané d'insensibilité d'un organisme à l'égard d'un agent infectieux donné.

Immunoadhérence

Processus au cours duquel les complexes immuns se fixent sur les cellules immunitaires ou sur d'autres cellules.

Immunodiffusion

Technique fondée sur la précipitation d'antigènes et d'anticorps après diffusion dans un milieu semi-solide.

Immunogènes

Substances capables de provoquer une réaction immunitaire.

Immunogénicité

Terme désignant la propriété de provoquer une réaction immunologique.

Immunoglobulines

Globulines formant les anticorps et réparties en cinq classes : IgA, IgG, IgM, IgD et IgE.

Immunosuppresseur

Caractère d'une substance capable de diminuer ou de supprimer la réponse immunitaire.

Incubation

Période comprise entre l'entrée de l'agent infectieux dans l'organisme et l'apparition des premiers symptômes de l'infection.

Interféron

Protéine antivirale produite par les cellules

infectées et bloquant la réplication du virus dans les cellules saines.

Interleukines

Substances sécrétées par les macrophages, les cellules de Langerhans, certains lymphocytes et ayant pour fonction de stimuler d'autres cellules intervenant dans la réponse immunitaire.

Irradiation

Procédé qui consiste à exposer certains produits à des radiations ionisantes afin de détruire les microorganismes.

K

Kystes

Enveloppe dont s'entourent certains protozoaires afin de protéger leurs cellules végétatives contre des conditions ambiantes défavorables.

L

Leucotriènes

Substances dérivées de l'acide arachidonique intervenant dans les réactions d'hypersensibilité de type I et caractérisées par leur action sur les muscles lisses, sur la perméabilité vasculaire et sur l'attraction des neutrophiles et des éosinophiles.

Lupus érythémateux disséminé

Maladie chronique à complexes immuns caractérisée par des atteintes rénales, articulaires, cutanées, neurologiques et par des anomalies de la fonction immunitaire.

Lymphocytes T cytotoxiques

Groupe de lymphocytes T effecteurs ayant pour fonction de détruire les cellules détectées comme étrangères.

Lymphocytes T effecteurs

Lymphocytes T responsables des réactions immunitaires à médiation cellulaire et intervenant dans le rejet des greffes, dans l'élimination des cellules tumorales ainsi que dans la destruction des cellules infectées par des virus.

Lymphocytes T régulateurs

Lymphocytes T à fonction amplificatrice ou suppressive et responsables du contrôle de la réaction immunitaire.

Lymphokines

Substances produites et libérées par les lymphocytes T sensibilisés.

Lypopolysaccharides

Constituants de la partie externe de la paroi des bactéries Gram négatif formés de glucides particuliers et d'acides gras, et entrant dans la composition des endotoxines.

Lysozyme

Enzyme présente dans la salive, les larmes, les sécrétions muqueuses et ayant pour fonction d'hydrolyser certains composants de la paroi des bactéries.

M

Macrophages

Cellules phagocytaires dérivant des monocytes et présentes dans le tissu conjonctif, les ganglions lymphatiques, la rate, le foie et les alvéoles pulmonaires.

Maladie auto-immunes

Maladie résultant d'un dérèglement des mécanismes de reconnaissance du soi et se traduisant par une dégradation des constituants de l'organisme.

Maladie du sérum

Réaction d'hypersensibilité faisant suite à l'injection de doses importantes de sérums xénogéniques.

Mastocytes

Cellules immobiles, présentes dans le tissu conjonctif, sécrétant l'histamine et la sérotonine et intervenant dans les réactions d'hypersensibilité de type I.

Mésophile

Se dit de tout microorganisme dont la température optimale de développement est comprise entre 25 et 45 °C.

Microaérophile

Se dit de tout microorganisme aérobie qui ne se développe que dans un milieu contenant de 5 à 8 % d'oxygène.

Micromètre

Unité de mesure de référence en microscopie optique valant un millième de millimètre, soit un millionième de mètre (10^{-6} m). Symbole : µm.

Milieux complexes

Milieux de culture dont la composition chimique n'est pas rigoureusement déterminée; constitués d'infusions d'extraits divers, ces milieux conviennent bien aux besoins nutritifs des bactéries chimioorganotrophes.

Mutualisme

Relation de coopération réciproque et obligatoire entre deux individus.

Mycélium

Ensemble des hyphes déterminant la partie végétative d'un mycète.

Mycoses

Infections causées par des mycètes.

N

Nanomètre

Unité de mesure de référence en microscopie électronique valant un millième de micromètre, soit un millionième de millimètre ou 10^{-9} m. Symbole : nm.

Neuraminidase

Enzyme présente dans certains spicules et catalysant l'hydrolyse de l'acide neuraminique, un constituant des acides sialiques dans les membranes cellulaires.

Neutralisation

Réaction par laquelle un anticorps neutralise l'effet biologique d'un antigène.

Neutrophiles

Granulocytes à noyau plurilobé dont les granulations ne prennent pas les colorants.

Nucléocapside

Ensemble formé de la capside et de l'acide nucléique qu'elle contient.

O

Opsonines

Anticorps renforçant la phagocytose en facilitant la capture de particules par les globules blancs.

Opsonisation

Processus par lequel certains anticorps comme les IgG favorisent la phagocytose de l'antigène particulaire avec lequel ils se sont combinés.

P

Paludisme

Parasitose causée par divers hématozoaires du genre *Plasmodium* transmis par les piqûres de certaines variétés d'anophèle.

Pasteurisation

Procédé d'élimination des microorganismes pathogènes ou indésirables qui consiste à porter certains aliments et breuvages à une température inférieure à leur point d'ébullition afin de ne pas altérer leurs propriétés organoleptiques.

Pathogène

Se dit de microorganismes parasites ou saprophytes dont la présence entraîne des préjudices pour l'hôte qui les abrite.

Période d'état

Période au cours de laquelle apparaissent les symptômes spécifiques d'une infection microbienne.

Phagocytose

Capture et ingestion de particules vivantes ou inertes par les globules blancs.

Plasmide

Petit filament circulaire formé d'ADN, présent dans certaines bactéries, portant des informations génétiques particulières, comme la résistance à certains antibiotiques.

Plasmoblastes
Cellules immatures résultant de la transformation des lymphocytes B à la suite d'une stimulation antigénique et dont dérivent les plasmocytes.

Plasmocytes
Cellules matures issues de la transformation des lymphocytes B présents dans le tissu lymphoïde et responsables de la production des anticorps.

Porte d'entrée
Point de l'organisme par lequel des microorganismes s'introduisent dans les tissus.

Porteur
Substances chimiques auxquelles se lie l'haptène afin de pouvoir induire la production d'anticorps.

Porteur sain
Nom donné aux personnes abritant des microorganismes pathogènes sans être affectées par leur présence.

Procaryote
Organisation cellulaire simple caractérisée par l'absence d'un vrai noyau, un petit nombre d'organites spécialisés et un seul chromosome libre dans le cytoplasme.

Properdine
Substance activant la voie alterne du complément.

Prostaglandines
Substances dérivées du métabolisme de l'acide arachidonique et dotées d'effets très puissants sur la réaction inflammatoire, sur le système immunitaire, sur l'agrégation des plaquettes et sur de nombreux organes.

Provirus
Rétrovirus intégré dans le génome cellulaire et présent dans la cellule par ses seules informations génétiques.

Psychrophile
Se dit de tout microorganisme tolérant des températures optimales de développement inférieures à 25 °C.

Pyrogène (substance)
Substance sécrétée par les globules blancs inductrice de la fièvre.

R

Réaction inflammatoire
Ensemble des manifestations vasculaires, cellulaires et humorales stéréotypées, indépendantes de la nature de l'agresseur et intervenant au cours de la réaction immunitaire non spécifique.

Réponse primaire
Réponse immunitaire induite lors d'un premier contact avec un antigène et caractérisée par une production d'anticorps lente à s'établir et relativement faible.

Réponse secondaire
Réponse immunitaire induite par l'injection d'un antigène vis-à-vis duquel l'organisme est déjà sensibilisé et qui est caractérisée par sa rapidité, son intensité et sa durabilité.

Réservoir
Lieu dans lequel des microorganismes pathogènes survivent ou se multiplient entre les infections, et à partir duquel s'effectue la contamination.

Rétrovirus
Virus à ARN capable de synthétiser de l'ADN grâce à la transcriptase inverse et d'intégrer leurs informations génétiques ainsi transcrites dans le génome des cellules qu'ils parasitent.

Rickettsies
Microorganismes procaryotes intermédiaires entre les bactéries et les virus, les rickettsies se distinguent des bactéries par une taille ne dépassant pas 500 nm et par leur parasitisme intracellulaire obligatoire.

S

Saprophytes
Microorganismes vivant dans la nature sans avoir à établir de relations avec d'autres êtres vivants

et se nourrissant des éléments nutritifs organiques qu'ils trouvent dans l'environnement.

Schistosomiase
Parasitose, appelée aussi bilharziose, provoquée par des vers trématodes du genre *Schistosoma*.

Scissiparité
Mode de reproduction asexuée observée chez les eucaryotes comparable à la fission binaire.

Sensibilisation
Terme utilisé pour signifier l'induction d'un état d'hypersensibilité, pour désigner des cellules recouvertes d'anticorps dans la réaction de fixation du complément ou pour signifier l'activation des lymphocytes par suite d'une stimulation antigénique.

Septicémie
Infection généralisée caractérisée par la présence de microorganismes pathogènes dans le sang et causant l'apparition de foyers infectieux secondaires.

Séroprophylaxie
Administration d'un sérum animal ou humain vacciné contre une maladie infectieuse et contenant des anticorps déjà synthétisés dans le but de prévenir l'apparition de cette maladie infectieuse.

Sérothérapie
Administration thérapeutique d'un sérum animal ou humain vacciné contre une maladie infectieuse contenant des anticorps déjà synthétisés et permettant une protection immédiate contre cette maladie.

Sérotonine
Amine vasoactive libérée par les plaquettes au cours de la réaction inflammatoire.

Sérotypage
Détermination sérologique des éléments antigéniques des bactéries.

Spicules
Petites structures de nature glucidique ou protéique traversant l'enveloppe virale et projetées à l'extérieur du virus.

Spirilles
Bactéries ayant une forme de spirale caractérisées par la présence de spires plus ou moins nombreuses et d'amplitude variable selon les espèces.

Spirochètes
Groupe de bactéries particulières caractérisées par une forme hélicoïdale, une paroi cellulaire flexible et un appareil locomoteur particulier.

Sporanges
Organes de fructification des mycètes, d'aspect plus ou moins renflé, qui se forment à l'extrémité d'hyphes spécialisés, les sporangiophores. Organes de fructification de certains végétaux produisant des spores.

Sporangiophore
Hyphe dressé et spécialisé des phycomycètes portant un sporange à son extrémité.

Spores
Éléments unicellulaires, généralement portés par des organes de fructification, par lesquels les mycètes assurent leur reproduction asexuée et sexuée. Synonyme : exospores.

Staphylocoques
Cocci groupés en amas irréguliers rappelant ceux d'une grappe de raisin.

Stérilisation
Procédé physique ou chimique assurant la destruction des microorganismes en les rendant incapables de se développer.

Streptocoques
Cocci attachés les uns aux autres et formant des chaînettes de longueur variable.

Symbiose
Association de deux organismes indispensable à l'un ou aux deux.

Syntrophie
Relation mutualiste réduite à l'apport alimentaire au cours de laquelle chaque espèce produit un élément nutritif essentiel au développement de l'autre.

T

Taux de croissance

Nombre de divisions que subit une bactérie ou une population bactérienne, par unité de temps.

Taux de mortalité

Proportion d'individus tués en un temps donné.

Thalle

Structure d'un mycète formée par le mycélium et les organes de fructification.

Thermophile

Se dit de tout microorganisme dont la température optimale de développement est supérieure à 55 °C.

Thermorésistance

Capacité d'un organisme à résister à des températures élevées.

Thermotolérant

Se dit de tout microorganisme mésophile capable de survivre à des températures de 65 à 70 °C.

Thrombine

Enzyme protéolytique responsable de la transformation du fibrinogène en fibrine, de la libération de la sérotonine des plaquettes et capable de scinder le composant C3 du complément.

Thymoindépendant

Qui ne dépend pas du thymus ou des lymphocytes. Employé pour décrire les aires thymo-indépendantes des organes lymphoïdes et les antigènes thymoindépendants vis-à-vis desquels la production d'anticorps ne requiert pas la présence des lymphocytes T.

Thymodépendant

Relatif au thymus ou aux lymphocytes T. Employé pour définir les aires thymodépendantes des organes lymphoïdes ou les antigènes thymodépendants vis-à-vis desquels la production d'anticorps requiert la coopération des lymphocytes T.

Toxines

Métabolites ou constituants cellulaires dont la libération provoque des lésions cellulaires locales ou altère certaines activités physiologiques essentielles.

Transcriptase inverse

Enzyme spécifique des rétrovirus catalysant la synthèse d'ADN à partir de l'ARN viral.

Tuberculine

Extrait préparé à partir de bacilles tuberculeux dans leur milieu de culture.

V

Vaccin

Culture microbienne ou toxine à virulence atténuée que l'on inocule à un individu afin de l'immuniser contre une infection microbienne.

Vaccination

Inoculation de microorganismes vivants, atténués ou morts, chez un sujet qui n'a jamais été en contact avec ces microorganismes en vue de développer un état de résistance et de prévenir la maladie à l'égard de cet agent infectieux.

Variabilité antigénique

Capacité, pour un organisme, de modifier rapidement et régulièrement ses protéines de surface pour rendre inopérantes les défenses immunitaires de l'hôte aux dépens duquel il se développe.

Vasodilatation

Dilatation artériolaire apparaissant sous l'influence de médiateurs chimiques au cours de la réaction inflammatoire ou par suite de l'intervention d'autres facteurs.

Virion

Unité structurale des virus constituée d'une enveloppe protéique, la capside, qui protège l'acide nucléique.

Virulence

Aptitude d'un parasite à se développer dans un organisme hôte et d'y provoquer des troubles morbides.

Voie alterne

Voie d'activation du complément par le composant C3, sans l'intervention des composants C1, C4 et C2, par différentes substances.

Voie classique

Voie d'activation du complément par suite de la fixation du fragment C1 sur les complexes immuns.

X

Xénogénique

Adjectif employé pour qualifier des cellules, des composés chimiques appartenant à un individu d'une autre espèce.

Xénogreffe

Greffe effectuée entre deux individus appartenant à des espèces différentes.

Z

Zoonose

Maladie infectieuse naturellement transmissible des animaux à l'Homme, et inversement.

index

Achevé   Imprimerie
d'imprimer Gagné Ltée
au Canada   Louiseville